O LIVRO DA HISTÓRIA

O LIVRO DA
HISTÓRIA

GLOBOLIVROS

GLOBOLIVROS

DK LONDRES
EDITORES DE PROJETO
Alexandra Beeden, Sam Kennedy

EDITOR SÊNIOR
Victoria Hetworth-Dunne

ASSISTENTE EDITORIAL
Kate Taylor

EDITOR DE PROJETO DE ARTE
Kate Cavanagh

DESIGNER
Vanessa Hamilton

ASSISTENTE DE DESIGN
Renata Latipova

GERENTE EDITORIAL DE ARTE
Lee Griffiths

GERENTE EDITORIAL
Gareth Jones

DIRETORA DE ARTE
Karen Self

DIRETORA ASSOCIADA DE PUBLICAÇÕES
Liz Wheeler

DIRETOR DE PUBLICAÇÕES
Jonathan Metcalf

DESIGNER DE CAPA
Natalie Godwin

EDITORA DE CAPA
Claire Gell

GERENTE DE DESENVOLVIMENTO DO PROJETO DE CAPA
Sophia MTT

PRODUTOR, PRÉ-PRODUÇÃO
Robert Dunn

PRODUTOR SÊNIOR
Mandy Inness

ILUSTRAÇÕES
James Graham, Vanessa Hamilton

Coproduzido por
SANDS PUBLISHINGS SOLUTIONS

EDITORES ASSOCIADOS
David e Sylvia Tombesi-Walton

DESIGNER ASSOCIADO
Simon Murrell

Projeto original
STUDIO8 DESIGN

EDITORA GLOBO
EDITORA RESPONSÁVEL
Camila Werner

EDITOR ASSISTENTE
Lucas de Sena Lima

ASSISTENTE EDITORIAL
Milena Martins

TRADUÇÃO
Rafael Longo

PREPARAÇÃO DE TEXTO
Jane Pessoa

CONSULTORIA
Pietro Henrique Delallibera

REVISÃO DE TEXTO
Andressa Bezerra Corrêa e Laila Guilherme

EDITORAÇÃO ELETRÔNICA
Eduardo Amaral

Editora Globo S.A.
Rua Marquês de Pombal, 25 – 20.230-240
Rio de Janeiro – RJ – Brasil
www.globolivros.com.br

Texto fixado conforme as regras do Acordo Ortográfico da Língua Portuguesa (Decreto Legislativo nº 54, de 1995)

Todos os direitos reservados. Nenhuma parte desta edição pode ser utilizada ou reproduzida — em qualquer meio ou forma, seja mecânico ou eletrônico, fotocópia, gravação etc. — nem apropriada ou estocada em sistema de banco de dados sem a expressa autorização da editora.

Publicado originalmente na Grã-Bretanha em 2016 por Dorling Kindersley Limited, 80 Strand London, WC2R 0RL. Parte da Penguin Random House.

Título original: *The History Book*

1ª-edição, 2017 – 12ª reimpressão, 2025
Impressão e acabamento: COAN

Copyright © Dorling Kindersley Limited, 2016
Copyright da tradução © Editora Globo S.A., 2017

UM MUNDO DE IDEIAS
www.dk.com

CIP-BRASIL. CATALOGAÇÃO NA PUBLICAÇÃO
SINDICATO NACIONAL DOS EDITORES DE LIVROS, RJ

L762

O livro da história / [tradução Rafael Longo]. - 1. ed. - São Paulo : GloboLivros, 2017.
352 p. : il.

Tradução de: The history book
ISBN 9788525064141

1. História universal. I. Longo, Rafael.

17-42757   CDD: 909
     CDU: 94(100)

COLABORADORES

REG GRANT, CONSULTOR EDITORIAL

R. G. Grant tem vários textos nos campos de história militar, história geral, temas atuais e biografias. Entre suas publicações estão os livros da DK Books *Flight: 100 Years of Aviation*, *Battle at Sea* e *World War I: The Definitive Visual Guide*.

FIONA COWARD

Dra. Fiona Coward é professora titular em arqueologia e antropologia na Bournemouth University, no Reino Unido. O foco de sua pesquisa são as mudanças da sociedade humana, desde os minúsculos grupos sociais de nossa pré-história às redes sociais globais que caracterizam a vida das pessoas hoje.

THOMAS CUSSANS

Thomas Cussans, escritor e historiador, já contribuiu para muitos trabalhos históricos, entre eles os livros da DK *Timelines of World History*, *History Year by Year* e *History: The Ultimate Visual Guide*. Já publicou *The Times History of the World* e *The Times Atlas of European History*. Sua obra mais recente é *The Holocaust*.

JOEL LEVY

Joel Levy é escritor especializado em história e história da ciência. É autor de mais de vinte livros, incluindo *Lost Cities*, *History's Greatest Discoveries* e *50 Weapons that Changed the World*.

PHILIP PARKER

Philip Parker é historiador especializado no mundo clássico e medieval. É autor dos livros *Companion Guide to World History*, *The Empire Stops Here: A Journey Around the Frontiers of the Roman Empire*, *The Northmen's Fury: A History of the Viking World*, e editor de *The Great Trade Routes: A History of Cargoes and Commerce Over Land and Sea*. Foi colaborador dos livros *History Year by Year* e *History of the World in 1000 Objects*. Já foi diplomata e editor de atlas históricos.

SALLY REGAN

Sally Regan foi colaboradora de mais de uma dezena de títulos, incluindo *History*, *World War II* e *Science*. Também é documentarista premiada do Channel 4 e da BBC no Reino Unido.

PHILIP WILKINSON

Philip Wilkinson já escreveu vários livros sobre assuntos históricos, heranças, história da arquitetura e artes. Também escreveu best-sellers como *What The Romans Did For Us*, além de títulos famosos como *The Shock of the Old* e *Grandes edificações*. Colaborou com várias enciclopédias e livros populares de referência.

SUMÁRIO

10 INTRODUÇÃO

AS ORIGENS HUMANAS
200.000 ANOS ATRÁS–3500 A.C.

20 **Tão importante como as viagens de Colombo à América ou a expedição da *Apolo 11***
Os primeiros humanos chegam à Austrália

22 **Tudo era tão lindo, tão fresco**
As pinturas nas cavernas de Altamira

28 **As fundações da Europa atual foram forjadas nos eventos do final da Era do Gelo**
O Grande Congelamento

30 **Surge uma grande civilização na planície de Anatólia**
O assentamento de Çatalhöyük

AS CIVILIZAÇÕES ANTIGAS
6000 A.C.–500 D.C.

36 **Para estabelecer o governo da justiça na Terra**
O Código Jurídico de Hamurabi

38 **Toda a Terra se quebrou prostada sob suas sandálias por toda a eternidade**
Os tempos de Abu Simbel

40 **O apego é a raiz do sofrimento**
Sidarta Gautama prega o budismo

42 **Uma pista para a existência de um sistema de escrita pictórica nas terras gregas**
O palácio de Cnossos

44 **Em tempos de paz, os filhos enterram seus pais, mas na guerra são os pais que enterram seus filhos**
As Guerras Médicas

46 **Os muitos, não os poucos**
A democracia ateniense

52 **Não há nada impossível para aquele que tenta**
As conquistas de Alexandre, o Grande

54 **Se o Qin puder impor sua vontade ao mundo, então todo mundo acabará sendo seu prisioneiro**
O primeiro imperador unifica a China

58 **Assim perecem todos os tiranos**
O assassinato de Júlio César

66 **Com este sinal vencerás**
A Batalha da Ponte Mílvia

68 **A cidade que havia tomado o mundo inteiro foi também tomada**
O saque de Roma

70 Outros eventos

O MUNDO MEDIEVAL
500–1492

76 **A busca por aumentar o império e fazê-lo mais glorioso**
Justiniano reconquista Roma

78 **Chegou a verdade, e a falsidade se desvaneceu**
Maomé recebe a revelação divina

82 **Um líder em cuja sombra a nação cristã está em paz**
A coroação de Carlos Magno

84 **O governante está rico, mas o Estado está destruído**
A rebelião de An Lushan

86 **Um impulso do espírito e um despertar da inteligência**
A fundação de Bagdá

94 **Nunca tal terror como o de agora apareceu na Britânia**
A incursão viking em Lindisfarne

96 **A Igreja romana nunca errou**
A Querela das Investiduras

98 **Um homem destinado a ser senhor do Estado**
Minamoto Yoritomo torna-se xogum

100 **Todos os homens em nosso reino tenham e guardem todas essas liberdades, direitos e concessões**
A assinatura da Magna Carta

102 **O homem mais potente, no que diz respeito a terras e tesouros, que já existiu no mundo**
Kublai Khan derrota a dinastia Song

104 **Não contei metade do que vi porque sabia que ninguém acreditaria**
Marco Polo chega a Shangdu

106 **Aqueles que têm sido mercenários por algumas moedas alcançam agora recompensas eternas**
A queda de Jerusalém

108 **Confirmamos teu domínio sobre Portugal, com honras de reino e a dignidade que aos reis pertence**
A Batalha de Ourique

110 **Não deixou nenhum emir da corte, nem nenhuma autoridade, sem o presente de um punhado de ouro**
A *hajj* de Mansa Musa a Meca

112 **Deem ao sol o sangue dos inimigos para beber**
A fundação de Tenochtitlán

118 **Foram raros os casos em que um décimo das pessoas, de qualquer tipo, sobreviveu**
O surto da Peste Negra na Europa

120 **Trabalhei para cumprir a vontade do céu**
Hongwu funda a dinastia Ming

128 **Expulsem os adversários do meu povo cristão**
A queda de Granada

130 **Acabei de inventar 28 letras**
O rei Sejong introduz uma nova escrita

132 **Outros eventos**

O COMEÇO DA IDADE MODERNA
1420–1795

138 **Se minha cidade cair, eu cairei com ela**
A queda de Constantinopla

142 **Seguindo a luz do sol deixamos o Velho Mundo**
Cristóvão Colombo chega à América

148 **Essa linha deve ser considerada uma marca e um vínculo perpétuos**
O Tratado de Tordesilhas

152 **Os antigos nunca construíram prédios tão altos**
O começo do Renascimento Italiano

156 **A guerra ficou muito diferente**
A batalha de Castillon

158 **Tão diferente do nosso quanto o dia é da noite**
O Intercâmbio Colombiano

160 **Minha consciência é cativa à palavra de Deus**
As 95 teses de Martinho Lutero

164 **Ele começou a guerra na Boêmia, a qual subjugou, e a forçou a seguir sua religião**
A defenestração de Praga

170 **Tudo querem para lá. Usam da terra só para a desfrutarem e a deixarem destruída**
A criação do primeiro Governo-Geral

172 **Eles estimavam uma grande esperança e um zelo interior**
A viagem do *Mayflower*

174 **Cortaremos sua cabeça com a coroa ainda nela**
A execução de Carlos I

176 **A própria existência das plantações depende da oferta de servos negros**
A formação da Companhia Real Africana

180 **Não há nenhuma esquina onde não se fale sobre ações**
A abertura da Bolsa de Valores de Amsterdã

184 **Depois da vitória, apertem as fivelas do seu capacete**
A Batalha de Sekigahara

186 **Use os bárbaros para controlar os bárbaros**
A Revolta dos Três Feudos

188 **O Estado sou eu**
Luís XIV se torna o governante pessoal da França

190 **Cultivei a matemática, nesse tratado, enquanto filosofia**
Newton publica o *Principia*

191 **Não se esqueça de suas grandes armas, os mais respeitáveis argumentos a favor do direito dos reis**
A Batalha de Quebec

192 **Juntem todo o conhecimento espalhado pela Terra**
Diderot publica a *Enciclopédia*

196 **Eu construí São Petersburgo como uma janela para deixar entrar a luz da Europa**
A fundação de São Petersburgo

198 Outros eventos

SOCIEDADES EM TRANSFORMAÇÃO
1776–1914

204 **Consideramos evidentes as seguintes verdades: que todos os homens foram criados iguais**
A assinatura da Declaração de Independência

208 **Meu Senhor, é uma revolução**
A queda da Bastilha

214 **Devo fazer de todos os povos da Europa um único, e de Paris a capital do mundo**
A Batalha de Waterloo

216 **Independência ou morte!**
O Grito do Ipiranga

220 **A vida sem indústria é culpa**
O *Rocket* de Stephenson entra em operação

226 **Você pode escolher não olhar, mas jamais poderá dizer de novo que não sabia**
A Lei da Abolição do Comércio de Escravos

228 **A sociedade se dividiu em duas**
As revoluções de 1848

230 **Essa empreitada trará uma recompensa enorme**
A construção do Canal de Suez

236 **Infinitas formas mais belas e maravilhosas evoluíram, e continuam evoluindo**
Darwin publica *A origem das espécies*

238 **Armemo-nos. Lutemos por nossos irmãos**
A Expedição dos Mil

242 **Essas tristes cenas de morte e sofrimento, quando chegarão ao fim?**
O cerco de Lucknow

243 **É melhor abolir a servidão a partir de cima do que esperar que ela se liberte a partir de baixo**
A Rússia emancipa os servos

244 **O governo do povo, pelo povo e para o povo jamais desaparecerá da face da Terra**
O discurso de Gettysburg

248 **Nosso destino manifesto é nos espalharmos por todo o continente**
A Febre do Ouro da Califórnia

250 **A América é o caldeirão de Deus, o grande cadinho cultural**
A abertura de Ellis Island

252 **Enriqueçam o país, fortaleçam os militares**
A restauração Meiji

254 **Em minha mão empunho o Universo e o poder de atacar e matar**
A Segunda Guerra do Ópio

256 **Eu deveria ter ciúmes da Torre Eiffel. Ela é mais famosa que eu**
A abertura da Torre Eiffel

258 **Se eu pudesse, anexaria outros planetas**
A Conferência de Berlim

260 **Meu povo vai aprender os princípios da democracia, os dizeres da verdade e os ensinamentos da ciência**
A Revolução dos Jovens Turcos

262 **Ações, não palavras**
A morte de Emily Davison

264 Outros eventos

O MUNDO MODERNO
1914–PRESENTE

270 **Quase sempre você preferia estar morto**
A Batalha de Passchendaele

276 **A história jamais nos perdoará se não assumirmos o poder agora**
A Revolução de Outubro

280 **Isso não é paz. Isso é um armistício por vinte anos**
O Tratado de Versalhes

281 **A morte é a solução para todos os problemas. Sem homem – sem problema**
Stálin assume o poder

282 **Qualquer falta de confiança no futuro econômico dos Estados Unidos é uma tolice**
O Crash de Wall Street

284 **A verdade é que os homens estão cansados da liberdade**
O incêndio no Reichstag

286 **Ao começar uma guerra, não é o certo que importa, mas a vitória**
A invasão alemã da Polônia

294 **A solução final para a questão judaica**
A Conferência de Wannsee

296 **Tudo o que fazíamos era voar e dormir**
O bloqueio de Berlim

298 **Na batida da meia-noite, enquanto o mundo dorme, a Índia despertará para a vida e a liberdade**
A independência e a partilha da Índia

302 **O nome do nosso Estado será Israel**
A criação de Israel

304 **A longa marcha é um manifesto, uma força de propaganda, uma máquina de semear**
A Longa Marcha

306 **Gana, seu amado país, está livre para sempre**
Nkrumah conquista a independência ganesa

308 **Nos encaramos olho no olho, e acho que o outro cara piscou primeiro**
A crise cubana de mísseis

310 **As pessoas do mundo inteiro estão apontando para o satélite**
O lançamento do *Sputnik*

311 **Eu tenho um sonho**
A Marcha de Washington

312 **Eu não perderei o Vietnã**
O incidente do Golfo de Tonkin

314 **Uma revolução não é um mar de rosas**
A invasão da Baía dos Porcos

316 **Dispersando o velho mundo, construindo o novo**
A Revolução Cultural

318 **Nós o defenderemos com nosso sangue e força, e enfrentaremos agressão com agressão e mal com mal**
A crise de Suez

322 **Cai a Cortina de Ferro**
A queda do Muro de Berlim

324 **Todo poder para o povo**
Os protestos de 1968

325 **Nunca, nunca, nunca de novo**
A libertação de Nelson Mandela

326 **Criemos uma situação insuportável de insegurança total sem qualquer esperança de sobrevivência**
O cerco de Sarajevo

327 **Hoje, nossos caros cidadãos, nossa forma de vida, nossa própria liberdade estão sob ataque**
Os ataques de 11/9

328 **Você afeta o mundo por onde navega**
O lançamento do primeiro site da web

330 **Uma crise que começou no mercado de hipotecas dos EUA levou o sistema financeiro do mundo bem perto do colapso**
A crise financeira global

334 **Esse é um dia de toda a nossa família humana**
A população global passa dos 7 bilhões

340 Outros eventos

342 GLOSSÁRIO
344 ÍNDICE
351 ATRIBUIÇÕES DAS CITAÇÕES
352 AGRADECIMENTOS

INTRODU

ÇÃO

INTRODUÇÃO

A meta última e definitiva da história é o autoconhecimento humano. Nas palavras do historiador do século xx R. G. Collingwood, "o valor da história é que ela nos ensina o que o homem já fez, logo, o que o homem é". Não podemos esperar entender nossa vida sem ela.

A própria história tem uma história. Desde os tempos mais remotos, todas as sociedades – letradas (que dominavam a escrita) ou pré-letradas – contam histórias sobre suas origens ou seu passado, quase sempre fábulas imaginadas, centradas nos atos de deuses e heróis. As primeiras civilizações letradas também guardavam registros das ações de seus governantes, escritos em placas de argila ou em paredes de palácios e templos. Mas, a princípio, essas sociedades antigas não fizeram qualquer esforço visando a uma pesquisa sobre a verdade do passado; elas não diferenciavam entre o que realmente aconteceu e os eventos relatados em mitos e lendas.

Narrativa histórica antiga

Foram os escritores da Grécia antiga Heródoto e Tucídides que, no século v a.C., primeiramente exploraram questões a respeito do passado através da compilação e da interpretação de evidências – a palavra "história", originalmente usada por Heródoto, significa "investigação" em grego. A obra de Heródoto ainda contínua uma mistura considerável de mito, mas o relato de Tucídides da Guerra do Peloponeso satisfaz a maioria dos critérios dos estudos históricos modernos. Foi baseado em entrevistas com testemunhas oculares do conflito e atribuía os eventos à ação humana em vez de às intervenções e às ações dos deuses.

Tucídides inventou uma das formas mais duradouras de história: a narrativa detalhada de guerras e conflitos políticos, diplomacia e decisões estatais. A subsequente ascensão de Roma e seu controle sobre o mundo mediterrâneo encorajaram os historiadores a desenvolver outro gênero de escopo ainda mais amplo: o relato de "como chegamos onde estamos hoje". O historiador helênico Políbio (200–118 a.C.) e o historiador romano Tito Lívio (59 a.C.–17 d.C.) buscaram criar uma narrativa da ascensão de Roma – uma "grande imagem" que ajudaria a explicar os eventos numa escala temporal mais longa. Apesar de restrito ao mundo romano, esse foi o começo daquilo que é comumente chamado de "história universal", que tenta descrever o progresso a partir das origens mais remotas até o presente como sendo uma história com uma meta, dando ao passado um aparente propósito e direção.

Ao mesmo tempo, na China, o historiador Sima Qian (c. 145–86 a.C.) tentava traçar a história chinesa de milhares de anos desde o Imperador Amarelo (c. 2697 a.C.) até a dinastia Han sob o imperador Wu (c. 109 a.C.).

Lições morais

Ao mesmo tempo que tentavam dar um sentido através de narrativas, os historiadores do mundo antigo estabeleceram a tradição da história como uma fonte de lições e reflexões morais. A história escrita por Tito Lívio ou Tácito (56–117 d.C.), por exemplo, tinha em parte o objetivo de examinar o comportamento de heróis e vilões, meditando sobre as forças e fraquezas no caráter de imperadores e generais

---

Aqueles que não podem lembrar o passado estão condenados a repeti-lo.
George Santayana
The Life of Reason (1905)

e oferecendo exemplos para que os virtuosos pudessem imitar ou evitar. Esta continua sendo uma das funções da história. O cronista francês Jean Froissart (1337–1405) disse que escrevera seus relatos dos cavaleiros medievais lutando na Guerra dos Cem Anos "para que os homens de coragem pudessem ser inspirados a seguir tais exemplos". Hoje os estudos históricos de Lincoln, Churchill, Gandhi ou Martin Luther King Jr. cumprem a mesma função.

A "Idade das Trevas"
A ascensão do cristianismo no final do Império Romano mudou radicalmente o conceito de história na Europa. Os eventos históricos passaram a ser vistos pelos cristãos como providência divina ou realização da vontade de Deus. A investigação cética do que realmente aconteceu era, quase sempre, negligenciada, e relatos de milagres ou martírios eram geralmente aceitos sem questionamento. O mundo muçulmano, nesta e em outras formas, era com frequência mais sofisticado que o cristianismo dos tempos medievais, com o historiador árabe Ibn Khaldun (1332–1406) lutando contra a aceitação cega, não crítica, de relatos extravagantes de eventos que não podiam ser verificados.

Nenhum historiador cristão ou muçulmano produziu uma obra na escala das crônicas da história chinesa publicadas na dinastia Song em 1085, que registraram a história chinesa por quase 1.400 anos em 294 volumes.

O humanismo renascentista
A despeito dos méritos inquestionáveis das tradições de outras civilizações quanto à escrita histórica, foi na Europa Ocidental que a moderna historiografia evoluiu. O Renascimento – que começou na Itália no século XV, de onde se espalhou por toda a Europa e durou até o final do século XVI em algumas áreas – centrou-se na redescoberta do passado. Os pensadores renascentistas acharam uma fonte fértil de inspiração na antiguidade clássica, em áreas tão diversas quanto arquitetura, filosofia, política e táticas

Pois é quase a mesma coisa conversar com as pessoas dos outros séculos e viajar.
René Descartes
Discurso do método (1637)

militares. Os estudiosos humanistas do período renascentista consideraram a história um dos principais assuntos em seus novos currículos educacionais, e o antiquário tornou-se uma figura familiar em círculos da elite, garimpando ruínas antigas e criando coleções de moedas e inscrições antigas. Ao mesmo tempo, a disseminação da imprensa disponibilizou a história para um público muito mais amplo.

O Iluminismo
Em meados do século XVIII, na Europa, a metodologia da história – que consistia em averiguar fatos, criticando e comparando fontes históricas – alcançou um razoável nível de sofisticação. Os pensadores europeus chegaram a um acordo sobre a divisão do passado em três grandes períodos: antigo, medieval e moderno. Essa periodização era, em sua raiz, um julgamento de valor, com o período medieval, dominado pela Igreja, visto como uma era de irracionalidade e barbárie, e separava o mundo dignificado das civilizações antigas do universo racional recém--surgido na Europa moderna. Os filósofos do Iluminismo escreviam histórias que ridicularizavam o que consideravam tolices do passado.

O espírito romântico
Num contraste extremo, o movimento romântico que varreu a Europa a partir do final do século XVIII achou um valor »

intrínseco na diferença entre o passado e o presente. Os românticos buscaram inspiração na Idade Média e, em vez de verem o passado como uma preparação para o mundo moderno, como tinha sido o caso até então, os historiadores românticos tentaram o exercício imaginativo de entrar no espírito de eras passadas. Muito disso estava associado ao nacionalismo. O pensador romântico alemão Johann Gottfried Herder (1774–1803) garimpou o passado em busca das raízes da identidade nacional e de um autêntico "espírito alemão". Com o triunfo do nacionalismo na Europa no século XIX, muito da história tornou-se uma celebração das características nacionais e de seus heróis, quase sempre guinando para a criação de mitos. Todo país queria ter sua própria história heroica sagrada, junto com sua bandeira e seu hino nacional.

A "Grande Narrativa"

No século XIX, a história tornou-se cada vez mais importante e assumiu a qualidade de destino. De forma arrogante, a civilização europeia viu-se como o resultado para o qual a história havia progredido e construiu narrativas que atribuíam um sentido para o passado nesses termos. O filósofo alemão Georg Wilhelm Friedrich Hegel (1770–1831) articulou um grande arcabouço da história como um desenvolvimento lógico que culminou no estágio final do Estado prussiano. O filósofo e revolucionário social Karl Marx (1818–1883) mais tarde adotou o arcabouço de Hegel na sua própria teoria ("materialismo histórico"), na qual ele alegou que o progresso econômico, causador do conflito entre as classes sociais, resultaria, inevitavelmente, algum dia, no proletariado assumindo o poder da burguesia, enquanto a ordem do mundo capitalista entraria em colapso por suas próprias contradições internas. Com razão, o marxismo provou ser a mais influente e duradoura de todas as "grandes narrativas" históricas.

Assim como outras áreas do conhecimento, no século XIX a história passou por uma profissionalização e

A história é, na verdade, pouco mais do que o registro dos crimes, das loucuras e das desgraças da humanidade.
Edward Gibbon
Declínio e queda do Império Romano (1776)

se tornou uma disciplina acadêmica. A história acadêmica aspirava ao status de ciência, e o acúmulo de "fatos" era seu propósito confesso. Surgiu uma brecha entre a história "séria" – geralmente cheia de estatísticas econômicas – e as vívidas obras literárias de historiadores populares como Jules Michelet (1798–1874) e Thomas Macaulay (1800–1859).

A ascensão da história social

No século XX, o tema da história – que sempre focou em reis, rainhas, primeiros ministros, presidentes e generais – cada vez mais se ampliou para incluir as pessoas comuns, cujo papel em eventos históricos tornou-se acessível por meio de uma pesquisa mais aprofundada. Alguns historiadores (de início, os franceses) escolheram desconsiderar de vez a "história dos eventos", preferindo estudar as estruturas sociais e os padrões da vida cotidiana, bem como as crenças e formas de pensar (*mentalités*) das pessoas comuns em diversos períodos históricos.

Uma abordagem eurocêntrica

De forma geral, até a segunda metade do século XX, a maior parte da história do mundo foi escrita como o triunfo da civilização ocidental. Tal abordagem era tão implícita nas

INTRODUÇÃO

 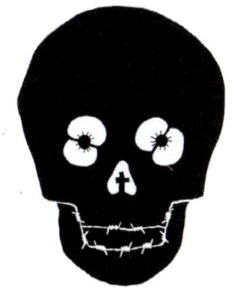 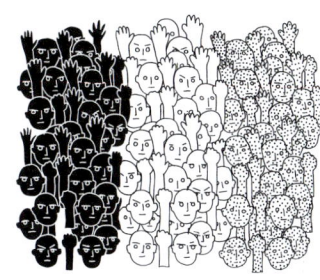

versões marxistas da história como naquelas histórias que celebravam o progresso da tecnologia, dos empreendimentos e da democracia liberal. Ela não implicava, necessariamente, otimismo – houve muitos profetas do declínio e da destruição. Mas sugeria que, essencialmente, a história foi feita, e ainda era feita, pela Europa e pelos brotos europeus que floresceram em todos os cantos. Por exemplo, tornou-se aceitável a respeitáveis historiadores europeus sustentar que a África negra não teve nenhuma história significativa, tendo falhado em contribuir para a marcha da humanidade rumo ao progresso.

Revisionismo pós-colonial

No curso da segunda metade do século XX, a noção de uma "grande narrativa" única, propositada, entrou em colapso, levando o eurocentrismo consigo. O mundo pós-colonial, pós-moderno, exigia uma multiplicidade de histórias contadas do ponto de vista de diversas identidades sociais distintas. Houve um aumento de interesse pelo estudo da história dos negros, das mulheres, dos gays, bem como de histórias narradas do ponto de vista de asiáticos, africanos ou indígenas americanos. Os marginalizados e oprimidos da sociedade foram reavaliados como "agentes" da história em vez de vítimas passivas. Um levante revisionista pôs de ponta-cabeça boa parte da história do mundo como fora comumente conhecida pelas pessoas educadas no Ocidente, se bem que quase sempre sem oferecer nenhuma versão alternativa satisfatória àquela. Por exemplo, a confusão proveniente disso pode ser vista na resposta ao 500º aniversário, em 1992, da primeira viagem de Cristóvão Colombo às Américas. Era de esperar que isso causasse uma ampla celebração nos EUA, mas acabou sendo reconhecida com certo embaraço, se muito. As pessoas não estão mais seguras sobre o que pensar da história tradicional, de seus grandes homens e dos eventos que marcaram época.

Uma perspectiva do século XXI

O conteúdo deste livro reflete esse abandono das "grandes narrativas" do progresso humano, procurando apresentar a um leitor genérico uma visão geral da história do mundo através de momentos, ou eventos, específicos que sejam capazes de servir como uma janela para áreas específicas do passado. Alinhado com as preocupações contemporâneas, este livro também reflete a importância, no longo prazo, de fatores-chave como crescimento populacional, clima e meio ambiente em toda a história humana. Ao mesmo tempo, oferece um relato de assuntos de interesse histórico popular e tradicional, como a Magna Carta, a Peste Negra e a Guerra Civil Americana. Começa-se com as origens dos humanos e sua "pré-história" e, então, avança-se pelas diferentes eras históricas até o presente. Na verdade, nunca houve essas divisões claras entre as épocas; onde existe uma sobreposição de datas, os temas foram incluídos na era ideológica mais apropriada.

Conforme este livro ilustra, a história é um processo, mais do que uma série de eventos sem conexão. Só podemos especular como os eventos que experimentamos hoje darão forma à história de amanhã. Ninguém no começo do século XXI seria capaz de dar um sentido à história, mas ela continua sendo a disciplina fundamental para qualquer um que creia, como o poeta Alexander Pope, que "o estudo adequado da humanidade é o próprio homem". ∎

Não fazemos a história.
Somos feitos pela história.
Martin Luther King Jr.
Força para amar (1963)

AS ORIGENS
200.000 ANOS ATRÁS

HUMANAS
— 3500 A.C.

INTRODUÇÃO

c. 200.000 ANOS ATRÁS	c. 40.000 ANOS ATRÁS	c. 23.000 ANOS ATRÁS	c. 9000 A.C.
Os *primeiros humanos* (*Homo sapiens*) surgem no **leste da África**; os **neandertais** (*Homo neanderthalensis*) habitam a **Europa e o oeste da Ásia**.	Os povos paleolíticos começam a **criar arte** (esculturas de animais e pinturas em cavernas) e **artefatos** (joias e ferramentas decorativas, além de armas).	Ocorre um período de frio intenso, o "**Big Freeze**" (ou "Grande Congelamento"). As pessoas e os animais nas regiões mais ao norte morrem ou migram para o sul.	**Jericó** (atualmente na Cisjordânia) é estabelecida; até hoje segue sendo uma **das cidades mais velhas continuamente habitadas** no mundo.

c. 45.000 ANOS ATRÁS	c. 35.000 ANOS ATRÁS	c. 15.000 ANOS ATRÁS	c. 7500 A.C.
Os humanos se **espalham** por todo o mundo e habitam a maior parte da **Eurásia** e da **Austrália**, aonde chegam por barcos a partir do sudeste asiático.	Surgem as primeiras **estátuas ornamentais humanas**, quase sempre representando **mulheres**, entalhadas ou esculpidas em ossos, marfim, terracota ou pedras.	Os humanos começam a chegar à **América do Norte**, atravessando a **ponte de terra** que liga a Ásia à América do Norte (hoje, o Estreito de Bering), ou por **mar**.	Um **assentamento** em **Çatalhöyük**, no centro da Turquia, é estabelecido; a evidência de **rituais** complexos indica **coesão social**.

Em geral, acredita-se que as origens da raça humana provêm da África. Através do processo comum de evolução biológica e seleção natural, o gênero *Homo* evoluiu na África Oriental, durante milhões de anos, com os chimpanzés, seu parente próximo. Pelo mesmo processo biológico, o *Homo sapiens* – humanos modernos – evoluiu com outros hominídeos (os parentes dos humanos, inclusive os neandertais, que morreram 40 mil anos atrás).

Mais ou menos há 100 mil anos, os bandos dispersos de humanos caçadores e coletores quase não se distinguiriam de outros grandes macacos. Mas, em algum ponto (difícil de definir com precisão), os humanos começaram a mudar de uma forma distinta, não pelo processo de evolução biológica, mas por evolução cultural. Eles desenvolveram a habilidade de mudar seu estilo de vida através da criação de ferramentas, linguagens, crenças, costumes sociais e arte. Quando começaram a pintar requintadas figuras de animais nas paredes de cavernas e a entalhar ou esculpir figuras ornamentais em pedras ou ossos, passaram a se distinguir de forma única de outros animais. Sua transformação foi lenta nos primeiros anos, mas adquiriu um incrível ímpeto no decorrer dos milênios. Os humanos tornaram-se o único animal com uma história.

Descobrindo a história

O desenvolvimento primitivo das culturas humanas criou um problema especial para os historiadores. A primeira escrita não foi inventada a não ser bem mais tarde na história humana – por volta de 5 mil anos atrás. Tradicionalmente, o período antes da escrita costumava ser rejeitado como "pré-história", já que não deixou nenhum documento para que os historiadores pudessem estudar. No entanto, recentemente, um amplo leque de novos métodos científicos – incluindo o estudo de material genético e a datação por radiocarbono de restos orgânicos – foi adicionado às já reconhecidas técnicas de arqueologia, permitindo aos estudiosos clarear, nem que seja com uma fraca luz, essa era pré-letrada.

A narrativa do passado humano distante está sob constante revisão, conforme novas descobertas e pesquisas – cujos achados são com frequência questionados – criam mudanças radicais em certas perspectivas. A investigação recente de uma caverna, um cemitério ou um crânio humano ainda é capaz de questionar várias áreas de conhecimento já aceitas. Mas no século XXI boa parte da história dos primeiros humanos pode ser descrita com um razoável grau de confiança.

AS ORIGENS HUMANAS

Há evidência de **cobre fundido** na Sérvia, e a **roda** é inventada no Oriente Médio, provavelmente para a produção de cerâmica em vez de transporte.

Começa a **Era do Bronze** no **Oriente Médio**, e surge a **Civilização do Vale do Indo** no subcontinente indiano.

A **escrita cuneiforme** – um dos sistemas mais antigos de escrita do mundo – é inventada na **Suméria**, no sul da Mesopotâmia (atual Iraque).

Em **Stonehenge**, na Grã-Bretanha, **pedras são erguidas** no centro de um cercamento de terra construído 500 anos antes; mais tarde, as pedras são realocadas.

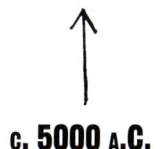

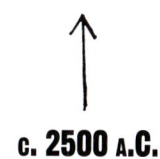

↑ ↑ ↑ ↑

c. 5000 a.C. **c. 3300 a.C.** **c. 3000 a.C.** **c. 2500 a.C.**

c. 4000 a.C. **c. 3100 a.C.** **c. 2700 a.C.** **c. 1800 a.C.**

↓ ↓ ↓ ↓

Surgem **civilizações** na **Mesopotâmia**, no vale dos rios Tigre-Eufrates (atualmente Iraque, Síria e Kuwait), onde aparece a **agricultura irrigada**.

Narmer **unifica** o alto e o baixo Egito, tornando-se rei da **Primeira Dinastia**; já existem os **hieróglifos** egípcios.

São construídas as primeiras **pirâmides** de pedra, no Egito, servindo como **tumbas** monumentais; a Grande Pirâmide de Giza é construída dois séculos depois.

A **escrita alfabética** (a escrita protossinaítica baseada em hieróglifos) **surge no Egito**; é a ancestral da maioria dos alfabetos modernos.

Caçadores-coletores nômades

Todos os historiadores concordam que até aproximadamente 12 mil anos atrás os humanos eram caçadores-coletores, usando ferramentas de pedra e vivendo em grupos pequenos, e sempre em movimento. Esse período é conhecido como Era Paleolítica (ou Idade da Pedra Lascada). Os humanos eram uma espécie bem-sucedida, aumentando o seu número para algo próximo de 10 milhões e se espalhando por quase todas as partes da Terra. Em geral, eles se adaptaram bem às maiores mudanças climáticas naturais que ocorreram por dezenas de milhares de anos, apesar de serem temporariamente expulsos das áreas mais ao norte, como a Grã-Bretanha e a Escandinávia, durante a fase mais fria daquela que é popularmente conhecida como Era do Gelo ou Era Gracial.

Os humanos existiam numa relação íntima com o ambiente natural, mas seus efeitos sobre esse ambiente, mesmo nesse estágio mais remoto, não foram necessariamente benignos. Existe uma perturbadora coincidência entre a disseminação dos humanos caçadores pelo planeta e a extinção da megafauna, como os mamutes e mastodontes. Apesar de a caça humana estar longe de ser identificada como a única causa dessas extinções – mudanças climáticas naturais também podem ter tido uma grande contribuição –, a partir de nossa perspectiva moderna ela pode ser vista como um precedente preocupante.

A revolução agrícola

O estilo de vida caçador-coletor, que pode ser razoavelmente descrito como "natural" para os seres humanos, parecia ter muitos aspectos positivos. O exame de vestígios humanos dessas primeiras sociedades caçadoras-coletoras sugere que nossos ancestrais geralmente desfrutavam de comida abundante, obtida sem esforço excessivo, e sofriam de bem poucas doenças. Se isso for verdade, não é claro o que motivou tantos seres humanos por todo o mundo a se fixar em vilas permanentes e desenvolver a agricultura, cultivando a terra e domesticando animais: cultivar o campo era um trabalho fatigante, e foi em vilas agrícolas que aconteceram as primeiras doenças epidêmicas.

Qualquer que tenha sido o efeito imediato sobre a qualidade de vida dos humanos, o desenvolvimento de assentamentos e da agricultura sem dúvida levou ao aumento da densidade populacional. Às vezes conhecido como a Revolução Neolítica (ou Idade da Pedra), esse período foi um enorme ponto de inflexão no desenvolvimento humano, abrindo caminho para o crescimento das primeiras vilas e cidades e levando, por fim, ao surgimento das "civilizações". ■

TÃO IMPORTANTE COMO AS VIAGENS DE COLOMBO À AMÉRICA OU A EXPEDIÇÃO DA *APOLO 11*
OS PRIMEIROS HUMANOS CHEGAM À AUSTRÁLIA (C. 60.000–45.000 ANOS ATRÁS)

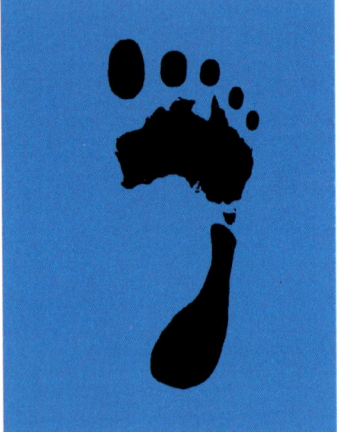

EM CONTEXTO

FOCO
Migração

ANTES
c. 200.000 anos atrás O *Homo sapiens* (os humanos modernos) evolui na África.

c. 125.000–45.000 anos atrás Grupos de *Homo sapiens* deixam a África.

DEPOIS
c. 50.000–30.000 anos atrás Os hominídeos de Denisova estão presentes no centro-sul da Rússia.

45.000 anos atrás O *Homo sapiens* chega à Europa.

c. 40.000 anos atrás Os neandertais desaparecem. Seus últimos habitats conhecidos estão na Península Ibérica.

c. 18.000 anos atrás Fósseis do *Homo floresiensis* são datados dessa época.

c. 13.000 anos atrás Os humanos estão presentes perto de Clovis, no Novo México (EUA), mas talvez não tenham sido os primeiros do continente.

O *Homo sapiens* evolui na África.

↓

O *Homo sapiens* se espalha pelo **Oriente Médio**, mas retorna para a África, só chegando à **Europa e à Ásia ocidental** mais tarde.

Depois de se mudarem para o **sul da Ásia**, grupos de *Homo sapiens* acompanham a linha costeira até o **sudeste asiático**.

↓

Na Eurásia ocidental, o *Homo sapiens* encontra **outras espécies de hominídeos, os neandertais e os de Denisova**.

O *Homo sapiens* chega à Austrália.

↓

Todas as espécies hominídeas, exceto o *Homo sapiens*, **são extintas**.

Os humanos modernos são a única espécie mamífera global. A partir de sua evolução na África, por volta de 200 mil anos atrás, o *Homo sapiens* rapidamente se espalhou por todo o mundo – sinal da curiosidade de nossa espécie em explorar as cercanias e de nossa criatividade em nos adaptar a diferentes habitats. Em especial, muitos pesquisadores pensam que a habilidade humana de explorar ambientes costeiros foi crucial em sua rápida disseminação pela costa sul da Ásia.

Nem mesmo a radicalmente distinta flora e fauna da Austrália foi uma barreira; os humanos talvez

Veja também: As pinturas nas cavernas de Altamira 22-27 ▪ O Grande Congelamento 28-29 ▪ O assentamento de Çatalhöyük 30-31

Restos do *Homo floresiensis* foram encontrados na ilha de Flores, na Indonésia, em 2003. Alguns estudos sugerem que sua baixa estatura se deve mais a doenças do que à indicação de uma nova espécie.

tenham chegado ao continente há mais de 60 mil anos, apesar de haver dúvidas quanto a essas datas. Pequenos grupos talvez tenham chegado bem antes, mas o grosso das evidências sugere uma colonização generalizada apenas 45 mil anos atrás, quase na mesma época em que o *Homo sapiens* chegou à Europa.

Outras espécies

O *Homo sapiens* foi o primeiro hominídeo a chegar na Austrália. Na Eurásia, porém, diferentes espécies ancestrais precisaram competir por espaço. Quando os humanos se espalharam pela Europa, encontraram neandertais que já habitavam a região há cerca de 250 mil anos e estavam bem adaptados ao ambiente. Mais a leste, na Rússia, há evidências de uma misteriosa espécie cujo DNA foi encontrado na caverna Denisova, incrustada na Cordilheira de Altai. E na ilha de Flores, no sudeste asiático, fósseis do que possivelmente seria mais uma espécie – o *Homo floresiensis*, de baixa estatura e cérebro menos desenvolvido – datam de 18 mil anos atrás.

De todos esses hominídeos, o *Homo sapiens* foi o único que sobreviveu aos milênios e partiu para colonizar a América. Como exatamente nossa espécie chegou ao continente ainda é assunto controverso. A teoria mais conhecida afirma que os humanos atravessaram o Estreito de Bering, um trecho de mar entre a Rússia e o Alasca que ficou congelado durante a última Era do Gelo, permitindo a

A invasão humana por toda a América é testemunho da genialidade e insuperável adaptabilidade do *Homo sapiens*.
Yuval Noah Harari
Sapiens: Uma breve história da humanidade (2011)

passagem a pé entre os dois continentes. Por esse ponto de vista, os artefatos de pedra de 13 mil anos encontrados próximos à cidade de Clovis, no Novo México (EUA), poderiam ser evidências da primeira cultura americana.

Essa explicação é confrontada por teorias que defendem uma colonização da América a partir do sul. O etnólogo francês Paul Rivet foi um dos primeiros a afirmar que nossos ancestrais poderiam ter cruzado o oceano Pacífico a partir da Austrália, passando pela Polinésia e por uma série de ilhas hoje submersas. Dois dos principais sítios arqueológicos que confirmam essas teorias estão no Brasil. O primeiro é o de Lagoa Santa, em Minas Gerais, onde em 1975 foi encontrado um crânio de 13 mil anos batizado de Luzia. Já no Parque Nacional Serra da Capivara, no Piauí, pesquisas conduzidas pela arqueóloga Niède Guidon localizaram vestígios com até 100 mil anos de idade, o que derruba por completo as teorias de ocupação da América baseadas na migração pela Beríngia. ▪

Homo sapiens: o único hominídeo sobrevivente

Não existem evidências de violência entre a espécie humana e os demais hominídeos. Na verdade, nosso DNA revela traços de genes tanto do Homem de Neandertal quanto do Homem de Denisova, provando que as espécies se misturaram e procriaram. Por que, então, apenas o *Homo sapiens* sobreviveu?

Em primeiro lugar, pela capacidade de adaptação. Embora os neandertais fossem muito hábeis na fabricação de ferramentas, nossos ancestrais souberam lidar melhor com as rápidas mudanças climáticas da Era do Gelo. Assim, produziam utensílios de pedra, como os neandertais, mas também aprenderam a usar ossos e chifres.

Em segundo lugar, pela maior sociabilidade do *Homo sapiens*. Tudo indica que era mais propenso a construir sólidas redes de ajuda mútua, o que lhe permitiu colonizar regiões inóspitas e sobreviver ao período de glaciação.

TUDO ERA TÃO LINDO, TÃO FRESCO

AS PINTURAS NAS CAVERNAS DE ALTAMIRA (C. 40.000 ANOS ATRÁS)

AS PINTURAS NAS CAVERNAS DE ALTAMIRA

EM CONTEXTO

FOCO
A cultura paleolítica

ANTES

c. 45.000 anos atrás Humanos modernos chegam à Europa.

c. 40.000 anos atrás Surgem, como são conhecidos hoje, os primeiros exemplos de arte na Europa, como as esculturas do Homem-Leão de Hohlenstein-Stadel, Alemanha.

DEPOIS

c. 26.000 anos atrás Um sepultamento triplo é feito em Dolní Věstonice, na República Tcheca.

c. 23.500 anos atrás O "príncipe" de Arene Candide é sepultado na Itália, ricamente adornado com joias de conchas de dentálio.

c. 18.000 anos atrás A última Era do Gelo chega ao seu auge.

O complexo de cavernas de Altamira, perto de Santander na costa norte da Espanha, possui uma série de passagens e câmaras que se estendem por quase 300 metros, mostrando alguns dos melhores exemplos já encontrados de arte em cavernas da Idade da Pedra, ou paleolítico. As pinturas são tão impressionantes que, quando as cavernas foram descobertas em 1880, foram amplamente consideradas falsas, tendo demorado quase vinte anos para serem aceitas como genuínas criações dos caçadores-coletores pré-históricos. Algumas das mais antigas atividades artísticas lá talvez datem de mais de 35 mil anos, apesar de a maioria das pinturas mais famosas ter provavelmente sido criada bem mais tarde, por volta de 22 mil anos atrás. Nestas estão incluídas as imagens da famosa Câmara dos Bisões: seu teto está coberto de representações de animais, incluindo imagens realistas e multicoloridas de bisões, cuidadosamente pintadas nas ondulações naturais das rochas que parecem quase tridimensionais.

O ímpeto artístico

Também se sabe de outras manifestações de arte nas cavernas no sudoeste da França e no norte da Espanha. Elas incluem não só imagens finamente detalhadas de animais, mas também sinais, símbolos e marcas de mãos, tanto esculpidos como pintados. Os arqueólogos seguem divididos quanto ao significado e à função da arte da Idade da Pedra. Uma explicação é que simplesmente aquelas pessoas apreciavam as qualidades estéticas da arte – assim como seus descendentes hoje. Outros sugerem que o incrível detalhamento de algumas dessas imagens – por exemplo, o sexo do animal ou a determinação da estação na qual ele foi observado – talvez fosse um meio de comunicar informações vitais para a sobrevivência, como quais animais caçar, quando e como eles podem ser encontrados e abatidos.

Rituais de caça

Também se diz que a arte das cavernas pode estar ligada à visão de mundo ou às religiões dos povos paleolíticos. Até mesmo hoje muitas sociedades que ainda vivem da caça e da coleta compartilham crenças animistas, ou seja, acreditam que entidades como animais, plantas e parte da natureza tenham espíritos com os quais os humanos interagem no curso da vida. Muitos dos especialistas religiosos dessas sociedades, ou xamãs, acreditam

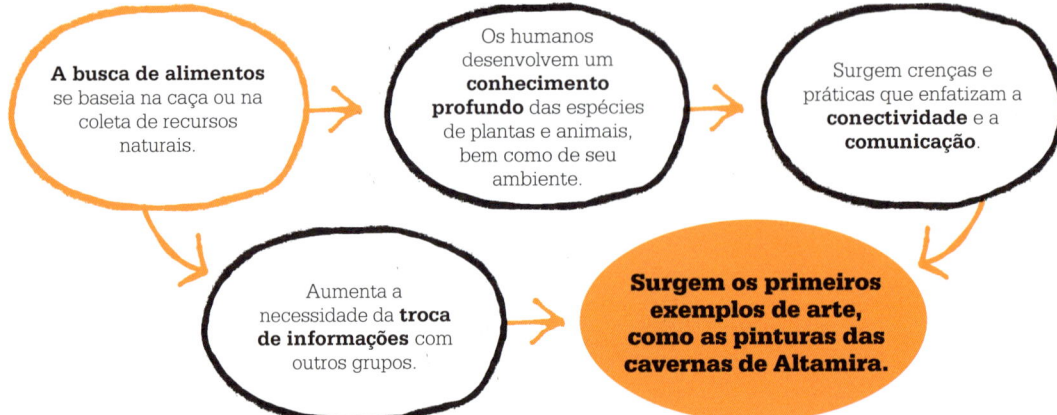

AS ORIGENS HUMANAS

Veja também: Os primeiros humanos chegam à Austrália 20-21 ▪ O Grande Congelamento 28-29 ▪ O assentamento de Çatalhöyük 30-31

A estrutura ondulada das pedras na caverna de Altamira valoriza a arte, em vez de depreciá-la, tendo os animais na Câmara dos Bisões adquirido uma qualidade quase tridimensional.

ser capazes de se comunicar com esses espíritos para ajudar pessoas enfermas ou feridas, e historicamente a arte nas pedras foi criada por xamãs durante seus momentos de estado de consciência alterada, ou transes, levando alguns pesquisadores a sugerir que sociedades paleolíticas talvez tenham tido crenças comuns. Acredita-se ainda que os xamãs eram capazes de se transformar em animais para que estes fossem encorajados a se entregar aos caçadores, algo que também poderia explicar imagens que combinam características humanas e animais, como o Homem-Leão de Hohlenstein-Stadel, na Alemanha, ou o Feiticeiro da caverna de Les Trois Frères, na França, uma figura com traços humanos e chifres.

Criar imagens de animais ainda pode ter sido parte de rituais "mágicos" desenvolvidos para melhorar as chances de sucesso durante a caça. Para sociedades que baseavam boa parte de sua dieta em recursos animais, a importância desses rituais não parece exagero.

Cerimônias de iniciação

Outros pesquisadores já notaram que muitas das marcas de mãos e pés achadas perto dessas pinturas de cavernas parecem ser de indivíduos bem jovens. Conhecer cavernas escuras, úmidas e potencialmente perigosas com uma lamparina cheia de gordura animal era uma forma de teste de iniciação para jovens – que exigia uma grande dose de coragem.

Sepultamento e pós-morte

Mais evidências de seres humanos envolvidos em práticas religiosas e rituais naquela época também podem ser vistas em sepultamentos. No sítio de Dolní Věstonice, na República Tcheca, por exemplo, três corpos foram sepultados juntos numa posição que parece sexual, com um dos indivíduos masculinos grudado a um esqueleto feminino e apontando para a pélvis dela, enquanto o outro homem, do lado oposto, foi sepultado com a face para baixo. Um pigmento vermelho conhecido como ocre foi jogado sobre suas cabeças e ao redor da pélvis feminina. Interessante é que os três indivíduos tinham a mesma e rara deformidade na estrutura óssea, e talvez fossem parentes. Embora o motivo da posição desses corpos possa »

Marcas de mãos na caverna de Fuente del Salín, na Cantábria, devem ter sido deixadas por jovens, sugerindo que as idas aos espaços subterrâneos eram um ritual de entrada na fase adulta.

Pessoas em todos os lugares e épocas compartilharam o instinto básico para representar a si mesmas e a seu mundo através de imagens e símbolos.
Jill Cook
Ice Age Art (2013)

26 AS PINTURAS NAS CAVERNAS DE ALTAMIRA

continuar a ser um mistério para sempre, é claro que havia algo mais nesse sepultamento além da simples disposição dos restos mortais.

Em outros sítios, alguns indivíduos foram sepultados com vários "objetos fúnebres" – por exemplo, as sofisticadas joias feitas de conchas de dentálio em Arene Candide, na Itália, e as pontudas lanças feitas de marfim de mamute no sítio arqueológico fúnebre de duas jovens crianças em Sunghir, na Rússia. Alguns pesquisadores sugeriram que o fato de esses indivíduos serem adornados com elegância – especialmente os mais jovens, que não tiveram tempo em sua curta vida para estabelecer uma reputação que lhes garantisse tal tratamento especial depois de mortos – pode significar que já começava a haver distinções hierárquicas e de status social em alguns grupos. Mas parece que isso só se generalizou muito mais tarde. É claro, no entanto, que pela primeira vez as pessoas passaram a se preocupar com o que acontecia após a morte e como os mortos deveriam entrar no além-vida.

Marcando território

Outros pesquisadores apontam para o fato de a maioria da arte paleolítica "clássica" em cavernas estar concentrada no sudoeste da França e no norte da Espanha. Tal região talvez tenha sido um lugar razoavelmente favorável para viver: mesmo no ápice do Último Máximo Glacial, os habitats mais ao sul, com clima mais quente, logo mais produtivo, atrairiam grandes grupos de animais. Como resultado, talvez as pessoas tenham vivido ali em maior número, em grupos bem coesos, levando a grandes tensões sociais entre eles na luta por territórios e recursos.

Assim como grupos humanos hoje – quer como membros de uma torcida de futebol, quer como cidadãos de países – usam símbolos como bandeiras, vestimentas, fronteiras, territórios e identidades grupais, os grupos paleolíticos talvez também tenham decorado cavernas visando ao mesmo fim, numa época em que havia potencial para uma intensa disputa por recursos.

Cooperação para sobreviver

Essas complexas interações sociais podem ajudar a explicar como o *Homo sapiens* foi capaz de sobreviver no duro cenário da Era do Gelo na Europa. Os caçadores-coletores provavelmente viviam em pequenos grupos de baixa densidade espalhados em diversos habitats. A maioria dos sítios arqueológicos dessa época não demonstram qualquer evidência de construções ou estruturas complexas, sugerindo que as pessoas se deslocavam muito, de acordo com o clima ou o ambiente local, quase sempre seguindo grandes bandos de animais, como as renas, que se moviam conforme as estações do ano.

A habilidade do *Homo sapiens* para forjar novas relações rapidamente permitiu que grupos de caçadores se juntassem quando e como fosse necessário. Quando havia muitos recursos, eles caçavam juntos – por exemplo, interceptando bandos de renas em migração em locais onde estivessem mais vulneráveis, como os vales estreitos, ou na travessia de rios. Em tempos de escassez, tais grupos se dividiam de novo e se espalhavam pelo habitat para

> "As pessoas se viam como parte de um mundo vivo onde animais, plantas e até mesmo o ambiente e objetos inanimados tinham vida própria.
> **Brian Fagan**
> *Cro-Magnon* (2010)"

Os historiadores ainda não estão certos se existe um significado exato por trás da maioria das artes nas cavernas. Suas melhores estimativas são que elas talvez estejam relacionadas a uma ou várias possibilidades: arte pela arte; espiritualidade; ritos de iniciação; marcação de território; e método de compartilhar informações importantes sobre a caça.

AS ORIGENS HUMANAS

Utensílios de caça, como esse propulsor, geralmente eram entalhados na forma do animal que visava matar, talvez como um tipo de "ritual mágico" para melhorar as chances de sucesso na caça.

predecessores, além de vários outros itens – de joias muito bem elaboradas feitas de dentes de animais e conchas feitas até figuras humanas entalhadas em rocha ou esculpidas em argila. Muitos desses itens talvez tenham sido comercializados, presenteados ou trocados com indivíduos de outros grupos como parte de redes sociais de grande escala.

Os ambientes imprevisíveis da Europa durante o Último Máximo Glacial implicavam que compartilhar recursos com outros grupos em épocas de abundância trazia vantagens significativas depois de certo tempo: se um grupo lutava para encontrar recursos em uma área, outros, em lugares distintos, que haviam sido beneficiados por sua generosidade, estariam mais propensos a retribuir o favor. Esses tipos de relacionamentos de troca conectavam mesmo os grupos mais distantes em complexas redes de relações individuais ou de grupos, fundamentais para a sobrevivência em tais cenários adversos. ∎

encontrar recursos selvagens suficientes para se sustentarem.

Tecnologias primitivas

Esses caçadores-coletores gastavam um tempo considerável desenvolvendo tecnologias de caça, já que isso poderia fazer diferença entre a vida e a morte. Eles encaixavam pontas de pedras em bastões transformados em lanças que eram arremessadas no alvo, usando propulsores feitos para aumentar a distância a ser coberta pela lança, além da força com que atingia o alvo. Tais utensílios eram cruciais para o sucesso na caça, logo não é de surpreender que tais propulsores fossem entalhados e decorados com belas formas, quase sempre com a representação dos animais sendo caçados. Do mesmo modo, também entalhavam com muito esforço complexos arpões farpados feitos de ossos e chifres para a pesca.

As primeiras sementes de uma sociedade

Objetos perfurantes e agulhas de ossos cuidadosamente trabalhados sugerem que os humanos da Idade da Pedra também faziam roupas de frio da pele e do pelo de animais com muito mais cuidado que os seus

Estatuetas de Vênus

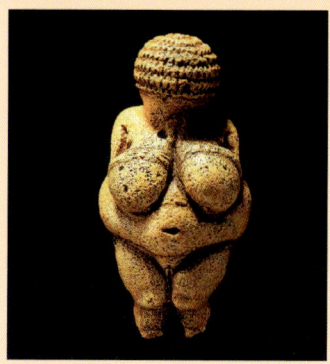

Estatuetas ornamentais de mulheres esculpidas em pedra, marfim ou argila são um tipo de arte paleolítica encontrada com frequência por toda a Europa. Elas têm muitas características em comum. Se, por um lado, detalhes da face ou dos pés eram ignorados, por outro, aspectos sexuais femininos (seios, barriga, cintura, coxas e vulva) quase sempre apareciam de forma exagerada. O foco em elementos relacionados a sexualidade e fertilidade, além das formas de representação de corpos arredondados (durante a Era do Gelo, a gordura talvez tenha sido uma mercadoria preciosa), sugerem que tais estatuetas podem ter desempenhado um papel simbólico relacionado à capacidade reprodutiva ou, de modo mais genérico, à fertilidade.

Alguns pesquisadores acham que as figuras representam uma "deusa mãe", mas não há evidências para tal interpretação. Por outro lado, outros focam no fato de as estatuetas demonstrarem ideias e símbolos amplamente disseminados. Isso teria sido crucial para as interações sociais e troca de recursos, informação e parceiros potenciais no mundo da Era do Gelo.

AS FUNDAÇÕES DA EUROPA ATUAL FORAM FORJADAS NOS EVENTOS DO FINAL DA ERA DO GELO
O GRANDE CONGELAMENTO (C. 21000 A.C.)

EM CONTEXTO

FOCO
Mudança climática

ANTES
c. 2,58 milhões de anos atrás Começa o Pleistoceno, ou Era do Gelo.

c. 200.000 anos atrás O *Homo sapiens* surge como uma espécie.

DEPOIS
c. 9700 a.C. Acaba o Pleistoceno, marcando o início do clima atual, relativamente quente e estável – o Holoceno.

c. 9000–8000 a.C. Surge a agricultura no Oriente Médio.

c. 5000 a.C. O nível do mar atinge os níveis atuais; as camadas de terra mais baixas ficam submersas.

c. 2000 a.C. Acredita-se que os últimos mamutes tenham sido extintos na ilha de Wrangel, Rússia.

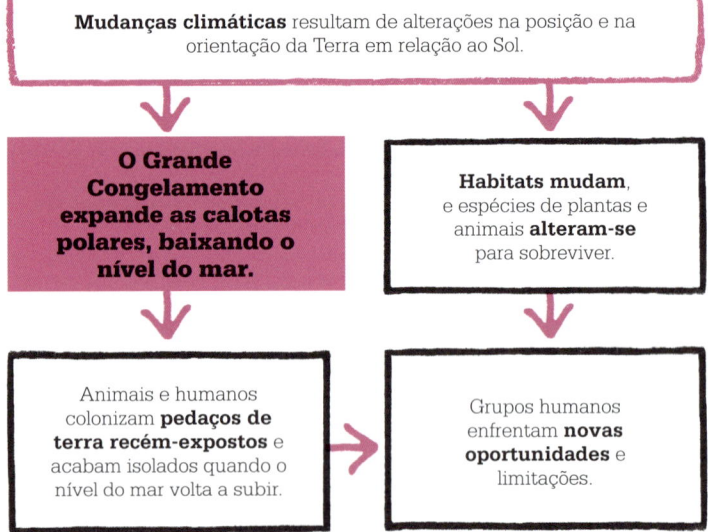

Só há pouco tempo os cientistas começaram a apreciar a forma como o relacionamento de mão dupla que existe entre humanos e nosso ambiente afetou o desenvolvimento de nossas sociedades. Os humanos evoluíram durante a última Era do Gelo, vivendo mudanças periódicas entre condições climáticas muito frias (glaciais) e períodos mais quentes, como os que temos hoje (interglaciais). Porém, mais para o fim da Era do Gelo, tais mudanças tornaram-se mais pronunciadas, ocorrendo em intervalos mais curtos e culminando ao redor de 21000 a.C. no "Grande Congelamento", um período de frio intenso conhecido como o Último Máximo Glacial. Pessoas e animais que viviam nas regiões mais ao norte morreram ou migraram para o sul conforme as calotas polares se expandiam, chegando a atingir o sul da

AS ORIGENS HUMANAS

Veja também: Os primeiros humanos chegam à Austrália 20-21 ▪ As pinturas nas cavernas de Altamira 22-27 ▪ O assentamento de Çatalhöyük 30-31 ▪ O Código Jurídico de Hamurabi 36-37

Um mamute inteiro foi desenterrado na Sibéria, Rússia, em 1900 – o primeiro exemplar completo já encontrado. Uma cópia em gesso está em exibição no Museu de História Natural de São Petersburgo.

Inglaterra. Tal quantidade de água congelada fez com que o nível dos oceanos diminuísse, deixando à vista pedaços de terra que antes estavam submersos, como a Beríngia, a passagem continental que conecta a América do Norte à Ásia – a rota pela qual os humanos chegaram pela primeira vez às Américas.

Temperaturas em alta

Por fim, a temperatura subiu de novo, e o clima relativamente quente e estável de hoje se firmou por volta de 7000 a.C. As calotas polares derreteram, o aumento do nível do mar separou a Eurásia das Américas, fez com que o sudeste asiático se tornasse um arquipélago e criou ilhas a partir das penínsulas tanto no Japão quanto na Inglaterra, isolando muitos grupos humanos. O impacto sobre os ecossistemas foi particularmente severo para os grandes animais conhecidos como megafauna – os mamutes, por exemplo. O pasto das estepes então glaciais no qual a megafauna prosperava foi substituído por florestas em expansão, e por todo o globo a combinação de mudança ambiental e caça humana levou muitas espécies à extinção. Florestas e pântanos do novo mundo pós-glacial ofereceram aos humanos muitas novas oportunidades. Eles caçavam grandes animais da floresta, como a rena vermelha e o javali selvagem, e pequenos mamíferos como os coelhos, e buscavam comida num amplo leque de fontes de alimento na costa. Peixes migradores, como o salmão, mamíferos aquáticos como as focas, e crustáceos, aves selvagens e diversos frutos, tubérculos, nozes e sementes também se tornaram importantes para sua dieta.

Estilos de vida em transformação

Em áreas particularmente ricas em recursos naturais, os grupos humanos talvez não tenham se estabelecido num único lugar, e enviaram pequenos grupos em expedições mais além dos campos visando a recursos específicos. As comunidades natufianas do Mediterrâneo oriental, por exemplo, foram capazes de explorar fontes abundantes de cereais selvagens no Oriente Próximo. Alguns grupos começaram a manipular seus habitats, queimando vegetação e cortando árvores para encorajar suas espécies animais e vegetais a crescerem.

Poucos humanos jamais viveram num mundo de mudança climática e ambiental tão extrema.
Brian Fagan
Especialista em pré-história

Eles começaram a selecionar e cuidar de espécies de plantas produtivas e semearam linhagens de sementes que lhes agradavam, enquanto controlavam certos animais. Tal manipulação fez com que essas espécies ficassem cada vez mais dependentes da ação humana – e levou ao desenvolvimento da agricultura, uma mudança radical no tipo de vida humana que, desde então, resultou num impacto ainda mais dramático dos humanos em seu ambiente. ▪

Núcleos de gelo e ambientes passados

Os paleoclimatólogos estudam a composição de sedimentos deixados com o passar do tempo no fundo dos oceanos para entender como o clima mudou no passado. Minúsculas criaturas marítimas conhecidas como foraminíferas absorvem duas formas diferentes de oxigênio, ^{16}O e ^{18}O, da água do mar. Já que o ^{16}O é o mais leve dos dois, ele evapora mais facilmente, mas durante os períodos mais quentes precipita-se como chuva e flui novamente para o mar. Assim, ^{16}O e ^{18}O existem na água do mar e aparecem na casca das foraminíferas quase na mesma proporção. Mas no frio a maior parte do ^{16}O não volta para o oceano e se congela, de modo que a água do mar contém mais ^{18}O que ^{16}O. Quando as foraminíferas morrem, sua casca afunda e se acumula no fundo do mar com o tempo. Os paleoclimatólogos perfuram o fundo do mar para extrair núcleos de sedimentos e estudar a proporção de ^{16}O e ^{18}O em diferentes camadas para ver como o clima mudou com o passar do tempo.

SURGE UMA GRANDE CIVILIZAÇÃO NA PLANÍCIE DE ANATÓLIA
O ASSENTAMENTO DE ÇATALHÖYÜK (10.000 ANOS ATRÁS)

EM CONTEXTO

FOCO
Revolução neolítica

ANTES
11000–10000 a.C. Há evidências de cultivos de terra e de domesticação de animais no Oriente Próximo.

c. 9000 a.C. Começa o cultivo de milho na Mesoamérica.

c. 8800 a.C. Estilos de vida agrícolas já estão bem estabelecidos no Oriente Próximo.

DEPOIS
8000 a.C. A agricultura e a domesticação começam na Ásia Oriental.

7000–6500 a.C. A agricultura se espalha para o Ocidente em direção à Europa via Chipre, Grécia e Bálcãs.

3500 a.C. São construídas as primeiras cidades na Mesopotâmia.

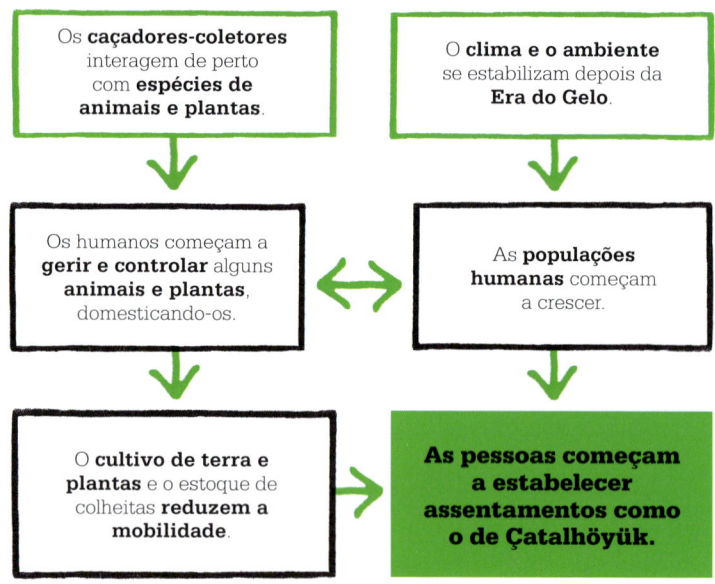

O povoado neolítico de Çatalhöyük, na planície de Konya, na Turquia, foi descoberto por James Mellaart nos anos 1960 e tornou-se um dos mais famosos sítios arqueológicos no mundo devido a seu tamanho, densidade populacional, suas espetaculares pinturas de parede e evidência de complexos religiosos e comportamento ritualístico. Desde sua descoberta, vários outros assentamentos por todo o Oriente Próximo foram encontrados, confirmando a escala crescente de comunidades humanas durante a mudança da era da caça para o estilo de vida agrícola, ou seja, a "revolução neolítica" que se deu entre aproximadamente 10000 a.C. e 7000 a.C. Ou o crescimento da população forçou as pessoas a buscar meios

AS ORIGENS HUMANAS

Veja também: Os primeiros humanos chegam à Austrália 20-21 ▪ As pinturas nas cavernas de Altamira 22-27 ▪ O Grande Congelamento 28-29 ▪ O Código Jurídico de Hamurabi 36-37

Essa ilustração mostra como os humanos viviam e trabalhavam próximos uns dos outros no sítio de Çatalhöyük, inclusive mantendo seus animais domesticados por perto.

mais estáveis de subsistência ou a agricultura lhes permitiu terem mais filhos, o que fez com que o tamanho de vários assentamentos crescesse substancialmente e se tornassem permanentes. Foi necessário achar novas formas de solução de problemas sociais, como as disputas entre vizinhos.

As primeiras vilas gastaram tempo e esforço no plantio e cultivo da terra, tendo que armazenar a safra para que durasse o ano todo e não precisassem mais se mover como os antigos caçadores faziam.

A coesão da comunidade

Acredita-se que o desenvolvimento de organizações religiosas mais formais e de práticas ritualísticas grupais talvez tenha ajudado na coesão da comunidade. Em vários sítios foram construídas edificações para esse propósito; elas eram maiores que as estruturas domésticas, com características inusitadas, como bancos feitos de gesso de cal, além de novas evidências de arte simbólica e representativa: em Çatalhöyük havia muitos murais e esculturas de vários temas, incluindo animais selvagens como búfalos, leopardos e abutres. Em alguns sítios, muitos habitantes continuavam na comunidade mesmo depois de mortos; eles eram enterrados sob o chão das casas. Às vezes eram desenterrados e seus crânios removidos; a partir deles moldavam-se máscaras faciais de gesso, que eram pintadas com ocre para serem expostas. Em sítios como o de Ain Ghazal, na Jordânia, foram encontradas várias estátuas feitas de gesso de cal, e há muitos exemplares de figuras de animais e humanos (sobretudo mulheres) em argila. Não está claro se esses crânios decorados, estátuas e figuras representam indivíduos específicos, ou se são chefes de família ou de linhagens, ou talvez ancestrais ou deuses míticos. Mas todos devem ter sido parte da ideologia comunitária, de rituais e práticas sociais que ajudaram a diminuir as tensões entre indivíduos e grupos sociais maiores, que estavam estabelecendo vínculos mais formais uns com os outros para o comércio de longa distância ou a troca de bens. Parte do sucesso de Çatalhöyük talvez tenha sido seu papel como um centro de comércio em grande escala de itens feitos de obsidiana, um tipo de vidro vulcânico, de Hasan Dağ.

As muitas e drásticas mudanças sociais e econômicas advindas da revolução neolítica ajudaram a moldar tanto a história humana quanto o ecossistema do mundo desde então. ▪

A agricultura e a saúde

A agricultura criou uma fonte de alimento abundante e estável no longo prazo, permitindo o crescimento populacional. Mas também houve consequências negativas: agricultores talvez tiveram que trabalhar mais que os caçadores-coletores, e suas dietas mais limitadas – focadas em apenas alguns tipos de cultivo e espécies animais – levaram a deficiências nutricionais.

A saúde dos primeiros agricultores também era pior em outros sentidos. Viver junto aos animais fez algumas doenças se espalharem para os humanos – por exemplo, a varíola, o carbúnculo, a tuberculose e a gripe. Comunidades que viviam em alta densidade populacional permitiam que esses males se espalhassem mais facilmente. Isso também causou problemas em relação aos resíduos humanos e animais, aumentando males intestinais e as doenças transmitidas pela água, como a cólera e o tifo, enquanto as irrigações criaram ambientes propícios para mosquitos e parasitas, infectando os humanos com doenças como a malária.

AS CIVILI
ANTIGAS
6000 A.C.—500

ZAÇÕES

D.C.

Hamurabi, um dos grandes reis da **Mesopotâmia**, escreve um **código de leis** – o mais antigo sistema jurídico conhecido na história.

O faraó **Ramsés** II constrói dois enormes templos em **Abu Simbel** para **glorificar** seu reinado e garantir o **domínio** sobre a Núbia.

A **democracia** é introduzida em **Atenas** por Clístenes. Todos os cidadãos atenienses **podem votar** diretamente na política ateniense.

Começam as **Guerras Médicas** entre a **Grécia** e o **Império Persa**; sucessos militares influenciam o desenvolvimento da identidade clássica grega.

1780 A.C.   **1264 A.C.**   **507 A.C.**   **490 A.C.**

1700 A.C.   **650 A.C.**   **c. 500 A.C.**   **c. 334 A.C.**

O palácio de Cnossos é construído em Creta pelos **minoicos** – a primeira civilização na Europa a produzir um sistema de escrita (conhecido como silabário **Linear A**).

Ápice da **cultura celta** que se desenvolveu próximo a Hallstatt, Áustria, e se espalhou para França, Romênia, Boêmia e Eslováquia.

Sidarta Gautama (conhecido como **Buda**) rejeita a vida material para buscar a **iluminação** e prega o **budismo** na Índia.

O rei macedônio **Alexandre, o Grande**, invade a Ásia Menor e cria um vasto império; a **cultura grega** se espalha para o **Oriente**.

Há cerca de 5 mil anos, os humanos começaram a formar sociedades de complexidade sem precedentes. Essas "civilizações" geralmente tinham estruturas de Estado e hierarquias sociais e construíram cidades e monumentos como templos, palácios e pirâmides, além de usar uma forma de escrita. A base para o desenvolvimento das civilizações foi o progresso da agricultura. Quando somente parte da população era necessária no cultivo dos campos para produzir alimentos, o resto poderia viver em povoados e palácios, desempenhando uma série de funções especializadas como burocratas, comerciantes, escribas e sacerdotes. A invenção da civilização sem dúvida elevou a vida humana a um novo nível de diversas formas – em tecnologias, artes, astronomia, medição do tempo, literatura e filosofia –, mas também estabeleceu a desigualdade e a exploração como base da sociedade, levando a guerras cada vez maiores, conforme Estados se tornavam impérios.

Civilizações emergentes

As primeiras civilizações se desenvolveram em áreas onde era possível praticar a agricultura intensiva, quase sempre com o uso de sistemas de irrigação – por exemplo, ao longo dos rios Tigre e Eufrates na Mesopotâmia (atual Iraque), do Nilo no Egito, do Indo no norte da Índia e do Paquistão e dos rios Yangtzé e Amarelo na China. Embora essas civilizações da Eurásia e do norte da África pareçam ter sido fundadas de forma independente umas das outras, elas desenvolveram inúmeros contatos com o passar do tempo, compartilhando ideias, tecnologias e até mesmo doenças. Todas seguiram um padrão no qual os utensílios de pedra (da Idade da Pedra) foram substituídos pelos de bronze (da Idade do Bronze) e, por fim, pelos predominantemente de ferro (da Idade do Ferro). Nas Américas, onde os olmecas e maias desenvolveram as civilizações da Mesoamérica, o uso de utensílios de pedra continuou, e a maioria das doenças epidêmicas que devastaram a Eurásia era desconhecida.

Escrita e filosofia

A partir de aproximadamente 1000 a.C., as civilizações eurasianas tiveram um ímpeto inovador. O uso da escrita evoluiu de formas práticas de registros comerciais para a criação de livros sagrados e textos literários clássicos que corporificaram os mitos e as crenças fundadoras de diferentes sociedades, dos contos épicos de Homero na Grécia aos Cinco Clássicos do confucionismo na China, bem como os Vedas hindus na Índia. Formas de escrita usando um alfabeto se desenvolveram na região leste

AS CIVILIZAÇÕES ANTIGAS 35

221 A.C. — Qin Shi Huangdi **unifica a China**, antes a terra dos estados combatentes, e dá início a grandes projetos, incluindo a construção do **Exército de Terracota**.

44 A.C. — **Júlio César** é **assassinado** em Roma pelos senadores que acreditam que ele tem uma sede cada vez maior de poder.

250 D.C. — Começa o **período clássico maia**; muitas cidades, templos e monumentos são construídos por todo o **México** e **Guatemala**.

410 D.C. — **Roma é tomada pelos visigodos**; o Império Romano encolhe, e a maior parte da Europa é invadida por **tribos bárbaras**.

218 A.C. — O comandante militar **Aníbal**, de **Cartago** (norte da África), cruza os Alpes para **invadir a península itálica**. Impossibilitado de capturar Roma, volta à África.

43 D.C. — O **exército romano** liderado pelo general Aulo Pláucio **invade** o sul da **Inglaterra**; mais tarde, o domínio romano atinge **Gales** e a fronteira da **Escócia**.

312 D.C. — O imperador **romano Constantino** adota o **cristianismo** depois da vitória na Batalha da Ponte Mílvia; o cristianismo ganha **popularidade** rapidamente.

486 D.C. — Clóvis, líder dos francos sálios, **derrota os romanos** na Gália e **unifica a França** ao norte do rio Loire sob sua dinastia.

do Mediterrâneo e foram propagadas pelos fenícios – uma raça de comerciantes e navegadores.

As cidades-estados gregas tornaram-se um laboratório para novas formas de organização política, incluindo a democracia, bem como a fonte de novas ideias nas artes e na filosofia. A influência da cultura grega se espalhou para pontos longínquos como o norte da Índia, e a própria Índia foi o berço do budismo – a primeira "religião mundial", conseguindo adeptos além de sua sociedade de origem.

Crescimento populacional

O mundo antigo alcançou o ápice do seu período clássico por volta de 2 mil anos atrás. A população mundial cresceu de cerca de 20 milhões de pessoas na época das primeiras civilizações para um total estimado de 200 milhões, dos quais quase 50 milhões viviam na China unida sob a dinastia Han, e um número próximo deste estava sob o governo do Império Romano, que havia estendido seu domínio até a costa do Atlântico e os limites da Pérsia. Em grande medida, os impérios foram bem-sucedidos devido a meios de comunicação eficientes, tanto em terra quanto no mar, além do uso intensivo e cruel do poder militar. As rotas de comércio de longa distância uniram a Europa à Índia e à China, e as cidades cresceram consideravelmente – a população de Roma era estimada em 1 milhão de habitantes.

Civilizações em declínio

As causas do declínio desses poderosos impérios clássicos a partir do século III d.C. têm sido motivo de debates entre historiadores. Incubadas em cidades superpovoadas e transmitidas pelas rotas de comércio, as doenças epidêmicas cumpriram um papel importante nisso. As disputas internas pelo poder também foram um fator relevante, levando à fragmentação política e ao declínio na qualidade da governança política. Mas talvez o mais importante tenham sido os limites geográficos das áreas civilizadas da Eurásia. Tanto o Império Romano quanto o de Han construíram muralhas para delinear e defender suas fronteiras, além das quais viviam tribos "bárbaras", quase todas nômades ou seminômades. As sociedades civilizadas tinham pouca ou nenhuma vantagem militar sobre esses povos, que faziam incursões sobre esses territórios ou até mesmo se estabeleciam dentro deles. A parte oriental do Império Romano cristão sobreviveu até 1453, e a civilização chinesa retomou seu pleno vigor sob a dinastia Tang a partir de 618, mas a Europa Ocidental demoraria séculos para recuperar os níveis populacionais e a organização que havia conhecido sob o domínio de Roma. ■

PARA ESTABELECER O GOVERNO DA JUSTIÇA NA TERRA
O CÓDIGO JURÍDICO DE HAMURABI (C. 1780 A.C.)

EM CONTEXTO

FOCO
Origens da civilização

ANTES
c. 5000 a.C. A fundição do cobre e do ouro se torna comum na Mesopotâmia e além.

c. 4500 a.C. Uruk, na Mesopotâmia, foi o primeiro assentamento grande o suficiente para ser chamado de cidade.

c. 3800 a.C. Estabelecimento dos reinos alto e baixo no Egito, às margens do Vale do Nilo.

c. 3500 a.C. Desenvolvimento das civilizações do Vale do Indo.

c. 3350 a.C. Círculos de pedra são erguidos no oeste e no norte da Europa.

c. 2000 a.C. A dinastia Shang constrói as primeiras cidades na China.

DEPOIS
c. 1500 a.C. Surgimento da cultura olmeca na Mesoamérica.

c. 600 d.C. Ascensão da civilização maia.

Crescem a **agricultura**, a **população** e a **urbanização**.

Redes locais se esfacelam, levando ao enfraquecimento de mecanismos de resolução de disputas.

Hamurabi escreve um novo código de leis para garantir seu controle sobre a região.

Cresce a necessidade de instrumentos para a governança: leis, registros permanentes e um judiciário.

Selos cilíndricos (para controlar transações), escrita, instituições jurídicas e **leis escritas ganham importância**.

Em 1901, uma placa de pedra negra de dois metros de altura foi encontrada nas ruínas da cidade de Susa. Entalhados em sua face havia 280 "julgamentos", ou leis, constituindo o mais antigo código jurídico escrito conhecido na história. A placa foi originalmente erguida na Babilônia, cerca de 1750 a.C., por Hamurabi, um dos maiores reis da antiga Mesopotâmia.

A revolução da Idade do Bronze

A Mesopotâmia, que quer dizer "entre dois rios", fica entre o Eufrates e o Tigre e é considerada a primeira civilização humana de todos os tempos. Sua escrita, matemática e astronomia também foram as primeiras a ser conhecidas, e suas cidades, com razão, foram os primeiros exemplos no mundo. O crescimento de

AS CIVILIZAÇÕES ANTIGAS

Veja também: O assentamento de Çatalhöyük 30-31 ▪ Os templos de Abu Simbel 38-39 ▪ O palácio de Cnossos 42-43 ▪ As conquistas de Alexandre, o Grande 52-53 ▪ A fundação de Bagdá 86-93 ▪ A fundação de Tenochtitlán 112-117

Hamurabi, o fazedor de leis

Por volta de 2000 a.C., os amoritas (ocidentais), um povo seminômade da Síria, varreram a Mesopotâmia, substituindo os governantes locais por dinastias amoritas em muitas de suas cidades-estados. No começo do século XVIII a.C., os três reis amoritas mais poderosos eram o preeminente Shamshi-Adad no norte, Rim-Sin em Larsa, no sul, e Hamurabi, na Babilônia, no centro. Durante o seu longo reinado, Hamurabi consolidou todo o sul da Mesopotâmia em seu único reino, tendo estendido seu poder ao norte do Tigre até a longínqua Nínive, e ao norte do Eufrates até Tuttul, na junção com o rio Balikh. Ele supervisionou pessoalmente a construção de muitos templos e outras edificações.

O prelúdio de seu código, um tributo a Hamurabi e ao longo registro histórico de suas conquistas, se gaba de que sua liderança foi divinamente sancionada pelos deuses, que passaram o controle da humanidade para Marduque (deidade da Babilônia) e em seguida ao seu rei. Ele também revela que o rei via seu papel como o garantidor de uma sociedade justa e ordeira.

sua população e de sua riqueza levou ao surgimento de uma hierarquia na sociedade, liderada por governantes, uma corte e sacerdotes no topo, seguidos de mercadores e artesãos, e por servos e trabalhadores na camada mais inferior. Isso é com frequência chamado de "especialização": os membros da sociedade tinham diferentes tarefas, em vez de todos produzirem apenas alimento, como era o caso nas sociedades de subsistência que a antecederam.

As comunidades mesopotâmicas coordenaram o trabalho humano para construir grandes estruturas, como uma muralha de defesa ou enormes templos, além da constituição de exércitos. Elas usavam a engenharia hídrica para desviar a água de rios e irrigar os campos aluviais. As necessidades administrativas como a contabilidade levaram ao desenvolvimento da escrita cuneiforme, o primeiro tipo de escrita conhecido, e a complexos conceitos matemáticos como frações, equações e geometria. Uma sofisticada astronomia foi desenvolvida, visando à criação de um calendário. Às vezes chamada de Revolução da Idade do Bronze, esse enorme passo adiante pode ser visto como a mudança mais importante no mundo humano antes da Revolução Industrial.

A unificação mesopotâmica

Por boa parte do período entre o quarto e o segundo milênio a.C., a Mesopotâmia era um mosaico do confronto de reinos e cidades-estados como Uruk, Isin, Lagash, Ur, Nipur e Larsa. Hamurabi, o rei amorita da Babilônia, unificou a região através da combinação de astúcia, diplomacia, oportunismo, poder militar e longevidade. Como já era tradição de reis conquistadores, Hamurabi usou éditos

> 66
> Quando Marduque enviou-me para governar sobre os homens... [Eu] trouxe o bem-estar para o oprimido.
> **Hamurabi**
> 99

antigos como base para suas leis, que se distinguiam das demais pelo alcance de seu império e pelo fato de estarem inscritas em placas de pedra para que ficassem registradas para sempre.

As leis de Hamurabi, e seu detalhado prelúdio revelam muito sobre a vida no hoje chamado Período Babilônico Antigo. Elas contêm julgamentos sobre questões que iam desde a disputa por propriedades, passando pela violência contra pessoas, até a fuga de escravos e bruxaria.

O legado de Hamurabi

Apesar de parecer que as leis de Hamurabi não tinham tanto peso e quase nunca eram seguidas naquela época, e apesar do fato de seu império ter se desintegrado pouco depois de sua morte, seu reino foi um ponto de inflexão para o sul da Mesopotâmia. Ele estabeleceu de modo firme o ideal de um Estado unificado, centrado na Babilônia, e suas leis foram copiadas por escribas mesopotâmicos até pelo menos o século VI a.C. Elas mostram muitos pontos em comum e talvez tenham influenciado as leis da Bíblia hebraica, que, por sua vez, influenciou muitas sociedades atuais. ■

TODA A TERRA SE QUEDOU PROSTRADA SOB SUAS SANDÁLIAS POR TODA A ETERNIDADE
OS TEMPLOS DE ABU SIMBEL (C. 1264 A.C.)

EM CONTEXTO

FOCO
Egito faraônico

ANTES
c. 3050 a.C. Narmer unifica os reinos do Alto e Baixo Egito.

c. 2680 a.C. Quéops começa a construção da Grande Pirâmide em Giza – é a maior pirâmide da história.

c. 1480 a.C. Tutmés III conquista a Síria, estendendo seu império até o Eufrates.

DEPOIS
c. 1160 a.C. Ramsés III recupera o Egito dos líbios e de tribos invasoras conhecidas como Povos do Mar.

c. 1085 a.C. Colapso do Novo Reino; o Egito é dividido, com os líbios governando o norte e os reis sacerdotes de Teba, o sul.

Século VII a.C. O Egito é invadido pelos assírios e depois pelos persas.

Por volta de 1264 a.C., o faraó egípcio Ramsés II (c. 1278-1237 a.C.) tinha dois majestosos templos talhados nos penhascos da margem ocidental do Nilo, no sul do Egito. A entrada era guardada por quatro grandes estátuas do faraó, sentado em glória usando os símbolos da realeza divina, incluindo a coroa dupla que significava sua autoridade sobre o Alto e o Baixo Egito. Os templos foram desenhados para significar e corporificar o status único, a ambição e o poder dos antigos faraós egípcios.

A tradição faraônica

Ramsés II herdou uma tradição já muito antiga: cerca de 1.800 anos antes, o rei Narmer (chamado Menés pelo antigo historiador grego Heródoto) foi o primeiro a unificar os reinos do Alto (sul) e do Baixo (norte) Nilo. Os feitos de Narmer foram registrados numa paleta de pedra que foi recuperada de um templo em Hieracômpolis no século XIX e mostra uma das primeiras descrições conhecidas de um rei egípcio. A paleta está inscrita com muitos dos símbolos e tradições que viriam a tipificar os faraós pelos próximos três milênios. Por exemplo, Narmer é representado segurando um inimigo pelo cabelo, a ponto de golpeá-lo, e Ramsés II era com frequência mostrado da mesma forma – o poder militar e a força sobrenatural eram distintivos da realeza egípcia. O faraó, assim como os deuses, era amiúde mostrado muito maior que os mortais comuns.

A posição geográfica do Egito – com o seu extremo contraste entre o fértil Vale do Nilo e o seu delta, que deságua ao norte no Mar Mediterrâneo, e suas cercanias de deserto inabitável – foi a responsável

O magnífico complexo de templos em Abu Simbel foi, de forma impressionante, movido 200 metros para o interior e 65 metros mais alto em 1964–1968, para protegê-lo da subida do rio Nilo durante a construção da Represa Alta de Assuã.

AS CIVILIZAÇÕES ANTIGAS

Veja também: O Código Jurídico de Hamurabi 36-37 ▪ O palácio de Cnossos 42-43 ▪ As conquistas de Alexandre, o Grande 52-53 ▪ O assassinato de Júlio César 58-65

> Eu, [o criador] lhe dou, Ramsés II, colheitas perenes… [seus] feixes são tão numerosos como a areia, seus celeiros quase encostam no céu, e suas pilhas de grãos são como montanhas.
> **Inscrições no templo de Abu Simbel, c. 1264 a.C.**

pela civilização e cultura únicas do reino. O faraó era visto como um deus vivo capaz de controlar a ordem do cosmos, incluindo a cheia anual do Nilo, que trazia o lodo para recuperar o solo. Os faraós também eram com frequência representados como agricultores em cenas agrárias, simbolizando seu papel como guardiões da terra.

O Velho Reino

O Velho Reino que sucedeu Narmer foi governado por uma sucessão de dinastias lideradas por poderosos faraós, que canalizaram o poder burocrático e econômico do reino unificado para monumentais projetos arquitetônicos, como a construção das pirâmides. Eles, por sua vez, estimulavam o desenvolvimento científico, tecnológico e econômico, fazendo crescer o comércio com outros reinos no Oriente Próximo e no Mediterrâneo. No Velho Reino, os deuses predominantes eram Rá, o deus sol; Osíris, o deus dos mortos; e Ptá, o criador. Nos Reinos Médio e Novo subsequentes, que eram governados por famílias de Tebas, Ámon tornou-se a principal divindade. Como supremo governante, o faraó era associado aos deuses, e acreditava-se que ele era a encarnação viva de certas deidades.

O Novo Reino

No século XXIII a.C., O Velho Reino entrou em colapso. Depois daquele que ficou conhecido como o Período Intermediário, as dinastias restauraram o controle unificado do Egito de 2134 a.C. até aproximadamente 1750 a.C., quando foram invadidos pelos hicsos (prováveis semitas da Síria). Estes, por sua vez, foram expulsos do Egito cerca de 1550 a.C. com a chegada ao poder da XVIII dinastia – considerada a maior e mais importante – e o estabelecimento do Novo Reino. Nessa época, acreditava-se que a imortalidade era disponível não só aos faraós, mas também a sacerdotes, escribas e outros que tivessem riquezas para fazer oferendas, encantamentos e mumificações, e muitas tumbas foram escavadas no Vale dos Reis para receber riquíssimos bens funerários.

Sob faraós expansionistas, como Tutmés III e Ramsés II, o controle do Egito atingiu a Ásia quase até o rio Eufrates, e o Nilo acima até a Núbia. Não foi coincidência que Ramsés tivesse construído Abu Simbel na Núbia: além de representar a glória divina dos faraós egípcios em geral, o templo era um símbolo do controle de Ramsés sobre o território recém-conquistado. ∎

O **Vale do Nilo** é cercado por um **deserto inóspito**, mas é **muito fértil** devido ao rio mais longo do mundo que flui por ele e **o irriga**.

Uma civilização **sofisticada**, **coerente** e **unificada** se desenvolve por uma **vasta área**.

O **comércio e as conquistas** estimulam a economia e os **níveis populacionais**. Surge um reino extenso e próspero.

Enormes monumentos, como o complexo de templos de Abu Simbel, são construídos, refletindo o poder, a riqueza e o sistema de crenças do Egito.

O APEGO É A RAIZ DO SOFRIMENTO
SIDARTA GAUTAMA PREGA O BUDISMO (C. 500 A.C.)

EM CONTEXTO

FOCO
A difusão do budismo

ANTES
1200 a.C. A cultura védica (também conhecida como ariana) se espalha pelo norte e centro da Índia.

1200–800 a.C. As tradições orais védicas são registradas em sânscrito e chamadas de Vedas.

c. 600 a.C. Surgem os Mahajanapadas, os dezesseis reinos combatentes da Índia védica.

DEPOIS
322 a.C. Chandragupta Máuria funda o Império Máuria.

Século III a.C. O Sri Lanka se converte ao budismo.

185 a.C. O Império Máuria entra em colapso.

Século I a.C. O budismo chega à China e ao Japão.

Século VII Missionários budistas são convidados para estabelecer um mosteiro no Tibete.

Sidarta, o Buda, rejeita a vida material e ensina sua própria filosofia.

Ashoka, o Grande, conquista a Índia e **unifica o império**.

↓ ↓

Ashoka **faz do budismo a religião estatal**, espalhando-o para o sul e o leste da Ásia.

↓ ↓

Depois do colapso do Império Máuria, o **budismo se enfraquece na Índia**.

O budismo floresce no Sri Lanka, sudeste asiático, China, Japão, Tibete e Ásia Central.

Sidarta Gautama, mais conhecido como Buda, nasceu no final da Era Védica (1800–600 a.C.), no sul de uma Ásia em transição. No sistema de castas do país, os sacerdotes brâmanes e a elite guerreira xátria estão no topo, e Sidarta Gautama nasceu nessa casta.

A Índia, nessa época, era um burburinho de seitas e novas ideologias, algumas das quais assumiram uma filosofia de renúncia ao mundo material. Sidarta desenvolveu uma filosofia similar baseada no hinduísmo místico, mas também rejeitou as cada vez mais rígidas estruturas do ritual védico e a piedade herdada dos brâmanes. Renunciando às posses materiais, ele buscou, e acabou encontrando, a iluminação, tornando-se o Buda. Ele pregou no nordeste da Índia e fundou o Sanga – a ordem monástica no budismo –, para dar continuidade ao seu ministério.

AS CIVILIZAÇÕES ANTIGAS

Veja também: As conquistas de Alexandre, o Grande 52-53 ▪ A civilização do Vale do Indo entra em colapso 70 ▪ Maomé recebe a revelação divina 78-81 ▪ As 95 teses de Martinho Lutero 160-163

> "Dado que a separação é certa nesse mundo, não é melhor se separar voluntariamente pelo bem da religião?"
> **Sidarta Gautama**

Pelos próximos dois ou três séculos, o budismo seguiu sendo uma entre várias seitas menores, mas, sob o imperador máuria Ashoka, o Grande, ele se tornou a religião estatal da Índia. O reino de Ashoka começou com conquistas sangrentas, mas por volta de 261 a.C. ele teve uma mudança de comportamento. A partir de então adotou um novo modelo de realeza e filosofia religiosa baseado num credo de tolerância e não violência. Expandiu o controle máuria e, usando o budismo como uma poderosa força unificadora, teve sucesso em juntar toda a Índia, exceto o extremo sul, num império de 30 milhões de pessoas.

Uma religião mundial

Tendo feito do budismo a religião estatal, Ashoka fundou mosteiros e financiou diversos estudos. Ele enviou missionários budistas para todos os cantos do subcontinente, chegando a atingir Grécia, Síria e Egito. Suas missões estabeleceram o budismo, a princípio, como uma busca da elite, mas a religião acabou se enraizando em todos os níveis da sociedade no Sri Lanka, sudeste asiático, às margens da Rota da Seda nos reinos Indo-Gregos (no atual Paquistão e Afeganistão), e mais tarde na China, Japão e Tibete. Na Índia – seu berço –, o budismo começou a perder força depois da morte de Ashoka em 232 a.C., afetado pelo ressurgimento do hinduísmo e bem mais tarde pela chegada do islã. Fora da Índia, no entanto, sua tradição e ensino floresceram, evoluindo em muitas vertentes como o zen-budismo,

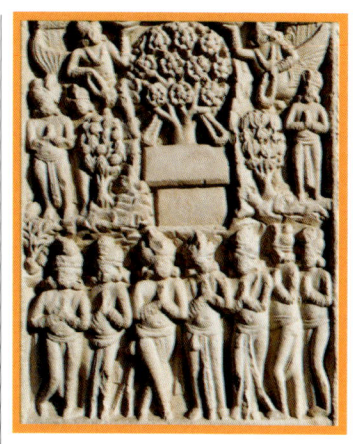

Esse baixo-relevo em pedra que mostra a vida de Buda decora os portões da Grande Stupa em Sanchi, comissionada pelo imperador Ashoka no século III a.C..

o budismo teravada, ou hinaiana, o budismo maaiana e o budismo vajraiana.

Primeira religião a ter ido bem além da sociedade que a originou – sendo assim uma "religião mundial" –, o budismo também é uma das mais velhas, tendo sido praticado desde o século VI a.C. ▪

O Buda

A história da vida de Sidarta Gautama é obscurecida pelo mito e pelas lendas que se desenvolveram ao seu redor. Diferentes tradições dão diferentes cronologias para seu nascimento e morte, mas muitas concordam com 563–483 a.C. Dizem que seu parto foi miraculoso, tendo nascido do lado de sua mãe. Sidarta foi criado com luxo no palácio de seu pai, rei Suddhodana Tharu, líder do clã Shakya.

Aos 29 anos, Sidarta rejeitou a vida de luxo e deixou mulher e filho, renunciando às coisas materiais para buscar iluminação através do ascetismo. Tendo gasto seis anos vagando e meditando, alcançou a iluminação e tornou-se o Buda, mas, em vez de ascender ao nirvana, o estado transcendente que é a meta do budismo, escolheu permanecer e pregar sua nova mensagem, o *darma*.

Juntando seguidores que formaram a Sanga, uma ordem monástica, o Buda manteve seu ministério até sua morte, aos 80 anos. Ele encorajou seus discípulos a seguir o *darma*, instruindo-os: "Todas as coisas individuais passam. Perseverem incansavelmente".

UMA PISTA PARA A EXISTÊNCIA DE UM SISTEMA DE ESCRITA PICTÓRICA NAS TERRAS GREGAS
O PALÁCIO DE CNOSSOS (C. 1700 A.C.)

EM CONTEXTO

FOCO
Creta minoica

ANTES
c. 7000 a.C. Colonização inicial de Creta.

c. 3500 a.C. Começo da Idade do Bronze em Creta.

DEPOIS
c. 1640 a.C. Enormes erupções vulcânicas devastam as colônias e a costa minoica.

c. 1500 a.C. Profunda estratificação da cultura minoica; a administração local é delegada às grandes vilas.

c. 1450 a.C. A invasão micênica de Creta.

c. 1100 a.C. Os Povos do Mar aterrorizam o mundo mediterrâneo, levando a civilização minoica ao declínio final.

1900 d.C. Arthur Evans começa a escavação de Cnossos.

1908 d.C. O arqueólogo italiano Luigi Pernier descobre o disco de Festo.

A **sociedade minoica** se torna muitíssimo próspera através da **agricultura e do comércio**.

↓

A **estratificação social** se desenvolve, tendo uma elite rica controlando o comércio.

↓

São construídos sofisticados **complexos de palácios** para armazenar bens para redistribuição.

↓

A necessidade de **registros contábeis** faz surgir a "escrita" na forma de **hieróglifos**.

↓

Os hieróglifos evoluem e se tornam o silabário Linear A em Cnossos.

Em 1890, o historiador britânico Arthur Evans deparou com antigos selos de argila à venda em Atenas. Sua origem era a relativamente inexplorada ilha de Creta no Mediterrâneo, e para Evans eles ofereciam uma pista preciosa sobre a existência do primeiro sistema de escrita na Europa.

Seguindo os selos até sua origem em Creta, Evans decidiu escavar uma grande área de terra em Cnossos, no norte da ilha, onde encontrou um vasto complexo de palácios. A iconografia do palácio se centrava no culto ao touro, incluindo afrescos que mostravam o esporte da taurocatapsia. Evans chamou tal civilização de "minoica" em homenagem ao rei mitológico cretense Minos, que, de acordo com a lenda grega, construiu um labirinto para conter o Minotauro: uma assustadora criatura, meio homem, meio touro. No processo, Evans descobriu que os minoicos haviam de fato inventado uma forma antiga de alfabeto, à qual chamou de "Linear A".

O Período Palacial

Os minoicos eram um povo de origem desconhecida (talvez na Anatólia) que se estabeleceu em Creta na Era Neolítica, cerca de 7000 a.C. Eles cultivavam a terra, cuidavam de gado e

AS CIVILIZAÇÕES ANTIGAS

Veja também: O assentamento de Çatalhöyük 30-31 ▪ O Código Jurídico de Hamurabi 36-37 ▪ As Guerras Médicas 44-45 ▪ A democracia ateniense 46-51 ▪ O rei Sejong introduz uma nova escrita 130-131 ▪ A queda de Constantinopla 138-141

faziam suas adorações em cavernas, no topo de montanhas ou em nascentes de rios, mas em torno de 2700 a.C. começaram a construir enormes complexos de palácios. Por volta de 1900 a.C., no que hoje é conhecido como o Período Palacial da civilização minoica, foram construídos palácios em Cnossos, Festo, Mália e Chania, todos com formas muito similares, sendo o de Cnossos o maior de todos. Este foi destruído, possivelmente por fogo ou talvez por um tsunami, cerca de 1700 a.C., sendo reconstruído logo em seguida no mesmo lugar. No seu auge, por volta de 1500 a.C., o palácio de Cnossos e a cidade que cresceu ao seu redor ocupavam 75 hectares e tinham uma população de quase 12 mil pessoas.

Todos os palácios minoicos tinham um grande corte central, cercado por muitos edifícios em forma de câmaras, e eram ricamente decorados com afrescos de flora e fauna. Em seus extensos armazéns, os governantes – que talvez também tenham desempenhado o papel duplo de reis ou rainhas sacerdotes – acumulavam muitos bens para redistribuição. Os governantes minoicos também controlavam o comércio com outras civilizações mediterrâneas da Idade do Bronze, como Biblos, na Fenícia (hoje Líbano), Ugarit, na Síria, o Egito da época dos faraós, e os assentamentos greco-micênicos nas Cíclades e além.

O desenvolvimento da escrita

Os minoicos desenvolveram sua própria forma de escrita para fins burocráticos, substituindo o registro hieroglífico, no qual desenhos representam ideias e conceitos, por um silábico, conhecido como Linear A. Por volta de 1450 a.C., Creta foi invadida pelos micênicos, que adaptaram a escrita minoica e criaram a Linear B.

Com o colapso de Creta, coube aos fenícios dar o próximo passo no desenvolvimento da escrita moderna. Por ser uma potência comercial e marítima, era essencial para a Fenícia desenvolver uma ferramenta que permitisse se comunicar e escrever em várias línguas. Nasceu assim o alfabeto, sistema em que cada símbolo corresponde não a uma sílaba, mas a uma letra.

O alfabeto fenício foi adotado pelos gregos, depois pelos romanos, e é a base do alfabeto latino usado até hoje. ▪

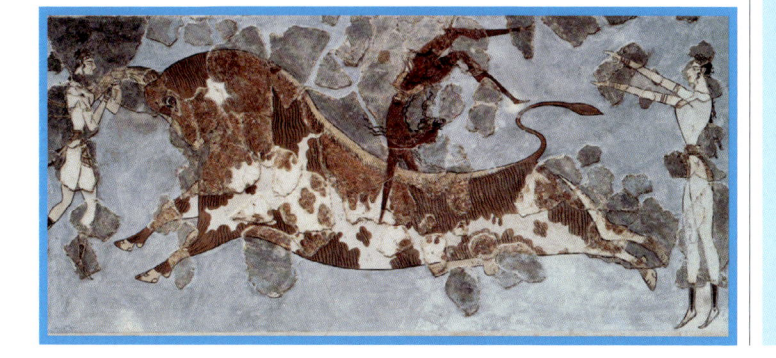

Este afresco de taurocatapsia no palácio de Cnossos, em Creta, é o painel mais bem preservado dentre vários estuques de toureiros. As interações de homens e touros eram um tema comum naquela época.

O disco de Festo

Encontrado em 1908 nas ruínas do palácio minoico de Festo, no sul de Creta, o disco de Festo (acima), feito de argila queimada e com cerca de 15 centímetros de diâmetro, está inscrito com símbolos de uma escrita desconhecida. Apesar de datado de 1700 a.C., ele foi feito usando a técnica de impressão em xilogravura, que se achava que não havia sido inventada senão depois de 2 mil anos, mais ou menos, na China, tornando o disco um dos maiores mistérios arqueológicos. Os símbolos, muitos deles reconhecidos como objetos cotidianos, estão arranjados em uma espiral e divididos em palavras através de linhas verticais. Alguns estudiosos traçaram paralelos entre certos símbolos em hieróglifos cretenses e o Linear A, sugerindo que a escrita no disco possa ter sido a forma elaborada de uma escrita minoica já existente. Há muitas teorias sobre o significado do disco – alguns consideram a inscrição como um hino a uma deusa, outros como o relato de estórias, outros ainda como um calendário ou um jogo. Alguns especialistas acreditam até se tratar de uma fraude bem elaborada.

EM TEMPOS DE PAZ, OS FILHOS ENTERRAM SEUS PAIS, MAS NA GUERRA SÃO OS PAIS QUE ENTERRAM SEUS FILHOS
AS GUERRAS MÉDICAS (490-449 A.C.)

EM CONTEXTO

FOCO
O Império Persa

ANTES
Século VII a.C. Os medos estabelecem um poderoso reino onde hoje é o Irã.

c. 550 a.C. Ciro, o Grande, se rebela contra o governante medo e funda o Império Persa Aquemênida.

c. 499 a.C. As cidades-estados gregas se rebelam contra o controle persa, mas sua revolta é sufocada.

DEPOIS
431 a.C. Atenas e Esparta lutam pela supremacia na Grécia na Guerra do Peloponeso.

404 a.C. Artaxerxes II se torna governante do Império Aquemênida.

331 a.C. Alexandre, o Grande, derrota Dário III e conquista o Império Persa.

312 a.C. A Pérsia se torna parte do Império Selêucida, fundado por um dos generais de Alexandre.

Leônidas de Esparta ficou à frente de seus trezentos guerreiros, confrontando o exército mais poderoso que o mundo já vira. O emissário de seu inimigo exigiu que abandonasse as armas aos pés do rei-deus persa. "Venham pegá-las", foi a resposta lacônica de Leônidas.

As Guerras Médicas (490-449 a.C.), também conhecidas como Guerras Greco-Persas, atiçaram um vasto e cosmopolita império contra um pequeno bando de cidades-estados no sul da Grécia. O conflito influenciou profundamente o desenvolvimento da identidade e da cultura grega clássicas, deixando uma trilha vívida na literatura e nos mitos ocidentais. Em contraste, a história do Império Persa Aquemênida segue razoavelmente negligenciada, ocultando a importância dessa grande civilização do Oriente Médio.

Os aquemênidas

O primeiro Império Persa, governado pela dinastia conhecida como aquemênida, cresceu rapidamente. No seu auge, talvez tenha governado metade da população mundial. Ele começou cerca de 550 a.C., quando o rei persa Ciro, o Grande, derrotou os governantes medos e avançou para conquistar a Babilônia e Lídia (hoje Turquia), o que pôs os gregos iônicos

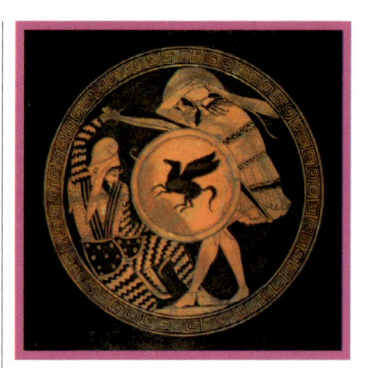

Um hoplita – ou soldado-cidadão grego – derrota seu oponente persa nessa decoração numa taça de vinho de 460 a.C. O cavalo alado Pégaso adorna o escudo do vencedor.

sob governo persa. Os sucessores de Ciro, Cambises II e Dário, estenderam o império até o Egito e os Bálcãs, onde Trácia e Macedônia deram aos persas um pé na Europa.

Os aquemênidas estabeleceram o poder persa como um modelo para futuros impérios. A despeito de seu enorme tamanho, o Estado abraçava um grande multiculturalismo, permitindo aos povos conquistados liberdade de religião, língua e cultura. Houve investimento em infraestrutura – como os romanos, os persas construíram uma rede de estradas para

AS CIVILIZAÇÕES ANTIGAS

Veja também: O código jurídico de Hamurabi 36-37 ▪ A democracia ateniense 46-51 ▪ As conquistas de Alexandre, o Grande 52-53 ▪ As Guerras do Peloponeso 70 ▪ Maomé recebe a revelação divina 78-81

ligar seu império – e em militares, além da delegação da administração às províncias locais. Sob os aquemênidas, o Oriente Médio foi unificado sob um único guarda-chuva cultural pela primeira vez.

O conflito com os gregos independentes se deu depois de as cidades-estados de Atenas e Erétria terem apoiado uma revolta malsucedida pelos iônicos contra o domínio persa em 499 a.C. Dário respondeu invadindo a Grécia continental, mas foi derrotado pelos atenienses e seus aliados em Maratona em 490 a.C. Ele planejou uma invasão ainda maior, mas foi somente depois de sua morte que seu filho Xerxes começou a arregimentar um enorme exército para executar seu plano.

Pai das mentiras

A principal fonte sobre as Guerras Greco-Persas é o historiador grego antigo Heródoto de Halicarnasso, conhecido tanto como Pai da História quanto Pai das Mentiras. Heródoto estimou que o exército terrestre de Xerxes era constituído de 1,7 milhão de homens – mas historiadores modernos acreditam que o número máximo não passou de 200 mil.

A segunda invasão persa em 480 a.C. foi detida pela defesa heroica de Leônidas e seus trezentos espartanos em Termópilas e pela resistência naval em Artemísio. Tempos depois, a marinha ateniense atraiu a frota persa para uma emboscada em Salamina. Xerxes voltou à Pérsia, deixando uma enorme

> ❝ Todas as outras expedições… não são nada comparadas a esta. Pois teria havido alguma nação em toda a Ásia que Xerxes não tenha trazido consigo contra a Grécia? ❞
> **Heródoto**

força para continuar a luta; mas, na Batalha de Plateias em 479 a.C., os gregos – liderados pelos espartanos – esmagaram os persas, que também perderam para os espartanos em Mícale. O sucesso grego talvez possa ser atribuído às dificuldades de Xerxes em manter seu vasto exército alimentado e animado após as derrotas navais, apesar de Heródoto tê-lo atribuído à superioridade moral de sua causa.

A Liga de Delos

Os gregos agora partiram para o ataque, formando a Liga de Delos para confrontar a Pérsia. Em 449 a.C., os persas finalmente aceitaram a paz, concedendo a independência para os Estados iônicos.

As Guerras Médicas reforçaram a identidade grega e melhoraram a confiança cultural e militar sobretudo de Atenas. Seu poder crescente disparou o conflito com Esparta, levando à Guerra do Peloponeso em 431–404 a.C. O Império Persa havia chegado ao limite de sua expansão, mas seguiu forte até sua derrota por Alexandre, o Grande, em 331 a.C. ■

Ciro, o Grande

O fundador do Império Aquemênida foi Ciro II, mais tarde conhecido como "o Grande". Por volta de 557 a.C., ele tornou-se rei de Ansam. De acordo com a lenda, ele conquistou o apoio do exército persa ao fazê-los abrir caminho por arbustos de espinhos num dia e desfrutando de um banquete no outro, em seguida perguntando por que os soldados continuavam escravos dos medos quando, ao apoiarem sua revolta, poderiam viver no luxo. Quase dez anos depois, ele já havia conquistado a Média, além de Sárdis e Lídia na Ásia Menor. Sete anos mais, conquistou a Babilônia ao desviar o curso do Eufrates e marchar com seu exército pelo leito seco até a grande cidade. Essa vitória lhe trouxe as terras do novo Império Babilônio, incluindo a Assíria, a Síria e a Palestina. Ele libertou os judeus de seu jugo babilônico e lhes permitiu reconstruir o Templo em Jerusalém. O escritor grego Xenofonte o viu como um exemplo de governante ideal.

Ciro morreu em 530, numa de suas campanhas na Ásia Central. Foi enterrado numa grande tumba dentro do palácio real que havia construído em Pasárgada, na Pérsia.

OS MUITOS, NÃO OS POUCOS

A DEMOCRACIA ATENIENSE (C. 507 A.C.)

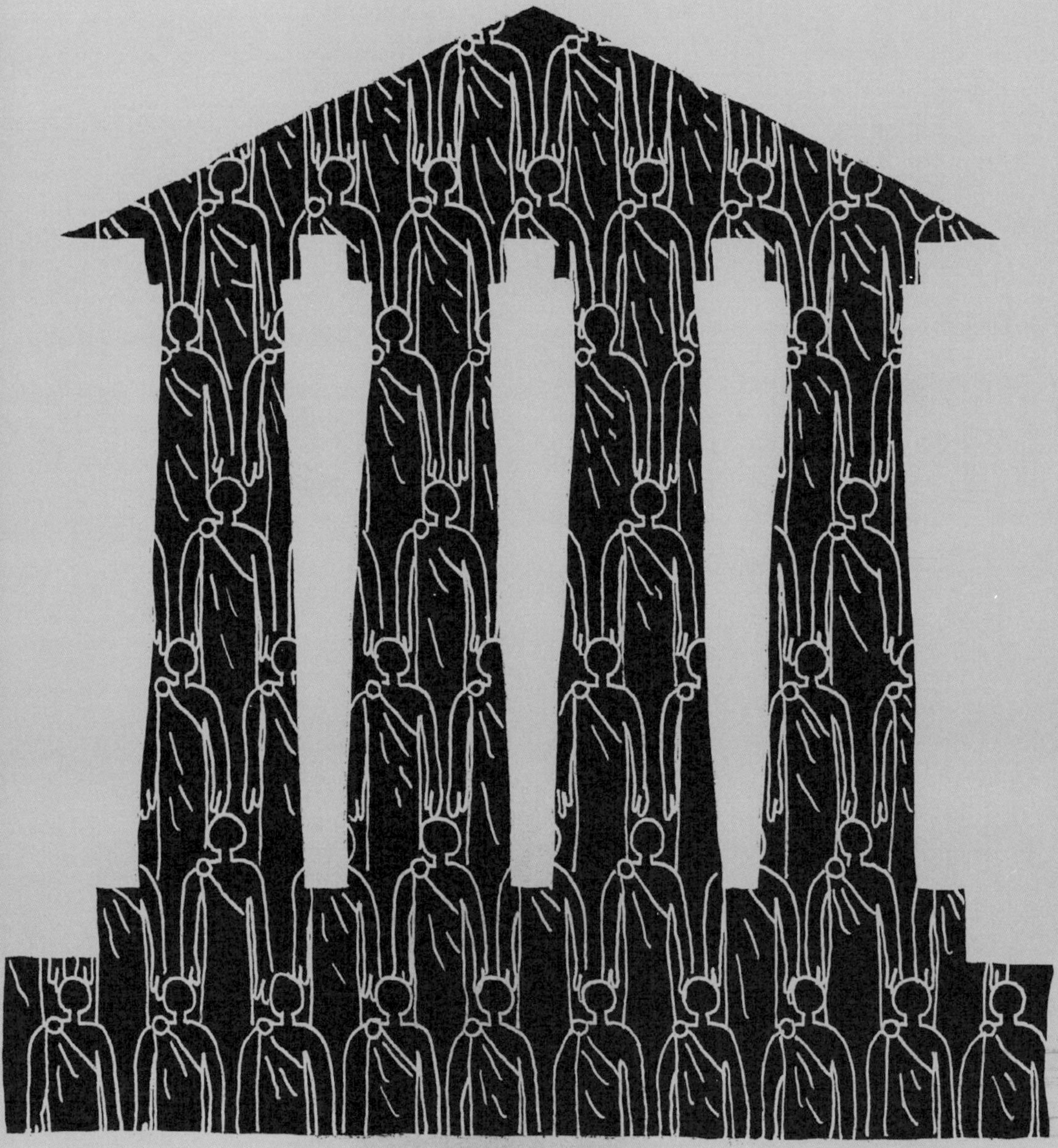

A DEMOCRACIA ATENIENSE

EM CONTEXTO

FOCO
Política e filosofia grega

ANTES
Séculos XIV e XIII a.C.
Assentamentos micênicos em Atenas, com a fortificação da Acrópole.

c. 900 a.C. União política de pequenas cidades em Ática numa cidade-estado centrada em Atenas.

c. 590 a.C. As reformas de Sólon abrem a máquina política de Atenas a todos os cidadãos, independente da classe.

DEPOIS
86 a.C. Atenas é saqueada pelos romanos liderados pelo general Sula.

c. 50 a.C. Começo do movimento romano de valorização da Grécia; Atenas torna-se o foco dos benfeitores imperiais.

529 d.C. O imperador cristão Justiniano fecha a escola de Platão e expulsa os estudiosos pagãos.

O termo "democracia" vem das palavras gregas *demos* (povo) e *kratos* (poder). A democracia que se desenvolveu na antiga Atenas por volta de 507 a.C. e floresceu em sua forma mais pura entre 462 e 322 a.C., mesmo com algumas interrupções, ofereceu o modelo para aquela que se tornou a forma dominante de governo no mundo: em 2015, 125 dos 195 países do mundo eram democracias pelo voto. A democracia de Atenas, no entanto, diferia de sua forma moderna, refletindo a história de Atenas e dos estados guerreiros gregos daquela época.

Oligarcas e hoplitas

Depois do caos da Idade das Trevas Grega – um período posterior ao desmantelamento da civilização micênica cerca de 1100 a.C. que durou até quase o século IX a.C. –, a maioria das novas cidades-estados se tornou oligarquias onde os nobres poderosos monopolizavam o governo e serviam a seus próprios interesses. Em Atenas, o Areópago – um conselho e tribunal feito de homens de berço aristocrático – controlava a máquina do Estado, indicando autoridades e servindo de corte civil, enquanto os da classe mais baixa (*thetes*) eram excluídos das decisões.

> Para o ateniense, os frutos de outros países são luxo similar aos do seu próprio.
> **Péricles**

Mas o desenvolvimento do modelo "hoplita" de soldado-cidadão nos séculos VIII e VII a.C. acabou funcionando de forma disruptiva para os que estavam no poder, já que levou a certo nível de igualdade. Os hoplitas eram homens da artilharia pesada, quase todos cidadãos livres, cuja tática primária era a falange – uma formação militar na qual os soldados ficavam em pé em fileiras muito compactas e o escudo de cada soldado protegia o hoplita à sua esquerda. Qualquer homem que pudesse pagar por armas e armaduras estaria pondo sua vida em risco para defender o Estado. Como resultado, surgiu um tipo de classe média que declarava que o serviço militar deveria garantir a plena cidadania e a representação política. Ao mesmo tempo, as classes mais baixas faziam demandas, e a tensão entre elas e as ordens superiores sobre questões-chave, como reforma agrária e escravidão por dívida, ameaçava levar a uma crise social.

Sólon e Clístenes

Em Atenas, algumas dessas tensões foram dissolvidas, por volta de 594 a.C., pelas reformas do estadista Sólon. Ele implementou a lei que declarava que todos os cidadãos poderiam votar em matérias do Estado e que uma corte

---

Péricles

Péricles (c. 495–429 a.C.) tornou-se o mais famoso democrata de Atenas e líder da cidade-estado por quase trinta anos. Ele ficou famoso por volta de 462 a.C., quando ajudou Efialtes a desmantelar o Areópago – o último bastião do controle oligárquico. Após a morte de Efialtes, Péricles avançou com as reformas, incluindo a remuneração dos que serviam na corte, possibilitando que até os cidadãos mais pobres fossem ouvidos. Também se acredita que tenha ajudado a liderar a política externa assertiva de Atenas conforme a cidade buscava explorar sua dominância na Liga de Delos. Durante os anos 440 e 430 a.C., ele se envolveu num ambicioso programa público de construções que desencadeou uma controvérsia local, onde teve que reagir a revoltas, e no exterior foi condenado por ter pedido dinheiro da Liga de Delos para pagar o Parthenon. De qualquer forma, ele era popular e foi eleito general todos os anos desde 443 a.C.

AS CIVILIZAÇÕES ANTIGAS 49

Veja também: O Código Jurídico de Hamurabi 36-37 ▪ O palácio de Cnossos 42-43 ▪ As Guerras Médicas 44-45 ▪ As conquistas de Alexandre, o Grande 52-53 ▪ As Guerras do Peloponeso 70 ▪ A queda de Constantinopla 138-141

O Parthenon, construído entre 447–438 a.C. como um templo dedicado à deusa Atena, costuma ser visto como um símbolo da democracia e da civilização ocidental.

penal deveria admitir todos os cidadãos. Ao mesmo tempo, no entanto, fez um afago nas classes superiores ao introduzir uma oligarquia em camadas, na qual o poder correspondia à riqueza – o aristocrata controlaria os cargos mais altos, a classe média os mais baixos, e os pobres poderiam ser selecionados em lotes para servir como jurados.

No final do século VI a.C., Atenas foi dominada pelo tirano Pisístrato e seus filhos. Em resposta a isso, uma facção de aristocratas liderados por Clístenes se aliou a membros de posições inferiores na sociedade para tomar o poder. A instituição da verdadeira democracia em Atenas normalmente guarda esta data: cerca de 507 a.C. Clístenes introduziu o verdadeiro governo popular, ou democracia direta, possibilitando a todos os cidadãos de Atenas que votassem diretamente nas decisões políticas (diferente da democracia representativa contemporânea, onde o povo escolhe representantes que agem como legisladores). Ele também reorganizou os cidadãos em unidades geográficas, não em parentesco, rompendo os vínculos tradicionais que sustentavam a sociedade aristocrática ateniense, e estabeleceu o sorteio – a escolha aleatória de cidadãos para posições governamentais, não mais sendo escolhidos por hereditariedade. Além disso, reestruturou a Bulé – um Conselho de Quinhentos, que redigia algumas leis e propunha outras para a assembleia dos votantes (Eclésia). Em 501 a.C., o comando dos militares foi transferido para generais eleitos pelo povo – os *estrategos*.

Em 462 a.C., Efialtes tornou-se líder do governo democrático em Atenas e, com seu suplente Péricles, desmantelou o conselho do Areópago, transferindo seus poderes para a Bulé, a Eclésia e as cortes de cidadãos. Efialtes foi assassinado em 461 a.C. e Péricles assumiu a liderança política, tornando-se um dos mais influentes governantes na história da Grécia antiga.

Uma democracia perfeita?

Agora Atenas tinha uma genuína democracia direta, mas muitas pessoas não podiam participar do sistema, já que não eram consideradas verdadeiros cidadãos. Os direitos políticos eram restritos aos homens adultos de Atenas: mulheres, estrangeiros e escravos estavam excluídos. »

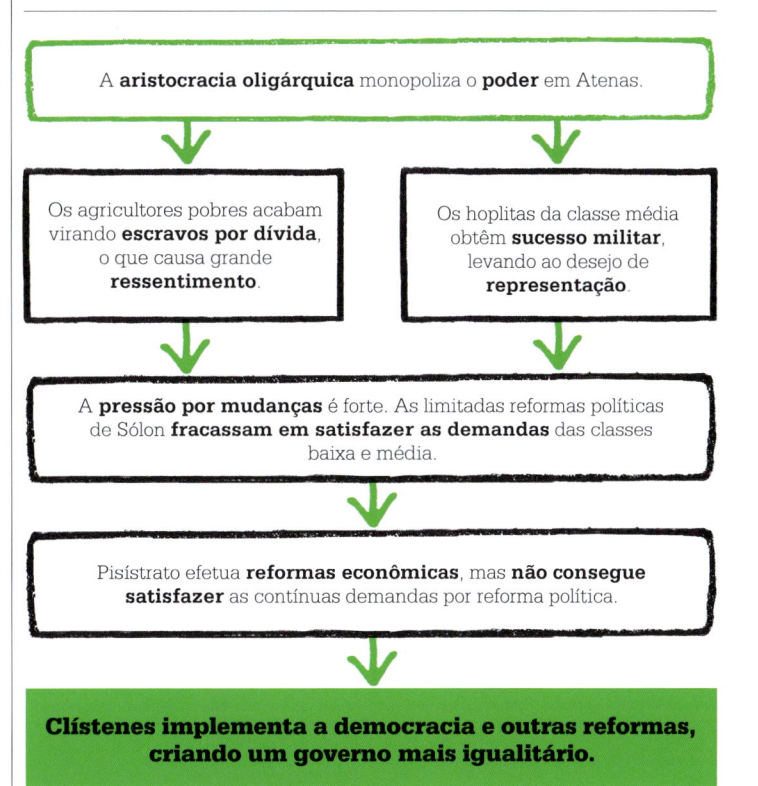

A **aristocracia oligárquica** monopoliza o **poder** em Atenas.

↓ ↓

Os agricultores pobres acabam virando **escravos por dívida**, o que causa grande **ressentimento**.

Os hoplitas da classe média obtêm **sucesso militar**, levando ao desejo de **representação**.

↓ ↓

A **pressão por mudanças** é forte. As limitadas reformas políticas de Sólon **fracassam em satisfazer as demandas** das classes baixa e média.

↓

Pisístrato efetua **reformas econômicas**, mas **não consegue satisfazer** as contínuas demandas por reforma política.

↓

Clístenes implementa a democracia e outras reformas, criando um governo mais igualitário.

A DEMOCRACIA ATENIENSE

A constituição ateniense baseava-se numa cuidadosa separação de poderes. Isso foi essencial para possibilitar o funcionamento prático da democracia direta. Ela também garantia que todos os cidadãos (homens com vinte anos ou mais) pudessem contribuir e o poder não pudesse ser usurpado.

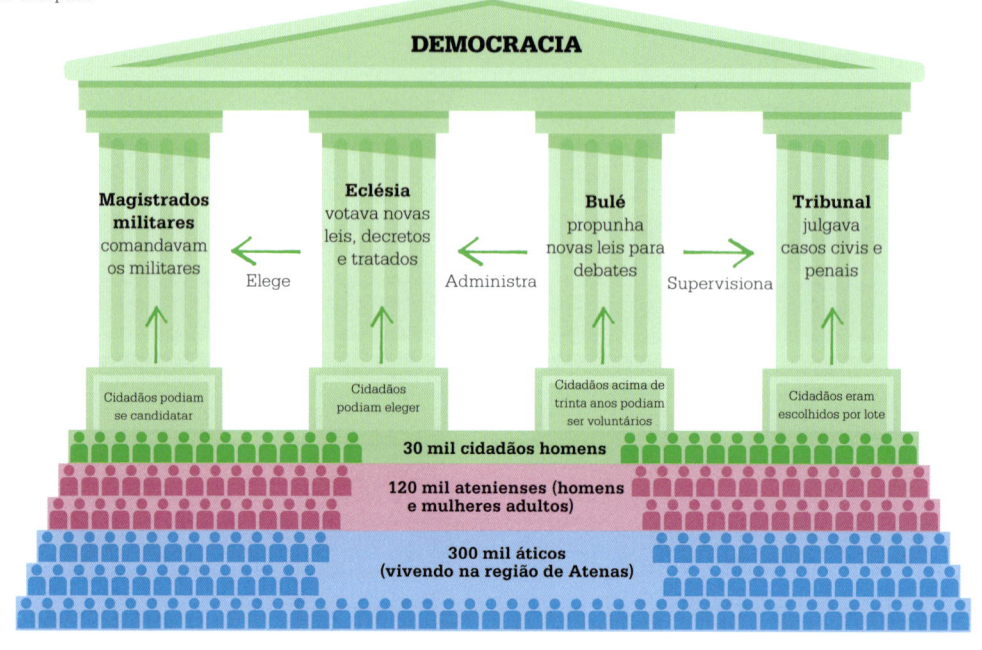

DEMOCRACIA

Magistrados militares — comandavam os militares
← Elege

Eclésia — votava novas leis, decretos e tratados
← Administra

Bulé — propunha novas leis para debates
→ Supervisiona

Tribunal — julgava casos civis e penais

- Cidadãos podiam se candidatar
- Cidadãos podiam eleger
- Cidadãos acima de trinta anos podiam ser voluntários
- Cidadãos eram escolhidos por lote

30 mil cidadãos homens

120 mil atenienses (homens e mulheres adultos)

300 mil áticos (vivendo na região de Atenas)

No século IV a.C., dos mais de 300 mil habitantes de Ática – a região da Grécia controlada por Atenas –, somente 30 mil realmente votavam. Em teoria, homens tornavam-se eleitores aos dezoito anos, mas como quase sempre tinham dois anos de serviço militar, não entravam no rol do conselho até completarem vinte anos e não atingiam plenos poderes políticos até chegarem aos trinta.

Durante a "Pentecontaetia" – as décadas entre a vitória grega na Guerra Médica (479 a.C.) e o começo da Guerra do Peloponeso (431 a.C.) –, Atenas atingiu sua glória. Em 447 a.C., Péricles apropriou-se do tesouro da Liga de Delos (a confederação antipersa que havia se tornado um fantoche da hegemonia ateniense) para construir um magnífico templo (o Parthenon) no monte conhecido como Acrópole. A cidadania de Atenas era fruto de muita cobiça, e em 451 a.C.

> " Nossos cidadãos comuns, a despeito de ocupados com a busca de habilidades, ainda são juízes justos de matérias públicas.
> **Péricles** "

Péricles aprovou uma lei restringindo-a a homens cujos pais fossem ambos atenienses.

Um centro de filosofia

Além de ser a mais poderosa cidade-estado na Grécia antiga, Atenas também era o caldeirão de uma nova direção revolucionária na filosofia, em boa parte devido a Sócrates (c. 469-399 a.C.). Filósofos gregos anteriores, conhecidos em conjunto como pré-socráticos, introduziram sua própria revolução no pensamento humano nos séculos V e VI a.C. Eles rejeitaram explicações sobrenaturais para o mundo, o poder explanatório da mitologia e a autoridade da tradição, dispondo-se a descobrir a origem e o funcionamento do mundo natural através da razão e da observação. Os filósofos naturais pré-socráticos desenvolveram teorias sobre os elementos, a classificação da natureza e as provas matemáticas e geométricas.

Sócrates voltou seus questionamentos para questões mais humanas e subjetivas – como Cícero havia dito: "Ele trouxe a filosofia do céu para a terra". O método de Sócrates era simplesmente fazer perguntas: O que é amizade? O que é justiça? O que é conhecimento? O método socrático costumava despir os limites do pensamento existente, geralmente fazendo as pessoas parecerem tolas ou cheias de pompa. Além disso, Sócrates não era popular, e acabou sendo acusado de dois crimes por seus inimigos: corromper os jovens ao encorajá-los a enfrentar o governo e impiedade ou falta de respeito pelos deuses. Por isso foi sentenciado à morte.

Os sucessores de Sócrates

O destino de Sócrates foi tomado como um indiciamento da democracia por seus seguidores, em especial Platão (c. 428–348 a.C.), que o via como um mártir da verdade. Platão cuidava de uma escola (a Academia) e desenvolveu ideias a respeito de verdades e metafísicas universais que moldaram toda a religião e filosofia que o seguiu no mundo ocidental. Seu aluno Aristóteles (384–322 a.C.) tornou-se igualmente influente, criando a escola do Liceu e escrevendo sobre assuntos tão diversos quanto política, ética, direito e ciências naturais.

Platão se opunha à democracia, já que acreditava que as pessoas não estavam suficientemente equipadas com a graça filosófica para legislar e, se a política fosse deixada nas mãos do cidadão comum, surgiria a tirania. Na sua república ideal, filósofos iluminados governariam como reis. Ele também desafiou o princípio básico da democracia – o da liberdade (*eleutheria*) –, o qual julgava ser capaz de desviar as pessoas da adequada busca da ética, causando assim a desunião social.

A queda da democracia

Durante a Guerra do Peloponeso (431–404 a.C.), na qual Atenas acabou derrotada pelos espartanos, a democracia ateniense foi suspensa por duas vezes, em 411 e 404 a.C. Os oligarcas atenienses alegaram que a

> 66
> A tirania não derivou de nenhum outro governo senão da democracia, seguindo-se a uma liberdade extrema, penso eu, uma extrema e cruel servidão.
> **Platão**
> 99

Uma audiência em Atenas (1884), de Sir William Blake, captura a atmosfera da tragédia *Agamemnon* de Ésquilo, c. 450 a.C. Esse período é considerado a Era de Ouro da dramaturgia na Grécia antiga.

fraca posição política de Atenas se devia à democracia, e lideraram uma contrarrevolução para substituir o governo democrático por uma oligarquia extrema. Em ambos os casos, o governo democrático foi restaurado em menos de um ano.

A democracia floresceu nas próximas oito décadas. No entanto, depois da conquista macedônica de Atenas sob Filipe II e seu filho Alexandre (mais tarde Alexandre, o Grande), em 322 a.C., a democracia ateniense foi abolida, sendo restaurada de forma intermitente na era helenística nos séculos I e II a.C., mas a conquista da Grécia pelos romanos em 146 a.C. acabou por destruí-la.

Apesar de o governo democrático ter sido esmagado, a ciência e a filosofia ateniense sobreviveram. A fama e a influência de Platão e Aristóteles duraram pelas eras que os sucederam, e muito de suas obras continua a influenciar o pensamento ocidental até os dias atuais. ∎

NÃO HÁ NADA IMPOSSÍVEL PARA AQUELE QUE TENTA
AS CONQUISTAS DE ALEXANDRE, O GRANDE (SÉCULO IV A.C.)

EM CONTEXTO

FOCO
O mundo helenístico

ANTES
449 a.C. O fim das Guerras Médicas deixa a Pérsia no controle dos reinos gregos na Ásia Menor.

359 a.C. Filipe II da Macedônia começa sua ascensão ao poder e desenvolve tecnologias e táticas militares inovadoras.

338 a.C. Filipe II derrota os estados gregos e se torna o líder indisputado da Grécia.

DEPOIS
321 a.C. Depois da morte de Alexandre, a rixa entre seus generais explode numa guerra civil aberta.

278 a.C. Os generais de Alexandre estabelecem três reinos helenísticos na Grécia, Oriente Médio e Europa.

30 a.C. O imperador Otaviano anexa o Egito, o último reino helenístico, a Roma.

Numa das expansões militares mais rápidas e ousadas da história, Alexandre, o Grande, o jovem rei da Macedônia, nos Bálcãs, deixou uma trilha gloriosa de conquistas por todo o mundo conhecido de seu tempo, pondo em ação um processo de helenização – a disseminação da cultura grega e sua fusão com as tradições orientais não gregas – que durou séculos.

O pai de Alexandre, Filipe II, transformou seu Estado periférico num formidável poder militar, e travou campanhas contra seus vizinhos que culminaram no domínio macedônico sobre toda a Grécia. Quando ele foi assassinado, em 336 a.C., Filipe havia planejado uma expedição para a Ásia Ocidental para libertar as antigas cidades-estados gregas então governadas pela maior superpotência do mundo, o Império Persa. Depois de assegurar o trono macedônico ao destruir seus rivais, Alexandre decidiu seguir a jornada de seu pai, ao mesmo tempo que satisfazia sua própria sede de glória.

Rei do mundo

Depois de forçar as outras cidades-estados gregas a aceitar sua autoridade em 334 a.C., Alexandre marchou para a Ásia Menor (atual Turquia) liderando um exército de 43 mil soldados a pé e 5.500 a cavalo. Em seu centro estava a falange macedônica, um comando bem treinado e muito coeso de 15 mil homens armados com uma *sarissa*, uma lança de quase sete metros de comprimento. Quando articulada com a impressionante cavalaria de choque guarnecida pela guarda pessoal do rei, os *heteros*, a formação não permitia resistência.

Depois de uma vitória inicial contra os persas no rio Granico a noroeste, Alexandre forçou a passagem pela Ásia Menor. Parou em Górdio, no reino central da Frígia, onde a tradição rezava

Neste antigo mosaico romano, Dário III é mostrado lutando em Isso, em 333 a.C. Alexandre conquistou o império do rei da Pérsia e destruiu sua capital, Persépolis, sem sofrer nenhuma derrota.

AS CIVILIZAÇÕES ANTIGAS

Veja também: As Guerras Médicas 44-45 ▪ A democracia Ateniense 46-51 ▪ O assassinato de Júlio Cesar 58-65 ▪ Justiniano reconquista Roma 76-77 ▪ A fundação de Bagdá 86-93 ▪ A queda de Constantinopla 138-141

A **troca cultural** Oriente–Ocidente começa com as Guerras Médicas, em que as províncias do Império Persa são **helenizadas** e os macedônios adotam aspectos da **cultura persa**.

→

As conquistas de Alexandre forçam a rápida síntese das culturas grega e orientais, semeando a Era Helenística.

↓

O **aprendizado helenístico** sobrevive à queda de Roma durante o **Império Bizantino** e com a **tradução** de clássicos gregos para o árabe durante a **Era de Ouro do Islã**.

←

Sociedades helenizadas no Egito e na Ásia Ocidental são **assimiladas** pelo Império Romano.

---

que quem pudesse desatar um complexo nó feito pelo fundador da cidade conquistaria todo o continente. Alexandre, de forma direta, cortou o nó com sua espada. Seguiu adiante para derrotar por duas vezes as forças muito superiores arregimentadas por Dário III, o imperador persa – em Isso (na costa sul da Ásia Menor) em 333 a.C., e em Gaugamela (hoje Iraque) em 331 a.C., subjugando o Egito ao mesmo tempo.

Tendo submetido os persas, Alexandre levou suas tropas para o leste, atravessando montanhas, desertos e rios até chegar ao Afeganistão e à Ásia Central, indo além até Punjab, na Índia, esmagando impiedosamente qualquer resistência. Ele poderia ter avançado ainda mais na Índia, mas em 325 a.C. seus homens, exaustos, se recusaram a ir adiante.

O legado helenístico

Alexandre passou a ser o rei de um vasto e etnicamente diverso império que incluía setenta cidades recém-fundadas, unidas por costumes, cultura e língua gregos, ligadas por rotas comerciais. Apesar de o processo de helenização já ter começado na parte ocidental da Pérsia antes de sua expedição, Alexandre acelerou sua disseminação pelo Oriente Médio.

Em 323 a.C., Alexandre morreu – muito provavelmente de doença, mas talvez por envenenamento – sem escolher um sucessor. Seu império foi fatiado por seus principais generais, mas algumas das dinastias helenísticas que eles fundaram, principalmente a Selêucida na Síria e na Babilônia, e a Ptolomaica no Egito, sobreviveram até à época dos romanos. ▪

Alexandre, o Grande

Por toda a Antiguidade, Alexandre foi reconhecido como o homem mais impressionante já visto e, considerando a amplitude e duração de sua fama, que o viu se tornar uma figura central nas literaturas da Ásia Central até a Europa Ocidental, ele é um dos homens mais famosos da história. Nascido em 356 a.C., de pais que alegavam ser descendentes de demiurgos e heróis, a educação de Alexandre sob o filósofo Aristóteles garantiu sua expertise em lendas gregas, fazendo com que cresse que era invencível, até divino. Como general, era decisivo, ousado até a beira da insensatez – por sua vida e pela de seus homens –, além de ter um brilhante conhecimento tático. Manteve a lealdade de suas forças por toda a sua campanha, mas seu temperamento oscilante e violento, alimentado pela bebida, fez com que vez ou outra eliminasse os mais próximos de si, incluindo seus amigos. Alexandre morreu aos 32 anos, no auge de seu poder. Seu cortejo fúnebre foi sequestrado por Ptolomeu, um de seus generais, e desviado para Alexandria, no Egito, onde seu túmulo, agora perdido, foi mais tarde visitado por Júlio César.

SE O QIN PUDER IMPOR SUA VONTADE AO MUNDO, ENTÃO TODO MUNDO ACABARÁ SENDO SEU PRISIONEIRO
O PRIMEIRO IMPERADOR UNIFICA A CHINA (221 A.C.)

EM CONTEXTO

FOCO
A dinastia Han

ANTES
1600–1046 a.C. Governo da dinastia Shang.

c. 1046–771 a.C. Dinastia ocidental Zhou.

771–476 a.C. O Período da Primavera e do Outono (a primeira metade da dinastia oriental Zhou).

551–479 a.C. Vida de Kong Fuzi (conhecido como Confúcio).

476–221 a.C. O Período dos Estados Combatentes (a segunda metade da dinastia oriental Zhou).

DEPOIS
140–87 a.C. Reino do imperador Han chamado Wudi (Liu Che) – um tempo de expansão imperial.

220–581 d.C. O Período dos Três Reinos e das Seis Dinastias.

581–618 A dinastia Sui.

618–907 A dinastia Tang.

A China é quiçá o Estado mais coerente e duradouro na história do mundo, e até certo ponto, de forma extraordinária, isso se deve à vontade de um único homem: Qin Shi Huangdi, o Primeiro Imperador, com estilo próprio. Antes de ele ter unificado a China antiga em 221 a.C., ela era uma região de diversos Estados, com cultura, etnias e línguas próprias. Durante a era conhecida pelos historiadores chineses como Período da Primavera e do Outono (771–476 a.C.), a região estava nominalmente sob controle dos reis da dinastia Zhou, mas, na verdade, seu sistema feudal de governo implicava que apenas uma fração de autoridade era exercida pelo trono real, enquanto os senhores feudais

AS CIVILIZAÇÕES ANTIGAS 55

Veja também: O imperador Wu alega ter o Mandato do Céu 70 ▪ A China é dividida em Três Reinos 71 ▪ A rebelião de An Lushan 84-85 ▪ Kublai Khan derrota a dinastia Song 102-103 ▪ Hongwu funda a dinastia Ming 120-127

> Quando [Qin Shi Huangdi] enfrenta dificuldades, ele rapidamente se torna humilde perante os outros; mas, quando as coisas seguem sua vontade, ele não pensa em nada além de comer os outros vivos.
> **Sima Qian**
> Historiador Han

detinham o genuíno poder sobre o que de fato eram estados autônomos. Quase 140 pequenos Estados competiam por poder e território.

O Período da Primavera e do Outono deu lugar ao Período dos Estados Combatentes (476–221 a.C.), no qual o poder foi consolidado nas mãos de sete reinos: Qi, Chu, Yan, Han, Zhao, Wei e Qin. Nesse ponto da história da China, ainda não estava certo que uma identidade chinesa mais ampla, ou um Estado chinês, surgiria. Se houvesse algo, era mais provável que as consideráveis diferenças geográficas, climáticas, culturais e étnicas entre os vários reinos fariam com que a região se desenvolvesse de forma parecida com a Europa muitos séculos mais tarde, com múltiplas entidades nacionais distintas e divergentes.

A ascensão de Qin

Em 247 a.C., um príncipe de treze anos de idade chamado Ying Zheng ascendeu ao trono de Qin. Ele herdou um Estado militarizado no qual uma burocracia eficiente, exércitos poderosos e competentes generais se uniram para produzir uma formidável e cruel máquina de guerra. Zheng fez com que seus rivais fossem executados ou exilados, escolhendo cada general e conselheiro, e conquistando cada um dos seis estados na região; assim, em 221 a.C. todos os sete Estados estavam unificados sob seu governo. Desprezando o velho título de rei (Wang), preferiu ser chamado de imperador (Huangdi). Já que ele era o primeiro (Shi) imperador da dinastia Qin, ficou conhecido como Qin Shi Huangdi.

A filosofia governante do Estado Qin tinha sido o legalismo: estrita centralização do poder e severidade na imposição e obediência à lei. O imperador passou a aplicar essa filosofia em toda a China, impondo cruelmente unidade cultural, linguística, econômica e tecnológica. Todas as formas de escrita, exceto a Xiaozhuan (a escrita dos pequenos selos), foram banidas. Além disso, de acordo com a lenda, o imperador deu ordens para que quatrocentos estudiosos confucionistas fossem enterrados vivos e todos os livros existentes fossem queimados. Seu reino viria a marcar um novo "Primeiro Ano" na história e na cultura da China. Ele também introduziu uma série de reformas econômicas – deveria haver um simples e unificado sistema de pesos e medidas, uma uniforme cunhagem de moedas, e até a largura das estradas de carroças foi padronizada, para que o comprimento dos eixos das carroças fosse o mesmo em todo o império.

Uma nova ordem

A nova ordem social e política do império refletia as mudanças que já estavam em curso desde o Período da Primavera e do Outono. O sistema feudal foi abolido, assim as massas de »

Qin Shi Huangdi

Como Primeiro Imperador da China, Ying Zheng (mais tarde conhecido como Qin Shi Huangdi) (260–210 a.C.) foi, sem dúvida, uma figura ímpar na história chinesa, unindo o país e produzindo um período de governo imperial que durou quase 2 mil anos. Era um déspota brutal, mas também inovador, dinâmico e enérgico – registros alegam que ele precisava de apenas uma hora de sono por noite e estabelecia sua meta diária de trabalho medida pelo peso dos papéis que precisava analisar. Costumava andar pela cidade disfarçado, para sentir o pulso da população, e fez cinco grandes turnês de inspeção por todo o império. Extremamente paranoico e com medo de atentados contra sua vida (ele sobreviveu a pelo menos uma tentativa de assassinato), o imperador se tornou obcecado pela luta pela imortalidade, financiando expedições em busca de ingredientes mágicos e de místicos que poderiam preparar um elixir da vida que garantisse que pudesse viver para sempre. Ironicamente, sua morte aos cinquenta anos talvez possa estar ligada ao seu consumo de poções tóxicas com mercúrio que ele tomava para prolongar a vida.

O PRIMEIRO IMPERADOR UNIFICA A CHINA

servos agora deviam sua vassalagem ao Estado, em vez de aos senhores feudais ou clãs. Mais de 100 mil famílias nobres foram enviadas para a cidade que era a capital do imperador, Xianyang (perto de Xi'an, na província de Shaanxi), e suas armas foram confiscadas e derretidas e depois transformadas em estátuas gigantes. Durante o Período dos Estados Combatentes, a pressão pela competição militar sem fim favoreceu, na maioria das vezes, o surgimento de caminhos meritocráticos para a ascensão, facilitando a mobilidade social ao mesmo tempo que minava a importância de uma linhagem nobre. Na dinastia Qin, o governo aristocrático foi substituído por uma administração burocrática centralizada, e o país foi dividido em 36 comandos que eram divisões administrativas controladas por governadores escolhidos (não hereditários). Censores, ou inspetores, viajavam pelo país para garantir a obediência à lei de Qin.

A dinastia Qin também viu a emergência de um novo esquema de estratificação social, com a sociedade dividida em quatro classes: os cavalheiros (*Shi*), os camponeses (*Nong*) e duas novas classes que surgiram durante a dinastia Zhou – os artesãos (*Gong*) e os comerciantes (*Shang*). A elite educada substituiria a nobreza, tornando-se a principal fonte para cargos oficiais. A classe dos comerciantes era oficialmente a mais baixa e a mais desprezada de todas, sujeita à discriminação legal. Mas comerciantes ricos conseguiram usar sua força financeira para se tornarem importantes agentes políticos.

Grandes obras

Dentre os maiores feitos de Qin Shi Huangdi estavam seus ambiciosos projetos de construção civil, apesar de ter havido um enorme custo de vidas humanas perdidas no processo. Costuma-se creditar a ele a construção da primeira parte da Grande Muralha da China para manter as tribos nômades ao norte, conectando partes de velhas muralhas erguidas pelos Estados Combatentes, suplementadas por milhares de quilômetros da nova muralha. Outros projetos incluíam a construção do canal de Lingqu, ligando os rios Xiang e Li para que os suprimentos militares pudessem ser transportados do norte ao sul da China, e a construção de estradas militares, incluindo a "Estrada Reta", que tinha oitocentos quilômetros de extensão e ia de Xianyang até a Grande Muralha.

O mais famoso de todos os seus feitos foi a construção de seu próprio e sofisticado complexo funerário, que demorou 38 anos e precisou de 700 mil operários para ser erguido. Consistia em uma pirâmide coberta de terra para criar um enorme fosso, com cem metros de altura e quinhentos metros de largura. Dentro estava uma tumba na qual seu amado império foi recriado em miniatura, com rios e mares de mercúrio líquido. Enterrados ao redor da tumba havia enormes buracos cheios de milhares de soldados, burocratas e artistas em terracota de tamanho natural, todos incumbidos de servir o imperador no além-vida. Os trabalhadores da tumba eram mortos depois que terminavam as tarefas, para que o segredo da localização do mausoléu e de seu conteúdo morresse com eles, e a tumba não foi descoberta senão 2 mil anos depois.

Apesar dos esforços megalomaníacos do Primeiro Imperador, a dinastia

> " Com seu peito estufado como um falcão e sua voz de chacal, Qin é um homem de pouca misericórdia e com coração de lobo. "
> **Sima Qian**
> Historiador Han

Guardando a tumba do imperador Qin Shi Huangdi, esses soldados de terracota de tamanho natural foram descobertos em 1974 por trabalhadores que contruíam um poço. As estátuas eram originalmente pintadas de cores vivas, e cada uma tinha uma expressão facial única.

AS CIVILIZAÇÕES ANTIGAS   57

- Uma enorme região é composta de muitos e pequenos estados **culturalmente diversos**.
- Surgem os **sete maiores estados** que entram em constantes **guerras** em busca de **poder** e **território**.
- O **Estado de Qin conquista** os outros seis estados.
- **Qin Shi Huangdi impõe unificação, padronização e homogeneização.**
- A **unidade chinesa** é muito fortalecida.

Qin acabou tendo vida curta. A revolta de camponeses causada por profundos ressentimentos devidos à brutal extorsão de dinheiro e aos muitos anos de trabalhos forçados, além da bancarrota resultante de obras civis ambiciosas, combinaram para minar a cuidadosamente organizada administração do imperador e seus principais conselheiros – entre eles o mais importante foi o chanceler Li Si.

Quando o Primeiro Imperador morreu em 210 a.C., seu filho mais novo, Hu Hai, sob influência do conselheiro e ex-tutor Zhao Gao, conquistou o trono e exilou – e executou – Li Si. Hu Hai foi depois assassinado, apenas três anos após subir ao trono, e seu sucessor, Zi Ying, viu sua autoridade tão diminuída que adotou o título de rei, em vez de imperador.

A dinastia Han

A China entrou em colapso com rebeliões e agitações sociais, e, poucos dias depois da ascensão de Zi Ying, o general Han Liu Bang marchou sobre Xianyang. No ano seguinte, em 206 a.C., ele se declarou imperador da dinastia Han, que governaria a China pelos próximos quatrocentos anos, moldando sua história subsequente de tal modo que o maior grupo étnico na China hoje é considerado Han.

Os Han expandiram o território chinês em todas as direções – a oeste para Xinjiang e Ásia Central, ao nordeste até a Manchúria e a Coreia, ao sul até Yunnan, Hainan e Vietnã. O mais importante: acabaram com o poderoso Império Xiongnu ao norte. Também reintroduziram o confucionismo como a filosofia estatal oficial: a educação e a ética confucionista rapidamente se tornaram a base da burocracia letrada, acabando por formar o alicerce do importantíssimo sistema de concursos para o serviço público que daria uma base meritocrática às instituições imperiais e combateria o poder da aristocracia nos milênios que se seguiram.

O sucesso dos Han em criar e manter uma China unificada e centralizada foi baseado nos alicerces lançados pelo Primeiro Imperador. A dinastia Han finalmente entrou em colapso em 220 d.C., em meio a convulsões sociais e desastres naturais que convenceram os chineses de que sua dinastia havia perdido o "Mandato do Céu", dando espaço para uma era caótica conhecida como o Período dos Três Reinos e das Seis Dinastias. A despeito do custo devastador desse rompimento, que fez com que a população chinesa despencasse de 54 milhões em 156 d.C. para 16 milhões em 280 d.C., o conceito de uma China unificada sobreviveu por 360 anos de divisão, permitindo à dinastia Sui reunificar a China em 581. A influência do Primeiro Imperador ainda pode ser sentida na China moderna, e o líder comunista Mao Tsé-Tung (1893–1976) buscou, de forma explícita, inspiração no imperador. "Vocês nos acusam de agirmos como Qin Shi Huangdi", bravejou Mao numa tirada em 1958 contra os críticos intelectuais. "Vocês estão errados. Nós o ultrapassamos mais de cem vezes. Quando vocês nos censuram por imitar seu despotismo, nos alegramos em concordar! O erro de vocês foi que não disseram o suficiente." ∎

Confúcio é geralmente considerado o mais influente filósofo na história da China. Seus ensinamentos enfatizam a importância da moralidade, integridade, humildade e autodisciplina.

ASSIM PERECEM TODOS OS TIRANOS

O ASSASSINATO DE JÚLIO CÉSAR (44 A.C.)

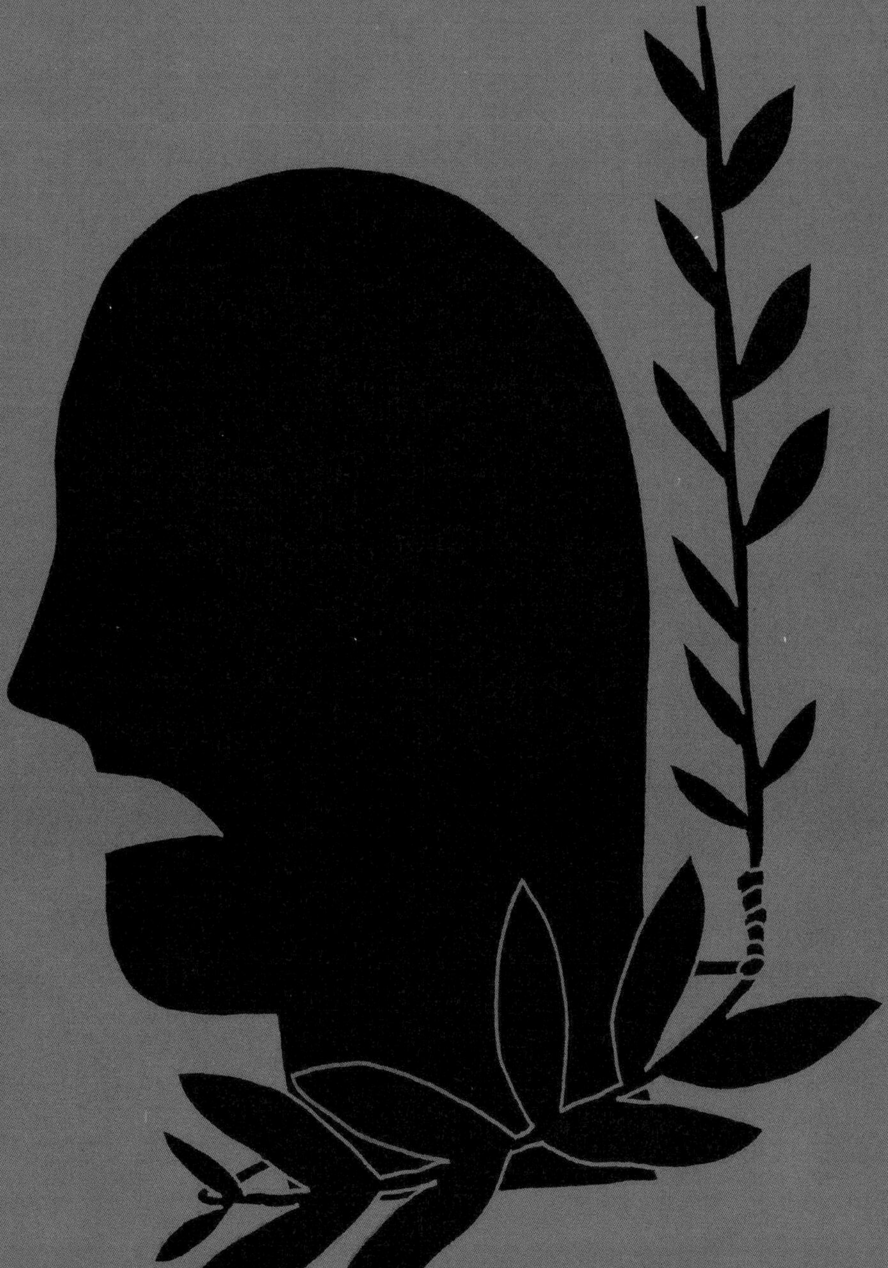

O ASSASSINATO DE JÚLIO CÉSAR

EM CONTEXTO

FOCO
A queda da República Romana

ANTES
509 a.C. Roma se torna uma república na qual um pequeno grupo de famílias ricas dividem o poder.

202 a.C. Roma derrota Cartago no norte da África, e o império se expande rapidamente.

88–82 a.C. A guerra civil entre os generais rivais Sula e Mário joga a república na crise.

DEPOIS
31 a.C. A vitória de Otaviano na Batalha de Áccio leva à sua ascensão como o primeiro imperador de Roma e ao fim da república.

79 d.C. A erupção do Vesúvio destrói Pompeia.

Século II d.C. O Império Romano atinge a sua maior extensão, com uma população de quase 60 milhões de pessoas.

O sistema político **oligárquico** na **República Romana** é corrupto e decadente.

A **nobreza** romana domina o Senado, protegendo seus privilégios à custa de uma mudança política e levando à **crise da república**.

Depois de campanhas militares bem-sucedidas, **Júlio César se torna ditador** e impõe **reformas políticas e sociais** sobre a nobreza.

Temendo a popularidade e o poder de César, um grupo de senadores o assassina.

Otaviano vence a **guerra civil** para determinar o herdeiro de César. Chamando-se **Augusto**, ele se torna o **primeiro imperador de Roma**.

Augusto garante que o **cargo de imperador** se perpetue ao fazer de **Tibério** seu herdeiro, transformando Roma numa **monarquia hereditária**.

No dia 15 de março, 44 a.C., a vida de Júlio César, ditador de Roma, teve um final sangrento nas mãos de uma facção de senadores aristocráticos que estavam determinados a salvar a República Romana daquilo que viam como a tirania de César. Na verdade, a morte do ditador não salvou a república: simplesmente desencadeou a última de uma série de guerras civis que exauriram o Estado romano. Ela tornou-se indefesa para resistir à ascensão ao poder absoluto do sobrinho-neto de César, Otaviano. Assumindo o título de Augusto, ele criou um novo arranjo político, garantindo a si mesmo governar como imperador e acabando com a República Romana de quinhentos anos em tudo, menos no nome.

Origens republicanas

Desde seu começo antigo como um grupo de pequenas vilas sobre as sete colinas às margens do rio Tibre, Roma cresceu até virar uma cidade-estado, uma entre várias na península italiana. De acordo com a lenda, Roma foi primeiro governada por reis, mas em 509 a.C. a monarquia foi derrubada e se transformou numa república. Uma nova constituição permitia a eleição de dois altos oficiais, conhecidos como cônsules, para governar o Estado; mas, para prevenir o abuso de poder, seu mandato estava restrito a um ano. O cargo de rei também estava proibido, e houve uma provisão especial para a designação de um ditador para substituir os cônsules em tempos de crise – seu mandato foi limitado a seis meses.

A inexperiente República Romana se mostrou extremamente bem-

AS CIVILIZAÇÕES ANTIGAS   61

Veja também: A democracia ateniense 46-51 ▪ As conquistas de Alexandre, o Grande 52-53 ▪ A Batalha da Ponte Mílvia 66-67 ▪ O saque de Roma 68-69 ▪ A coroação de Carlos Magno 82-83 ▪ A queda de Constantinopla 138-141

A coluna de Trajano, em Roma, é uma dais mais valiosas fontes de informação a respeito do exército romano – ela é decorada com um alto-relevo espiral que mostra as legiões bem equipadas em campanha.

-sucedida: entre 500 e 300 a.C., ela cresceu em extensão e poder através da combinação de conquistas e diplomacia, até que incorporou toda a Itália. Entre 202 e 120 a.C., Roma chegou a dominar partes do norte da África, a Península Ibérica, Grécia e o que hoje é conhecido como o sul da França. Os territórios conquistados foram organizados em províncias, lideradas por governadores com mandatos curtos, responsáveis por manter a ordem e supervisionar a arrecadação de impostos.

No século I a.C., Roma era uma superpotência mediterrânea, mas, mesmo com uma longa tradição de governo coletivo, no qual nenhum indivíduo poderia concentrar muito controle, ela foi desafiada pelas ambições pessoais de alguns poucos militares extremamente poderosos. Uma série de guerras civis sangrentas, lutas políticas internas e insatisfação civil culminaram na ditadura de Júlio César, um brilhante general e estadista cujo assassinato pelas mãos de seus inimigos políticos levou ao fim da república e ao nascimento do Império Romano.

O desmonte da república

No período no qual Júlio César se tornou proeminente na cena política romana (cerca de 70 a.C.), Roma estava em tumulto: acossada por problemas sociais e econômicos cada vez piores e dividida por conflitos políticos. Antes, na história de Roma, a população de não escravos foi oficialmente dividida em duas classes: os patrícios (membros de uma antiga nobreza hereditária e ricos fazendeiros) e os plebeus (as pessoas comuns). Na formação da república, somente os patrícios tinham direito a ocupar uma vaga no Senado – o conselho governante e consultivo –, mas em 368–367 a.C. uma emenda constitucional também permitiu a eleição de plebeus ricos, resultando num arranjo de divisão de poderes.

Mas, na verdade, um pequeno grupo de famílias patrícias conhecido como os Optimates (os "melhores homens") havia há tempos dominado o Senado e cuidadosamente mantido seus privilégios. No fim da República Romana, os que defendiam os direitos da plebe – os Populares ("homens do povo") – buscaram apoio popular contra os Optimates, fosse pelo interesse do povo ou, com mais frequência, em favor de suas próprias carreiras. Os Optimates, agindo por interesse próprio, resistiram a fazer as reformas sociais e econômicas urgentemente necessárias para satisfazer as novas carências do povo romano. Na Itália e nas províncias, um sistema desigual de taxação e governos corruptos estava causando insatisfação social, enquanto na própria cidade de Roma a infraestrutura quase não dava conta da crescente população. A rápida expansão do império trouxe uma » enxurrada de trabalhadores escravos

> 66
>
> Em César foram combinados gênio, método, memória, literatura, prudência, deliberação e engenhosidade.
> **Cícero**
> *Segunda Filípica*, seção 116
>
> 99

das províncias, expulsando muitos camponeses romanos e pequenos proprietários de terra dos campos em direção à cidade em busca de trabalho.

A ascensão de Júlio César

Enquanto isso, um grupo de líderes militares nas províncias de Roma começou a usar seus exércitos para ver quem alcançava a maior proeminência política. Entre eles estava Júlio César, um general muito inteligente e ambicioso vindo de uma família patrícia que havia se aliado aos Populares e subido alguns degraus políticos. César estava focado em fazer as reformas necessárias para satisfazer os desafios da república, por isso se colocou numa posição que lhe permitiria atingir tal meta.

Em 60 a.C., César tornou-se cônsul, e dois anos depois foi escolhido governador da província da Gália, um cargo que lhe permitia continuar a par dos acontecimentos no Senado, ao mesmo tempo que lhe oferecia um trampolim para a glória militar. Numa série de hábeis campanhas durante os oito anos seguintes, conquistou a Gália, abarcando tudo o que hoje é a França, além de partes da Alemanha e da Bélgica, em seu poder. Ele também liderou duas expedições até a Inglaterra, em 55 e 54 a.C. Os ganhos com tais campanhas militares heroicas deixaram César muitíssimo rico e aumentaram seu prestígio pessoal. Ele desfrutava da lealdade de seus exércitos e do amor das massas de Roma e baseado neles agora podia oferecer extravagantes banquetes, além de bancar jogos com o dinheiro.

Encorajado por seus feitos, César tentou ditar os termos pelos quais voltaria à política romana, exigindo que lhe fosse permitido ser cônsul pela segunda vez enquanto manteria seu comando na Gália. Isso o colocou numa rota de colisão com os Optimates no Senado, já que a lei romana exigia que os líderes militares abrissem mão do controle de seus exércitos antes de entrarem em Roma, um pré-requisito para concorrer a um cargo. César sabia que, se concordasse em entrar na cidade como um cidadão civil, sem seus exércitos, seus oponentes políticos muito provavelmente iriam tentar julgá-lo por abuso de poder durante o seu primeiro consulado.

Em Roma, os Optimates, alarmados com as implicações da ascensão meteórica de César, aliaram-se a um dos seus maiores rivais políticos, o famoso general

> "Ainda assim devemos recuar, mas, tendo cruzado aquela pequena ponte, tudo se resolverá na espada."
> **Júlio César**
> Falando ao seu exército antes de cruzar o Rubicão

Pompeu. O Senado aprovou leis visando remover César do comando quando voltasse de Gália, e em 49 a.C. eles o declararam *hostis*, ou seja, um inimigo público. Em resposta a essa ameaça direta, César fez o impensável: marchou com seus exércitos para Roma. A caminho, parou na fronteira entre as províncias gálicas e a Itália, às margens de um pequeno rio chamado Rubicão. César sabia muito bem que atravessar o rio seria considerado uma declaração de guerra contra o Senado, mas, citando o poeta ateniense Menandro, anunciou: *Alea jacta est*

Júlio César

Caio Júlio César nasceu em Roma em 100 a.C., filho de uma família patrícia de honrada ascendência. Desde jovem entendeu que o dinheiro era a chave para o poder num sistema político que havia se tornado corrupto. Também aprendeu rapidamente que forjar uma rede de alianças e apoios seria crucial para seu sucesso. Depois de servir na guerra para abafar a revolta dos escravos liderada por Espártaco em 72 a.C., César foi, por pouco tempo, tomado refém por piratas. Assim que voltou para Roma, em 60 a.C., gastou uma fortuna para comprar influência e posição, acabando por aliar-se com outros dois líderes de Roma, Crasso e Pompeu, para formar o chamado Primeiro Triunvirato. Entre 58 e 50 a.C., formou uma base provincial na Gália, onde, sem a sanção do Senado, lançou uma série de campanhas que o fizeram senhor da Europa Ocidental, com enorme riqueza e poderosos exércitos. Mas tais campanhas também fizeram com que tivesse muitos oponentes no meio das classes dominantes, os quais acabariam com sua carreira e sua vida.

("a sorte está lançada") e avançou com seus homens.

A nova ordem de César

Na guerra civil que se seguiu, César finalmente triunfou sobre as forças de Pompeu na Batalha de Farsalos, no norte da Grécia, em 48 a.C. O derrotado Pompeu buscou abrigo no Egito, onde acabou sendo assassinado. Depois de esmagar os bolsões de resistência que ainda sobravam, César por fim voltou a Roma em 45 a.C. para consolidar sua posição política. Em 46 a.C., aceitou ser ditador por dez anos. Dois anos depois, recebeu esse cargo de forma vitalícia. Agora numa posição de começar a monumental tarefa de reconstruir o Estado romano e restaurar a estabilidade do império, César deu início a amplas reformas sociais e políticas. Estendeu a cidadania romana; aumentou o Senado ao trazer aliados vindos da aristocracia provincial; estabeleceu colônias fora da Itália para ajudar a disseminar a cultura romana e unificar todo o império; gastou enormes quantias em grandiosas obras públicas e monumentos; cortou impostos; e até mesmo reformou o calendário romano, introduzindo o sistema de anos bissextos que é usado até hoje.

Um assassinato planejado

As soluções pragmáticas de César para restabelecer a unidade no império depois de anos de caos tiveram uma resposta favorável pela maior parte da sociedade, ainda que, ao mesmo tempo, sua atitude cada vez mais autocrática em relação ao poder estivesse alienando outros membros da classe dominante. Eles sentiam que César estava tentando destruir as respeitadas tradições do Estado romano, além de minar o prestígio da nobreza e espalhar o rumor de que estava planejando fazer de si mesmo rei. Infelizmente, César foi incapaz de desfazer as suspeitas. Ele aceitou honras sem precedentes, como assumir o título "Imperator" ("Victorious General") como nome de família. Também permitiu que fossem erguidos templos e estátuas em sua honra e cunhou moedas com sua imagem. Quando adotou seu sobrinho-neto Otaviano, temia-se que estivesse tentando criar uma linha de sucessão dinástica. Alguns membros do Senado concluíram que a única solução para o problema seria assassinar César, e logo conspiraram para que assim o fosse. Representando aqueles que se opunham às reformas do ditador – e o principal agente no plano de matá-lo –, Caio Cássio Longino era um general que havia alcançado importância política durante a grande e desastrosa campanha na Pérsia. Antigos historiadores romanos argumentaram que o envolvimento de Cássio se deu por uma combinação de inveja e cobiça. Também se diz que foi ele quem recrutou o mais importante conspirador, Marco Júnio Bruto, um confiável colega e confidente de César, que se opunha às supostas ambições monárquicas do ditador.

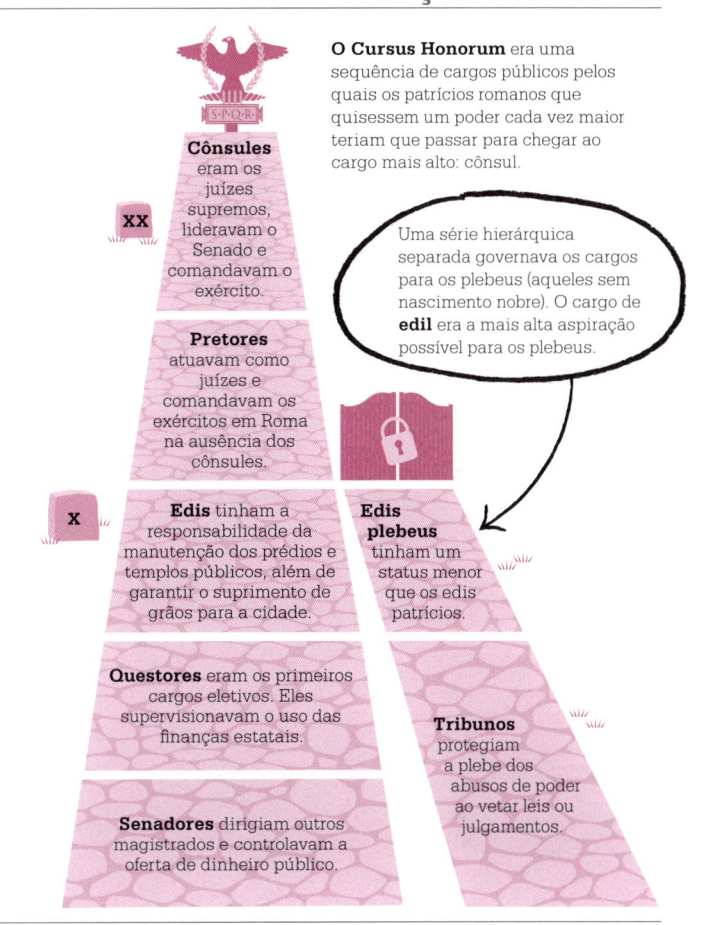

A morte de um ditador

O plano do assassinato cresceu rapidamente, chegando a incluir »

O Cursus Honorum era uma sequência de cargos públicos pelos quais os patrícios romanos que quisessem um poder cada vez maior teriam que passar para chegar ao cargo mais alto: cônsul.

Uma série hierárquica separada governava os cargos para os plebeus (aqueles sem nascimento nobre). O cargo de **edil** era a mais alta aspiração possível para os plebeus.

Cônsules eram os juízes supremos, lideravam o Senado e comandavam o exército.

XX

Pretores atuavam como juízes e comandavam os exércitos em Roma na ausência dos cônsules.

X

Edis tinham a responsabilidade da manutenção dos prédios e templos públicos, além de garantir o suprimento de grãos para a cidade.

Edis plebeus tinham um status menor que os edis patrícios.

Questores eram os primeiros cargos eletivos. Eles supervisionavam o uso das finanças estatais.

Tribunos protegiam a plebe dos abusos de poder ao vetar leis ou julgamentos.

Senadores dirigiam outros magistrados e controlavam a oferta de dinheiro público.

sessenta senadores, entre os quais vários colegas próximos de César. Os conspiradores decidiram atacar numa reunião do Senado que havia sido marcada para o dia 15 de março (os Idos de Março). Naquele dia, se reuniram na casa de Cássio, com cada senador escondendo uma adaga debaixo de suas vestes, antes de irem para o Teatro de Pompeu – parte de um grande complexo cívico que o velho rival de César havia construído –, onde o Senado se reuniria. Um grupo de gladiadores estava a postos no próprio teatro para controlar qualquer problema com as multidões. Mas muitos dos conspiradores estavam nervosos e prontos para fugir, convencidos de que o plano havia sido descoberto.

César, de fato, havia sido alertado: uma lista de conspiradores chegou a suas mãos, mas ele a ignorou. Sua esposa implorou para que ele não fosse à reunião do Senado, mas um dos conspiradores, infiltrado na casa de César, ajudou a acalmá-la. Quando César chegou à reunião, um conspirador distraiu seu assistente, Marco Antônio, atrasando-o fora do teatro. Depois que César se sentou, os conspiradores sacaram suas adagas e atacaram, esfaqueando-o 23 vezes. Numa reviravolta irônica, César deu seu último suspiro apoiado na base da estátua de seu velho rival Pompeu.

> Encontrei Roma uma cidade de tijolos e deixei-a uma cidade de mármore.
> **Augusto**
> De acordo com Suetônio, biógrafo de Augusto

> César, como o mais gentil dos médicos, foi oferecido aos romanos pelo próprio céu.
> **Plutarco**
> *Vidas paralelas*

O Segundo Triunvirato

Tomados por um fervor maníaco, os conspiradores molharam suas mãos no sangue de César e correram até o Fórum para proclamar seu tiranicídio. No vácuo de poder que se seguiu, Marco Antônio e o herdeiro de César, Otaviano, rapidamente assumiram o controle do Estado formando, em 43 a.C., um triunvirato (um grupo de três homens dividindo o poder) juntamente com Lépido, um dos antigos aliados de César.

Precisando juntar fundos suficientes para estabilizar sua autoridade e para remover a oposição política, o triunvirato preparou uma lista daqueles que apoiaram os assassinos de César e os declarou culpados. Por volta de duzentos senadores e mais de 2 mil equites ("cavaleiros", ou baixa nobreza) foram mortos ou tiveram seus bens confiscados. Com os cofres do tesouro cheios, o triunvirato caçou e destruiu Bruto e Cássio. Em 40 a.C., o triunvirato se reuniu novamente, agora para dividir o mundo romano. A África foi dada a Lépido, o Oriente a Marco Antônio e o Ocidente a Otaviano. Mas não demorou muito para que Otaviano entrasse em guerra com Marco Antônio no norte da África e, depois de derrotar suas forças em Áccio, no oeste da Grécia em 31 a.C., Otaviano se tornou o senhor do mundo romano.

O primeiro imperador de Roma

Otaviano voltou a Roma em 28 a.C. e, em vez de seguir o exemplo de César, renunciou aos poderes ditatoriais a ele concedidos para declarar guerra a Marco Antônio. Em 27 a.C., em gratidão por seus serviços a Roma, o Senado lhe outorgou o nome de Augusto ("personagem reverenciado") em uma série de poderes legais. Por fim, com destreza política, tornou-se o único governante de Roma, controlando todos os aspectos do Estado romano e comandando seu exército.

Um imperador em tudo, menos no nome (ele foi cuidadoso em evitar títulos, chamando a si mesmo de *princeps*, ou "primeiro cidadão"), nos quarenta anos seguintes Augusto se pontificou a transformar as ruínas do sistema republicano numa autocracia imperial, ao mesmo tempo que mantinha a ilusão de que a sua autoridade dependia da vontade do povo. De forma imprecisa, estabeleceu os limites do império, aprovou reformas para sanear tanto a vida privada quanto pública e esmagou seus opositores. Depois de longos períodos de exaustiva guerra civil, muitos no império estavam gratos pela paz.

A Pax Romana

De fato, o poder dos militares romanos e as consequentes melhoras na segurança e na estabilidade em todo um vasto território, naquilo que ficou conhecido como a Pax Romana ("Paz Romana"), levaram ao crescimento do comércio, da atividade econômica, da população e da prosperidade geral. As artes e a cultura floresceram, houve uma proliferação de construções públicas e privadas, e as províncias fora da Itália passaram por um

AS CIVILIZAÇÕES ANTIGAS   65

processo de romanização no qual língua, cultura, leis e instituições romanas foram introduzidas em várias sociedades através de diversas fronteiras étnicas. Os provinciais até receberam a plena cidadania romana depois de um período de serviço militar.

Mas, para as regiões além dos limites do império, a Pax Romana de Augusto quase sempre queria dizer o seu oposto. Mesmo depois de reduzir o exército de oitenta legiões para apenas 28, Augusto ainda teve de encontrar emprego para 150 mil soldados. Ele lançou uma série de campanhas para estender as fronteiras, suprimir ou restringir rebeldes e "bárbaros" e conquistar escravos a partir das terras dominadas.

O altar do Ara Pacis Augustae em Roma é dedicado a Pax, a deusa romana da paz. O friso da procissão mostra membros do Senado romano com um sacerdote.

> Mantenham comigo a esperança de que quando eu morrer as fundações que lancei para o futuro governo [de Roma] se mantenham firmes e estáveis.
> **Augusto**

Um legado imperial

Ao final de sua vida, em 14 d.C., Augusto havia estabelecido um novo sistema imperial que duraria séculos. Alguns anos antes de sua morte, ele preparou o caminho para que um herdeiro o sucedesse e manteve o controle do Estado. Seu enteado, Tibério, foi aos poucos recebendo poderes até que pudesse ser efetivamente considerado um coimperador. Isso suavizou a transferência de autoridade com a morte de Augusto, evitando um vácuo de poder e garantindo a continuidade.

Augusto estabeleceu, assim, o princípio da sucessão direta e garantiu a sobrevivência do cargo de imperador. O sistema continuou por múltiplas dinastias, com o império atingindo seu ápice sob a dinastia nerva-antonina, quando o imperador Adriano ordenou a construção de um muro no norte da Britânia para marcar o limite do império.

A transição de república para monarquia, apesar de drástica, deu a Roma uma nova estabilidade. Mascarado de democrata, Augusto criou um novo sistema autocrático de governo que, a despeito de restringir a participação política, era muito mais capaz de resistir aos levantes compulsivos que haviam infestado a República Romana uma geração atrás. ∎

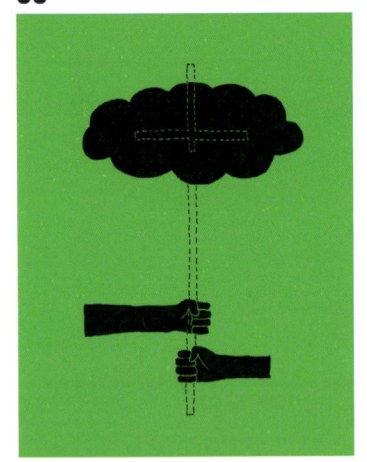

COM ESTE SINAL VENCERÁS
A BATALHA DA PONTE MÍLVIA (312 d.C.)

EM CONTEXTO

FOCO
Disseminação do cristianismo

ANTES
33 d.C. Crucificação de Jesus.

46–57 Jornadas missionárias do apóstolo São Paulo.

64–68 Durante o incêndio de Roma, o imperador Nero mata centenas de cristãos como bodes expiatórios; martírio dos santos Pedro e Paulo.

284–305 Diocleciano e Galério suprimem o cristianismo em todo o império.

DEPOIS
325 O Primeiro Concílio de Niceia define a natureza da crença cristã ortodoxa.

c. 340 Úlfilas, o "Moisés dos godos", começa a disseminar o cristianismo ariano para as tribos germânicas.

380 O cristianismo se torna a fé oficial do Império Romano.

391 A adoração pagã é banida do Império Romano.

Em outubro de 312 d.C., o imperador Constantino I estava acampado na Ponte Mílvia perto de Roma, esperando o confronto com Magêncio, seu rival, pelo controle do Império Romano do Ocidente (em 285, o império foi dividido em dois, o do Ocidente e o do Oriente, cada um deles governado por um imperador e um substituto). A tradição diz que, nos dias que antecederam o encontro, Constantino teve uma visão de uma cruz flamejante no céu contendo a inscrição *in hoc signo vinces* ("com este sinal vencerás"). Isso o convenceu de que tinha o apoio do deus dos cristãos, e essa crença foi mantida quando seu exército se pôs em marcha para derrotar os homens de Magêncio. Na verdade, o deus cristão não foi a primeira deidade ouvida por Constantino. Uma versão anterior dessa visão envolvia o deus greco-romano Apolo. Parece que ele estava buscando um apoio teológico para legitimar sua ambição de se tornar o único imperador, e um ser supremo monoteísta talvez tenha lhe parecido uma boa opção: uma imagem espelhada no céu de sua própria posição na Terra.

A adoção do cristianismo por Constantino I depois de sua vitória na Ponte Mílvia deu um grande impulso à fé: ela ganhou mais seguidores e começou a banir os cultos pagãos.

AS CIVILIZAÇÕES ANTIGAS

Veja também: O saque de Roma 68-69 ▪ Justiniano reconquista Roma 76-77 ▪ A coroação de Carlos Magno 82-83 ▪ A Querela das Investiduras 96-97 ▪ A queda de Jerusalém 106-107 ▪ A queda de Constantinopla 138-141 ▪ As 95 teses de Martinho Lutero 160-163

A despeito da lenda de sua visão divina, a conversão de Constantino ao cristianismo parece ter sido gradual, e não imediata – ele só foi batizado muitos anos depois, em seu leito de morte. Mas, logo após sua vitória na Ponte Mílvia, começou o processo de reabilitação e, em seguida, de exaltação do cristianismo. Em 331 d.C., ele publicou o Édito de Milão, uma proclamação que estabelecia tolerância religiosa para o cristianismo dentro do império.

Um império de muitas crenças

Por quase trezentos anos após a vida de Jesus Cristo, a religião baseada em seus ensinamentos seguiu sendo uma seita menor dentro do Império Romano, praticada junto com muitas outras, tanto mono como politeístas. Mas alguns aspectos do cristianismo, como sua natureza igualitária, fizeram dele algo suspeito para as autoridades imperiais, e os cristãos eram perseguidos de tempos em tempos.

Por todo o mundo antigo dessa época, condições sociais, políticas e econômicas em transformação tinham reflexo em mudanças culturais e religiosas. O cristianismo era apenas um entre vários monoteísmos ganhando popularidade no Império Romano, incluindo a seita persa do mitraísmo, com o qual ele tinha muito em comum.

A ascensão do cristianismo

Em 324, depois de se livrar do imperador do Oriente, Constantino se tornou o único governante do Império Romano e buscou usar o cristianismo como força unificadora de seu domínio tão diverso e fracionado. Para tornar a cada vez mais dominante metade oriental fácil de governar, ele fundou uma nova cidade chamada Constantinopla (hoje Istambul), consagrando-a tanto com rituais cristãos quanto pagãos, mas permitindo apenas a construção de igrejas cristãs. Apesar de ainda demorar um tempo para que todos os cidadãos romanos se convertessem ao cristianismo, no reino de Constantino as camadas mais altas da sociedade, buscando avanço político e favores pessoais do imperador, se voltaram em bloco para a Igreja, e o imperador construiu basílicas por todo o império.

O cristianismo, no entanto, não era uma religião única e uniforme naquela época, havendo divisões, ou cismas. Em 325, Constantino convocou o Concílio de Niceia – o primeiro concílio universal da Igreja cristã – sobretudo para resolver o cisma ariano, uma disputa teológica sobre se Jesus era da mesma substância de Deus.

Roma é cristianizada

Em meados dos anos 300, o imperador Juliano, seguidor da velha religião, tentou reviver o paganismo, mas era tarde demais: os cristãos haviam se tornado maioria, pelo menos no Oriente. A fé foi ficando cada vez mais vinculada ao império, uma vez que o Estado romano adotou e moldou a Igreja num instrumento de controle, unidade e estabilidade, tanto social quanto político.

Sob o imperador Teodósio I (que reinou entre 379–395), os templos e cultos pagãos foram suprimidos, a heresia virou crime e o cristianismo tornou-se a religião oficial do Império Romano. Por fim, também se tornou a fé dos estados sucessores bárbaros no Império Romano do Ocidente, bem como do Império Bizantino no Oriente. No curso de muitos séculos, as Igrejas ocidental (católica) e oriental (ortodoxa) se afastaram em doutrina e organização, mas o cristianismo perdurou. ■

Os imperadores romanos derivavam sua autoridade e sua legitimidade de **religiões pagãs**.

⬇

A igualdade do cristianismo **ameaça a estrita ordem social** do Império Romano.

⬇

Constantino vê o cristianismo, com sua única deidade suprema, como uma **ferramenta para a unidade** e uma **validação da autoridade imperial**.

⬇

Depois da Batalha da Ponte Mílvia, Constantino adota o cristianismo. Mais tarde viria a se tornar a religião do Império Romano.

⬇

A Igreja é transformada à imagem do **Estado romano**, com uma **hierarquia estrita** e a **centralização do dogma**.

A CIDADE QUE HAVIA TOMADO O MUNDO INTEIRO FOI TAMBÉM TOMADA
O SAQUE DE ROMA (410 d.C.)

EM CONTEXTO

FOCO
Invasões Bárbaras

ANTES
9 d.C. Tribos germânicas asseguram sua independência com a vitória na Floresta de Teutoburgo.

285 O Império Romano é dividido entre o Ocidente e o Oriente.

372 Os unos derrotam os ostrogodos na Europa Oriental.

378 Os visigodos destroem um exército romano e matam o imperador na Batalha de Adrianópolis.

402 A capital romana ocidental se muda para Ravena.

DEPOIS
451 Uma coalizão germano-romana derrota os unos na Batalha dos Campos Cataláunicos.

455 Piratas vândalos pilham Roma.

476 O último imperador romano ocidental é deposto.

489 Teodorico, dos ostrogodos, conquista a Itália, com o consentimento de Bizâncio.

O **Império Romano do Ocidente declina** em força econômica e militar.

Nômades da estepe são **forçados a migrar**.

A **autoridade imperial** enfraquece e abre **brechas** nas fronteiras.

Tribos germânicas são expulsas por nômades em migração.

Começam as Invasões Bárbaras, culminando com o saque de Roma.

Tribos germânicas criam **novos reinos na Europa Ocidental**.

Em 410 d.C., Roma caiu sob um exército de povos germânicos nômades – os visigodos – que pilharam a cidade em três dias. Apesar de Roma já ter deixado de ser a capital do Império Romano do Ocidente e a destruição ter sido relativamente contida, o saque enviou ondas de choque por todo o mundo. Mudanças conhecidas como o Período das Migrações, ou as Invasões Bárbaras, estavam em curso com grandes movimentos de povos por toda a Eurásia, da China até a Grã-Bretanha. Os povos bárbaros começaram a invadir impérios estabelecidos como os de Roma e da China desde aproximadamente 300 até 650. Eles criaram novos reinos, os quais em muitos casos deram origem às

AS CIVILIZAÇÕES ANTIGAS

Veja também: O assassinato de Júlio César 58-65 ▪ Clóvis unifica a Gália 71 ▪ Justiniano reconquista Roma 76-77 ▪ A coroação de Carlos Magno 82-83 ▪ Kublai Khan derrota a dinastia Song 102-103

Os "outros" bárbaros

"Bárbaro" era uma palavra grega que significava a fala ininteligível daqueles que não falavam o grego, e logo não podiam ser considerados civilizados. Os romanos adotaram essas construção "nós-e-eles". No entanto, no século IV as fronteiras entre Roma e seus vizinhos bárbaros ficaram turvas, tanto cultural como geopoliticamente: os bárbaros haviam ficado parecidos com os romanos, e vice-versa. O exército romano era em sua maioria constituído de bárbaros – tanto auxiliares e mercenários germânicos quanto cidadãos romanos que na verdade eram gauleses, bretões ou qualquer outro entre centenas de grupos e etnias. No entanto, muito da cultura romana sobreviveu às invasões. Por exemplo, apesar de boa parte da Itália, da Gália e da Espanha ter sido subjugada pelos godos, suevos e vândalos "germânicos", suas línguas resistiram à influência germânica e continuaram línguas românicas – ou seja, línguas que evoluíram do latim falado pelos romanos em Roma.

nações da era moderna. Mudanças climáticas na Ásia Central levaram tribos nômades das estepes a buscar, a cavalo, novas pastagens, o que por sua vez forçou seus vizinhos nômades a invadir os impérios chamados civilizados. A China foi devastada pelos Xiongnu, a Pérsia pelos Heftalitas e a Índia pelos Unos Brancos.

Bárbaros à porta

Na Europa, a chegada dos unos às terras a leste do Reno e ao norte do Danúbio deslocaram tribos germânicas que viviam há longo tempo num delicado equilíbrio com o Império Romano. Os visigodos entraram em terras romanas, atacando por fim Roma em 410, enquanto outras tribos, incluindo os vândalos, suevos, alanos, francos, burgúndios e alamanos, invadiram e assentaram território da Gália até a Espanha e o norte da África. Nos anos 440, os unos, sob Átila, devastaram a Europa Oriental antes de serem derrotados por uma coalizão de romanos e germânicos. O Império Romano do Ocidente encolheu a ponto de incluir pouco mais da própria Itália, com seus imperadores fantoches controlados por generais bárbaros. Em 476, o último imperador nominal foi deposto por um desses generais, Odoacro, marcando o fim do Império Romano no Ocidente. O Império Ocidental, no entanto, já estava em decadência desde pelo menos o século III. Sua população e sua economia haviam encolhido, fazendo com que ficasse cada vez mais dependente financeiramente do Império Oriental. O enfraquecimento da autoridade central deu maior autonomia às províncias. Os militares, obrigados a recrutar cada vez mais pessoas das tribos bárbaras, estavam perdendo sua principal força. Na verdade, as Invasões Bárbaras foram muito provavelmente parte de um processo: uma transição, e não uma queda. Os costumes, a cultura, a língua e, especialmente, a religião romana na forma do cristianismo perduraram por todas as províncias, e muitos da nova elite governante viam a si mesmos como continuadores da tradição romana. A própria cidade sobreviveu ao saque de Alarico e seus visigodos, e dos vândalos em 455, e floresceu sob Teodorico, o ostrogodo (489-526).

Por sua vez, os Estados que se sucederam, formados pelas tribos germânicas, nos próximos séculos se viram, por fim, sob ataque de novas ondas de invasores, como os magiares e os vikings. ■

Em *Destruction* (c. 1935), de Thomas Cole, invasores ocupam uma cidade que outrora foi grande, uma referência a Roma. Os corpos dos cidadãos sujam os monumentos que foram construídos para celebrar a agora decaída civilização.

OUTROS EVENTOS

A CIVILIZAÇÃO DO VALE DO INDO ENTRA EM COLAPSO
(c. 1900–1700 a.C.)

A civilização do Vale do Indo (c. 3300–c. 1700 a.C.) era baseada em grandes cidades com ruas planejadas e com sistemas de drenagem e suprimento de água no lugar onde hoje ficam o Paquistão e o noroeste da Índia. Por volta de 1900 a.C., essa civilização entrou em declínio e não mais produzia as joias elaboradas e os delicados selos pelos quais ficou famosa. Em torno de 1700 a.C., as grandes cidades de Harappa e Mohenjo-Daro estavam virtualmente vazias. Não está claro o porquê disso, mas a explicação mais provável é uma combinação de quebra de safra e um declínio do comércio com o Egito e a Mesopotâmia. Também há evidências de alagamentos devido a uma mudança no curso do rio Indo.

O IMPERADOR WU ALEGA TER O MANDATO DO CÉU
(1046 a.C.)

A ideia de que o imperador da China governa com a aprovação do céu data da dinastia Zhou, que foi fundada quando Wu e seu aliado Jiang Ziya derrotaram o antigo governante Shang na Batalha de Muye, em 1046 a.C. Shang governara por um longo período de paz e prosperidade, mas por volta de 1040 ele se corrompeu. O conceito, de Zhou, do Mandato do Céu, visava evitar que isso acontecesse, colocando um bom governo acima de um berço nobre e dando uma brecha para que outros derrubassem o governante se ele não demonstrasse essas qualidades. Ele influenciou a forma como os chineses consideraram seus governantes por milhares de anos.

JUDÁ DESAFIA OS ASSÍRIOS
(c. 700 a.C.)

No século IX a.C., o estado hebreu de Judá (a oeste do Mar Morto) era parte do grande Império Assírio. No século VIII, o governante judeu Ezequias recusou-se a pagar tributos para os assírios. O rei assírio, Senaqueribe, cercou Jerusalém (um evento descrito na Bíblia), mas os judeus resistiram a seus poderosos inimigos, que não conseguiram conquistar a cidade. Apesar de esse ter sido um pequeno revés para a Assíria, foi um triunfo para os judeus, que atribuem sua vitória a Javé. Esse foi um fator importante na posterior adoção dos povos hebreus da religião monoteísta.

A CULTURA CELTA FLORESCE EM HALLSTATT
(c. 650 a.C.)

No século VII a.C., uma cultura distinta se desenvolveu ao redor de Hallstatt, a sudeste da moderna Salzburg, na Áustria. Os povos de Hallstatt eram celtas, provavelmente originários da Rússia, e quando sua civilização atingiu o ápice, por volta de 650 a.C., ela havia se espalhado a oeste, para o leste da França, a leste para a Romênia e ao norte para a Boêmia e a Eslováquia. Seu povo produziu elaborados utensílios e objetos ornamentais de bronze, mas estava entre os primeiros povos da Europa a usar o ferro para itens como as espadas. Suas impressionantes joias de bronze tinham intricados padrões com espirais, nós e designs de animais, os quais tiveram uma longa influência na arte celta posterior.

AS GUERRAS DO PELOPONESO
(431–404 a.C.)

As Guerras do Peloponeso se deram entre Atenas (a princípio a cidade-estado mais poderosa da Grécia e centro da civilização clássica) e Esparta, que era mais militarizada. Esparta começou lançando ataques por terra a Atenas, enquanto Atenas usou seu poder marítimo superior para suprimir as revoltas na região costeira. Em 413 a.C., um ataque a Siracusa, na Sicília, deu errado, destruindo a maior parte das forças atenienses. Os espartanos, aliados aos persas, apoiaram rebeliões em diversos estados sujeitos a Atenas, acabando por eliminar a frota ateniense em Egospótamo (405 a.C.). A guerra arrasou Atenas, pondo fim à era de ouro da cultura grega e à hegemonia de Esparta.

ANÍBAL INVADE A ITÁLIA
(218 a.C.)

Por volta do século VIII a.C., Cartago, na Tunísia, havia se estabelecido como a maior força regional, se espalhando pela costa do norte da África antes de invadir a Espanha, em 230 a.C. Em 218 a.C., Aníbal, o comandante de Cartago na Espanha, levou seu exército através

AS CIVILIZAÇÕES ANTIGAS

dos Alpes para atacar a Itália. A despeito de uma série de vitórias naquilo que ficou conhecido como a Segunda Guerra Púnica, Aníbal não conseguiu tomar Roma e, em 202 a.C., retornou à África. Os romanos provaram sua força, mas reconheceram que Cartago era invencível no Mediterrâneo e pavimentaram o caminho para sua própria ascensão ao poder.

VERCINGETÓRIX É DERROTADO EM ALÉSIA
(52 a.C.)

Em 52 a.C., o chefe gaulês Vercingetórix liderou uma revolta de tribos locais contra as conquistas romanas da Gália (atual França). Na Batalha de Alésia, na Borgonha (leste da França), as forças romanas sob Júlio César construíram uma engenhosa fortificação circular ao redor da cidade, prendendo Vercingertórix dentro, ao mesmo tempo que criava uma fortaleza contra os reforços gauleses. O chefe foi forçado a se render e, depois de cinco anos em cativeiro, foi estrangulado por ordem de César. A batalha resultou na consolidação do Império Romano, que passou a se estender por toda a Europa.

OS ROMANOS OCUPAM A BRITÂNIA
(43 a.C.)

Em 43 a.C., sob o comando do imperador Cláudio, uma força invasora chegou a atual Inglaterra, chamada pelos romanos de Britânia. A despeito da oposição de chefes locais como Carataco, e uma revolta posterior da tribo Icena sob a liderança de Boudica, o governo romano acabou se espalhando por toda a Inglaterra até a fronteira com a Escócia e Gales. Os romanos governaram a até c. 410, fundando cidades, desenvolvendo sistemas de estradas e introduzindo inovações como o aquecimento subterrâneo e o uso de concreto para edificações. Muitos bretões se beneficiaram do governo romano e das fortes conexões comerciais com o império para produtos como metais e grãos.

A CHINA É DIVIDIDA EM TRÊS REINOS
(220 d.C.)

Os últimos anos da dinastia Han na China foram marcados por amargas divisões e lutas que levaram, em 220 d.C., à divisão do país entre três imperadores rivais, todos alegando ser o justo sucessor de Han. Esses Três Reinos – o Wei ao norte, o Wu ao sul e o Shu a oeste – alcançaram um quase estável acordo sobre o território, até que começou a luta a partir de 263, quando a rival dinastia Jin os desafiou e os conquistou. As guerras tiveram um efeito devastador sobre a população.

COMEÇA O PERÍODO CLÁSSICO MAIA
(250 d.C.)

A civilização maia alcançou sua fase clássica no século III d.C., com um grande número de cidades pelo México e Guatemala que possuíam templos com formatos distintos, como as altas pirâmides, monumentos esculpidos com inscrições contendo datas do complexo calendário maia e uma grande e extensa rede de comércio. A maior cidade era Teotihuacan, no centro do México, apesar de cidades nas zonas mais baixas, como Tikal, também serem poderosas. A civilização maia deixou uma duradoura marca na América do Norte e Central, e sua cultura influenciou povos posteriores, como os astecas.

OBELISCOS SÃO ERGUIDOS NO REINO DE AXUM
(Século IV d.C.)

No século IV d.C., o povo da cidade etíope de Axum ergueu altos obeliscos de pedra que foram o grande feito de sua civilização. Axum dominava as rotas marítimas de comércio ao redor do Chifre da Arábia até o oceano Índico, oferecendo aos comerciantes uma ligação vital entre a Ásia e o Mediterrâneo e dando ao reino uma enorme receita. Os obeliscos chegavam a 33 metros de altura e devem ter sido memoriais para pessoas importantes. Eles são testemunhos do poder desse antigo reino africano e de seu desenvolvimento como uma civilização distinta. Os obeliscos se tornaram um símbolo da duradoura cultura africana.

CLÓVIS UNIFICA A GÁLIA
(Final do século V d.C.)

O fim do domínio romano na Gália (hoje França) aconteceu quando Clóvis, líder dos francos sálios derrotou o líder romano Siágrio, em 486 d.C. Essa vitória, que se somou às do pai de Clóvis, Childerico, juntaram quase toda a França ao norte do Loire sob o governo de sua dinastia, chamada meroríngia, em homenagem ao seu avô Meroveu. Os merovíngios governaram a França por quase trezentos anos, tornando real o ideal de uma França unida, independente de governantes externos.

O MUNDO
500–1492

MEDIEVAL

INTRODUÇÃO

536 — O exército do **Império Romano do Oriente**, liderado por Belisário, **retoma Roma** expulsando os **ostrogodos**.

762 — O califa de Abássida Al-Mansur **funda Bagdá**, marcando o começo da **idade de ouro islâmica**. A cidade é um centro para **estudiosos muçulmanos**.

800 — O rei franco **Carlos Magno** é coroado **imperador** em Roma. Como líder secular do **cristianismo**, ele **unifica** boa parte da Europa Ocidental.

1139 — O **exército português** enfrenta os **muçulmanos** nos campos da região de Ourique, sul de Portugal, dando início à **primeira monarquia nacional da história**.

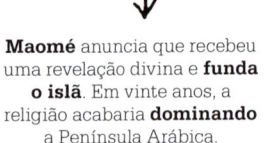

c. 610 — **Maomé** anuncia que recebeu uma revelação divina e **funda o islã**. Em vinte anos, a religião acabaria **dominando** a Península Arábica.

793 — **Guerreiros vikings** organizam uma **incursão** a um mosteiro na cidade santa de **Lindisfarne**, norte da Inglaterra – a primeira de muitas incursões vikings.

1099 — Cavaleiros **cristãos** recuperam **Jerusalém** dos **muçulmanos** e avançam para fundar **Estados cruzados** na Palestina e na Síria.

1192 — Minamoto Yoritomo se torna **xogum**, estabelecendo uma linha de **governantes militares** que governaria o Japão por **650 anos**.

Os historiadores chamam o período de 500 a 1500 de "Idade Média", vendo-o como uma era distinta entre o mundo antigo e os tempos modernos. Na verdade, nunca houve um claro rompimento com o mundo antigo. No Mediterrâneo oriental, o Império Romano continuou por quase mil anos depois da queda de Roma, apesar de ele ter sido rebatizado pelos historiadores como Império Bizantino. A tradição antiga de uma China unificada e governada por um imperador foi reavivada no século VI e continuou até a dinastia Ming, mesmo com interrupções. Ainda na Europa Ocidental, onde a fragmentação depois do colapso do Império Romano foi mais evidente, a religião cristã sobreviveu em Roma como o divisor de águas entre o que se considerava uma sociedade "civilizada" e uma "bárbara".

A ascensão do islã
A dominância de duas religiões mutuamente hostis – o cristianismo e o islã – foi a característica mais distintiva desse período por toda a Eurásia. A fundação do islã no século VII foi um evento transformativo, e os exércitos árabes inspirados pela fé alteraram o cenário político: o governo muçulmano se espalhava da Espanha, no Ocidente, até a Ásia Central, no Oriente.

Apesar de um califado islâmico ter sido insustentável, a religião garantiu a continuidade da civilização mesmo quando o poder mudava dos árabes para outros povos, como os turcos. As grandes cidades do mundo muçulmano ultrapassavam qualquer uma da cristandade em tamanho e sofisticação, e os estudiosos muçulmanos preservaram a ciência dos gregos antigos e a expandiram. A civilização islâmica seguiu dinâmica e expansiva por todo o período medieval.

Os destinos da Europa Ocidental
Na Europa Ocidental, a civilização declinou drasticamente do nível alcançado durante o Império Romano. Reis guerreiros governaram uma população com baixa densidade, mantida pela agricultura de subsistência, e a área seguiu sujeita a incursões e invasões não cristãs, como as dos vikings e dos magiares até o século X.

Uma nostalgia da Roma antiga levou o rei Carlos Magno a ser coroado imperador em 800, mas o Sacro Império Romano-Germânico, baseado na tradição fundada por Carlos Magno, fracassou em unificar politicamente a Europa Ocidental. Na ausência de fortes e centralizados sistemas estatais, as

O MUNDO MEDIEVAL

1215 — O Rei João da Inglaterra assina a **Magna Carta**, a qual afirma que todos os **indivíduos**, incluindo o rei, estão **sujeitos à lei** da terra.

1324 — Mansa Musa, o rico governante de **Mali**, faz uma espalhafatosa *hajj* a **Meca**, resultando na difusão do **islã** pela África Ocidental.

1347 — A **peste bubônica** chega à Europa, provavelmente vinda da Ásia. Em dois anos ela **mata mais de um terço** da população europeia.

1443 — O rei coreano Sejong declara a criação de um novo **alfabeto**, mais simples, para a **língua coreana**, visando encorajar a alfabetização.

1275 — O comerciante veneziano **Marco Polo** chega à corte de **Kublai Khan**; o governante mongol parte para **dominar o sul da China** quatro anos depois.

1325 — Os **astecas** fundam sua capital Tenochtitlán no centro do **México**. Enquanto isso, os **incas** estabelecem uma civilização no **Peru**.

1368 — Hongwu é proclamado o primeiro imperador da **dinastia Ming** depois de tirar o poder da dinastia Yuan. Seguem-se mais de trezentos anos de **prosperidade e estabilidade**.

1492 — O rei Fernando e a rainha Isabela da Espanha **tomam Granada**, pondo fim a oitocentos anos de **domínio muçulmano** na Península Ibérica.

relações feudais mantinham as sociedades unidas. A partir do século XI, ganha importância um reavivamento da cultura ocidental europeia, com seu comércio e sua vida urbana. O "Período Medieval Quente" (950–1250), quando a Europa experimentou temperaturas acima da média, melhorou a produtividade agrícola; também foi a época em que foram construídos as grandes catedrais e castelos. Mas, mesmo quando os cruzados cristãos lutaram até chegar a Jerusalém, no coração do mundo muçulmano, o fluxo da civilização estava na direção contrária, com estudiosos islâmicos avançando grandemente na medicina, filosofia, astronomia e geografia.

Expansão e contração

Por volta do século XIII, acreditava-se que a população do mundo tinha chegado a 400 milhões de pessoas – tendo dobrado em relação ao ápice dos impérios antigos. Uma ampla rede ligava a Europa à China e aos crescentes reinos mercantes da Ásia por terra, ao longo da Rota da Seda, e por mar através do oceano Índico. Tanto Cairo quanto Veneza se tornaram cidades ricas, já que eram o foco ocidental desse trajeto.

No entanto, a vida civilizada seguia precária. Os mongóis – guerreiros nômades das estepes asiáticas – invadiram grandes cidades do Oriente Médio até o sul da China, massacrando tudo pelo caminho. Doenças letais também se espalharam. Levada pelas rotas comerciais em meados do século XIV, a epidemia da Peste Negra talvez tenha matado um quarto da população mundial.

Invenções e progresso

O progresso tecnológico foi lento mas substancial ao longo do tempo. Por ser o país mais avançado do mundo, a China era a origem principal da maioria das invenções, do papel à imprensa, passando pela bússola e a pólvora. Até a relativamente atrasada Europa se beneficiou das melhoras na construção de navios e na metalurgia, além da invenção e da disseminação do arado e do moinho, que transformaram a agricultura.

No final da Idade Média, os reinos da Europa Ocidental saíram de Estados "feudais" baseados em juramentos de lealdade para Estados centralizados e mais estáveis, capazes de canalizar recursos-chave para os grandes projetos de colonização e exploração. Nas Américas, enquanto isso, civilizações como a asteca e a maia continuaram a se desenvolver independentemente, alheias aos desenvolvimentos na Eurásia e África, até a chegada dos conquistadores espanhóis, no século XVI. ∎

A BUSCA POR AUMENTAR O IMPÉRIO E FAZÊ-LO MAIS GLORIOSO
JUSTINIANO RECONQUISTA ROMA (536)

EM CONTEXTO

FOCO
O Império Bizantino

ANTES
476 d.C. O general bárbaro Odoacro depõe o último imperador do Império Romano do Ocidente e governa como rei independente na Itália.

493 O governante ostrogodo Teodorico derrota Odoacro e se torna rei, teoricamente sujeito ao governo bizantino.

534 Os bizantinos acabam com o domínio vândalo no norte da África.

DEPOIS
549 Os bizantinos recapturam Roma dos godos pela terceira e última vez.

568 Os lombardos (uma tribo bárbara) invadem a Itália e ocupam terras que Justiniano havia recuperado para os bizantinos.

751 Os lombardos capturam Ravena – o último e maior reduto bizantino no norte da Itália.

Em 9 de dezembro de 536 d.C., o exército do Império (Bizantino) Romano do Oriente, liderado pelo general Belisário, entrou na cidade de Roma pela antiga Porta Asinária. A chegada dos bizantinos forçou a rápida saída dos então defensores da cidade, os bárbaros ostrogodos, que fugiram para o norte pela Porta Flamínia. Quase exatos sessenta anos depois que as mãos imperiais perderam Roma, parecia que o berço do antigo império poderia ser devolvido ao domínio romano.

A sobrevivência de Bizâncio

Enquanto o Império Romano do Ocidente finalmente caiu em 476, depois de um século de invasões bárbaras, a porção oriental – o Império Bizantino, com sua capital em Constantinopla (hoje Istambul) – superou a tormenta e, com a retenção de ricas províncias como o Egito montou uma bem-sucedida defesa de seu território. No entanto, a perda do berço do império foi um golpe para o prestígio dos imperadores bizantinos, que se recusaram a aceitá-la. Em 488, o imperador Zeno despachou uma tribo de mercenários germânicos bárbaros, os ostrogodos, para que derrubassem outra tribo, liderada por Odoacro, responsável pela deposição do último imperador romano do Ocidente. Em troca, os ostrogodos poderiam governar a Itália como súditos do imperador bizantino. Além disso, os godos estavam se infiltrando em terras imperiais, de forma que Zeno esperava que sua mudança para a Itália neutralizasse ambos os problemas.

A Guerra Gótica

Pelos quarenta anos seguintes, o domínio dos godos sobre a Itália seguiu inquestionado. No entanto, a ascensão de Justiniano (c. 482–565) como imperador bizantino em 527 mudou as

> " Achar dinheiro para guerra na Itália é impossível, já que o país foi largamente reconquistado pelo inimigo.
> **Belisário, 545** "

O MUNDO MEDIEVAL

Veja também: A Batalha da Ponte Mílvia 66-67 ▪ O saque de Roma 68-69 ▪ A queda de Jerusalém 106-107 ▪ O Grande Cisma 132 ▪ A queda de Constantinopla 138-141

O imperador Justiniano, homem muito enérgico, desenhou um programa ambicioso e amplo de expansão e reforma para restaurar o Império Romano à sua antiga glória.

coisas. Ele estava determinado a restaurar a dignidade romana, e isso queria dizer reconquistar as províncias romanas perdidas. E começou seu intento em 533, ao despachar um exército para o norte da África liderado por Belisário, que rapidamente derrotou os vândalos (um povo germânico cujo domínio da região havia começado nos anos 430).

Orgulhoso do seu sucesso, Justiniano ordenou uma invasão da Itália em 535. O exército de Belisário progrediu veloz e, em 536, teve sucesso em reconquistar Roma. A euforia bizantina com a reconquista de sua antiga capital foi, no entanto, desfeita quando o rei godo Vitige contra-atacou e sujeitou Roma a um cerco esmagador que durou mais de um ano.

Empate na Itália

Belisário lançou um novo ataque, mas foi chamado de volta depois que Justiniano começou a temer que ele se estabelecesse como um rei independente na Itália. O país passou de um lado para o outro, já que a guerra na Itália se arrastou por quase vinte anos.

Por duas vezes os godos retomaram Roma, mas sem recursos para mantê-la a perderam duas vezes para os romanos. Por fim, o último grande exército godo foi derrotado em 552.

O impacto da guerra

Apesar de os bizantinos terem vencido a guerra, a vitória foi vã. A Itália foi devastada – as cidades perderam a maior parte de sua população, e a economia rural estava em frangalhos. A classe dominante que falava latim descobriu que os que falavam grego em Constantinopla ficaram com os principais cargos. Roma foi tratada como um posto avançado do Império Bizantino, frustrando a ideia de que a cidade poderia ser restaurada como centro do poder imperial.

Os efeitos da guerra, junto com uma peste que matou um terço dos habitantes do império em 542, dificultaram o recrutamento de tropas que pudessem proteger a Itália. A nova província quase não pagava tributos e se tornou um grande dreno financeiro. O otimismo com a captura de Roma deu lugar a uma profunda tristeza – um sentimento confirmado quando, em 568, os lombardos, outro grupo bárbaro, invadiram a Itália e tomaram boa parte das terras bizantinas no norte e no centro do Estado.

Apesar de o Império Bizantino ter sobrevivido por mais nove séculos, nunca mais pôde tentar restaurar o Império Romano no Ocidente. Em vez disso, focou em defender seu centro de fala grega no Oriente, deixando os reinos germânicos na Itália, França e Espanha se desenvolver livremente. ■

Cresce a tensão entre o Império Bizantino e o **instável** reino godo na Itália.

↓

O Império Bizantino invade a Itália e captura Roma.

↓

A guerra **devasta a Itália**, dificultando arrecadar **tributos** para financiar sua defesa.

↓

Novas **invasões bárbaras** cruzam as fronteiras de um império **aleijado pelas dívidas** e pelos efeitos da **peste**.

↓

A **expansão** bizantina no Ocidente é **interrompida**, e o foco do império se volta para **dentro de si mesmo**.

CHEGOU A VERDADE, E A FALSIDADE SE DESVANECEU

MAOMÉ RECEBE A REVELAÇÃO DIVINA (C. 610)

EM CONTEXTO

FOCO
A ascensão do islã

ANTES
c. 550 Queda do Reino Himiarita no sul da Arábia.

570 Nascimento de Maomé.

611 O xá persa Khusrau conquista de Bizâncio o Egito, a Palestina e a Síria.

DEPOIS
622 Maomé e seus seguidores fogem para Meca e estabelecem residência em Medina.

637 O exército muçulmano captura Jerusalém depois de seu cerco.

640 O general muçulmano Amr ibn al-As conquista o Egito.

661 O califado Omíada é estabelecido por Muawiya em Damasco, na Síria.

711 Os exércitos muçulmanos cruzam o Mediterrâneo, entram na Espanha e conquistam o reino cristão visigodo.

Por volta de 610, numa caverna nas colinas ao norte da cidade de Meca, na Arábia central, Maomé – um homem de quarenta anos vindo de uma família de mercadores – declarou ter recebido uma mensagem divina através do anjo Gabriel. Depois, recebeu revelações parecidas nos meses e anos seguintes, o que levou à fundação de uma nova religião monoteísta, o islã. Em vinte anos esse credo veio a dominar a Península Arábica, e um século depois seus seguidores destroçaram os impérios bizantino e persa, criando um Estado que ia da Espanha, no Ocidente, até a Ásia central, no Oriente.

O MUNDO MEDIEVAL

Veja também: A fundação de Bagdá 86-93 ▪ A queda de Jerusalém 106-107 ▪ A *hajj* de Mansa Musa a Meca 110-111 ▪ O avanço árabe é detido em Tours 132 ▪ A queda de Constantinopla 138-141 ▪ A criação do primeiro Governo-geral 170-171

Nesta miniatura do século XVI, a Kaaba, considerada a casa de Deus e o santuário mais sagrado no islã, é decorada por anjos na ocasião do nascimento do profeta Maomé.

A Arábia antes do islã

A partir do primeiro milênio a.C., houve sofisticados reinos no sul da Arábia que aumentaram sua riqueza com o comércio de especiarias. Nos primeiros anos, as rotas de comércio seguiam a costa noroeste, mas em torno do século VII isso diminuíra, já que os mercadores passaram a usar cada vez mais a rota marítima pelo Mar Vermelho, deixando muitos lugares que outrora foram relativamente prósperos em decadência. Havia algumas cidades espalhadas, como Medina (então chamada de Yathrib) e Meca, que dependiam mais do comércio local de lã e couro, junto com algumas poucas importações de grãos e óleo de oliva. As regiões centrais do deserto da Península Arábica eram muito pobres: as tribos beduínas seguiam um estilo nômade, e a concorrência por recursos escassos moldou uma sociedade na qual a primeira lealdade era para um grupo de parentes, ou tribo.

No tempo de Maomé, a Arábia estava num estado de agitação religiosa e política. Fortes comunidades judaicas haviam se estabelecido no Iêmen ao sul e nas cidades oásis ao noroeste, como Medina, enquanto o cristianismo ganhava terreno no Iêmen e no leste da Arábia. Apesar de as crenças monoteístas terem conseguido entrar em áreas do tradicional paganismo politeísta dos beduínos árabes, o paganismo seguia forte. Também era comum o conflito entre tribos, e, em Meca, no espaço sagrado conhecido como *haram*, houve uma trégua para que homens de diferentes tribos pudessem negociar livremente, sem violência.

Maomé em Meca

O *haram* de Meca era controlado pelo poderoso clã coraixita, do qual fazia parte Maomé. A rejeição do paganismo por Maomé e sua ousada proclamação de que havia um único Deus e que seus seguidores deveriam seguir um conjunto prescrito de observâncias religiosas – incluindo a oração cinco vezes ao dia e o jejum durante o Ramadã – dividiram seus seguidores. Sua pregação de uma única comunidade religiosa que ultrapassasse os limites sociais foi recebida como uma ameaça pelos líderes tradicionais, que sentiram que a fonte de sua autoridade fora minada.

A fuga para Medina

Por volta de 622, a atmosfera em Meca ficou tão tensa que Maomé e o seu punhado de seguidores fugiram para o norte em direção a Medina – um evento chamado de *hégira* (que quer dizer emigração) que acabou marcando a verdadeira fundação da comunidade islâmica. Os medinenses, que não gostavam do poder dos coraixitas de Meca, simpatizaram com a causa de Maomé e lhe permitiram pregar livremente, dando-lhe a oportunidade de atrair mais convertidos.

Os coraixitas não estavam contentes em ver a base de poder de Maomé crescer em Meca, e em dois anos estourou o conflito entre os poderes de lá e os apoiadores de »

Maomé

O profeta Maomé nasceu em Meca em cerca de 570, num ramo da influente tribo coraixita. Diz a tradição que ele era um órfão cujo primeiro casamento com uma rica viúva chamada Cadija garantiu seu futuro econômico. As revelações religiosas que foram dadas a Maomé por um período de quase doze anos a partir de 610 – e que seriam mais tarde compiladas como o Alcorão – causaram uma ruptura nas tradicionais elites de Meca quando ele começou a pregar contra o politeísmo pagão e contra práticas como o infanticídio feminino. A fuga de Maomé para Medina em 622 marcou um momento crucial na difusão do islã, já que sua aceitação fora de Meca mostrou que seu apelo poderia transcender as tradicionais estruturas de parentesco. Maomé se mostrou um líder inspirador, e a forma como seus seguidores lidaram com os desafios encontrados pela nova religião fez com que na época de sua morte, dois anos após sua volta para Meca, sua religião já tivesse se espalhado por toda a Arábia.

MAOMÉ RECEBE A REVELAÇÃO DIVINA

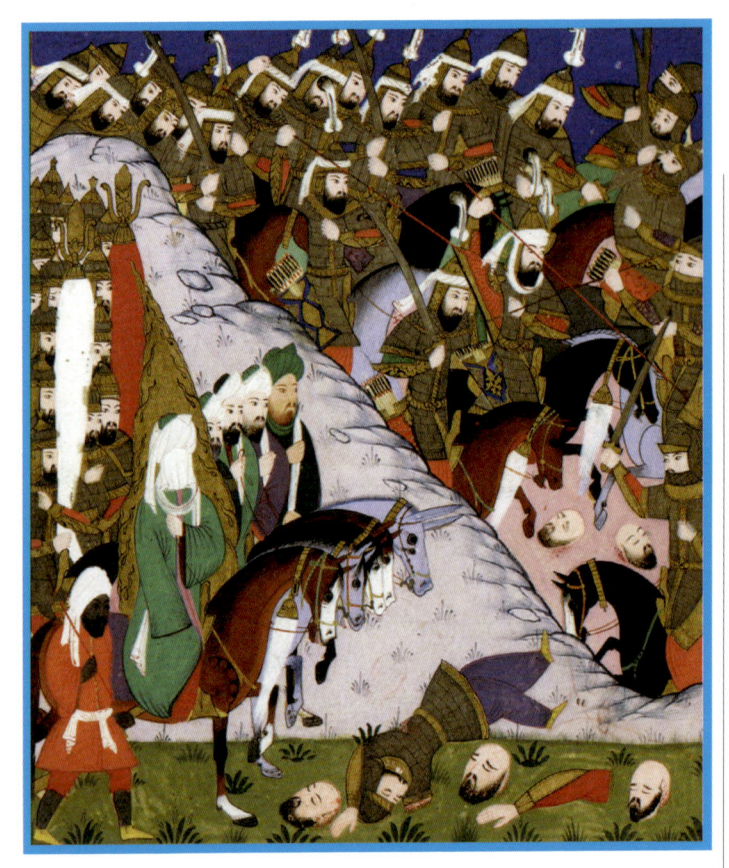

A Batalha de Uhud (em 625) foi um de vários conflitos sangrentos entre os muçulmanos de Medina, liderados por Maomé, e o grande exército coraixita de Meca.

Maomé. O novo líder conseguiu se esquivar dos coraixitas atacando primeiro suas caravanas, derrotando-os na batalha de 627 e, por fim, negociando o direito de voltar a Meca em peregrinação em 629. Ao morrer em 632, Maomé já havia se restabelecido em Meca, e seu sucesso diplomático e militar em atrair outras tribos para sua causa tornou suas posições inexpugnáveis. Conforme sua autoridade se espalhava, cresciam o alcance de sua mensagem religiosa e o número dos novos convertidos muçulmanos. Depois da morte de Maomé, o islã entrou em crise, e a nova religião poderia ter sido facilmente esmagada. Tribos do leste se separavam da comunidade religiosa muçulmana (a *umma*) e declararam obediência ao seu próprio profeta, enquanto as de Medina não estavam felizes com a dominância dos de Meca no movimento. A escolha de Abu Bakr, sogro de Maomé, como califa (sucessor) sinalizou que a liderança continuaria com a família do profeta, e isso, junto com uma série de campanhas militares bem-sucedidas contra os desafetos, permitiu a sobrevivência da *umma*.

Conquistas além da Arábia

Tendo assegurado sua posição, os sucessores de Maomé, em especial Omar (634-44), deram início a campanhas de conquista em áreas mais distantes. Eles tiveram sorte com as profundas mudanças que se deram nos limites do norte da Arábia. Entre 602 e 628, os dois impérios mais antigos da área – os bizantinos a noroeste e os persas sassânidas a nordeste – estavam envolvidos numa longa e terrível guerra que acabou em catástrofe para os dois. Seus cofres estavam vazios pelos custos do conflito, e algumas regiões de seus territórios haviam sido totalmente devastadas. Ambos também dependiam dos árabes para defender suas fronteiras, e pequenos e semi-independentes Estados árabes surgiram na periferia dos dois impérios.

Rápida derrota

Os exércitos árabes que varreram as regiões ao norte nos anos 630 encontraram uma resistência bem menor da que teriam meio século antes. As províncias caíam facilmente, já que as guarnições enfraquecidas e a questionável lealdade dos cidadãos minaram a resistência. Apesar de relativamente menor em número e com armas mais leves, os exércitos árabes eram muito ágeis e não precisavam defender posições fixas, o que lhes deu uma enorme vantagem sobre seus oponentes. Quando derrotaram os bizantinos em Yarmuk em 636, toda a estrutura de controle imperial na Palestina e na Síria caiu por terra. No caso da Pérsia, custou aos generais árabes só nove anos para desmembrar o Império Sassânida.

A sociedade islâmica

As terras recém-conquistadas se tornaram parte de um califado islâmico. Muitos dos seus habitantes se converteram, ao passo que os que não o fizeram eram tolerados, caso fossem cristãos, judeus ou zoroastristas, desde que pagassem um imposto especial. O islã transformou as terras que absorveu de diversas formas. Ao mesmo tempo que varria as velhas estruturas imperiais, ofereceu um novo senso de comunidade religiosa, quase sempre unindo os conquistadores com os conquistados. Estudiosos islâmicos ressuscitaram as obras de filósofos e cientistas gregos esquecidas havia séculos, traduzindo-as para o árabe. Lindas mesquitas começaram a embelezar as cidades. As áreas que haviam sido marginalizadas sob os impérios bizantino e sassânida agora se viam no centro de uma nova e vibrante civilização.

O sucesso, no entanto, trouxe seus próprios problemas para o islã. A anexação de terras muito mais urbanizadas que a Arábia implicava que os califas tinham de se adaptar, de chefes guerreiros comandando um grupo de seguidores coeso, a monarcas governando enormes áreas com economias e sociedades complexas. Além disso, os muçulmanos eram minoria, a princípio, e ainda não plenamente unidos.

> "
> Lê, em nome do teu Senhor que criou; Criou o homem de um coágulo.
> **Alcorão (Surata 96)**
> As primeiras palavras reveladas a Maomé (c. 610)
> "

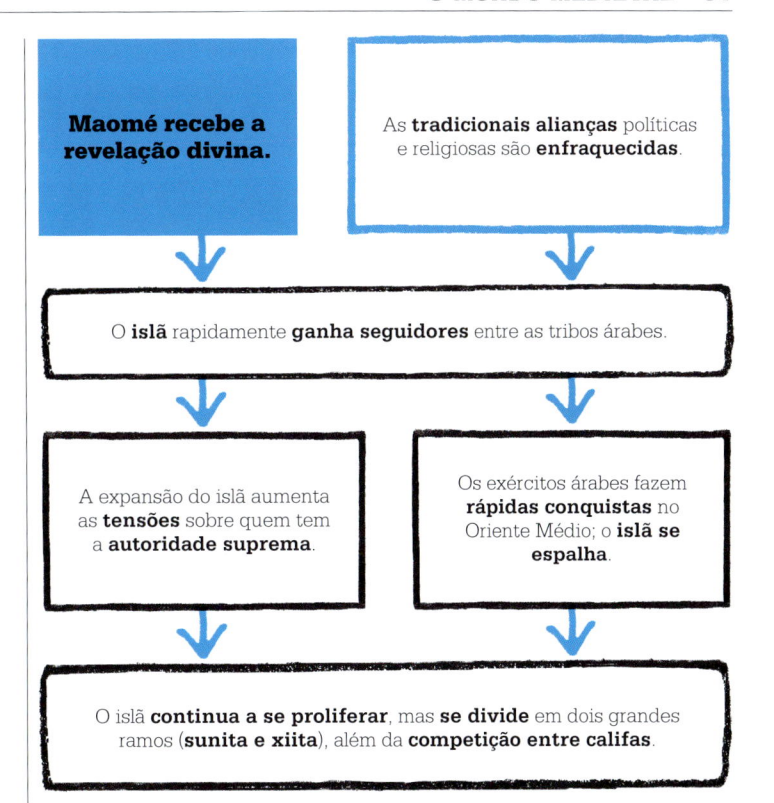

Maomé recebe a revelação divina.

As **tradicionais alianças** políticas e religiosas são **enfraquecidas**.

O **islã** rapidamente **ganha seguidores** entre as tribos árabes.

A expansão do islã aumenta as **tensões** sobre quem tem a **autoridade suprema**.

Os exércitos árabes fazem **rápidas conquistas** no Oriente Médio; o **islã se espalha**.

O islã **continua a se proliferar**, mas **se divide** em dois grandes ramos (**sunita e xiita**), além da **competição entre califas**.

Divisões crescentes

As tensões sobre a sucessão do califado resultaram num grande cisma no islã. Uma disputa entre Ali, genro de Maomé, e Muawiya, o governador da Síria, levou a uma guerra civil que terminou com o assassinato de Ali e Muawiya assumindo o controle do califado em 661. Enquanto os descendentes de Muawiya (os omíadas) governavam a cidade síria de Damasco, os seguidores de Ali se opuseram à sua autoridade, alegando que o califa deveria ser escolhido entre os descendentes de Ali. Após o assassinato do filho de Ali, Husayn, em Karbala em 680, a divisão entre o xiismo (aqueles que apoiavam o direito dos descendentes de Ali ao califado) e o mais dominante sunismo (que rejeitava isso) se tornou definitiva – uma divisão que continua até hoje.

A unidade islâmica também se partiu em outros aspectos. Governar um império tão vasto era quase impossível quando mensagens dos extremos Oriente e Ocidente poderiam demorar meses até chegarem à corte do califa. Dinastias muçulmanas independentes surgiram em áreas periféricas, e califas rivais apareceram no século X na Espanha, Tunísia e Egito. Apesar de a unidade política ter se esfacelado e a unidade religiosa ser comprometida, o credo de Maomé foi tão popular e bem-sucedido que no século XXI havia quase 1,5 bilhão de muçulmanos no mundo. ∎

UM LÍDER EM CUJA SOMBRA A NAÇÃO CRISTÃ ESTÁ EM PAZ
A COROAÇÃO DE CARLOS MAGNO (800)

EM CONTEXTO

FOCO
Fundamentos da cristandade medieval

ANTES
496 d.C. O rei franco Clóvis se converte ao cristianismo.

507 Clóvis derrota os visigodos e domina a Gália.

754 O papa Estêvão II reconhece Pepino III como o rei dos francos.

768 Morre Pepino, e o reino dos francos é dividido entre Carlos Magno e seu irmão Carlomano.

771 A morte de Carlomano deixa Carlos Magno como o único governante sobre o reino franco.

DEPOIS
843 O domínio franco é novamente dividido pelo Tratado de Verdun.

962 Otto I, duque da Saxônia, é coroado imperador pelo papa. Ele unificou a Alemanha e a Itália para formar o que mais tarde foi chamado de Sacro Império Romano-Germânico.

N o Natal de 800, um extraordinário evento aconteceu na Basílica de São Pedro em Roma. O papa Leão III coroou o rei franco Carlos Magno com a diadema real, coroando o primeiro imperador no Ocidente em três séculos. A coroa imperial fez de Carlos Magno e seus sucessores os rivais seculares da argumentação papal (como líder espiritual da igreja), com posição de autoridade sobre os governantes ocidentais. Em seu devido tempo, o império de Carlos Magno (que mais tarde ficou conhecido como Sacro Império Romano-Germânico) expandiu-se e cobriu uma vasta área, estabelecendo os alicerces para alguns dos futuros estados-nações da Europa Ocidental.

Novos governantes
Na metade do século antes de o Império Romano do Ocidente finalmente entrar

O Império Romano do Ocidente entra em **colapso**.

Carlos Magno **expande** o **reino franco**.

Um **papa** fraco **procura aliados** fora da Itália.

Em Roma, o papa coroa Carlos Magno como imperador – o primeiro em trezentos anos.

A noção do **imperador** como o **líder secular da cristandade** permite ao cargo **sobreviver às posteriores divisões** do **reino franco**.

O MUNDO MEDIEVAL

Veja também: A Batalha da Ponte Mílvia 66-67 ▪ O saque de Roma 68-69 ▪ Justiniano reconquista Roma 76-77 ▪ A Querela das Investiduras 96-97 ▪ A queda de Jerusalém 106-107 ▪ As 95 teses de Martinho Lutero 160-163

> " Ele cultivava as artes liberais com muito estudo e, respeitando enormemente quem as ensinava, garantiu-lhes grande honra. "
>
> **Einhard**
> Estudioso e áulico franco (c. 770–840)

em colapso, em 476 d.C., a maioria das suas províncias foi invadida por tribos bárbaras que estabeleceram pequenos reinos em seu antigo território. A princípio, os imperadores romanos do Oriente não reconheceram a legitimidade do direito desses novos reis de governar em territórios nominalmente romanos. Mas, conforme os novos reinos, sobretudo o dos francos, ficaram mais fortes e unificados, o reconhecimento romano oriental deixou de ter importância.

De reino a império

Carlos Magno, que ascendeu ao trono franco em 768, expandiu muito seus domínios com o tempo, conquistando o norte da Itália e a Saxônia, ganhando algumas áreas dos árabes no norte da Espanha e tomando os territórios avares no Danúbio. Ele fortaleceu a administração franca, estabelecendo uma rede de *missi domenici* – agentes reais que impunham sua vontade nas províncias. Pela primeira vez em séculos, um poderoso governante controlava a maior parte das terras que formavam o Império Romano do Ocidente, transformando-as numa única entidade política. Em contraste, o papado passou por maus bocados no século VIII, envolto em pequenas disputas políticas, com várias famílias nobres romanas buscando assegurar posições na hierarquia eclesiástica. Depois de Leão ter sido atacado em Roma em 799, ele fugiu pelos Alpes para pedir socorro a Carlos Magno, convidando-o para que trouxesse ordem à Itália e restaurasse o status da Igreja. Um ano depois, Leão coroou Carlos Magno, criando um imperador a um só tempo ocidental e oriental.

A Renascença carolíngia

Carlos Magno avançou com seu programa de reformas, publicando um édito em 802 que exigia um juramento de lealdade e estabelecendo as obrigações de seus vassalos. Também convidou reconhecidos estudiosos à sua corte e encorajou as disciplinas acadêmicas que definharam desde o colapso do Império Romano, incluindo gramática, retórica e astronomia. Música, literatura, arte e arquitetura também floresceram durante o seu reinado.

Depois de sua morte, houve divisão por toda parte. O costume franco de dividir o reino entre vários herdeiros enfraqueceu a autoridade central e levou a guerras civis, permitindo a emergência de poderosos senhores de terras que, com frequência, desafiavam a autoridade real. Por fim, o império se partiu em duas grandes porções, muito parecidas com a França e a Alemanha de hoje. O título de imperador passou para os descendentes diretos de Carlos Magno e daí, a partir do século X, para príncipes germânicos que eram parentes mais distantes. Assim, como Sacro Império Romano-
-Germânico, ele sobreviveu até o começo do século XIX. ▪

Carlos Magno

Carlos Magno (c. 747–814), filho mais velho de Pepino III, em 751, depôs o último rei merovíngio dos francos e assumiu o cargo real. Energético e visionário, ele expandiu enormemente o reino franco. Também foi um governante muito forte, implementando reformas que aumentaram a autoridade da monarquia e da Igreja. Além disso, reformou a economia do reino ao introduzir um novo sistema monetário, padronizando pesos e medidas e unificando um espectro de diferentes moedas para encorajar as trocas e o comércio. Sua aquisição do título imperial em 800 consolidou ainda mais o seu poder, mas a princípio ele não fez planos para passá-lo adiante. Sua primeira decisão sobre a sucessão, em 806, dividiu o reino entre três de seus filhos, mas não fez menção ao cargo de imperador. No entanto, a morte de dois de seus filhos levou Carlos Magno a deixar suas terras e seu título a um único herdeiro – Luís, o Piedoso.

O GOVERNANTE ESTÁ RICO, MAS O ESTADO ESTÁ DESTRUÍDO
A REBELIÃO DE AN LUSHAN (756)

EM CONTEXTO

FOCO
A China Tang

ANTES
618 Li Yuan torna-se o primeiro imperador da dinastia Tang.

632–635 Os exércitos chineses capturam Kashgar, Kokand e Yarkand na Ásia Central.

751 Os exércitos Tang são derrotados pelas forças árabes na Batalha do Rio Talas (Quirguistão).

DEPOIS
762 Luoyang é retomada pelos Tang, e em 763 o último imperador Yan se suicida, pondo fim à rebelião de An Lushan.

874 A corte Tang, dividida em várias facções, é incapaz de resistir à primeira de uma série de rebeliões dos camponeses que pagavam muitos impostos.

907 O último imperador Tang é derrubado pelo líder rebelde Zhu Wen, que funda a última dinastia Liang.

960 A China é reunificada sob a dinastia Song.

Proteger as fronteiras da China exige uma **grande força militar**, levando à ascensão de poderosos comandantes militares e a uma **maior taxação**.

A reforma no serviço público **reduz** o poder político tradicionalmente exercido pelas **famílias nobres**.

Tensões e lutas pelo poder na corte de Tang entre aristocratas, burocratas e comandantes militares levam à rebelião de An Lushan.

A autoridade Tang é restaurada, mas o **controle central é enfraquecido**, levando à divisão da China.

Em 618, a dinastia Tang sucedeu à Sui como governantes da China, desencadeando uma das mais deslumbrantes eras na história do país. Os primeiros imperadores Tang dirigiram campanhas militares que expandiram as fronteiras da China até o interior da Ásia Central, e estabeleceram um governo centralizado com uma burocracia extremamente competente para administrar o império. Os governantes seguintes governaram por longos períodos de paz, relativa estabilidade política e crescimento econômico que dispararam uma renascença cultural e artística, bem como inovações tecnológicas.

Mas, em 755, essa era de ouro foi violentamente interrompida por An Lushan, um descontente general do exército que liderou uma rebelião interna contra os Tang que levou o norte da China a afundar numa guerra devastadora, depois da qual a dinastia

O MUNDO MEDIEVAL

Veja também: O primeiro imperador unifica a China 54-57 ▪ Kublai Khan derrota a dinastia Song 102-103 ▪ Marco Polo chega a Shangdu 104-105 ▪ Hongwu funda a dinastia Ming 120-127

Os rebeldes de An Lushan conquistaram e ocuparam a capital Chang'an, mas o general ficou em Luoyang. Diferente desse quadro, o imperador fugiu pelas montanhas Qin para Sichuan.

nunca mais conseguiu obter o controle do país.

As sementes da rebelião

Sob Xuanzong (712–756), a dinastia Tang alcançou o auge do poder e prestígio, mas vários problemas econômicos, sociais e políticos ameaçavam a sua estabilidade.

Primeiro, o Estado se esforçava por arrecadar impostos suficientes para financiar um grande aumento nas despesas militares. O *fu-bing*, sistema de milícias nacionais barato e autossustentável no qual os soldados trabalhavam na terra enquanto não eram requisitados para o serviço militar ativo, se mostrou inadequado ante as repetidas invasões por grupos vizinhos. Xuanzong foi forçado a estabelecer províncias militares por toda a fronteira norte da China, administradas por governadores locais que comandavam enormes exércitos e acabaram adquirindo considerável poder e autonomia.

Os cofres de Tang ficaram ainda mais vazios por causa do fracasso do sistema de "campos iguais", um programa de distribuição de terras e arrecadação de impostos que protegia os pequenos agricultores das apropriações de poderosos senhores de terras ao realocar, de vez em quando, as terras para eles. Esse fracasso gradual permitiu à nobreza amealhar terras para aumentar sua base de poder regional e levou à insatisfação dos camponeses. Depois, antigas reformas feitas pelo imperador Taizong (626–649) no sistema de concursos usado para contratar servidores públicos, dando chance a homens capazes vindos de um passado humilde e sem conexões, criou uma burocracia baseada no mérito e que erodiu o poder e a influência da aristocracia. Xuanzong tinha, agora, que gerenciar facções rivais em sua corte – nobres rebeldes, ambiciosos burocratas profissionais e governadores militares, alguns dos quais já interferindo na política.

Mas foram fracassos militares que serviram de faísca para a rebelião contra Tang, incluindo a derrota para os árabes abássidas em 751, que interromperam a expansão da China na Ásia Central.

Uma mudança para a dinastia Tang

O descontentamento explodiu entre os militares que viram sua posição ameaçada, agora que a era de conquistas havia terminado. An Lushan, um proeminente governador militar que se tornara um favorito da corte, se levantou contra seus chefes. Alegando que o imperador havia lhe pedido para remover Yang Guozhong (o ministro-chefe da corte, com o qual An Lushan estava travando uma intensa luta pelo poder), ele mobilizou um exército de rebeldes e marchou para o sul.

A rebelião tinha tudo para dar certo: capturou a capital oriental, Luoyang, no começo de 756 – onde An Lushan declarou uma dinastia rival, a Yan –, antes de atacar Chang'an, a principal capital. Xuanzong fugiu de sua corte, sendo quase capturado por An Lushan.

Depois de oito anos de guerra, os Tang finalmente esmagaram a rebelião, mas o esforço a havia enfraquecido. Durante o século seguinte, perdeu cada vez mais poder para os militares e enfrentou outras rebeliões. Por volta de 907, o império tinha se fragmentado em dinastias e reinos locais que competiram pelo poder por cinquenta anos. ∎

> ❝
> Dez mil casas com corações apunhalados emitem a fumaça da desolação.
> **Wang Wei**
> Poeta Tang (756)
> ❞

UM IMPULSO DO ESPÍRITO E UM DESPERTAR DA INTELIGÊNCIA

A FUNDAÇÃO DE BAGDÁ (762)

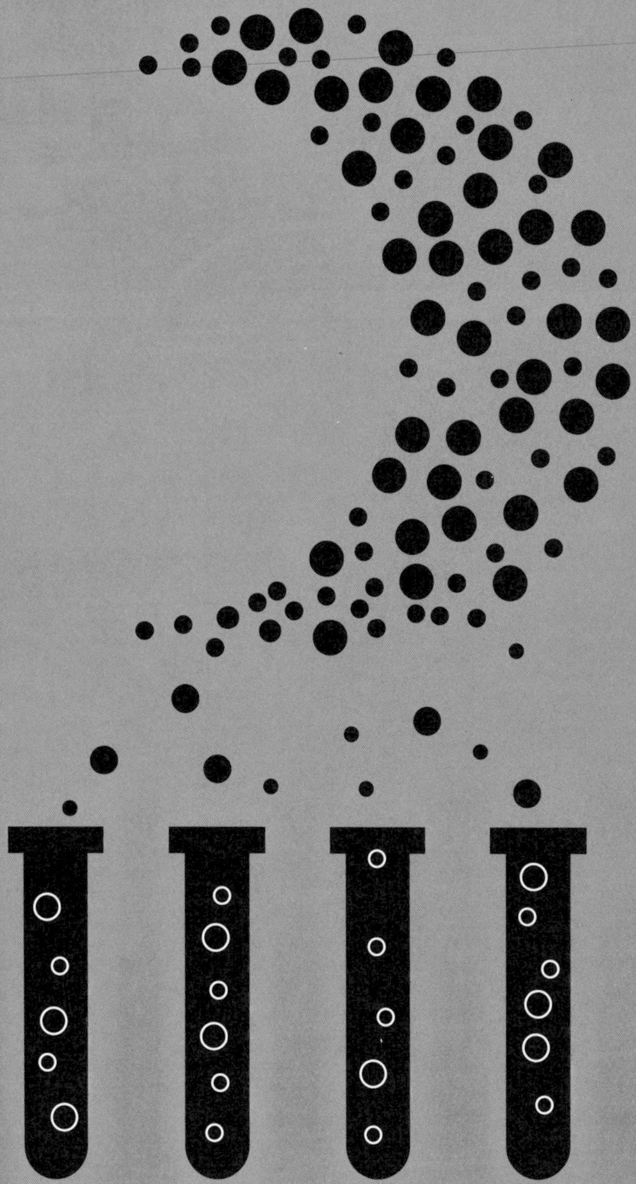

A FUNDAÇÃO DE BAGDÁ

EM CONTEXTO

FOCO
Sociedade e ciência islâmicas

ANTES
711 Um exército muçulmano árabe e berbere conquista o reino visigodo da Espanha.

756 O príncipe omíada Abd ar-Rahman I estabelece uma corte em Córdoba, na Espanha.

DEPOIS
800 O primeiro hospital islâmico é estabelecido em Bagdá.

825 Al-Khwarizmi introduz a notação decimal (derivada da Índia) no mundo islâmico.

1138–1154 Al-Idrisi compila um mapa do mundo para Rogério II da Sicília.

1258 O saque de Bagdá marca o fim do califado abássida.

1259 Um observatório astronômico é fundado em Maragha.

As conquistas islâmicas resultam na posse de muitas coleções de **manuscritos gregos** em áreas controladas pelos árabes.

↓

Al-Mansur funda Bagdá para cimentar o poder abássida. A cidade se torna um centro de ciência e de aprendizado.

A **tradução** de textos científicos gregos na **Casa da Sabedoria** em Bagdá leva a **avanços científicos árabes**.

Traduções árabes de autores gregos aparecem na Europa, onde são **traduzidos para o latim**, ajudando na difusão do conhecimento perdido nos textos clássicos.

Em 762, o segundo governante da jovem e ascendente dinastia abássida mudou a capital do poderoso califado islâmico de Damasco para a recém-fundada cidade de Bagdá. A mudança é quase sempre vista como a marca do começo de uma era de ouro que levou ao florescimento da ciência, arte e cultura. A extensão do desenvolvimento tecnológico muçulmano ficou demonstrada em 802, quando o califa abássida Harun al-Rashid enviou um embaixador ao governante franco, Carlos Magno, levando de presente um relógio de água que marcava a hora ao deixar cair bolas de bronze em cima de címbalos na base do mecanismo. Esse sofisticado marcador de tempo era apenas um dos avanços que os árabes haviam feito – avanços que deixaram seus pares europeus bem para trás.

A ascensão dos abássidas

Depois da morte do profeta Maomé, em 632, seus sucessores governaram um império (ou califado) islâmico em constante crescimento. Após o assassinato do califa Al-Walid, em 744, um membro da família omíada, que governava de Damasco desde 661, deflagrou uma guerra civil que só acabou quando a dinastia abássida chegou ao poder, em 750. Os abássidas gastaram sua primeira década pacificando o império com a ajuda de tropas de Khurasan no nordeste do Irã. Essas tropas, uma mistura de árabes, persas e centro-asiáticos, eram uma das principais sustentações dos abássidas e lhes deram uma base de poder independente das tribos árabes instaladas no norte da Arábia, Síria e Iraque, que haviam apoiado os omíadas.

Foi em parte para oferecer terras para seus soldados de Khurasan que Al-Mansur, o segundo califa abássida, estabeleceu a cidade de Bagdá, em 762. O lugar foi escolhido devido a seu clima ameno e sua localização nas rotas comerciais entre Pérsia, Arábia e Mediterrâneo. Também ficava a apenas trinta quilômetros a sudeste do trono real persa em Ctesifonte, que aos poucos perdeu sua importância, permitindo à nova dinastia se apresentar como líder de uma cultura que vinha desde Ciro, o Grande, no

O MUNDO MEDIEVAL

Veja também: Sidarta Gautama prega o budismo 40-41 ▪ O palácio de Cnossos 42-43 ▪ As conquistas de Alexandre, o Grande 52-53 ▪ Maomé recebe a revelação divina 78-81 ▪ A *hajj* de Mansa Musa a Meca 110-111 ▪ O avanço árabe é detido em Tours 132 ▪ A criação do primeiro Governo-Geral 170-171

século VI a.C. O coração da nova capital era uma fortificação de quase dois quilômetros, em formato circular, na qual ficavam o palácio real e os principais órgãos governamentais.

Busca de conhecimento

Os abássidas alegavam ter não apenas a herança política de seus predecessores, mas também seus feitos culturais e científicos. Apesar de o Império Omíada ter incluído regiões antigas de cultura grega, como Alexandria, no Egito, sob seu domínio, quase não houve apoio ao desenvolvimento científico. Isso mudou com os abássidas, que usavam seu tempo consolidando o domínio islâmico em vez de participar de campanhas de conquistas territoriais. Eles financiavam estudiosos para que explorassem o conhecimento adquirido a partir de obras estrangeiras, em vez de se basearem somente na orientação encontrada no Alcorão e nos *hadiths* (ditos do profeta Maomé).

Os primeiros avanços se deram na medicina. No final do século VI, uma escola filosófica em Gundesapor, no sudoeste do Irã, tornou-se um centro de estudos médicos. Seus membros eram sobretudo cristãos da seita nestoriana que haviam sido perseguidos no Império Bizantino. Em 765, diz-se que Al-Mansur convocou um desses funcionários, Jurjis ibn Jibril ibn Bukhtishu, a Bagdá para diagnosticar uma complicação estomacal. O califa ficou tão satisfeito com o tratamento que convidou Jurjis a ser seu médico pessoal, e, por oito gerações, até meados do século XI, membros da família Bukhtishu ocuparam uma posição na corte de Bagdá, trazendo consigo o conhecimento de textos gregos e helenísticos sobre práticas médicas. Em 800, o califa Harun al-Rashid pediu a Jibril ibn Bukhtishu, neto de Jurjis, que fosse o chefe do novo hospital em Bagdá, o primeiro no mundo islâmico.

Al-Mansur abriu uma biblioteca em Bagdá para abrigar sua coleção de manuscritos. Essa empreitada ficou mais fácil com a adoção árabe do papel para os livros, além da fundação de uma fábrica de papel em Bagdá, em 795. Mas, como os que falavam árabe não tinham acesso a esse conhecimento, a biblioteca ajudou pouco no desenvolvimento de uma tradição científica árabe local.

Casa da Sabedoria

Para remediar isso, Harun al-Rashid (califa de 786 a 809) e Al-Mamun (reinou de 813 a 833) estabeleceram a *Bayt al Hikma* (Casa da Sabedoria), que não somente abrigava a crescente biblioteca como também funcionava como uma academia para estudiosos e um centro de tradução das principais »

> 66
> Além de seu profundo conhecimento de lógica e direito [al-Mansur era] muito interessado em filosofia e observação astronômica.
> **Said al-Andalusi**
> Historiador islâmico (c. 1068)
> 99

Harun al-Rashid

Harun (763–809) herdou o califado em 783, depois da misteriosa morte de seu irmão mais velho Al-Hadi, que só reinara por um ano. Nos primeiros vinte anos de seu reinado, a família Barmakid, que ajudou a fortalecer uma poderosa administração central, dominou a corte. Sob o domínio de Harun, Bagdá tornou-se a cidade mais poderosa do mundo islâmico e floresceu como centro de conhecimento, cultura, invenções e comércio. Ainda assim, por quase duas décadas Harun se fixou em Raqqa, perto das fronteiras com o Império Bizantino, contra o qual ele lançou um ataque em 806, comandando pessoalmente um exército de milhares. O elefante dado de presente por Harun a Carlos Magno em 802 foi parte de uma série de trocas diplomáticas com a corte franca que visava aumentar a pressão sobre os bizantinos.

A Casa da Sabedoria de Harun, um escritório de tradução, uma biblioteca e uma academia para estudiosos e intelectuais de todo o império, contribuiu para o seu apelido Al-Rashid ("o Justo"). Ele morreu em 809, numa expedição a Khurasan, no nordeste do Irã.

obras científicas para o árabe. Entre seus maiores pesquisadores estava Hunayn ibn Ishaq (808–873), um cristão nestoriano de al-Hira, no Iraque, que traduziu mais de cem obras, principalmente médicas e filosóficas, além de Thabit ibn Qurra, membro de uma seita pagã conhecida como sabeus, que traduziu *Elementos*, a grande obra de Euclides sobre geometria, e o *Almagesto*, principal obra de Ptolomeu sobre astronomia.

A tradução tornou-se uma empreitada muito prestigiosa. Um investidor árabe pagou a extravagante soma de 2 mil dinares por mês para garantir que seu nome fosse associado à tradução de uma obra do médico grego Galeno (um dinar, feito de ouro puro, pesava o mesmo que 72 grãos de cevada). Em pouco mais de 150 anos, quase todos os principais textos gregos já descobertos foram traduzidos para o árabe. Muitos deles nem sequer estavam disponíveis na Europa Ocidental e, mesmo se estivessem, o conhecimento do grego tinha desaparecido de lá havia tempos. O mundo muçulmano estava, portanto, bem estabelecido por volta de 850 para que pudesse adicionar conhecimento novo às tradições científicas dos gregos clássicos e helenísticos transmitidas e desenvolvidas durante o Império Romano e adquirir uma vantagem de séculos sobre os europeus cristãos do Ocidente.

Cálculos complexos

O entendimento da matemática e da astronomia é essencial para o cálculo das vezes que os muçulmanos devem observar suas cinco orações diárias (que variavam bastante por todo o vasto Império Islâmico); logo ambas as disciplinas foram estudadas com afinco. Outra e separada tradição intelectual contribuiu para o desenvolvimento dessas técnicas de cálculo e chegou, em 771, com uma delegação de estudiosos hindus. Eles estavam visitando a corte de Al-Mansur (que por si só ilustra a abertura e a tolerância dos primeiros abássidas)

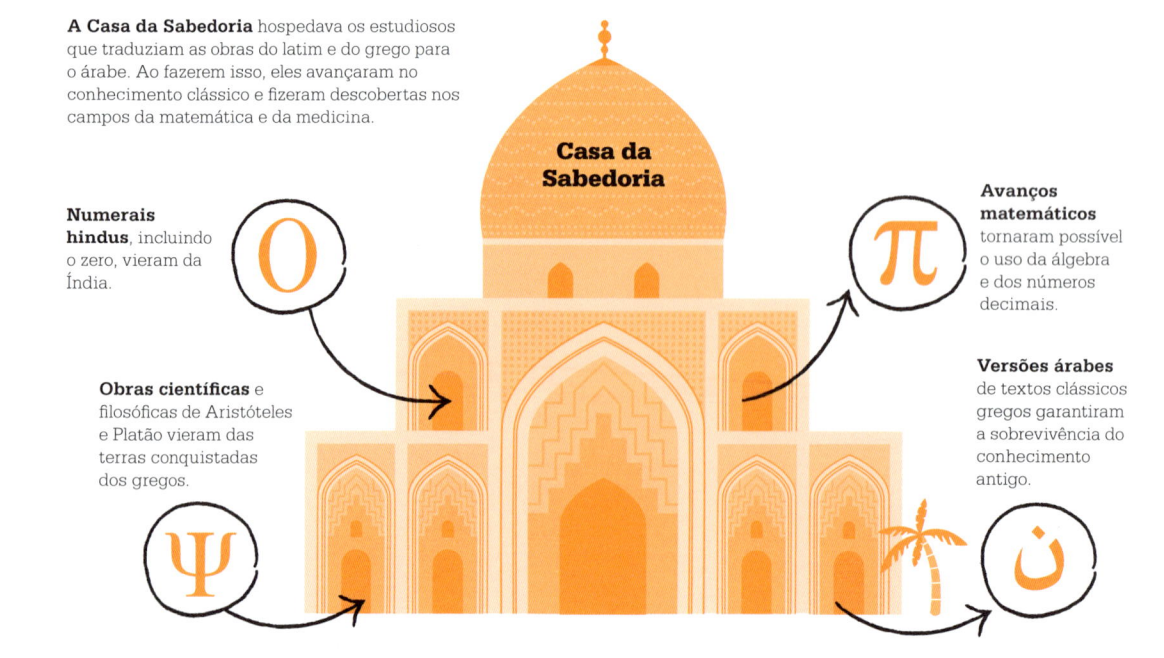

> Judeus e cristãos… traduziram esses livros científicos e os atribuíram a si mesmos… quando, na verdade, são obras muçulmanas.
> **Maomé ibn Ahmad Ibn Abdun**
> Estudioso jurídico (começo do século XII)

A Casa da Sabedoria hospedava os estudiosos que traduziam as obras do latim e do grego para o árabe. Ao fazerem isso, eles avançaram no conhecimento clássico e fizeram descobertas nos campos da matemática e da medicina.

Casa da Sabedoria

Numerais hindus, incluindo o zero, vieram da Índia.

Obras científicas e filosóficas de Aristóteles e Platão vieram das terras conquistadas dos gregos.

Avanços matemáticos tornaram possível o uso da álgebra e dos números decimais.

Versões árabes de textos clássicos gregos garantiram a sobrevivência do conhecimento antigo.

O MUNDO MEDIEVAL

O cânone da medicina de Ibn Sina, ou Avicena (980–1037), serviu de padrão para a medicina no mundo islâmico e na Europa medieval, perpetuando-se como uma autoridade por séculos.

e trouxeram consigo a relativamente avançada matemática da Índia, incluindo o uso de trigonometria para ajudar a resolver as equações algébricas. Mais importante ainda, os matemáticos hindus também usavam a notação decimal, a qual um dos membros da Casa da Sabedoria, Al-Khwarizmi (c. 780–830), adotou e descreveu em seu *Livro da adição e subtração de acordo com o cálculo hindu*.

Além disso, Al-Khwarizmi também explicou o método de calcular a raiz quadrada dos números e foi pioneiro no trabalho com equações algébricas. Ele e seus colegas avançaram bastante na geometria, assumindo como ponto de partida as obras de Euclides e Arquimedes sobre esferas e cilindros.

Astronomia e medicina

Al-Khwarizmi compilou a primeira tabela conhecida para as horas das orações diárias em Bagdá, sendo assistido, em seus cálculos, por observação astronômica direta. Os primeiros astrônomos islâmicos se basearam no livro *Almagesto*, de Ptolomeu, adotando sua visão de que a Terra estava no centro do sistema solar e os planetas giravam ao seu redor seguindo as linhas de oito esferas. Também aprenderam com astrônomos hindus, traduzindo e aperfeiçoando o *zij* (tabelas hindus de posições planetárias), e continuaram a refinar o sistema de Ptolomeu, se bem que algumas vezes, como na obra do astrônomo Al-Biruni, no século X, brincaram um pouco com um sistema heliocêntrico que tinha o Sol como centro. Seus cálculos ficaram muito mais simples quando, no meio do século VIII, adotaram o astrolábio, instrumento no qual a esfera celeste era projetada num plano achatado marcado com as linhas de latitude e longitude.

Por volta do século XIII, a astronomia islâmica chegou ao seu zênite, e em 1259 um grande observatório foi construído em Maragha, no leste do Irã. Lá, Nasr al-Din al-Tusi e seus sucessores fizeram um ajuste fino para dar conta das pequenas discrepâncias na órbita dos planetas, sendo auxiliados por relógios mecânicos que os capacitavam a registrar suas observações nos mínimos detalhes. Estudiosos islâmicos também fizeram avanços em muitas outras áreas, primeiro baseados nos manuscritos gregos traduzidos para o árabe, depois fazendo suas próprias descobertas. Eles não aceitaram as teorias dos antigos sem crítica: Al-Haythem (morto em 1039) produziu uma obra-chave, o *Livro da óptica*, no qual especulava que a visão era o resultado da luz viajando de um objeto até o olho, em vez do caminho inverso como teorizava Ptolomeu. Os médicos árabes continuaram a progredir, combinando suas observações práticas com análise teórica. Al-Razi (morto em 925) produziu a primeira descrição da varíola e do sarampo, além de produzir um compêndio médico que deu início à tradição das enciclopédias, culminando em *O cânone da medicina*, de Ibn Sina (também conhecido no Ocidente como Avicena). Escrito em cerca de 1015, tinha seções distintas para doenças relacionadas a uma parte específica do corpo e para as que afligem o corpo em sua totalidade.

A ciência islâmica se difunde

A expansão islâmica que começou em meados do século VII não apenas absorveu os antigos centros de aprendizado como Alexandria, mas também levou o mundo muçulmano até a beira da Europa Ocidental através da conquista da Espanha (a partir de 711) e Sicília (827). Uma tradição de aprendizado islâmico se embrenhou nessas duas áreas, especialmente na Península Ibérica, conhecida pelos árabes como al-Andalus. A corte que foi estabelecida lá em 756 por Abd ar-Rahman I, um príncipe omíada »

A FUNDAÇÃO DE BAGDÁ

O pensador grego antigo Aristóteles ensina a estudantes muçulmanos como medir as posições do Sol, Lua e estrelas nesta cena fictícia de um manuscrito árabe.

refugiado que escapou da revolução abássida, tornou-se um ímã para os estudiosos do Oriente, e suas bibliotecas viraram um repositório de preciosos textos antigos traduzidos para o árabe.

Em 967, o clérigo e estudioso francês Gerbert d'Aurillac (que em 999 se tornaria papa Silvestre II) chegou à Espanha para um período de três anos de estudos num mosteiro na Catalunha. Lá teve acesso a manuscritos contrabandeados através da fronteira do território muçulmano de al-Andalus. Ele retornou à França com o conhecimento de tecnologias árabes como o relógio de água e o astrolábio e com um tipo de ábaco que usava o sistema decimal. Este foi o primeiro exemplo desse sistema a ser usado na Europa medieval. Foi um pequeno começo, que teve paralelo no sul da Itália, onde uma escola de medicina foi estabelecida em Salerno no século IX. Alguns manuscritos islâmicos chegaram até a escola nos primeiros anos, mas muitos mais chegaram no final do século XI, quando o doutor muçulmano Constantino, o Africano, voltou de Kairuan, Tunísia. Ele foi até lá para estudar medicina e trouxe consigo obras como *A arte completa da medicina*, de Ali ibn al-Abbas al-Majusi (conhecido no Ocidente como Haly Abbas), parte das quais ele traduziu depois para o latim. Essa tradução deu acesso a médicos e estudiosos ocidentais ao relativamente avançado conhecimento médico muçulmano.

Textos gregos clássicos chegaram diretamente do Império Bizantino para o Ocidente (em especial, a Pisa, que tinha um posto comercial em Constantinopla), incluindo obras do filósofo Aristóteles. O principal canal para a transmissão do aprendizado islâmico para a Europa, no entanto, continuou sendo a Espanha. Conforme a Espanha Islâmica encolheu, pressionada pela Reconquista, o fluxo de material acelerou. A reconquista cristã se espalhou cada vez mais pelos emirados muçulmanos, até que, em 1085, Afonso VI, de Castilha, tomou Toledo. A cidade se tornou um centro para tradução de obras árabes por um grupo internacional que incluía o inglês Herbert de Ketton, o eslavo Hermann de Caríntia, o francês Raymond de Marselha, o erudito judeu Abraham ibn Ezra e o italiano Gerhard de Cremona. Em meados do século XII, o grupo traduziu muitos textos árabes para o latim, incluindo obras sobre matemática, medicina e filosofia. A Europa Ocidental passou a ter acesso ao *Almagesto* de Ptolomeu e às obras clássicas de Galeno, bem como a novas obras de escritores árabes que avançaram ou resumiram trabalhos de seus antecessores antigos, como Ibn Sina e *O canône da medicina*. Essa enciclopédia de cinco volumes foi um dos tratados mais amplamente usados nas escolas de medicina europeias até o século XVI.

Apoio real

Essa transmissão de conhecimento para o Ocidente foi reflexo do processo pelo qual o mundo islâmico absorveu o conhecimento grego durante o grande período de tradução para o árabe nos séculos IX e X. Apoiadores nobres e reais desempenharam papéis similares em ambas as fases de transmissão. O rei Rogério II da Sicília (a qual havia sido reconquistada pelos muçulmanos em 1091) convidou o erudito árabe Al-Idrisi para sua corte em 1138, com a incumbência de desenhar um mapa do mundo baseado em obras geográficas e cartográficas islâmicas. O resultado, que demorou mais de quinze anos para ser completado, era, de longe, o mapa do mundo mais preciso jamais disponível aos europeus e mostrava áreas tão distantes quanto a Coreia. O mapa foi acompanhado do *Livro das agradáveis jornadas a terras distantes*, em que o apoiador real de Al-Idrisi podia ler a respeito de coisas maravilhosas como os canibais de Bornéu e o comércio de ouro em Gana.

Uma tradição de aprendizado

O neto de Rogério, Frederico II, imperador do Sacro Império Romano-Germânico de 1220 a 1250, deu sequência à tradição de seu avô de financiar traduções de textos árabes. Impressionante polímata que conhecia pelo menos quatro línguas, Rogério impressionou tanto seus contemporâneos com sua sabedoria que ficou conhecido como Stupor Mundi ("a Maravilha do Mundo"). Entre seus protegidos estavam o escocês Michael Scot, que traduziu as principais obras de Aristóteles sobre zoologia, e Leonardo Fibonacci, de Pisa, que foi enviado por sua família de mercadores para estudar matemática em Bugia, no norte da África muçulmana. Lá, Fibonacci aprendeu o sistema decimal e em 1202 publicou *O livro dos cálculos*, o mais detalhado relato jamais visto na Europa a respeito do sistema árabe de numeração.

No começo do século XII, o Império Abássida estava próximo do colapso. As dificuldades de governar um império tão extenso e os efeitos de uma série de guerras civis fizeram com que províncias-chave como Espanha, Tunísia e Egito se separassem e fossem governadas por seus próprios califas. Mesmo em Bagdá, onde os califas abássidas se fixaram, eles apenas governavam no

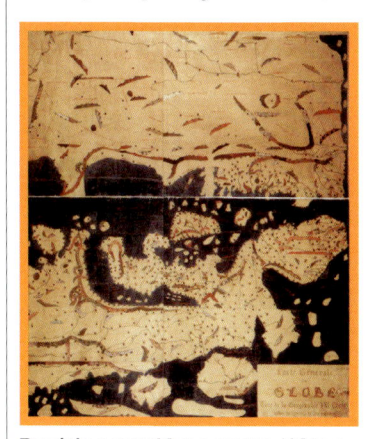

Rogério II convidou o erudito Al-Idrisi para confeccionar um preciso mapa do mundo conhecido em 1138. Al-Idrisi presenteou seu apoiador com o planisfério, mais seu livro, em 1154.

> [Rogério II da Sicília] é responsável por inovações únicas e invenções maravilhosas como nenhum príncipe havia feito antes.
> **Al-Idrisi, c. 1138**

papel. O poder real era mantido por outras dinastias, como os buídas xiitas e, a partir de 1055, os seljúcidas, um grupo turco originário da Ásia Central. O golpe final foi dado pelos mongóis, que avançaram para o oeste em direção ao mundo islâmico no começo do século XIII. Em 1258, o Grande Khan mongol Möngke liderou um exército contra o Iraque, que primeiro cercou e depois saqueou Bagdá, infligindo um terrível massacre contra seus habitantes. O último califa abássida a governar, Al-Musta'sim, foi executado, e o mundo islâmico passou primeiro para os mamelucos no Cairo e, depois da conquista do Egito em 1517, para os turcos otomanos.

Nessa época, os europeus já haviam redescoberto o conhecimento grego e romano em quase todos os campos do saber por meio dos textos árabes. Demorou séculos para o novo material ser absorvido e para uma nova onda de interesse em manuscritos clássicos no século XV desencadear o Renascimento na Europa. A Casa da Sabedoria fundada pelos califas abássidas desempenhou um papel crucial em garantir a sobrevivência da ciência grega e romana no mundo islâmico, permitindo sua transmissão séculos depois para a Europa cristã. ∎

NUNCA TAL TERROR COMO O DE AGORA APARECEU NA BRITÂNIA
A INCURSÃO VIKING EM LINDISFARNE (793)

EM CONTEXTO

FOCO
Incursões vikings

ANTES
550–750 Na Suécia, a Era Vendel é um tempo de enorme prosperidade.

737 A construção das fortificações de Danevirke na Dinamarca demonstra uma crescente autoridade real.

DEPOIS
841 Os vikings estabelecem um assentamento permanente na Irlanda, que vai crescer e se tornar a cidade de Dublin.

845 Conquistadores vikings avançam pelo Sena e saqueiam Paris.

867 Os vikings dinamarqueses assumem o controle da Nortúmbria no nordeste da Inglaterra.

911 Os vikings fundam o Ducado da Normandia, no norte da França.

Século x Os vikings suecos "rus" são dominantes em Kiev e Novgorod, na Rússia.

Num dia calmo de junho em 793, um grupo de homens desembarcou na costa da ilha sagrada de Lindisfarne, no norte da Inglaterra, e organizou um feroz ataque ao seu mosteiro. Os invasores mataram alguns dos monges, levaram prisioneiros como escravos e saquearam os tesouros da igreja antes de escapar.

Esse feroz ataque foi a primeira incursão registrada dos vikings – guerreiros navegantes pagãos da Dinamarca, Noruega e Suécia –, e seus relatos alastraram ondas de terror e medo por toda a Europa cristã. Pelos próximos duzentos anos, os vikings iriam assolar e saquear assentamentos em grandes partes do continente. Mas eles também eram colonizadores e comerciantes com uma sofisticada cultura artística que deixaram uma marca duradoura nos lugares onde invadiram e se estabeleceram.

Uma força irreversível

Nos seis anos que se seguiram à incursão a Lindisfarne, bandos de vikings – ou "danes", como eram conhecidos na Inglaterra anglo-saxã – passaram a ter como alvo a riqueza de outros lugares na Inglaterra, Escócia, Irlanda e França. Um dos principais responsáveis pelo sucesso dessas missões foi o drácar viking, um barco fino com um fundo raso que permitia à sua tripulação que navegasse qualquer via e aportasse de forma disfarçada. Cada barco poderia levar até oitenta guerreiros, recrutados por senhores de terra cuja autoridade dependia de suas proezas militares e de seu sucesso em capturar despojos para seus seguidores.

Não houve um motivo único que levou os vikings a se aventurarem pelos mares. Em partes da Escandinávia, o crescimento populacional talvez tenha forçado os jovens a viver como piratas. Em outros lugares, o provável crescimento da força de líderes de clãs locais teria dado início a disputas pelo poder que acabaram expulsando os perdedores para

> ❝ Os saques de homens pagãos destruíram miseravelmente a igreja de Deus em Lindisfarne, com pilhagem e assassinatos.
> **Crônica anglo-saxã** ❞

O MUNDO MEDIEVAL

Veja também: O saque de Roma 68-69 ▪ Justiniano reconquista Roma 76-77 ▪ A coroação de Carlos Magno 82-83 ▪ Cristóvão Colombo chega à América 142-147 ▪ James Cook chega à Austrália 199

o exílio. E as recém-enriquecidas cidades mercantes do norte da Europa eram irresistíveis para uma sociedade de guerreiros na qual a reputação por bravos feitos era um grande ativo.

Conquistas e assentamentos

Conforme os grupos de ataques vikings cresciam em tamanho, muitos dos homens começaram a se fixar nos territórios que invadiam, incluindo Inglaterra e França. No final do século IX, a Inglaterra foi dividida em vários reinos que não ofereciam nenhuma resistência consistente aos desafios vikings, enquanto a França era dizimada pela guerra civil.

Essa oposição desunida ajudou os vikings a conquistar o norte e o centro da Inglaterra – onde estabeleceram um reino que durou quase cem anos – e a ocupar terras no norte da França, onde seus descendentes se tornaram normandos que falavam francês. A leste, os vikings comerciavam e atacavam as margens dos rios da Rússia, o que lhes trouxe prata do mundo islâmico e contato com o Império Bizantino.

Em torno do século XI, a maioria dos países escandinavos já havia adotado o cristianismo e deixou seus ataques e saques, passando a ter assentamentos mais organizados e conquistas. Canuto da Dinamarca criou um império viking no Mar do Norte que incluía Dinamarca, Noruega e Inglaterra. Mas o império não sobreviveu à sua morte, e, em 1066, uma tentativa de reivindicação do trono inglês pelo rei norueguês Haroldo Hardrada foi o último vestígio da era viking, que começou com o saque de Lindisfarne. ■

- Pressão populacional e **instabilidade política** na Escandinávia.
- Notícias de **lugares ricos** por todo o Mar do Norte levam **jovens sem terras** a servir senhores de terras.
- O sucesso do ataque em Lindisfarne **atrai mais guerreiros** para novas incursões.
- **O mosteiro de Lindisfarne é saqueado.**
- As pilhagens levam a assentamentos **permanentes** de vikings na Inglaterra e na França.

Os vikings estavam entre os melhores construtores de navios e os melhores navegantes no mundo ocidental do começo da Idade Média.

A expansão viking no Atlântico Norte

Os vikings usaram seus conhecimentos dos ventos e das correntes para navegar os mares e descobrir novas terras. Por volta de 800, eles colonizaram as Ilhas Faroe e as usaram como trampolim para explorar o Atlântico Norte. Nos anos 870, seus navios chegaram até a Islândia, onde fundaram uma colônia que cresceu com independência política. Em 982, Erik, o Vermelho, exilado da Islândia por assassinato, acabou chegando na Groenlândia, onde estabeleceu uma nova colônia. Uma saga em norueguês conta como, dezoito anos mais tarde, o filho de Erik, Leif Eriksson, foi desviado da rota no mar e desembarcou numa região cheia de florestas com madeira de lei e uvas selvagens, à qual ele deu o nome de Vinland (Terra do Vinho). Expedições posteriores a essa área, que hoje se encontra em Newfoundland, Canadá, levaram a uma pequena colônia viking que foi mais tarde abandonada por causa de ataques de povos indígenas. No entanto, Leif e sua tripulação foram os primeiros europeus a pisar em solo norte-americano.

A IGREJA ROMANA NUNCA ERROU
A QUERELA DAS INVESTIDURAS (1078)

EM CONTEXTO

FOCO
A Igreja medieval e o papado

ANTES
1048–1053 O papa Leão IX promulga um decreto contra a simonia e o casamento de padres, começando um movimento de reforma.

1059 Estabelece-se o colégio de cardeais para eleger novos papas.

1075 O Concílio de Latrão decreta que somente o papa pode escolher bispos.

1076 Gregório VII depõe e excomunga Henrique IV.

DEPOIS
1084 Henrique IV captura Roma e força Gregório VII a fugir para o sul da Itália.

1095 O papa convoca uma Cruzada, afirmando a liderança papal sobre a cristandade.

1122 Na Concordata de Worms, Henrique IV abandona quase todos os seus direitos para escolher bispos.

Frouxidão na observância de regras eclesiásticas sobre o casamento de padres e a escolha de bispos **leva a clamores por reforma**.

⬇

O papa Gregório VII promove a reforma, incluindo uma **proibição para a investidura de leigos**.

⬇

O imperador e o papa entram em conflito pelas investiduras; o imperador é excomungado.

⬇

A **vitória do papa** na disputa pelas investiduras **fortalece o movimento de reforma** e a administração papal.

Por três dias, em 1078, o imperador do Sacro Império Romano-Germânico Henrique IV se prostrou penitente, descalço na neve, fora da fortaleza italiana de Canossa, implorando ao papa por absolvição. Esse evento foi o ápice da Querela das Investiduras, uma disputa entre dois homens sobre a extensão da autoridade secular sobre a Igreja cristã e a autoridade de escolher – ou investir – bispos.

Tanto o rei quanto o papa eram governantes de certos domínios, mas ambos também tinham alegações simbólicas rivais para liderar a cristandade. Um imperador tinha que ser coroado pelo papa antes de assumir o título imperial. O papa Gregório VII afirmava que a autoridade do papa era suprema em questões espirituais, e mesmo em questões seculares ela estava muito acima da realeza do mundo.

Quando, por fim, Gregório sinalizou perdão ao penitente imperador, isso marcou um amargo golpe para o prestígio imperial e um enorme triunfo para a independência da Igreja.

O Estado da Igreja

No começo do século XI, o papado estava passando por maus bocados. Ele falhou em impor – ou perdeu – a autoridade sobre as Igrejas nacionais

O MUNDO MEDIEVAL

Veja também: A Batalha da Ponte Mílvia 66-67 ▪ A coroação de Carlos Magno 82-83 ▪ A queda de Jerusalém 106-107 ▪ Otto I torna-se o imperador do Sacro Império Romano-Germânico 132 ▪ As 95 teses de Martinho Lutero 160-163

Henrique foi proibido de entrar, mesmo depois de sua longa jornada pelos Alpes até os portões do castelo. Somente após três dias de penitência é que a excomunhão do imperador foi revogada.

fora da Itália, e os monarcas estavam escolhendo os seus próprios bispos, sobretudo na Alemanha, onde o cargo geralmente trazia consigo enormes domínios territoriais. O sentimento de que a Igreja tinha perdido contato com suas raízes também era generalizado: os mosteiros se tornaram depósitos de tesouros, os bispos estavam administrando suas terras como senhores seculares, e os cargos clericais eram abertamente vendidos. Pregadores itinerantes começaram a criticar essas traições, e clamores por reforma começaram a ser ouvidos dentro da própria Igreja. Gregório promoveu com vigor a autoridade papal, e em 1075 um concílio da Igreja declarou que apenas o papa tinha o poder de indicar bispos ou transferi-los para diferentes áreas. Henrique, confrontando a perda de autoridade sobre várias regiões da Alemanha, continuou a escolher bispos e exigiu que o papa deixasse o cargo. Gregório retaliou ao excomungar o rei e depô-lo. Os nobres alemães, já descontentes com as tentativas de Henrique de centralizar o poder, acharam que isso os havia liberado do voto de lealdade, e muitos se rebelaram. Acossado entre o papado e a nobreza, Henrique acabou indo para Canossa, numa retirada humilhante.

Acordo final em Worms

Mas a submissão de Henrique não durou muito. A questão das investiduras não foi explicitamente resolvida, e temas subjacentes fizeram com que partidários do papa e do imperador entrassem em conflito até 1122, quando o filho de Henrique, Henrique V, aderiu à Concordata de Worms. Espremido entre uma crescente insistência afirmativa da

> Eu, Henrique, pela graça de Deus o augusto imperador dos romanos… remeto à santa Igreja católica toda investidura através de anéis e cajados e garanto que em todas as igrejas haverá livre eleição e consagração.
> **Henrique V, 1122**

autoridade papal e a cada vez maior independência dos nobres alemães, o imperador abriu mão virtualmente de todos os direitos de investidura.

Fortalecida pelo seu sucesso, a administração papal (ou *cúria*) se consolidou. Uma crescente sede por educação levou à fundação de universidades, como a de Bolonha, onde muitos pupilos estudavam a lei canônica. Com uma crescente confiança, os papas, sem piedade, perseguiram hereges e varreram práticas lenientes.

As reformas fortaleceram a Igreja, cuja estatura diplomática cresceu até se igualar à do monarca e sobreviveu de forma unida até a Reforma do século XVI. O golpe no prestígio dos imperadores do Sacro Império Romano-Germânico teve a mesma intensidade. Os senhores seculares aproveitaram a oportunidade para aumentar seu próprio poder, fragmentando o império numa constelação de senhorios e autoridades em conflito que pagavam serviço ao imperador apenas de boca. ∎

O novo monasticismo

Por volta do século XI, muitos achavam que as ordens monásticas também haviam se desviado de sua missão original, acumulando riqueza e abandonando a espiritualidade. Homens como Bruno de Colônia lideraram chamados de retorno a uma forma mais pura de monasticismo. Bruno juntou um grupo de ermitões perto de Grenoble em 1084. Sua forma de vida atraiu outros a fundarem grupos parecidos. Mas essas ordens enclausuradas não respondiam plenamente às necessidades espirituais de uma sociedade que estava se tornando cada vez mais rica, educada e móvel. Uma nova onda de frades mendicantes apareceu no século XIII: comprometida com uma vida de pobreza, eles viajavam e pregavam entre o povo. Os franciscanos, fundados em 1209 por Francisco de Assis, e os dominicanos, estabelecidos em 1216 por Domingos de Gusmão, representaram os expoentes mais bem-sucedidos dessa nova forma apostólica de vida monástica.

UM HOMEM DESTINADO A SER SENHOR DO ESTADO
MINAMOTO YORITOMO TORNA-SE XOGUM (1192)

EM CONTEXTO

FOCO
O xogunato no Japão

ANTES
1087 Começa o sistema *Insei*: o imperador se retira da corte, mas mantém a autoridade para contrabalançar o poder dos regentes e da ascendente classe de guerreiros.

1156 Os Minamoto desafiam os Taira pela primeira vez e são esmagados.

1180 Eclode a Guerra Genpei entre os Minamoto e os Taira.

Década de 1190 Minamoto Yoritomo acumula poder nas províncias.

DEPOIS
1221 O imperador Gotoba fracassa em restabelecer o poder imperial na Rebelião Jokyu.

1333 A família Ashikaga derruba o xogunato Kamakura.

1467 Eclode a Guerra Onin, a primeira de uma série que avassala o Japão por mais de um século.

Quando, em 1192, o líder de clã japonês Minamoto Yoritomo se torna o comandante militar, ou xogum, isso marca a ascensão ao poder de uma classe militar japonesa, os samurais, e estabelece uma linha de governantes militares que governariam o Japão pelos próximos 750 anos.

A corte imperial japonesa era dominada desde meados do século VII por regentes da família Fujiwara, que reduziu os imperadores a meras figuras decorativas. A situação se complicou quando a capital mudou (seguindo o

No tempo das Guerras Genpei, o samurai lutava como um arqueiro montado, mas por volta do século XV a espada, em especial a *katana* de lâmina comprida, se torna sua principal arma.

imperador) para Kyoto, em 794. Nobres que não fossem Fujiwara perderam seus benefícios na corte e passaram a buscar posições nas províncias. Surgiu um abismo entre os burocratas que ficavam em Kyoto e a nobreza regional, os samurais, que assumiu um papel dominante no governo local. A corte de Kyoto escolhia os samurais mais

O MUNDO MEDIEVAL

Veja também: A rebelião de An Lushan 84-85 ▪ Kublai Khan derrota a dinastia Song 102-103 ▪ O fracasso das invasões mongóis no Japão 133 ▪ A Batalha de Sekigahara 184-185 ▪ A restauração Meiji 252-253

talentosos como governadores (*zuryo*), tanto para atrelá-los ao governo do imperador quanto para prevenir que forjassem suas próprias bases de poder. No entanto, os samurais desenvolveram lealdade à sua família estendida, ou clã, e aos seus líderes em vez de ao imperador, e lutavam uns contra os outros a partir de suas bases de poder nas províncias. Os clãs Minamoto e Taira entraram numa série de disputas como essas que culminou na Guerra Genpei, durante a qual os Taira foram totalmente aniquilados.

O xogunato

Depois dessa vitória, o líder de clã Minamoto Yoritomo estabeleceu um poder paralelo baseado em Kamakura, a quase quatrocentos quilômetros a leste de Kyoto. Outros chefes de clã se tornaram seus vassalos, ou *gokenin*, e ele enviou governadores militares de terras para consolidar seu controle nas províncias. Em 1192, Yoritomo aceitou do imperador o título de xogum, tornando-se de fato o governante militar do Japão.

Pelos próximos séculos, os imperadores tentaram de vez em quando, mas em vão, reassegurar sua autoridade sobre o xogunato, mas os xoguns, por sua vez, não conseguiam manter o controle dos samurais e de seus senhores da guerra que controlavam suas áreas e lutavam entre si. O Japão se dissolveu numa colcha de retalhos de senhores da guerra, ou *daimyo*, cada um com sua própria base de poder e um séquito de guerreiros samurais.

A criação do cargo de xogum, que parecia oferecer estabilidade ao Japão em 1192, por fim acabou levando à Sengoku, uma guerra civil que durou quase 150 anos. Essa guerra terminou com a reunificação do Japão sob o novo xogunato de Tokugawa, em 1603. ▪

Minamoto Yoritomo

Descendente do imperador real Seiwa, Yoritomo era o herdeiro do clã Minamoto, que foi destruído pelo clã Taira depois da guerra civil de 1159. Após a guerra, o agora órfão Yoritomo foi exilado em Hirugashima, uma ilha na província Izu. Lá ele ficou por vinte anos antes de chamar seu clã novamente à guerra, erguendo-se contra os Taira. Estabeleceu seu quartel-general em Kamakura, de onde começou a organizar os senhores da guerra e os samurais num governo independente.

Uma vitória decisiva sobre os Taira em 1185 selou o sucesso militar de Yoritomo e o tornou o líder indisputado do Japão.

Yoritomo desenvolveu políticas para aliviar a tensão entre os senhores militares e os aristocratas da corte, criando uma rede administrativa que rapidamente assumiu o controle como governo central, mas a maior parte do resto de sua vida foi gasta em reprimir os clãs que não aceitaram o domínio Minamoto.

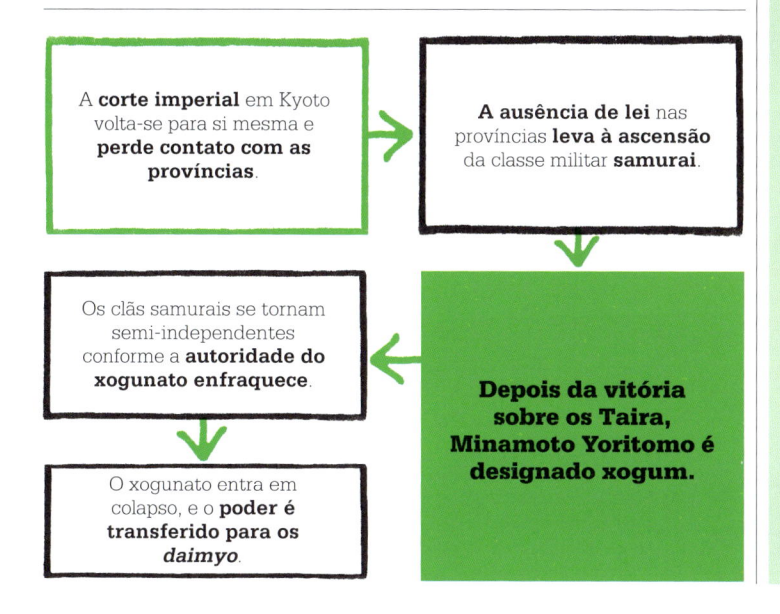

A **corte imperial** em Kyoto volta-se para si mesma e **perde contato com as províncias**.

→ A **ausência de lei** nas províncias **leva à ascensão** da classe militar **samurai**.

↓

Depois da vitória sobre os Taira, Minamoto Yoritomo é designado xogum.

←

Os clãs samurais se tornam semi-independentes conforme a **autoridade do xogunato enfraquece**.

↓

O xogunato entra em colapso, e o **poder é transferido para os** *daimyo*.

TODOS OS HOMENS EM NOSSO REINO TENHAM E GUARDEM TODAS ESSAS LIBERDADES, DIREITOS E CONCESSÕES
A ASSINATURA DA MAGNA CARTA (1215)

EM CONTEXTO

FOCO
O desenvolvimento dos direitos dos súditos

ANTES
1100 O documento da coroação de Henrique I promete abolir a opressão injusta.

1166 O Assize de Clarendon estende o poder da justiça real à custa das cortes dos barões.

1214 A Normandia é perdida na Batalha de Bouvines; os barões são restringidos pelo custo da campanha.

DEPOIS
1216 A Magna Carta é reeditada na ascensão de Henrique III e novamente em 1225 em troca de uma vantagem fiscal.

1297 A Magna Carta é de novo confirmada e escrita em lei estatutária por Eduardo I.

1970 Uma lei substituindo velhas leis estatutárias deixa sem alteração quatro capítulos da Magna Carta, inclusive o Capítulo 39.

Em 15 de junho de 1215, o rei João da Inglaterra assina um estatuto em Runnymede, um prado perto do Tâmisa. Planejada para trazer a paz entre o rei e um grupo de barões rebeldes, a Magna Carta, como uma forma do documento ficou conhecida, a princípio parecia sem efeito. Mas a declaração dos direitos dos súditos contra ações arbitrárias da Coroa – o princípio essencial do estado de direito – forneceu um mapa que, mais de oito séculos depois, ainda é visto como uma garantia fundamental de direitos no Reino Unido e em outros lugares.

Sociedade feudal
Quando o rei João ascendeu ao trono em 1199, a Inglaterra era uma sociedade feudal, uma hierarquia baseada em terras e governada por um rei, dono de todas as terras. Os barões recebiam a terra do rei em troca de lealdade e serviço militar. Eles, por sua vez, arrendavam a terra para os seus próprios comandantes armados, que as arrendavam aos camponeses. Mas os monarcas, em especial na Inglaterra, impunham uma série crescente de impostos e outros encargos financeiros adicionais sobre os barões. Os reis ingleses a partir de Henrique I (1100-1135) também tentaram centralizar a administração, estabelecendo uma

A Magna Carta incluía cláusulas relacionadas às florestas reais: os barões visavam limitar os direitos do rei à Lei das Florestas da Inglaterra, regular os limites das florestas e investigar funcionários.

série de tribunais reais. Estes arrecadavam receita para a Coroa através de multas e taxas – mas à custa dos barões que antes recolhiam esses fundos com seus próprios tribunais locais.

As cobranças do rei João
O descontentamento dos barões contra essas crescentes demandas se intensificou no reinado de João. Campanhas terrivelmente caras contra a França em 1200–1204 já haviam resultado na perda da Normandia (e deram ao rei o apelido jocoso de "Sem--Terra"). Um novo imposto para livrar os

O MUNDO MEDIEVAL

Veja também: A queda de Jerusalém 106-107 ▪ A conquista normanda da Inglaterra 132 ▪ A Batalha de Castillon 156-157 ▪ A execução de Carlos I 174-175 ▪ A assinatura da Declaração de Independência 204-207 ▪ A queda da Bastilha 208-213

barões do serviço militar (*Scutage*) os deixou ainda mais na mão de agiotas e causou mais ressentimento. O rei não estava apenas se dando muito mal na guerra, mas também quebrara o contrato velado dele com os barões, que lhes permitia administrar suas terras como quisessem.

Esperando o apoio do papa, que havia excomungado João em 1209, os barões rebeldes confrontaram o rei. As tentativas diplomáticas fracassaram, e, em maio de 1215, os barões ocuparam Londres, forçando João a fazer um acordo com eles para evitar uma guerra civil. Depois de uma negociação cuidadosa liderada pelo arcebispo Stephen Langton, de Canterbury, o acordo – de trégua, não de paz – foi assinado.

Provisões da carta

A carta ficou conhecida como Magna Carta, ou Grande Carta, para diferenciá-la da Carta das Florestas, editada em 1217. Muito da Magna Carta tratava de reconsiderar as queixas dos barões, mas a seção que mais exerceu influência no decorrer das eras estava no Capítulo 39. Essa cláusula aberta protegia todos os "homens livres" de ações arbitrárias pela Coroa, como prisões ou confisco de terras. A carta sobreviveu à guerra civil que eclodiu logo depois do acordo e do repúdio do papa aos seus termos em agosto de 1215, que levou à excomunhão dos barões. O Capítulo 39 foi expandido numa lei de 1354 de Eduardo III para proteger não apenas os "homens livres" (uma pequena minoria na Inglaterra onde a maioria das pessoas era tecnicamente servos), incluindo também qualquer homem "de qualquer patrimônio ou condição". Ela durou mais que muitas de outras provisões, incluindo a cláusula de segurança que permitia aos barões confiscar todas as terras do rei se ele não cumprisse suas obrigações no acordo.

O que pareceu ser uma pequena concessão naquele dia em Runnymede acabou sendo um grito revigorante e duradouro para todos os que se opõem à tirania real. ■

Centralização da administração real reduz o poder dos barões e suas rendas.

Aumentam as demandas financeiras para financiar as guerras na França.

Os barões se revoltam e forçam João a assinar uma carta de direitos.

Foram estabelecidos direitos dos indivíduos contra **punição arbitrária** da Coroa.

Evolui o princípio de que **novos impostos** só podem ser aumentados **depois de consulta** aos conselhos reais.

Influência da Magna Carta

A Magna Carta adquiriu um status quase mítico como o alicerce fundamental dos direitos dos súditos. Ela contribuiu para o desenvolvimento do Parlamento a partir do século XIII, e foi usada no século XVII por rebeldes para discordar do direito divino dos reis proposto pelos monarcas Stuart Charles I e James II. Os estatutos de várias colônias americanas continham cláusulas baseadas nela, enquanto o desenho do distintivo de Massachusetts escolhido no começo da Guerra Revolucionária mostra um miliciano com uma espada numa mão e a Magna Carta na outra. O sentimento revolucionário foi alimentado pela crença dos americanos de que a Coroa havia quebrado a lei fundamental desfrutada por todos os súditos ingleses, e tanto a Constituição dos Estados Unidos aprovada em 1789 quanto a Declaração dos Direitos adotada dois anos depois foram influenciadas pelas limitações da Magna Carta sobre os poderes arbitrários de um governo contra seus súditos.

O HOMEM MAIS POTENTE, NO QUE DIZ RESPEITO A TERRAS E TESOUROS, QUE JÁ EXISTIU NO MUNDO
KUBLAI KHAN DERROTA A DINASTIA SONG (1279)

EM CONTEXTO

FOCO
Domínio mongol na China

ANTES
1206 Genghis Khan funda o Império Mongol.

1215 Genghis Khan saqueia Zhongdu (hoje Pequim), capital norte da dinastia Jin.

1227 Morre Genghis Khan, e ocorre a fragmentação do império em pequenos canatos leais a um único Grande Khan.

1260 Kublai se declara Grande Khan.

1266 Kublai ordena a reconstrução de Zhongdu, com o novo nome de Khanbalik.

DEPOIS
1282 O ministro-chefe corrupto de Kublai, Ahmad, é morto por assassinos chineses.

1289 A extensão sul do Grande Canal é completada.

1368 Os mongóis são expulsos da China e substituídos pela dinastia chinesa local Ming.

Em março de 1279, guerreiros mongóis varreram o sul da China, capturando as últimas fortalezas da dinastia chinesa Song. Essa derrota, que anunciava o começo da dinastia Yuan, marcou o ápice da ascensão mongol, que, em menos de setenta anos, passou de um obscuro grupo nômade da Ásia Central para os senhores de um vasto império que ia da China até a Europa Oriental. Um dos maiores desafios que tiveram que enfrentar foi a transição de tribalistas nômades para conquistadores fixos.

A ascensão dos mongóis

No começo do século XIII, os mongóis não passavam de vários e distintos clãs de guerreiros. No entanto, em 1206, Temüjin – mais tarde conhecido como Genghis Khan – proclamou-se o governante de uma nação mongol unida. Astuto e cruel, ele distraiu a atenção de seu povo das guerras interclãs para um negócio mais lucrativo: as invasões – primeiro das tribos vizinhas nas estepes, depois para Estados mais organizados como Pérsia, Rússia e o norte da China (1219-1223). Ele deu às hordas mongóis uma estrutura militar adequada e explorou as habilidades que haviam aprendido com seu estilo de vida nômade: especialistas em montaria, os soldados eram os senhores da guerra móvel, capazes de atacar seus inimigos com força devastadora e enorme velocidade.

O domínio mongol na China

O neto de Genghis, Kublai Khan, governou a China a partir de 1260, mas os desafios de mediar as tradições nômades dos mongóis e a complexa cultura dos povos conquistados eram muitos. As velhas e informais hierarquias das estepes já não eram

O papel-moeda foi inventado pelos chineses por volta do ano 800. Na dinastia Yuan, cédulas (como a acima, de 1287) eram emitidas pelo governo.

O MUNDO MEDIEVAL 103

Veja também: O primeiro imperador unifica a China 54-57 ▪ A rebelião de An Lushan 84-85 ▪ Marco Polo chega a Shangdu 104-105 ▪ Hongwu funda a dinastia Ming 120-127 ▪ O fracasso das invasões mongóis no Japão 133 ▪ A Revolta dos Três Feudos 186-187

Kublai Khan

Neto de Genghis Khan, Kublai Khan (1215–1294) governou o norte da China para seu irmão mais velho Möngke, que se tornou o primeiro Grande Khan (o governante mongol mais alto) em 1251. A restauração por Kublai da administração ao estilo chinês desagradou muitos mongóis e ele quase foi removido em 1258, mas a morte de Möngke fez com que Kublai alcançasse a posição de Grande Khan em 1260. Ele estabeleceu uma burocracia quase toda administrada por oficiais chineses (*darughachi*) nas principais cidades para garantir a lealdade ao império. Tomou medidas para restaurar a economia, inicialmente encorajando a tolerância religiosa e dando as boas-vindas a estrangeiros como Marco Polo à sua corte mongol, ciente da expertise que poderiam trazer. Depois do sucesso na China, Kublai enviou exércitos para o Japão, Annam (Vietnã), Myanmar (Burma) e Java, mas eles fracassaram ou não estabeleceram uma presença mongol permanente. Já perto da morte, Kublai era um homem desapontado que bebia demais, era obeso e tinha que ser carregado para suas campanhas finais num cesto.

suficientes para administrar uma terra que tinha grandes cidades, e as recompensas imediatas do saque foram substituídas pelos benefícios demorados advindos da boa governança e da tributação. Como resultado, muitos mongóis tinham saudade dos velhos tempos. Para apaziguar seus colegas mongóis, Kublai deu-lhes maiores direitos e privilégios do que os dos chineses nativos. Ao mesmo tempo, para agradar as tradicionais elites chinesas, promoveu os estudiosos confucionistas, fundou templos taoistas e fez seu filho estudar as escrituras budistas. Também fundou escolas para os camponeses e introduziu o sistema postal mongol, que usava cavalos e estações de distribuição para ligar o império, o que beneficiou os comerciantes.

O fim do império

A necessidade de restabelecer a estabilidade no norte da China atrasou os planos de Kublai de subjugar os Song no sul até 1268. Apesar de ter vencido no final, a campanha de onze anos foi terrivelmente custosa. Para preservar sua identidade guerreira, os mongóis precisavam dos despojos das conquistas para financiar seu enorme exército. Os sucessores de Kublai fracassaram na tentativa de preservar sua identidade, ao mesmo tempo que mantinham seu monopólio do poder, assim os militares mongóis foram se enfraquecendo aos poucos. Depois de décadas de fome, epidemias mortais e corrupção na corte, em 1368 os herdeiros de Kublai foram derrotados por uma rebelião liderada por Zhu Yuanzhang, fundador da dinastia Ming. Depois de mais de um século de ocupação, a China voltou às mãos dos nativos chineses (Han). ∎

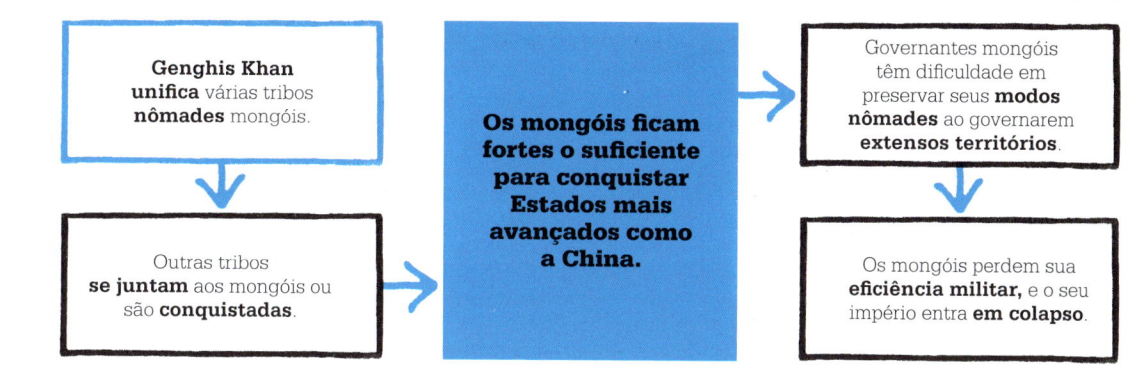

- **Genghis Khan unifica** várias tribos **nômades** mongóis.
- Outras tribos **se juntam** aos mongóis ou são **conquistadas**.
- Os mongóis ficam fortes o suficiente para conquistar Estados mais avançados como a China.
- Governantes mongóis têm dificuldade em preservar seus **modos nômades** ao governarem **extensos territórios**.
- Os mongóis perdem sua **eficiência militar,** e o seu império entra **em colapso**.

NÃO CONTEI METADE DO QUE VI PORQUE SABIA QUE NINGUÉM ACREDITARIA

MARCO POLO CHEGA A SHANGDU (C. 1275)

EM CONTEXTO

FOCO
A ascensão do comércio internacional

ANTES
106 a.C. A primeira caravana a viajar por toda a Rota da Seda leva embaixadores chineses até Pártia.

751 d.C. A derrota dos exércitos chineses no rio Talas impede a expansão chinesa pela Rota da Seda.

1206 Genghis Khan unifica as tribos mongóis, começando a conquista mongol da Ásia Central e da China.

DEPOIS
1340 A Peste Negra se espalha pela Rota da Seda, chegando à Europa em 1347.

1370–1405 Tamerlão faz enormes conquistas, revivendo por pouco tempo o império mongol e a Rota da Seda.

1453 A conquista otomana de Constantinopla bloqueia a rota por terra dos europeus para a Ásia.

O **comércio de longa distância** da China para o Oriente Médio é **prejudicado** pelo colapso de poderes tradicionais.

Os mongóis conquistam as terras pelas quais passa a Rota da Seda, **melhorando sua segurança**.

Aumenta o comércio pela rota, atraindo mercadores europeus como Marco Polo.

O **colapso do domínio mongol** e a ascensão do Império Otomano fazem com que os territórios da rota fiquem **menos seguros**.

As potências europeias buscam **rotas comerciais marítimas alternativas** para o Oriente.

A chegada do mercador veneziano Marco Polo a Shangdu, capital do Grande Khan Kublai, em 1275, marcou o fim de uma jornada de quatro anos. Ele viajara da Itália até a capital mongol Shangdu usando toda a extensão da Rota da Seda, uma rede antiga de rotas que havia transportado bens entre a China e a Europa por séculos. A Rota da Seda se transformou num canal para o comércio quando a dinastia chinesa Han avançou para a Ásia Central no final do século II a.C. A partir de então, bens como jade e seda eram levados para o Ocidente, passando de caravana em caravana por uma série de comerciantes, até encontrar caravanas

O MUNDO MEDIEVAL

Veja também: Sidarta Gautama prega o budismo 40-41 ▪ Kublai Khan derrota a dinastia Song 102-03 ▪ Hongwu funda a dinastia Ming 120-127 ▪ O Tratado de Tordesilhas 148-151 ▪ A construção do Canal de Suez 230-235

---

de peles, ouro e cavalos viajando na direção oposta. As invenções chinesas como a pólvora e o papel ou a bússola também foram trazidas para o Ocidente pela rota, chegando a Constantinopla e aos portos do Mar Negro, ponto-final ocidental da rota a partir de onde assumiam os mercadores de Gênova e Veneza.

O reavivamento mongol da rota

Perto do século XIII, os impérios que controlavam partes da Rota da Seda se fragmentaram. Isso deixou a rota menos segura para os viajantes, impedindo os mercados de usá-lo. No entanto, após a conquista mongol da área em 1205 e 1269, ela foi controlada – de forma frouxa – por uma única autoridade, o Grande Khan; assim um comerciante poderia viajar de Khanbalik (Pequim) a Bagdá sem sair do território mongol. Essa renovada estabilidade encorajou a revitalização do comércio.

Mais ou menos nessa época os horizontes dos mercadores europeus também estavam se expandindo. No começo da Idade Média, os comerciantes somente podiam trabalhar localmente e transportar suas mercadorias para pontos onde pudessem fazer conexões com rotas comerciais de longa distância. A partir do século XII, cidades-estados italianas como Pisa, Gênova e Veneza foram pioneiras no comércio marítimo através do leste do Mediterrâneo, permitindo aos mercadores se conectar diretamente com as rotas marítimas que ligavam a Ásia Ocidental e o Egito à China via oceano Índico.

Os lucros para os mercadores beneficiados pela "Pax Mongolica" poderiam ser enormes. No final do século XIII, o custo para montar uma caravana poderia chegar a 3.500 florins, mas a carga, uma vez vendida na China, poderia render sete vezes aquela soma, e em 1326 era fácil encontrar um comerciante genovês no principal porto chinês de Zaitun.

O declínio do comércio por terra

A Rota da Seda floresceu por mais um século, mas o colapso do canato mongol na Pérsia em 1335 e a derrota em 1368 de Yuan, a dinastia dominante mongol na China, uma vez mais deixaram a rota dividida entre forças políticas enfraquecidas. Ela também foi bloqueada na sua ponta ocidental pelo crescimento do Império Otomano muçulmano.

Um gostinho do lucro do comércio de longa distância dos bens de luxo encorajou as potências europeias a buscar alternativas à agora morta Rota da Seda, dessa vez pelo mar. Em 1514, mercadores portugueses chegaram à costa da China, perto de Guangzhou, ansiosos por assumir as ligações diretas de comércio com a China, que tinham sido descobertas dois séculos e meio antes pelo seu ilustre predecessor, Marco Polo. ∎

> " Todas as coisas provenientes da Índia são trazidas para Cambaluque – pedras preciosas e pérolas, e outros tipos de raridades... mil carroças cheias de seda entram em Cambaluque todos os dias.
> **Marco Polo, c. 1300** "

Marco Polo

Com apenas dezessete anos Marco Polo (1254–1324) partiu de Veneza para a corte do governante mongol, Kublai Khan. Ele viajou com seu pai e o tio, que já haviam visitado a China e sido incumbidos por Kublai de entregar uma mensagem para o papa. Polo foi recebido com grande pompa na corte mongol e ficou na China por dezessete anos. Ele viajou bastante por todo o país a serviço de Khan, partindo finalmente de volta para casa em 1291.

Durante uma batalha naval em 1298, foi capturado e aprisionado pelos genoveses. As histórias que contou de sua jornada às terras do Grande Khan atraíram a atenção de seu companheiro de cela, Rustichello, que as transcreveu, embelezando-as. O livro resultante foi traduzido para muitas línguas e incluía muitas informações inestimáveis a respeito da China do final do século XIII. Depois de sua libertação, Polo voltou a Veneza, onde viveu pelo resto de sua vida.

AQUELES QUE TÊM SIDO MERCENÁRIOS POR ALGUMAS MOEDAS ALCANÇAM AGORA RECOMPENSAS ETERNAS
A QUEDA DE JERUSALÉM (1099)

EM CONTEXTO

FOCO
As Cruzadas

ANTES
639 Um exército muçulmano captura Jerusalém.

1009 O califa Al-Hakim ordena que a igreja do Santo Sepulcro em Jerusalém seja destruída.

1071 Os turcos seljúcidas derrotam e capturam o imperador bizantino Romano Diógenes.

1095 O imperador bizantino Aléxio pede ajuda para o papa.

DEPOIS
1120 É fundada a Ordem dos Cavaleiros Templários.

1145 É lançada a Segunda Cruzada.

1187 O líder muçulmano Saladin captura Jerusalém, e é lançada a Terceira Cruzada.

1198 Começa a Cruzada Báltica.

1291 Forças muçulmanas completam a reconquista da Palestina e da Síria.

Em 15 de julho de 1099, perto de 15 mil cavaleiros cristãos atacaram Jerusalém depois do cerco de um mês. Os cruzados vitoriosos massacraram tanto os defensores muçulmanos quanto os judeus, num ato sangrento que marcou o começo de duzentos anos de lutas entre muçulmanos e cristãos pela Terra Santa.

Defendendo o cristianismo
Jerusalém havia caído nas mãos dos muçulmanos em 639. Nem os imperadores bizantinos em Constantinopla nem os reis cristãos na Europa Ocidental tinham vontade política ou força para reverter tal

Os **cruzados vitoriosos** inundaram Jerusalém e conquistaram a cidade do califado fatímida, abrindo caminho para um novo reino.

conquista, apesar de a cidade ser sagrada para ambos. No século XI, no entanto, o avanço de um novo grupo, os turcos seljúcidas, interrompeu as rotas de peregrinação para Jerusalém, e a derrota dos bizantinos para os turcos em Manzikert ameaçou empurrar as fronteiras da cristandade de volta aos portões de Constantinopla. Em 1095, o Imperador Aléxio I enviou emissários ao papa Urbano II, pedindo ajuda para reforçar a retaliação bizantina.

O MUNDO MEDIEVAL 107

Veja também: Maomé recebe a revelação divina 78-81 ▪ A fundação de Bagdá 86-93 ▪ A Querela das Investiduras 96-97 ▪ A queda de Granada 128-129 ▪ A queda de Constantinopla 138-141

O Imperador Aléxio **pede ajuda** para defender o **Império Bizantino**.

↓

O papa Urbano II convoca os **cavaleiros cristãos** para lançar uma **expedição militar** a Jerusalém.

→

Exércitos cruzados capturam Jerusalém e estabelecem estados cristãos na Palestina e na Síria.

→

Outras Cruzadas são lançadas para **defender os estados cruzados** contra retaliações muçulmanas.

→

O **movimento cruzado se espalha** para a Europa Oriental e para o sul da França.

A Guerra Justa

O papa Urbano facilmente encontrou uma causa que aumentaria o prestígio papal. Num sermão em 1095, descreveu as atrocidades contra os cristãos na Terra Santa, convocando uma expedição para libertá-los. Guerreiros cristãos responderam prontamente ao chamado, dispostos a ganhar tanto a salvação quanto os despojos ao se unirem à chamada Guerra Justa em nome de Deus.

Quase 100 mil cavaleiros cruzados partiram em 1096. O avanço para Jerusalém era lento: os cruzados sofreram várias intempéries nas mãos dos turcos seljúcidas, e o longo cerco de Antioquia testou fortemente sua moral, mas seguiram em frente, liderados pelo cavaleiro francês Godofredo de Bouillon, e finalmente capturaram a Cidade Santa.

Na área que conquistaram, os cruzados estabeleceram quatro estados em Edessa, Antioquia, Trípoli e no Reino de Jerusalém, todos conhecidos como Ultramar. Para resistir aos fortes contra-ataques muçulmanos, construíram uma densa rede de fortalezas que dominou as rotas estratégicas para a Terra Santa.

Conforme o fervor cruzado inicial enfraqueceu, o Ultramar começou a sofrer pela falta de homens. Isso foi parcialmente resolvido pela fundação de ordens de cruzados como os Cavaleiros Templários ou Hospitalários, ordens que juraram votos monásticos para defender a Terra Santa.

Outras Cruzadas

Mas isso não bastou, e, quando os exércitos muçulmanos capturaram Edessa em 1144, uma Segunda Cruzada foi convocada. Esta e a

> **❝**
> Uma raça totalmente estranha a Deus invadiu a terra dos cristãos e reduziu seu povo com espada, roubo e chamas.
> **Papa Urbano II, 1095**
> **❞**

Terceira Cruzada foram recrutadas em resposta à catastrófica perda de Jerusalém em 1187 e atraíram a participação num nível superior, já que monarcas como Luís VIII da França e Ricardo I da Inglaterra, bem como o imperador Frederico Barbarossa do Sacro Império Romano-Germânico, assumiram sua liderança.

Até 1270 houve oito cruzadas adicionais, e o movimento foi expandido a ponto de incluir ataques aos muçulmanos no norte da África, incluindo também a Reconquista cristã dos emirados islâmicos na Espanha. Também houve o lançamento de expedições contra grupos pagãos na Europa Oriental, ou mesmo cristãos hereges como os cátaros no sul da França. No Oriente Médio, no entanto, o surgimento de estados muçulmanos mais fortes, como os mamelucos no Egito, capazes de oferecer uma enorme resistência à pressão dos cruzados, fez com que as expedições seguintes fossem menos exitosas.

Jerusalém caiu para os muçulmanos pela última vez em 1244. O último reduto cruzado na Terra Santa, a cidade de Acre, foi tomada pelos mamelucos em 1291. ■

CONFIRMAMOS TEU DOMÍNIO SOBRE PORTUGAL, COM HONRAS DE REINO E A DIGNIDADE QUE AOS REIS PERTENCE
A BATALHA DE OURIQUE (1139)

EM CONTEXTO

FOCO
A primeira monarquia nacional

ANTES
1085 Afonso VI toma a cidade de Toledo, na Espanha, numa das principais vitórias cristãs da Reconquista.

1128 Os barões portucalenses, liderados por dom Afonso Henriques, vencem a Batalha de São Mamede.

DEPOIS
1179 Na bula *Manifestis probatum*, o papa Alexandre III reconhece o reino de Portugal.

1383–1385 Eclode a Revolução de Avis.

1488 Bartolomeu Dias descobre o Cabo da Boa Esperança, etapa fundamental para a Era das Navegações.

1556 Camões finaliza *Os Lusíadas*, impresso pela primeira vez dezesseis anos depois.

1578 Dom Sebastião morre na batalha de Alcácer-Quibir, marcando o fim da dinastia de Avis.

No início do século XII, os reinos cristãos da Península Ibérica estavam em plena Reconquista, expulsando os muçulmanos que havia séculos ocupavam a região. Como recompensa por sua ajuda decisiva na vitória sobre algumas dessas populações mouras, em 1093 Henrique de Borgonha recebeu do rei Afonso VI de Leao um feudo, parte da atual Espanha. Essa terra era o Condado Portucalense.

Henrique de Borgonha se tornou assim vassalo do rei leonês, mas seus planos eram mais ambiciosos. O duque lutou para gradativamente conquistar autonomia em relação à Coroa de Leão, uma tarefa que só seria completada por seu filho, dom Afonso Henriques.

O Condado Portucalense se rebelou e lutou por sua independência em 1128, na Batalha de São Mamede. Apesar da vitória, Afonso Henriques ainda não era reconhecido pelos demais nobres e pela população como um rei, não havendo entre os portugueses um sentimento nacional. Foi isso que mudou em 1139.

O exército de Afonso Henriques partiu para enfrentar os muçulmanos nos campos da região de Ourique,

> [Afonso Henriques] prestou inumeráveis serviços à tua mãe, a Santa Igreja, exterminando os inimigos do nome cristão.
> **Papa Alexandre III, 1179**

sul de Portugal. Suas tropas estavam em menor número, e uma derrota parecia inevitável. No entanto, às vésperas da batalha, diz-se que o soberano português teve uma visão de Jesus Cristo, rodeado por anjos, dizendo que sua vitória era certa. Os portugueses de fato venceram os "infiéis" no dia seguinte, e Afonso Henriques foi aclamado pelas tropas como o rei de um país: Portugal. Daquele dia em diante ele passaria a usar a titulação de "rex portugallensis" em sua documentação oficial.

O MUNDO MEDIEVAL

Veja também: A fundação de Bagdá 86-93 ▪ Cristóvão Colombo chega à América 142-147 ▪ A criação do primeiro Governo-Geral 170-171 ▪ O Grito do Ipiranga 216-219

Consolidação da monarquia

O milagre da Batalha de Ourique é até hoje o mito fundador da pátria portuguesa, apesar de o reconhecimento oficial da independência só ter ocorrido em 1179, quando a Igreja católica, por meio de uma bula papal, também passou a chamar Afonso Henriques de "rei". Mas isso não quer dizer que os reinos espanhóis desistiriam tão fácil de parte do seu antigo território.

Em 1383 morreu dom Fernando I, o último rei da dinastia de Borgonha, iniciada por Afonso Henriques. O rei de Castela, que era casado com a filha de dom Fernando, reivindicou o trono vago, numa tentativa de reanexar Portugal ao território espanhol. Mas ele enfrentou um concorrente: João de Avis, meio-irmão do falecido rei e mestre da Ordem de Avis, um tradicional grupo religioso de cavaleiros portugueses.

A população lusitana, indignada com a possibilidade de se submeter ao país vizinho, apoiou o irmão bastardo, dando início à chamada Revolução de Avis. O levante durou dois anos e foi um fenômeno verdadeiramente popular: nobreza, clero, burguesia e a população mais pobre se uniram em torno da causa, inaugurando assim o sentimento nacional português. A revolução terminou com a coroação de João e o início da segunda dinastia portuguesa.

> 66
> Portugal é o maior e mais bem-aventurado reino que há no mundo; nós temos entre nós todas as boas coisas que um reino abastado deve ter"
> **Gomes Eanes de Zurara (1410–1474),**
> cronista português
> 99

Pioneirismo

Portugal foi a primeira monarquia nacional da história. Desde a época de Afonso Henriques, o país nunca havia sido um mero aglomerado de feudos sem comando central. Os lusitanos unificaram muito cedo seu idioma, suas unidades de pesos e medidas, sua moeda e sua religião, tendência que seria seguida por praticamente todas as demais regiões da Europa. Depois, com a dinastia de Avis, o país se modernizou, ampliou a força de sua burguesia e passou a investir no desenvolvimento da tecnologia naval. Foi o momento das Grandes Navegações, quando o Império Português esteve no auge.

Nada disso teria sido possível num ambiente descentralizado como a Europa feudal. O modelo de monarquia unificada lançado por Portugal foi fundamental para moldar o perfil da Idade Moderna. ∎

O Sebastianismo

A segunda dinastia portuguesa acabou de forma trágica. O rei dom Sebastião, de apenas 23 anos, tentava expulsar os "infiéis" do atual Marrocos. Em resposta, os saadianos que habitavam a região conseguiram o apoio dos otomanos e formaram uma poderosa coalizão militar. Em 1578, na Batalha de Alcácer-Quibir, os muçulmanos derrotaram os portugueses e dom Sebastião foi dado como morto, mas seu corpo nunca foi encontrado. Como o jovem rei não deixou herdeiros, a derrota representou também o fim de uma linhagem real. Portugal viu terminar sua idade de ouro, vivida sob a dinastia de Avis, e se tornou um reino dominado pela Espanha. Esse sentimento de declínio alimentou uma crença popular segundo a qual dom Sebastião, o rei morto, regressaria para Portugal como um messias, trazendo de volta a glória do passado. Esse movimento ficou conhecido como Sebastianismo. Seu caráter místico e nostálgico fincou raízes profundas na cultura lusitana até o século XX, transformando dom Sebastião num símbolo da grandeza perdida que se esperava recuperar.

NÃO DEIXOU NENHUM EMIR DA CORTE, NEM NENHUMA AUTORIDADE, SEM O PRESENTE DE UM PUNHADO DE OURO
A *HAJJ* DE MANSA MUSA A MECA (1324)

EM CONTEXTO

FOCO
O islã e o comércio na África Ocidental

ANTES
c. 500 Surge o Reino de Gana.

1076 Gana é conquistada pelos almorávidas, que estabelecem um Império Islâmico desde a Espanha até o Sahel.

1240 Sundiata estabelece o Império Islâmico de Mali, capturando Gana e assumindo o controle de suas estratégicas minas de sal, cobre e ouro.

DEPOIS
1433 Mali perde o controle de Timbuktu, que é incorporada pelo Império Songai de Gao.

1464 O sunita Ali, rei dos songais, começa a expansão de seu império, enquanto Mali se contrai ainda mais.

1502 Mali é derrotada pelo Império Songai.

O islã se espalha para a África Ocidental a partir do século IX, com o desenvolvimento do **comércio transaariano**.

→ A *hajj* de Mansa Musa ostenta a riqueza e o poder do reino muçulmano de Mali.

↓

Eruditos muçulmanos de outros países islâmicos **são atraídos a Mali**, que se torna um grande **centro de aprendizado islâmico**.

← O islã continua a se **arraigar** pela África Ocidental, mesmo depois do colapso de Mali.

O reino muçulmano de Mali, na África Ocidental, entra no cenário mundial com seu desenvolvimento no começo do século XIV, quando seu governante fabulosamente rico, Mansa Musa, faz uma *hajj* (peregrinação) a Meca inesperadamente extravagante, apoiado pelos enormes lucros advindos do controle por Mali das caravanas de comércio transaariano. A expedição de mais de ano do imperador tornou-se lendária no mundo muçulmano, até na Europa, e a subsequente promoção da cultura e do aprendizado islâmico em seu reino foi símbolo da gradual infiltração da fé nos impérios comerciais da África Ocidental.

Comércio e islã na África

Por volta do século V, começaram a surgir estados nas margens da região do Sahel (uma zona semiárida pouco ao sul do Saara), começando com o reino

O MUNDO MEDIEVAL 111

Veja também: Maomé recebe a revelação divina 78-81 ▪ A fundação de Bagdá 86-93 ▪ A criação do primeiro Governo-Geral 170-171 ▪ A formação da Companhia Real Africana 176-179 ▪ A Lei da Abolição do Comércio de Escravos 226-227

> ❝ [Mansa Musa] inundou o Cairo com suas benesses… Eles trocaram ouro até que depreciassem seu valor no Egito e causassem a queda do seu preço. ❞
> **Chihab al-Umari**
> Historiador árabe (1300–1384)

de Gana, que se tornou conhecido como "a terra do ouro", uma referência à fonte de sua enorme riqueza. No século VII, a conquista árabe do norte da África deu um novo ímpeto ao comércio transaariano – os estados islâmicos tinham um enorme apetite por ouro e escravos da África Ocidental. Conforme esse comércio crescia, mercadores muçulmanos, e o islã, foram atraídos à área entre as nascentes dos rios Níger e Senegal.

Porém o comércio pacífico foi rapidamente substituído pela conquista. Os almorávidas, uma dinastia berbere marroquina, atacaram ao sul em 1076 e saquearam a capital de Gana, espalhando sua autoridade por toda a região.

O poder reduzido de Gana abriu um vácuo que foi, pouco a pouco, preenchido pelo Mali, um Estado fundado ao redor do alto rio Níger que começou a se expandir em meados do século XIII. Sob Mansa Musa (governou em 1312–1337), Mali alcançou sua maior extensão e poder, tendo criado lucrativas conexões de caravanas com o Egito e outros importantes centros no norte da África. Ouro, sal e escravos eram levados ao norte em troca de tecidos e bens manufaturados.

Um centro de estudo
Mansa Musa não foi o primeiro governante do oeste da África a fazer uma *hajj* a Meca, mas a enorme escala de seu séquito – mais de 60 mil pessoas, incluindo quinhentos escravos que carregavam cajados de ouro puro – impressionou seus observadores e foi uma poderosa expressão de sua riqueza.

No entanto, a expedição tinha um propósito adicional ao demonstrar o prestígio de Mali, já que o rei convidou eruditos muçulmanos e um grande arquiteto, Abu Ishaq al-Sahili, para que voltassem com ele. Abu construiu, mais tarde, as primeiras mesquitas de tijolos da África Ocidental, em Timbuktu e Gao, centros de comércio recém-capturados dos vizinhos Songai.

Sob a liderança de Mansa Musa, o Timbuktu se transformou no principal centro comercial de Mali – impulsionado por sua privilegiada localização na junção do comércio do deserto e das rotas marítimas no curso do Níger – e começou sua ascensão como capital intelectual e espiritual da região. Um centro de ensino cresceu ao redor da mesquita Al-Sahili Sankore, lançando os alicerces da famosa Universidade Sankore e outras *madrasas* (escolas islâmicas).

Depois da morte de Mansa Musa, Mali ainda cresceu com seu filho, mas logo em seguida governantes fracos, agressões externas e a necessidade de manter as tribos rebeldes sob controle roubaram sua força até ser eclipsada pelo Império Songhai de Gao: em 1550, ela já não era uma grande entidade política. O grande império de Mansa Musa – um dos Estados mais prósperos no século XIV – pode ter durado pouco, mas sua famosa *hajj* teve efeitos duradouros, ajudando a catapultar a dispersão da civilização islâmica na África Ocidental. ■

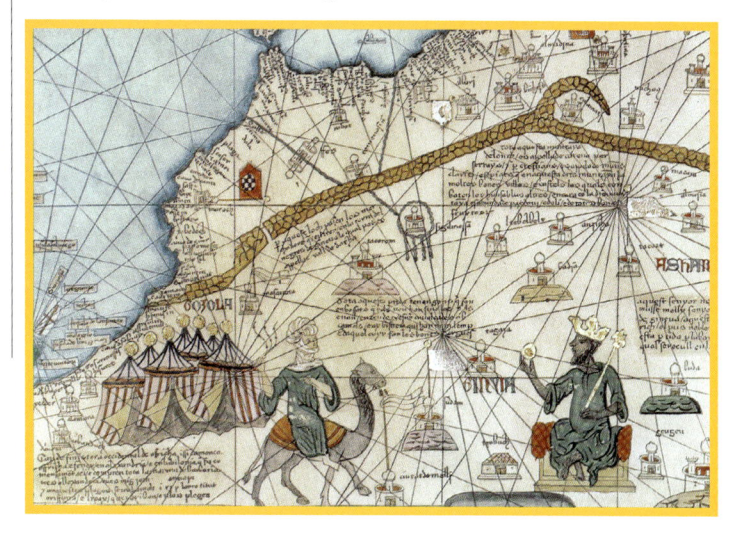

A *hajj* de **Mansa Musa** atraiu a atenção dos cartógrafos europeus: o imperador é representado nesse atlas catalão de 1375 carregando uma pepita de ouro e um cetro dourado.

DEEM AO SOL O SANGUE DOS INIMIGOS PARA BEBER

A FUNDAÇÃO DE TENOCHTITLÁN (1325)

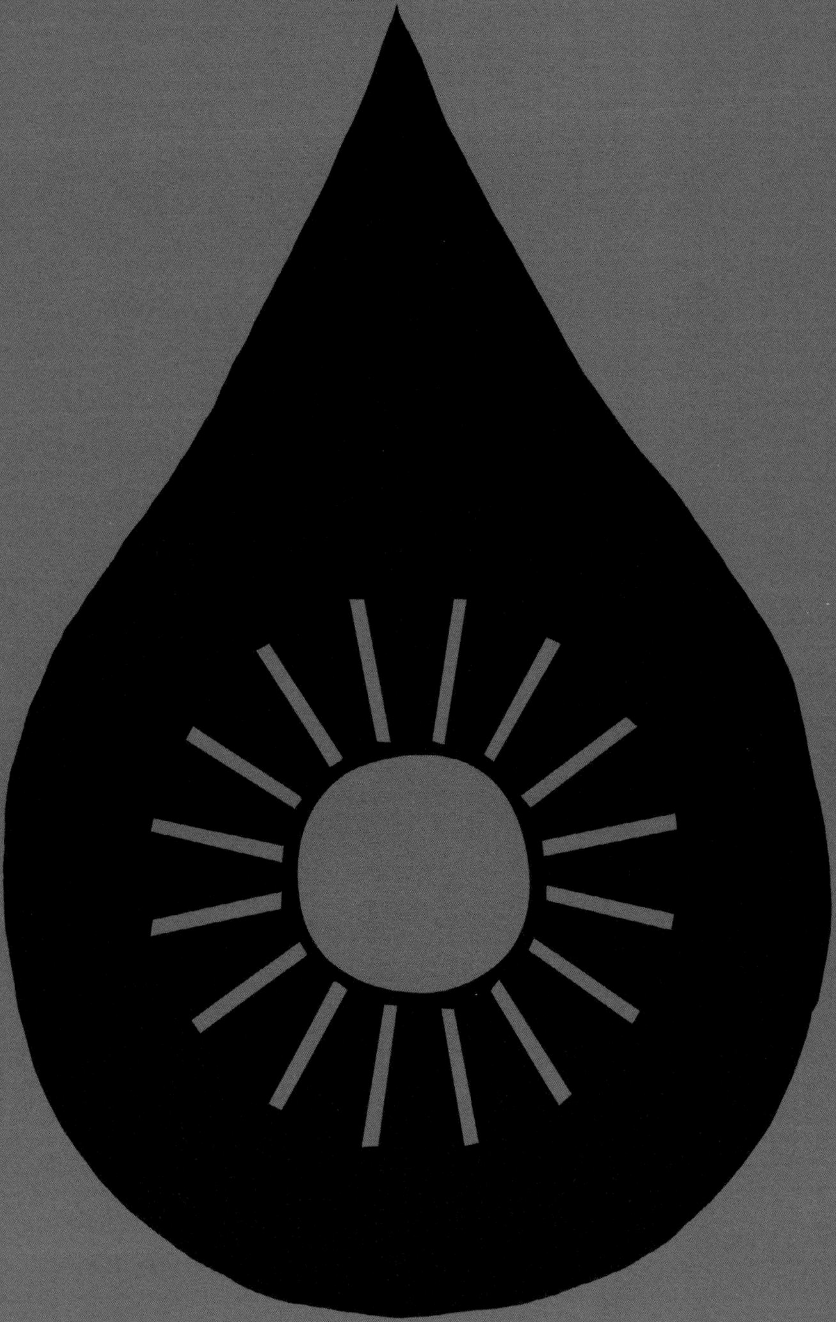

A FUNDAÇÃO DE TENOCHTITLÁN

EM CONTEXTO

FOCO
Os impérios Asteca e Inca

ANTES
c. 1200 Surgimento dos incas no Vale do Cuzco, Peru.

c. 1250 Os astecas chegam ao Vale do México.

1300 Os astecas estabelecem assentamentos em terras do senhor de Culhuacán.

1325 Os astecas saem de Culhuacán e fogem para o sul, ocupando as terras ao redor do lago Texcoco.

DEPOIS
1376 Acamapitchtli torna-se o primeiro governante dos astecas.

1428 Começa a expansão inca. Estabelecimento da Tríplice Aliança Asteca.

c. 1470 Os incas capturam Chimor, centro da cultura chimú.

1519 Os espanhóis chegam ao México.

1532 Os espanhóis chegam ao Peru.

Estados pequenos e concorrentes no centro do México e do Peru **atraem migrantes astecas e incas**, que preenchem o vácuo de poder.

↓

Os astecas e os incas fundam suas capitais em Tenochtitlán e Cuzco, respectivamente.

↓

O Império Asteca se expande, usando **agressão militar** e **medo de represálias** para **manter o poder**.

O Império Inca se expande **ao cooptar os povos conquistados**, tentando **integrá-los**.

↓

Nenhum dos dois modelos de império consegue sobreviver à **invasão espanhola**.

Em 1325, um grupo de guerreiros refugiados da América Central, conhecidos como astecas, viram um sinal que seu deus Huitzilopochtli profetizara muito tempo atrás – uma águia pousada sobre um cacto, marcando o local que lhes foi dito que ocupassem. Em pouco tempo, construíram um templo que se tornou o núcleo de sua capital, Tenochtitlán. Em dois séculos, a cidade virou o centro do mais predominante império na história da Mesoamérica – uma grande região que compartilhava a cultura pré-colombiana e se espalhava do centro do atual México em direção ao sul até Belize, Guatemala, El Salvador, Nicarágua e o norte da Costa Rica. Esse progresso foi parecido com o crescimento, quase simultâneo, de Cuzco, a capital dos incas – um povo andino, de começo humilde, que em algumas décadas criou o maior Estado que a América do Sul jamais havia visto.

Os alicerces dos astecas

Os astecas talvez tenham começado seus deslocamentos no norte do México em torno de 1200. Pelos próximos cem anos eles viveram uma existência miserável como mercenários ou intrusos que eram tolerados, e de nada ajudou sua reputação como cruéis guerreiros para lhes livrar de seus apuros. Com frequência eles precisavam fugir depois cometer atos violentos, às vezes envolvendo sacrifícios humanos; na verdade, sua fuga para Tenochtitlán se deu por causa de um desses incidentes. Os astecas haviam pedido ao seu anfitrião, o senhor de Culhuacán, que lhes desse sua filha para que se casasse com o seu chefe. Ele concordou, achando que ela teria muitas honras como rainha. Mas, para seu horror, eles a mataram e a escalpelaram como sacrifício ao seu deus Xipe Totec. Expulsos pelo senhor e seus soldados, eles fugiram para o sul em direção ao futuro local de Tenochtitlán.

Apesar de o solo ao redor do lago Texcoco, no qual estava a ilha de Tenochtitlán, ser pantanoso e de não haver muita madeira disponível, a capital poderia ser facilmente defendida, e os astecas a usaram para consolidar sua posição. Primeiro protegidos por um acordo com o governante tepaneca Tezozomoc, que dominou o Vale do México de 1371 a 1426, os astecas acabaram formando uma Tríplice Aliança com as cidades de Texcoco e Tlacopan em 1428 – uma união que foi o pontapé inicial de um período de expansão imperial.

A expansão asteca

No começo, a sociedade asteca quase não tinha uma hierarquia formal. Era

O MUNDO MEDIEVAL

Veja também: Começa o período clássico Maia 71 ▪ Cristóvão Colombo chega à América 142-147 ▪ O Tratado de Tordesilhas 148-151 ▪ O intercâmbio colombiano 158-159 ▪ A viagem do *Mayflower* 172-173 ▪ O Grito do Ipiranga 216-219

baseada em comunidades (*calpulli*), com propriedade coletiva da terra e cujos chefes, com os sacerdotes, tomavam as decisões mais importantes. Em 1376, os astecas escolheram, pela primeira vez, um líder geral para todos (*tlatoani*), que serviria como chefe, juiz e administrador para o império em ascensão. Sob Itzcóatl (1427–1440), Moctezuma (1440–1469), Axayactl (1469–1481) e Ahuitzotl (1486–1503), os exércitos astecas subjugaram seus vizinhos no Vale do México e depois se expandiram, alcançando Oaxaca, Veracruz, até a borda da terra controlada pelos povos maias, no leste dos atuais México e Guatemala.

Conforme o Império Asteca se expandiu, a sociedade foi transformada. Surgiu uma elite guerreira, enquanto, na base da sociedade, os escravos (*mayeques*), que não tinham terras, estavam presos aos seus senhores pelo trabalho. A natureza militarista da sociedade asteca foi acentuada por um sistema educacional no qual todos os homens recebiam treinamento militar (em escolas separadas para nobres e plebeus). Isso reforçou o espírito guerreiro e deu aos astecas uma incalculável vantagem sobre suas tribos vizinhas no México.

O sistema imperial

Tenochtitlán era adornada por muitos templos para os deuses do panteão asteca. Cada deus tinha seu próprio templo. O Templo Mayor tinha dois altares gêmeos dedicados a Huitzilopochtli e Tlaloc, o deus da chuva. Nesses templos, muitos humanos foram sacrificados – até 80 mil na reconsagração do Templo Mayor em 1487, uns queimados vivos ou decapitados, outros tendo seu peito aberto e seu coração arrancado.

Muitas das batalhas astecas eram "guerra de flores": rituais nos quais os oponentes eram capturados (em vez de mortos) e sacrificados para aplacar os deuses astecas, que se acreditava que precisavam de sangue para seu sustento e para manter o sol se movendo pelo céu. Tenochtitlán também cobrava tributos de seus súditos. Apesar de não ter uma burocracia governamental organizada, havia os coletores de impostos que cruzavam as 38 províncias do Império Asteca e cobravam tributos que incluíam 7 mil toneladas de milho, »

A fundação de Tenochtitlán é ilustrada no *Codex Mendoza*, um registro da história e da cultura asteca feito em c. 1540 por um artista asteca para uma apresentação a Carlos I, da Espanha.

4 mil toneladas de feijão e centenas de milhares de cobertores de algodão todos os anos. O império dependia desses tributos para recompensar a nobreza e os guerreiros, que garantiam que as cidades subjugadas pelos astecas continuassem sob controle, mostrando pouca misericórdia para as que se rebelassem.

Se por um lado os astecas garantiam alguma segurança aos seus súditos, isso era basicamente tudo o que davam. Em Tenochtitlán foram criadas ilhas artificiais (*chinampas*), muito custosas, para expandir a terra arável para produzir comida, mas nenhuma dessas obras foi feita nas cidades subjugadas. Os estados derrotados não supriam tropas para o exército asteca, logo não compartilhavam dos despojos de futuras vitórias, e quase não havia esforço para propagar a língua asteca. Era um império construído sobre o medo e, no final, se mostrou bem frágil: quando foi invadido por um pequeno grupo de espanhóis liderados por Cortes em 1519, os povos sujeitados correram em direção aos recém-chegados, em vez de defenderem os astecas, e o império sucumbiu em dois anos.

> Se a terra [do Peru] não estivesse dividida pelas guerras... não poderíamos ter entrado nela ou a conquistado, a não ser que mais de mil espanhóis tivessem invadido ao mesmo tempo.
> **Pedro Pizarro**
> Conquistador espanhol (1571)

O início dos incas

Os incas, cujas terras centrais se encontravam na altitude central dos Andes ao redor de Cuzco, atual Peru, compartilharam as origens humildes dos astecas, mas sua ascensão ao status imperial foi ainda mais meteórica. Eles começaram como uma pequena, às vezes desprezada tribo, e acabaram desenvolvendo suas próprias estratégias para cooptar grupos vizinhos, visando formar um grande império.

O mito de origem dos incas dizia que seu surgimento foi a partir de uma caverna nas altas montanhas, de onde seu primeiro líder – Manco Capac – liderou seu povo até Cuzco. Acredita-se que os incas chegaram à região por volta de 1200 e por dois séculos continuaram sendo um quase insignificante grupo de agricultores, com sua sociedade dividida em clãs (*ayllus*) de status parecido.

A expansão inca

Os incas começaram a deixar sua marca como uma potência cerca de 1438, quando o povo vizinho de Chanca tentou expulsar os incas do Vale do Cuzco. Nessa época, os incas tinham um líder supremo (o Sapa Inca) e, apesar de o então líder Viracocha não ter dado conta da tarefa, seu filho Pachacuti derrotou os invasores, tendo em seguida liderado os exércitos incas a conquistar o resto do vale do Cuzco e as altas montanhas ao redor do Lago Titicaca. Sob o filho de Pachacuti, Topa Inca Yupanqui, e o neto Huayna Capac, eles venceram Chimor (o maior estado na costa) cerca de 1470. Então absorveram o resto das altas montanhas ao norte e estenderam seu domínio a partes dos atuais Equador e Colômbia, e ao sul até os desertos no norte do Chile.

Diferente dos astecas, os incas recrutavam tropas de seus povos conquistados (sob o comando de oficiais incas), garantindo-lhes assim parte dos despojos em troca de sua lealdade.

A comunicação inca

O império dos incas era muito centralizado. Censos registravam o número de camponeses que deviam serviço forçado (*mitad*) ao Sapa Inca. Esse nível de organização permitiu a construção de obras públicas em grande escala. Especialmente vital era a vasta rede de estradas, com 40 mil quilômetros, dotadas em toda a sua extensão de pontos de parada, como hospedagens, que facilitavam o rápido trânsito do exército e garantiam um eficiente sistema de comunicação por todo o vasto domínio

---

Tlacaelel

Conforme o Império Asteca se expandia e conquistava novos territórios, era cada vez mais necessária a criação de um sistema mais complexo de administração. Depois de Itzcóatl se tornar governante (*tlatoani*) em 1427, ele criou um posto de conselheiro-chefe (*cihuacoatl*). O primeiro ocupante do posto foi o sobrinho de Itzcóatl, Tlacaelel (1397–1487), que manteve o cargo até sua morte. Tlacaelel serviu diversos reinos e garantiu uma valiosa continuidade. Além disso, criou um ímpeto para suas reformas (que beneficiavam sobretudo a família real e os nobres), ao ordenar a destruição de relatos antigos e a reescrita da história asteca, a fim de estabelecer a base da ideologia imperial asteca.

Ele também presidiu a formação da Tríplice Aliança, solidificando a posição asteca e garantindo um fluxo contínuo de vítimas para sacrifício. Dado que Tlacaelel nunca foi um governante asteca, sua imensa influência em Tenochtitlán mostra que o sistema asteca de autoridade não era tão monolítico como parecia ser.

O MUNDO MEDIEVAL

A sociedade no expansionista Império Asteca era profundamente militarizada. Um menino precisava se mostrar um guerreiro antes de ser considerado um homem. Jovens da nobreza asteca entravam em sociedades de guerreiros e ascendiam na hierarquia militar ao capturarem mais pessoas para seus sacrifícios.

Os raspados
Guerreiros mortais que juravam nunca fugir da batalha.

Os otomisa
Nome vindo dos habilidosos aliados dos astecas, eles talvez tenham sido os primeiros guerreiros a entrar em batalha.

Guerreiros Jaguar
Os homens tinham que capturar quatro humanos antes que pudessem ser aceitos nas fileiras dos Guerreiros Jaguar e Águia.

Guerreiros Águia
Junto com os Guerreiros Jaguar, talvez tenham sido as mais baixas fileiras da sociedade guerreira de elite asteca. Seus uniformes resplandecentes faziam referência ao seu nome.

> Eles abrem o peito, retiram o coração ainda pulsando e os oferecem aos seus ídolos.
> **Bernal Díaz del Castillo**
> *Historia verdadera de la conquista de la Nueva España* (1568)

inca. Ao mesmo tempo, a domesticação da lhama facilitou o transporte de cargas pesadas por todo o império.

Diferente dos astecas, os incas buscavam, de forma ativa, espalhar sua própria língua (quéchua) e seu sistema de crenças religiosas, que se baseava, primeiro, na adoração de Inti (o deus sol), mas que acabou dando importância proeminente a Viracocha – um deus supremo da criação, logo uma divindade mais propícia a uma potência conquistadora. Eles também enviavam colonizadores (*miqmaq*), mudando grupos problemáticos para áreas mais pacíficas para diluir sua resistência e criar redes de colonos leais nos limites do império. Apesar de não haver estatísticas conhecidas, perto do começo do século XVI o Império Inca – que os incas chamavam Tawantinsuyu ("O Reino dos Quatro Quadrantes") – tinha mais ou menos de 4 a 6 milhões de pessoas no total, atuando a favor da minoria inca e seus súditos.

A despeito de suas muitas forças, a natureza altamente centralizada do Império Inca se mostrou fatal no começo dos anos 1530, quando os invasores espanhóis liderados por Pizarro capturaram o Sapa Inca Atahualpa. Sem os seus líderes, os incas entraram em colapso rapidamente.

Os novos colonizadores

Os astecas e os incas construíram os primeiros verdadeiros impérios em suas regiões nas Américas. Foram capazes disso ao criarem um excedente de comida com seus projetos de irrigação, liberando assim grande parte da sua população para lutar nos exércitos que conduziam suas campanhas de expansão. Também reorganizaram a tradicional estrutura tribal para favorecer a elite dos guerreiros e dos nobres. Em ambos os casos, o impulso das conquistas exigia outras guerras para recompensar a casta de guerreiros ou oferecer um incentivo para que os povos recém-conquistados se mantivessem leais, tendo direito assim a ganhar recompensas pela participação em novas campanhas.

Nem os astecas nem os incas sobreviveram tempo suficiente para governar depois que o ritmo de sua expansão diminuiu. Do contrário, talvez tivessem desenvolvido estratégias para garantir uma estabilidade de longo prazo para seus impérios, ou talvez tivessem declinado ao status de cidades-estados, lutando para controlar recursos limitados. Em vez disso, a conquista espanhola dos astecas em 1521 e sua vitória sobre os últimos incas em 1572 puseram fim à ambição de ambos os impérios e deixaram os espanhóis firmemente estabelecidos como governantes coloniais na região nos próximos trezentos anos. ∎

FORAM RAROS OS CASOS EM QUE UM DÉCIMO DAS PESSOAS, DE QUALQUER TIPO, SOBREVIVEU
O SURTO DA PESTE NEGRA NA EUROPA (1347)

EM CONTEXTO

FOCO
A Peste Negra

ANTES
1315–1319 A fome varre o oeste da Europa: quase 15% dos habitantes holandeses nas cidades morrem.

1316 Eduardo II, da Inglaterra, fixa o preço dos alimentos básicos conforme sua escassez, lhes aumentando o preço.

Final dos anos 1330 A peste bubônica se espalha aos poucos em direção ao oeste a partir da China Ocidental.

DEPOIS
1349 Acusados de terem começado a peste, os judeus são assassinados aos milhares na Alemanha.

1349 O papa bane os "Irmãos da Cruz", que se flagelavam.

1351 O Estatuto dos Trabalhadores é aprovado na Inglaterra.

1381 A Revolta dos Camponeses incita a rebelião política em grande parte da Inglaterra.

1424 A *Dança da Morte* é pintada nas paredes do claustro do Cimetière des Innocents, em Paris.

No final de novembro de 1347, um galeão entra no porto de Gênova tendo fugido do cerco tártaro de Caffa, na Crimeia. Ele trazia uma carga mortal: a peste bubônica. Em apenas dois anos, essa peste letal matou mais de um terço da população da Europa e do Oriente Médio, alterando o cenário econômico, social e religioso da região para sempre.

A difusão da Peste Negra
Tendo provavelmente começado na Ásia Central ou no oeste da China nos anos 1330, o progresso inicial da praga em direção ao oeste foi lento, mas, após, ter chegado à Crimeia e a Constantinopla em 1347, se espalhou rapidamente pelas rotas marítimas comerciais. Ao alcançar Gênova, apareceu rapidamente na Sicília e em Marselha. Em 1348, atingiu Espanha, Portugal e Inglaterra, chegando à Alemanha e á Escandinávia em 1349.

O principal vetor da epidemia eram as pulgas infectadas e os ratos que as carregavam, e ambos se multiplicaram com as péssimas condições sanitárias da época. Os principais sintomas da doença eram os inchaços, conhecidos como bubões, que apareciam em testículos, pescoço ou axilas. Em seguida surgiam as manchas pretas na pele (daí o nome "Peste Negra") e, depois, cerca de três quartos dos infectados morriam.

As pessoas daquela época atribuíam a pestilência a causas como punição divina pela imoralidade, conjunção adversa dos planetas, terremotos e vapores ruins. Não havia cura, mas aconselhava-se preventivamente a abstinência de comidas difíceis de digerir, o uso de ervas aromáticas para purificar o ar e – a única medida de fato efetiva – evitar o contato com outros.

Mais de 100 milhões de pessoas podem ter morrido com a peste. Estimativas davam a população do mundo em 450 milhões de pessoas

> ❝ Os empregados estão se recusando a trabalhar, a não ser que recebam um salário excessivo.
> **O Estatuto dos Trabalhadores, 1349** ❞

O MUNDO MEDIEVAL

Veja também: A coroação de Carlos Magno 82-83 ▪ Marco Polo chega a Shangdu 104-105 ▪ O intercâmbio colombiano 158-159 ▪ A abertura de Ellis Island 250-251 ▪ A população global passa dos 7 bilhões 334-339

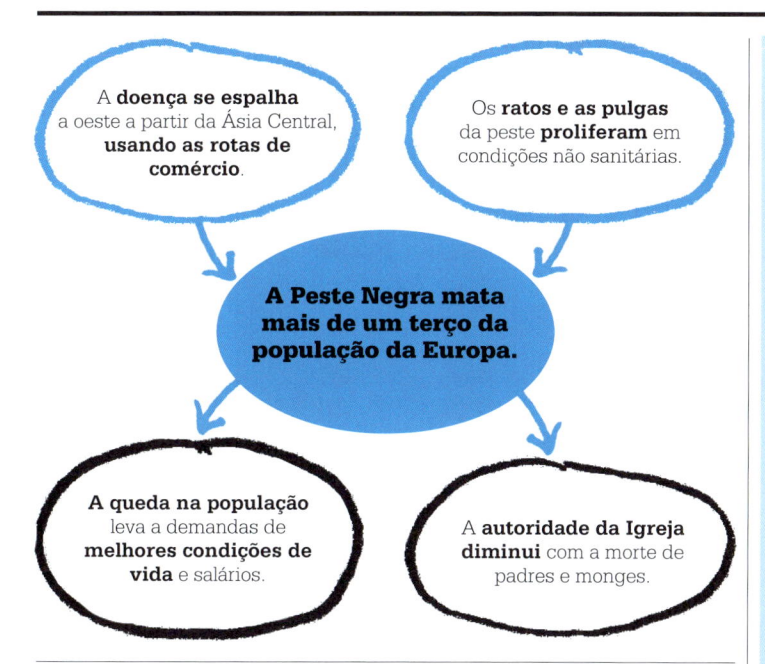

- A **doença se espalha** a oeste a partir da Ásia Central, **usando as rotas de comércio**.
- Os **ratos e as pulgas** da peste **proliferam** em condições não sanitárias.

→ **A Peste Negra mata mais de um terço da população da Europa.**

- A queda na população leva a demandas de **melhores condições de vida** e salários.
- A **autoridade da Igreja diminui** com a morte de padres e monges.

antes de ela chegar, e 350 milhões depois dela. Seus efeitos eram mais mortais em certas áreas que em outras – no Egito, acredita-se que 40% da população tenha morrido. O nível populacional de antes da peste só voltou a ser atingido três séculos depois.

Reações à peste

Os sobreviventes reagiram de diversas formas. As comunidades judaicas na Alemanha foram acusadas de causar a peste ao envenenar poços, e muitas foram atacadas. Só em Estrasburgo, 2 mil judeus foram mortos.

Com a diminuição da população, as terras ficaram vagas, o trabalho, escasso, e o poder de barganha dos camponeses aumentou. Em 1350, os trabalhadores ingleses conseguiam ganhar cinco vezes mais que em 1347, e os inquilinos pagavam seus aluguéis em dinheiro em vez de em trabalho compulsório. Os governos tentaram estancar os salários – O Estatuto dos Trabalhadores de 1351 visava congelar os salários nos níveis de 1346 –, mas os trabalhadores responderam com revoltas como a de Jacquerie, na França em 1358, e as Revoltas dos Camponeses na Inglaterra, em 1381.

Quando acabou, a Peste Negra havia matado tanto leigos quanto clérigos, e alguns destes últimos abandonaram seus postos. Como resultado, a autoridade da Igreja, assim como a da nobreza, foi bastante enfraquecida. A peste afrouxou os laços que haviam previamente mantido a sociedade medieval una, deixando uma população mais livre e volátil para lidar com os desafios postos pelo Renascimento, pela Reforma e pela expansão econômica dos séculos XVI e XVII. ∎

Uma sociedade despedaçada

O preço catastrófico da peste lançou uma grande sombra sobre as atitudes sociais da época. Um cenário de covas em massa, vilas abandonadas e um sempre presente medo da morte aprofundou o disseminado medo de que Deus abandonara seu povo e diluiu as exigências da moralidade tradicional. Houve um aumento na criminalidade: a incidência de assassinatos dobrou em duas décadas na Inglaterra a partir de 1349. Pessoas que se flagelavam vagavam pelos campos, se afligindo com chicotes de cordas, até que o papa baniu a prática em 1349. As doações para obras de caridade – em especial para os hospitais – aumentaram conforme os ricos davam graças por terem sobrevivido. A produção artística voltou-se para a morbidez: surgiram as "Danças da Morte", mostrando a morte brincando entre os vivos. E escritores, como Boccaccio, que registrou a peste em seu *Decameron*, enfatizavam a brevidade e fragilidade da vida.

A morte escolhe suas vítimas indiscriminadamente entre as ordens sociais na alegórica *Danse Macabre* ou *Dança da Morte*.

TRABALHEI PARA CUMPRIR A VONTADE DO CÉU

HONGWU FUNDA A DINASTIA MING (1368)

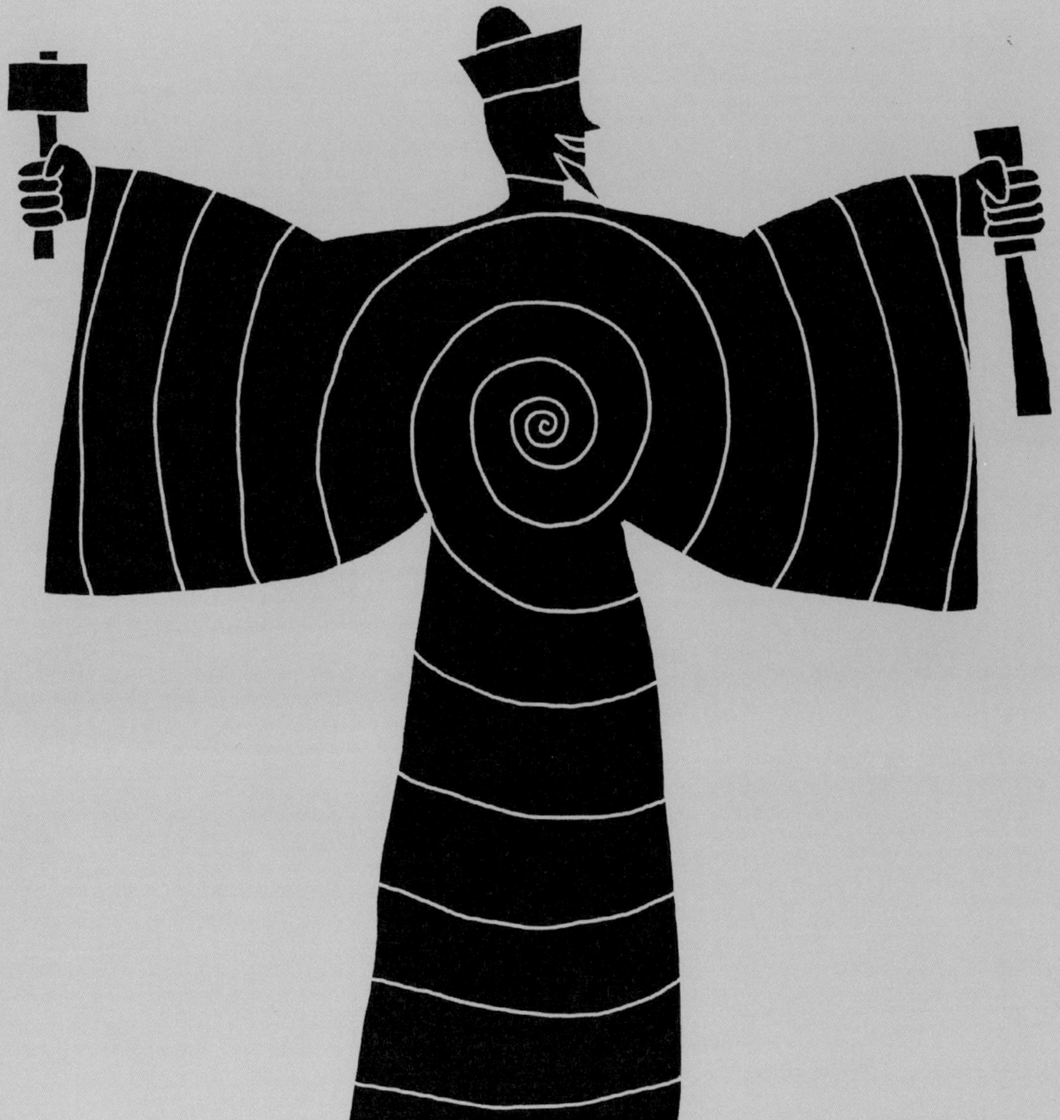

HONGWU FUNDA A DINASTIA MING

EM CONTEXTO

FOCO
A China da dinastia Ming

ANTES
1279 Kublai Khan derruba os Song e estabelece a dinastia mongol Yuan.

1344 No centro da China, o rio Amarelo começa a mudar de curso, levando a secas e ao subsequente aumento nas rebeliões dos camponeses.

1351 Eclosão da revolta do "Turbante Vermelho" contra os Yuan.

DEPOIS
1380 Hongwu assume o papel de ministro-chefe, estabelecendo as bases de uma cultura de autoritarismo político.

1415 Yongle recupera e estende o Grande Canal, permitindo o transporte de bens do sul da China para Pequim.

1517 Primeiras missões comerciais portuguesas na China.

c. 1592 Publicação da *Jornada para o oeste*, uma das obras-primas da literatura chinesa.

1644 Chongzhen se suicida, pondo fim à era Ming.

O declínio econômico e militar sob a última dinastia Yuan levou a **amplas revoltas camponesas**.

↓

Hongwu funda a dinastia Ming e institui reformas que restauram a estabilidade, dando ao imperador autoridade absoluta.

↓

Um sistema autocrático e altamente centralizado garante séculos de governo estável e prosperidade econômica.

↓

Uma série de **governantes fracos** fez com que o sistema centralizado parasse de funcionar de forma eficiente.

↓

A dinastia Ming entra em colapso diante da invasão manchu e dos levantes dos camponeses.

Cercado de autoridades no palácio imperial de Nanjing, Zhu Yuzhuang, filho de pobres agricultores, ofereceu sacrifícios para o Céu e a Terra enquanto era proclamado o primeiro imperador da dinastia Ming ("brilhante").

Foi o ápice de uma impressionante ascensão ao poder de um monge que virou um general rebelde e expulsou a desprezível dinastia Yuan – fundada por Kublai Khan, o conquistador mongol da China – que governava o país desde 1279. Zhu reinou como imperador Hongwu ("Imensamente Marcial" – uma referência às suas proezas militares) de 1368 até sua morte, em 1398, em cujo período estabeleceu de forma definitiva umas das dinastias mais influentes da China, e uma das mais autoritárias. Ele e seus sucessores trouxeram três séculos de prosperidade e estabilidade ao país, estabelecendo seu governo e burocracia de tal forma que durassem, com pequenas variações, até o fim do sistema imperial em 1911, expandindo a base da sua economia.

Expulsando os mongóis

A nova dinastia de Zhu surgiu do caos que se seguiu ao declínio dos Yuan. Nos anos 1340 e 1350, o fracionamento da corte mongol, a galopante corrupção no governo e uma série de desastres naturais, incluindo pestes e epidemias, resultaram num disseminado desrespeito às leis, à ordem e à administração, com o levante de grupos de camponeses contra seus senhores estrangeiros, que lhes estavam em falta. O próprio Zhu havia perdido a maior

Veja também: O primeiro imperador unifica a China 54-57 ▪ Kublai Khan derrota a dinastia Song 102-103 ▪ Marco Polo chega a Shangdu 104-105 ▪ A Revolta dos Três Feudos 186-187

parte de sua família num surto de peste em 1344 e, depois de ter passado alguns anos como um monge mendicante, quando chegou a mendigar comida, ele juntou-se aos Turbantes Vermelhos, uma de muitas sociedades secretas de camponeses chineses Han da região, numa rebelião contra os Yuan. Determinado, cruel e um hábil general, o jovem rebelde galgou as fileiras até atingir a liderança dos Turbantes Vermelhos, vencendo, mais tarde, seus rivais e se tornando o líder nacional contra os Yuan.

Zhu assumiu o controle da maior parte do sul e do norte da China e declarou-se imperador antes de expulsar os mongóis de sua capital em Dadu (Pequim) em 1368. O resto do país foi então subjugado, apesar de os mongóis terem resistido no extremo norte até o começo dos anos 1370; a unificação da China não foi alcançada até a derrota das últimas forças mongóis no sul, em 1382.

Reforma e despotismo

A primeira prioridade de Zhu como imperador Hongwu foi estabelecer a ordem – décadas de conflito arruinaram a China e empobreceram sua população rural. Sua origem humilde talvez tenha influenciado algumas de suas primeiras políticas: a responsabilidade pela avaliação dos tributos foi confiada às comunidades rurais, varrendo o problema dos coletores de impostos ladrões que controlavam as regiões mais pobres; a escravidão foi abolida; houve o confisco de muitas e grandes propriedades; e terras que pertenciam

As tribulações do começo da vida de Hongwu o levaram a melhorar a parte que cabia aos pobres camponeses da China, mas também criaram um homem cruel e irracional que assassinava todos que suspeitava serem desleais.

ao Estado na região pouco povoada do norte do país foram dadas aos camponeses sem terra para encorajá-los a se fixar por lá.

A partir de 1380, Hongwu instituiu reformas governamentais que lhe deram controle pessoal sobre todas as principais questões do estado. Depois de executar seu primeiro-ministro, que havia se envolvido numa tentativa de golpe para derrubá-lo, ele aboliu o cargo de primeiro-ministro e do secretariado central e fez com que os chefes do próximo nível hierárquico, os seis ministérios, se reportassem diretamente a ele, garantindo que poderia supervisionar até mesmo as menores decisões.

A partir de então, Hongwu passou a atuar como seu próprio primeiro-ministro. Sua carga de trabalho beirava o insuportável – numa única semana tinha que analisar e aprovar quase 1.600 documentos –, e como »

HONGWU FUNDA A DINASTIA MING

A Cidade Proibida – o palácio imperial em Pequim – refletia a ideologia hierárquica confucionista: quanto mais alto o status social de alguém, mais ele poderia adentrar na cidade.

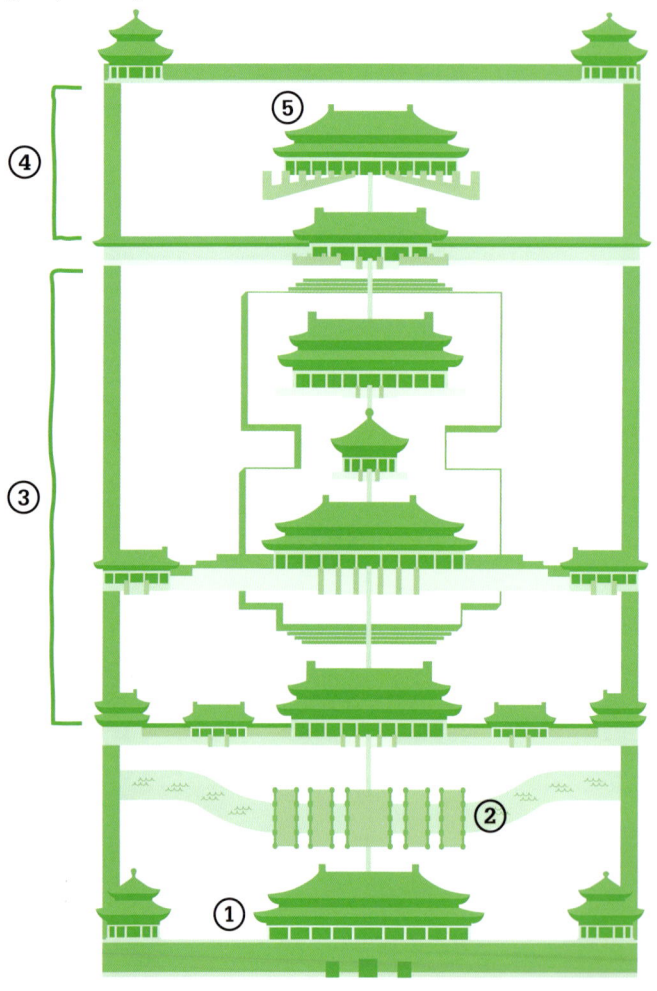

1 Portão Meridiano A grande entrada tinha cinco portões. O portão central era sempre reservado ao imperador.

2 Ponte da Água Dourada Os pontos de cruzamento, como as pontes, eram organizados em números ímpares. Somente o imperador podia usar a passagem central, deixando às autoridades, dependendo do seu grau, o uso dos caminhos laterais.

3 Corte Exterior Essa área era reservada a assuntos do Estado e seu cerimonial.

4 Corte Interior Somente o imperador e sua família podiam entrar na Corte Interior.

5 Palácio da Pureza Celeste Para enganar eventuais assassinos, o palácio tinha nove quartos: o imperador dormia num quarto diferente a cada noite.

resultado o Estado ficou incapaz de responder rapidamente às crises. Apesar de ter surgido, na época, um grande secretariado – um conselho consultivo através do qual o imperador respondia aos seis ministros e a outras agências governamentais –, os Ming mantiveram uma estrutura mais autocrática e altamente centralizada que todas as dinastias anteriores. Isso também se refletia no protocolo da corte Ming: na dinastia Song (960-1279), os conselheiros do imperador ficavam de pé para discutir com ele questões de estado, mas, sob os Ming, exigia-se que eles *kowtow* – se ajoelhassem e tocassem sua cabeça no chão – diante dele, um reconhecimento reverencial de seu poder absoluto e de sua superioridade.

Impondo limites aos militares

Nos últimos anos da dinastia Yuan, o Estado se dividira por bases de poder em conflito fora da corte central. Para evitar tal cenário, Hongwu diluiu a força do exército. Apesar de ele ter adotado o sistema militar dos Yuan – estabelecendo guarnições em cidades-chave, sobretudo na fronteira norte, onde a ameaça de incursões nômades estava sempre presente, e criando uma casta hereditária de soldados que se sustentava nas terras dadas pelo governo –, também garantiu que as unidades militares passassem por um rodízio de treinamento por toda a capital e que um grupo de oficiais selecionados de forma centralizada compartilhasse a autoridade no exército com os comandantes de guarnições, evitando assim a ascensão de influentes senhores da guerra com uma forte base local.

Aperfeiçoando o serviço público

Hongwu também tinha uma profunda desconfiança da classe da elite erudita, que se manteve no coração do governo por séculos. Porém tinha consciência de que eles desempenhavam um papel vital na boa administração do Estado, de modo que promoveu a educação e treinou estudiosos especialmente para a burocracia. Em 1373, suspendeu os concursos tradicionais usados para selecionar servidores públicos e ordenou a abertura de escolas nos níveis local e de condado. A partir delas, os melhores candidatos seriam chamados para estudos adicionais numa universidade nacional na capital, onde estavam inscritos quase 10 mil estudantes das melhores classificações. Os concursos públicos foram restaurados em 1385, quando o imperador considerou que os formandos bem treinados pela universidade já estavam aptos a assumi-los e eram tão competitivos que soldados ficavam de prontidão fora dos cubículos dos candidatos para evitar qualquer colaboração ou uso ilícito de consulta a referências.

O grupo de potenciais candidatos à administração ficou assim bem mais amplo, mas os servidores públicos ainda recebiam uma educação bastante conservadora, baseada nos Quatro Livros e nos Cinco Clássicos do confucionismo e na seleção de obras neoconfucionistas que expandiam as virtudes da lealdade ao imperador e da adesão à tradição chinesa. A inovação era desencorajada, e os burocratas foram postos em seu lugar. Aqueles de quem se desconfiava terem se desviado de suas obrigações eram açoitados em público, às vezes até a morte.

Os maus-tratos aos servidores públicos eram um sinal do lado cruel da personalidade de Hongwu. Ele também tinha uma paranoia violenta e era cruel no combate à discordância. Em 1382, estabeleceu uma polícia secreta, a Guarda Brocado-Folheada, cujos 16 mil oficiais esmagavam qualquer sinal

> "Algumas pessoas que eram estimadas [pelo imperador Hongwu] de manhã, eram por ele executadas à noite."
> **Memorial do oficial Hsieh Chin, 1388**

de resistência. A influência e o alcance da Guarda eram amplos, fazendo que, até os últimos anos de seu governo, a dinastia Ming não experimentasse nenhuma rebelião significativa, quer pelos militares, quer pela aristocracia.

Diplomacia internacional

A autoconfiança da dinastia pareceu crescer ainda mais sob o sucessor de Hongwu, Yongle (que reinou de 1402 a 1424), que mudou a capital de Nanjing para Pequim, embarcando num ambicioso programa de reconstrução e de obras públicas, incluindo medidas para melhorar a navegação do Grande Canal. Ele também construiu a extravagante Cidade Proibida, berço de um complexo de palácios com mais de 9 mil cômodos.

A inicialmente agressiva política externa de Yongle levou a quatro campanhas contra a Mongólia e um ataque ao Annam (Vietnã), em 1417, que resultou em sua incorporação ao Império Ming. Também buscou o reconhecimento de governantes de estados muito distantes: entre 1405 e 1433, lançou seis expedições marítimas de grande escala ao sudeste asiático, leste da África e Arábia. Lideradas pelo grande almirante de frota Zheng He, »

As viagens de Zheng He

Um muçulmano de origem mongol, Zheng He, foi capturado ainda menino, castrado e enviado ao exército, onde adquiriu habilidades militares e diplomáticas, tendo se distinguido como um jovem oficial. Avançou até se tornar um influente eunuco na corte imperial, e, em 1405, Yongle o escolheu para liderar uma bem planejada expedição marítima na costa do oceano Índico, tanto como almirante da frota quanto como agente diplomático. Nos 28 anos seguintes, Zheng He comandou uma das maiores forças navais da história: a primeira missão tinha 63 embarcações, incluindo enormes "barcos de tesouros" de até 1.340 metros de tamanho que carregavam mais de 27 mil membros da tripulação.

Apesar de essas viagens terem sido dramáticas em sua conduta e seu escopo, não eram de forma alguma empreitadas comerciais ou exploratórias. Sua intenção era estritamente diplomática, planejadas para aumentar o prestígio da China no exterior e coletar declarações de lealdade e tributos exóticos a Yongle.

Esse pergaminho de seda registra um dos mais celebrados presentes das viagens de Zheng He: uma girafa trazida da África em 1414.

seu propósito era confirmar a dominação da China sobre a área ao estabelecer tributos e outros gestos de reconhecimento ao imperador.

A dinastia Ming posterior

No entanto, os enormes custos das ambiciosas empreitadas de Zheng He tiveram um enorme custo fiscal, e, para garantir que jamais fossem repetidas, todos os registros a elas relacionados foram destruídos. A ideologia oficial considerava a China como o centro do mundo, e os Ming que vieram depois não viam razão para encorajar outros contatos marítimos. Os chineses não consideravam as relações com outras potências exteriores como possíveis em bases iguais: quando havia relações diplomáticas, os estrangeiros eram considerados (pelo menos pelos Ming) como tributáveis. A confiança e a estabilidade da burocracia Ming também criaram um senso de autossuficiência, dependendo pouco de influências externas.

Os barcos que navegavam pelos oceanos eram obrigados a reportar toda a carga que traziam, e o comércio marítimo privado foi várias vezes banido (até ser legalizado de novo em 1567 para qualquer comércio, exceto com o Japão). Em Pequim, o contato não autorizado de um lojista com estrangeiros poderia resultar no confisco de seu estoque. O isolamento diplomático foi reforçado pela incerteza militar: Annam ficou novamente independente em 1428, enquanto se gastavam enormes recursos para conter a ameaça das tribos mongóis na fronteira norte da China. Em 1449, o imperador Zhengtong liderou pessoalmente uma desastrosa campanha contra o líder mongol Esen Khan, na qual a maioria dos 500 mil soldados chineses morreu de fome, foi capturada pelo inimigo ou pereceu numa batalha final conforme batia em retirada.

A extensão da Grande Muralha

Nos anos 1470, a construção dos estágios finais da Grande Muralha – que havia começado a ser construída na dinastia Qin no século III a.C. – não era apenas uma aposta para prevenir desastres similares, mas também para compensar a diminuição da energia dos Ming. Como seus predecessores, eles foram incapazes de absorver as terras dos grupos nômades ao norte da fronteira ou de enviar expedições que tivessem qualquer efeito duradouro para desencorajar seus ataques. Portanto, uma fronteira fixa, com fortes guarnições de defesa, era a melhor compensação.

Ao assumir o trono, Hongwu emitiu sua própria cunhagem tradicional de bronze, apesar de a falta do metal ter levado à volta da moeda de papel, feita da casca da amoreira.

Durante o século XVI, uma sucessão de imperadores de curto reinado que eram dominados por suas consortes, mães ou por conselheiros eunucos (castrados), foi encerrada pelo longo reinado de Wanli (1573–1620), que simplesmente se retirou por completo da vida pública: nas últimas décadas de seu governo, ele se recusava até a se encontrar com seus ministros. A dinastia começou a declinar: a máquina do governo tinha pouca força para responder à séria ameaça dos jurchen na Manchúria (atual nordeste da China). Em 1619, esse povo tribal, que mais tarde passou a se chamar "manchu", começou a invadir as fronteiras ao norte da China.

Comércio global

Economicamente, no entanto, a grande produtividade da China dos Ming foi um ímã para os estados marítimos europeus em busca de novas conexões comerciais no leste da Ásia, e, no começo do século XVI, os comerciantes europeus

O lugar do descanso final de Hongwu, o Mausoléu Xiaoling, fica aos pés da montanha Púrpura em Nanjing e é guardado por uma trilha de estátuas de pares de animais, inclusive camelos.

finalmente chegaram à costa da China. Em 1513, uma frota portuguesa apareceu em Cantão (hoje Guangzhou), no sul, e, em 1557, Portugal estabeleceu uma base permanente em Macau. Mercadores espanhóis e portugueses (os primeiros operando a partir de Nagasaki no Japão e de Manila, nas Filipinas) – e a partir de 1601, os holandeses – asseguraram uma parcela importante do comércio com a China.

Apesar de a política Ming desencorajar o comércio marítimo, mercadores individuais chineses participaram ativamente na recuperação da economia. Muito antes disso, já haviam florescido colônias chinesas em Manila e em Java, na Indonésia, perto da cidade comercial controlada pelos holandeses em Batávia, e os mercadores chineses controlavam uma grande parcela do comércio local no sudeste asiático. A sofisticação técnica da indústria da porcelana chinesa sob os Ming levou, pela primeira vez, à produção em massa de cerâmica para exportação a mercados europeus.

Os efeitos desse crescimento no comércio, no entanto, não foram de todo positivos: ao mesmo tempo que um enorme influxo de prata das Américas e do Japão, usada pelos europeus para pagar os bens chineses como seda, bens envernizados e porcelana, estimulou o crescimento econômico, também causou inflação.

Mudança tecnológica
A China Ming havia herdado inovações científicas e tecnológicas da dinastia Song, que deixou o país na vanguarda de muitos campos científicos, incluindo a navegação e as aplicações militares para a pólvora – uma substância descoberta durante a era Tang e cujo uso se espalhou para Europa a partir da China no século XIII. Sob os Ming, no entanto, o ritmo do progresso diminuiu, e, na parte final da dinastia, as ideias começaram a fluir da Europa para a China. Os militares chineses começaram a usar artilharia de fabricação europeia, e o conhecimento da matemática e da astronomia europeia foi introduzido no país por missionários jesuítas, como Matteo Ricci, que morou em Pequim entre 1601 e 1610. Ele traduziu a *Geometria*, do matemático grego Euclides para o chinês, bem como um tratado sobre o astrolábio (um instrumento astronômico usado para medir a altitude do Sol e das estrelas). Em 1626, o jesuíta alemão Johann Adam Schall von Bell escreveu o primeiro tratado em chinês sobre o telescópio, levando o heliocentrismo (o modelo astronômico no qual o Sol estava no centro do Universo) para uma audiência chinesa.

O colapso Ming
Os últimos Ming começaram a sofrer muitos dos mesmos problemas que levaram à queda dos Yuan. A quebra nas safras reduziu a produtividade da vasta agricultura na China, e a fome e as inundações levaram à uma insatisfação geral nas áreas rurais. Os soldos militares começaram a atrasar, causando problemas disciplinares e deserções, ao passo que levantes camponeses localizados começaram a se juntar em revoltas mais gerais. Enquanto isso, na fronteira nordeste, os manchus haviam construído um Estado ao longo das linhas chinesas em Mukden, na Manchúria – chamando o seu regime de dinastia Qing em 1636 –, e estavam se preparando para se aproveitar do iminente colapso Ming. Foram ajudados, nesse intento, por uma revolta liderada por Li Zicheng, líder rebelde cujas forças entraram, sem resistência, em Pequim em 1644, fazendo com que o imperador se suicidasse. Em desespero, os militares Ming pediram ajuda aos manchus. Os tribalistas varreram a capital e expulsaram os rebeldes, só que logo depois tomaram o trono e proclamaram a dinastia Qing na China.

Um legado duradouro
Apesar de os Ming terem se tornado vítimas de uma crise agrária que coincidiu com novas atividades nômades em suas fronteiras, essa era uma combinação que já havia derrubado outras dinastias antes. A burocracia que dera à China séculos de constância e reduzira a possibilidade, ou até a necessidade, de discordância interna foi lenta em se adaptar aos tempos de crises rápidas.

Ainda assim a era Ming trouxe grande riqueza e sucesso para a China. A população cresceu de quase 60 milhões no começo de seu domínio para quase três vezes mais em 1600. A maior parte desse crescimento foi centrado em cidades mercantis de tamanho médio, em vez das grandes cidades, e um crescimento na produção agrícola levou à ascensão de uma rica classe de mercadores nas províncias. Muitos dos elementos do governo ordeiro inaugurado por Hongwu foram absorvidos pela posterior dinastia Qing, dando à China um grau de unidade, estabilidade e prosperidade que os Estados europeus daquela época só podiam invejar e admirar. ∎

> "Hoje, os grandes oficiais, civis e militares, os inúmeros funcionários e as massas se juntam para clamar por nossa ascensão ao trono.
> **Documento de proclamação do imperador Hongwu, 1368**"

EXPULSEM OS ADVERSÁRIOS DO MEU POVO CRISTÃO
A QUEDA DE GRANADA (1492)

EM CONTEXTO

FOCO
A Reconquista

ANTES
722 Pelágio derrota os muçulmanos nas Astúrias, norte da Espanha.

1031 Fim do califado omíada centralizado em Córdoba. A al-Andalus muçulmana se divide em diversos pequenos emirados.

1212 Batalha de Las Navas de Tolosa, onde os cristãos derrotaram o califa Almohad.

1248 Fernando III, de Castela, derrota os muçulmanos em Sevilha.

DEPOIS
1492 Fernando e Isabel decretam a expulsão de todos os judeus de Castela e Aragão.

1497 Os espanhóis conquistam Melila na costa do norte da África.

1502 Todos os muçulmanos que sobraram foram expulsos da Espanha.

1568–1571 Os muçulmanos convertidos ao cristianismo se levantam contra o governo repressor cristão na Revolta de Alpujarras.

À meia-noite de 2 de janeiro de 1492, Abu 'Abd Allah, o emir muçulmano de Granada, entregou as chaves de sua cidade ao rei Fernando e à rainha Isabel, governantes conjuntos dos Estados cristãos espanhóis de Aragão e Castela. Esse ato marcou o fim de quase oitocentos anos de domínio muçulmano na Península Ibérica e o eclipse de uma grande civilização, famosa por seu esplendor arquitetônico e sua tradição de erudição. Ao mesmo tempo, sinalizou o início de uma Espanha autoconfiante e unida que em breve canalizaria suas energias das Cruzadas contra os vizinhos muçulmanos para a construção de um império ultramarino no Novo Mundo.

As conquistas cristãs
A Espanha muçulmana (ou al-Andalus) começou com a conquista islâmica do reino visigodo, em 711. A resistência cristã sobreviveu em Astúrias, no extremo norte, mas demorou séculos para que os reinos de Castela, Aragão, Leão e Navarra ganhassem força para lentamente avançar ao sul em terras muçulmanas. Essa retomada gradual, conhecida como a Reconquista, se deu durante o século XI, quando a região muçulmana se dividiu em inúmeros e concorrentes emirados (*taifas*) e perdeu sua importante e estratégica cidade de Toledo, no centro da Espanha, em 1085.

O crescimento do espírito cruzado no oeste da Europa também acelerou o progresso da Reconquista. As Cruzadas formais contra os muçulmanos espanhóis (ou mouros) foram declaradas diversas vezes em meados do século XIV, fazendo surgir uma cultura militar na qual as incursões sobre al-Andalus assumiram ares de expedições justas. A partir do século XII, ordens militares, com as de Santiago e de Alcântara, foram

> "Um reino de tantas cidades e vilas, de tanta multidão de lugares. O que se passou, senão que Deus quis libertá-lo e colocá-lo em suas mãos?"
> **Andrés Bernáldez**
> Arcebispo de Sevilha (1450)

O MUNDO MEDIEVAL

Veja também: A fundação de Bagdá 86-93 ▪ A queda de Jerusalém 106-107 ▪ A queda de Constantinopla 138-141 ▪ Cristóvão Colombo chega à América 142-147 ▪ O Tratado de Tordesilhas 148-151

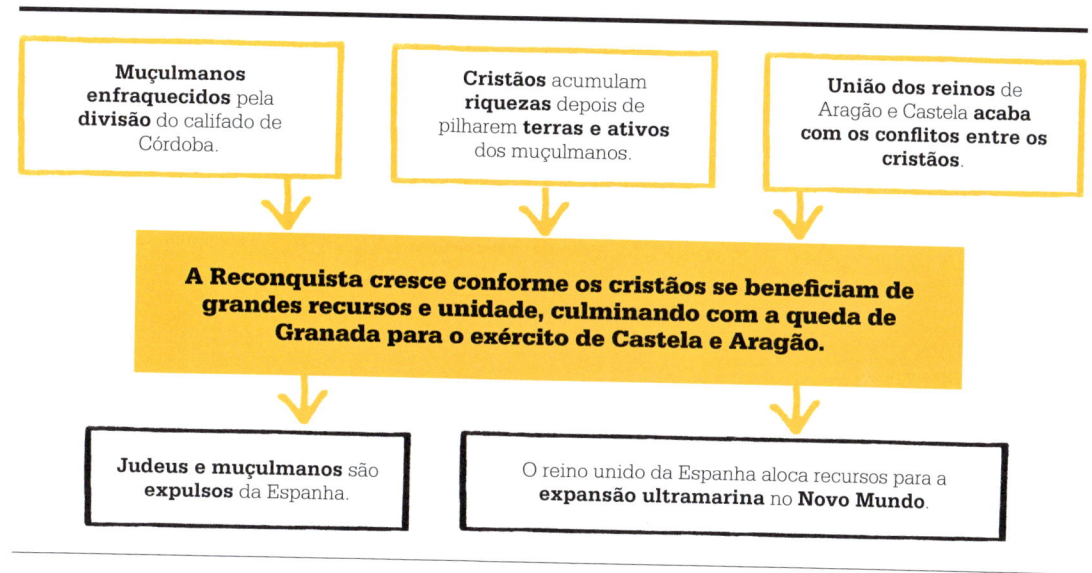

Muçulmanos enfraquecidos pela **divisão** do califado de Córdoba.

Cristãos acumulam **riquezas** depois de pilharem **terras e ativos** dos muçulmanos.

União dos reinos de Aragão e Castela **acaba com os conflitos entre os cristãos**.

⬇

A Reconquista cresce conforme os cristãos se beneficiam de grandes recursos e unidade, culminando com a queda de Granada para o exército de Castela e Aragão.

⬇

Judeus e muçulmanos são **expulsos** da Espanha.

O reino unido da Espanha aloca recursos para a **expansão ultramarina** no **Novo Mundo**.

---

fundadas. Elas com frequência capitaneavam avanços independentes em territórios muçulmanos, juntando enormes riquezas no processo, o que lhes garantiu sustentar campanhas e pagar o resgate de prisioneiros cristãos capturados em batalhas. Também repovoaram as terras que foram sendo conquistadas dos muçulmanos pelos cristãos.

O fim da Espanha muçulmana

Em Portugal, a Reconquista foi completada pela retomada do Algarve em 1249, enquanto na Espanha os muçulmanos mantiveram o poder no sul. Porém isso não duraria muito tempo. Em 1474, a rainha Isabel ascendeu ao trono de Castela, no norte da Espanha. Seu marido Fernando já era rei do Estado vizinho de Aragão, e ambos decidiram expulsar para sempre os muçulmanos do sul. A união das duas Coroas lhes permitiu devotar mais recursos para o fim da Reconquista, dando fim também a séculos de disputas internas entre os cristãos, e essa unidade coincidiu com um período de divisão muçulmana. A partir de 1482, os monarcas fizeram uma série de campanhas militares para conquistar Granada – o último emirado muçulmano na Península

Conhecidos como os reis católicos, Fernando e Isabel reuniram forças e usaram o poderio militar para restaurar o cristianismo na Espanha, suprimir outras religiões e colonizar a América.

Ibérica. Cidades foram cercadas e caíram uma após a outra, até que por fim a grande cidade de Granada se rendeu em 1492.

A despeito de um acordo costurado com a capitulação de Granada, que previa garantias como a liberdade de religião, em 1502 os monarcas decretaram que qualquer muçulmano com mais de catorze anos que se recusasse a se converter ao cristianismo teria que deixar a Espanha em até onze semanas. Esse édito, combinado com a expulsão da grande comunidade de judeus de Granada dez anos antes, deixou a Espanha mais homogênea e menos tolerante, e o impulso cruzado, agora desprovido de alvos claros, teria que encontrar outros canais.

A expedição de Cristóvão Colombo ao Novo Mundo em 1492 – mesmo ano da queda de Granada – deixou a Espanha com uma única saída, levando à colonização das Américas e à sua subsequente ascensão à primeira superpotência global. ■

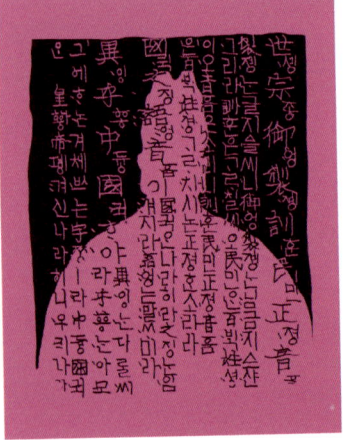

ACABEI DE INVENTAR 28 LETRAS
O REI SEJONG INTRODUZ UMA NOVA ESCRITA (1443)

EM CONTEXTO

FOCO
Período Gojoseon na Coreia

ANTES
918 É fundada a dinastia Goryeo.

1270 Os Goryeo caem sob o controle estrutural, militar e administrativo da dinastia mongol Yuan.

1392 Yi Sŏngyye funda a dinastia Gojoseon.

1420 O rei Sejong funda a instituição de pesquisa Chiphyŏn-jŏn.

DEPOIS
1445 É publicada uma enciclopédia médica de 365 volumes.

1447 É publicada a primeira obra em hangul.

1542 São abertas as primeiras academias privadas sŏwŏn, que se tornam centros de debates e abrigam textos neoconfucionistas.

1910 O Japão anexa a Coreia e depõe o último governante Gojoseon.

Em 1443, a corte coreana do rei Sejong anunciou a criação do hangul, um alfabeto nacional para a língua coreana, e lançou um programa de publicações na nova escrita. A medida foi uma dentre várias estratégias encorajadas pelo rei da Coreia desenvolvidas para estabilizar a Coreia e aumentar a prosperidade, tendo permitido que sua dinastia Gojoseon (ou Yi) sobrevivesse por 450 anos.

A ascensão da dinastia Yi

A dinastia mongol Yuan controlou a península coreana do final do século XI até 1368, quando foi derrubada pela dinastia Ming. A Coreia foi deixada no caos enquanto seus reis Koryŏ tentavam reverter os efeitos de um século de dominação autoritária. A redistribuição de terras e o saque dos ministros pró-mongóis quase levaram a uma guerra civil, mas em 1392 o avô de Sejong, Yi Sŏngyye, um ex-general, assumiu o poder, depondo o último rei Koryŏ e assumindo o trono como rei T'aejo.

A prioridade imediata do rei T'aejo foi garantir a estabilidade, e a instalação de uma ideologia estatal baseada no neoconfucionismo foi chave para seu sucesso. Essa ideologia buscava restabelecer boas relações

O rei Sejon de Gojoseon, também conhecido como Sejon, o Grande, revolucionou o governo ao tornar possível para as pessoas que não eram da classe social da elite se tornarem funcionários públicos.

entre o soberano e seu povo e conferir status privilegiado a uma classe burocrática que atuaria como guardiã da hierarquia social. O budismo era a ideologia dominante sob a dinastia Koryŏ, mas T'aejo minou sua dominação ao dissolver grandes propriedades controladas por templos budistas e redistribuindo as terras, algumas para templos confucionistas.

O MUNDO MEDIEVAL

Veja também: A rebelião de An Lushan 84-85 ▪ Kublai Khan derrota a dinastia Song 102-103 ▪ Hongwu funda a dinastia Ming 120-127 ▪ A restauração Meiji 252-253

As hyanggyo eram escolas confucionistas construídas por todas as províncias da Coreia e usadas tanto para cerimoniais quanto para fins educativos.

O neoconfucionismo

O neoconfucionismo, que se tornou dominante na Coreia durante a dinastia Gojoseon, evoluiu na China durante os séculos XI e XII como uma forma de reviver o confucionismo que havia declinado e dado lugar ao taoismo e ao budismo sob os Tang e os primeiros Song. Uma forma mais racionalista e secular do confucionismo, a nova filosofia rejeitava elementos supersticiosos e místicos que influenciaram o confucionismo durante e antes da dinastia Han. Escritores como o erudito confucionista Zhu Xi enfatizavam a importância da moralidade, do respeito pela harmonia social e da educação como meios para entender o Ultimato Supremo (*tai qi*), o princípio por trás do Universo. Na prática, porém, as virtudes neoconfucionistas, como lealdade, determinação e crença de que um supremo monarca devia governar o Estado para ser espelho do Ultimato Supremo que governa o Universo, tendiam a favorecer o estado hierárquico, burocrático, cujos funcionários eruditos mantinham, com inveja, o status quo.

O neoconfucionismo enfatizava a importância da educação como forma de produzir uma classe de letrados capaz de garantir o funcionamento harmônico do estado. O neto de T'aejo, rei Sejong (reinou de 1418 a 1450), elevou esse princípio a um novo patamar ao fundar, em 1420, a Chiphyŏn-jŏn (Sala das Coisas Dignas), um grupo de elite de vinte eruditos cuja tarefa era pesquisar o que promovesse a melhor administração do reino.

O encorajamento a uma educação mais ampla era um importante ideal neoconfucionista, e T'aejo já havia ordenado a fundação de escolas com financiamento estatal. Naquela época, porém, o coreano era escrito em caracteres chineses, os quais não se adaptavam bem à expressão dos sons da língua. Dizem que o próprio Sejon desenvolveu a escrita mais simplificada, o hangul, cujos princípios foram explicados nos *Sons adequados para educação do povo*, um livro publicado em 1445. Tendo apenas 28 caracteres – mais tarde reduzidos para 24 –, a escrita era muito mais fácil que o chinês para se aprender, mas sua introdução enfrentou uma forte resistência dos nobres tradicionalistas. Eles temiam que ela pudesse abrir os concursos públicos para pessoas de outras classes sociais, o que traria o risco de diluir seu poder. Como resultado, o hangul deixou de ser usado, relegado como "letras vulgares" das ordens inferiores, até ter sido redescoberto no século XIX, desde então muito importante como veículo do nacionalismo coreano.

As reformas de T'aejo e Sejong, no entanto, sobreviveram e criaram uma classe de yangban – uma elite no funcionalismo público dedicada à perpetuação do estado. A yangban também atuava como um freio para qualquer tendência à autocracia entre os monarcas Yi, o que ajudou a dinastia a durar mais de cinco séculos. ∎

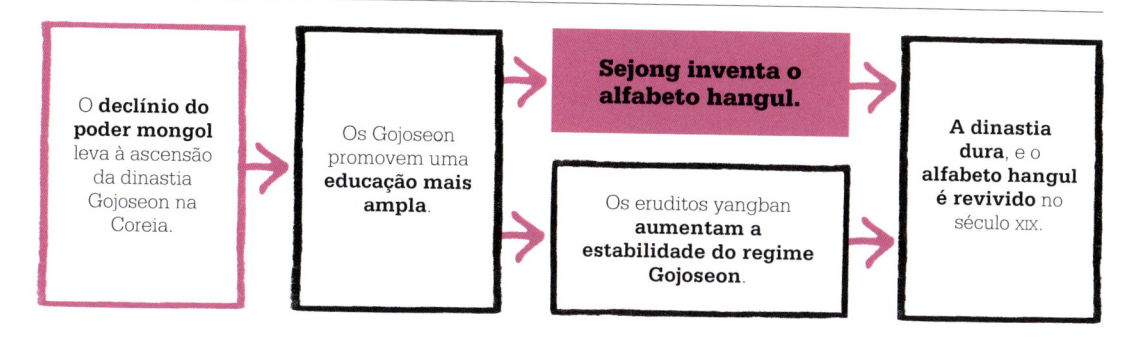

O **declínio do poder mongol** leva à ascensão da dinastia Gojoseon na Coreia.

→ Os Gojoseon promovem uma **educação mais ampla**.

→ **Sejong inventa o alfabeto hangul.**

→ Os eruditos yangban **aumentam a estabilidade do regime Gojoseon**.

→ **A dinastia dura**, e o **alfabeto hangul é revivido** no século XIX.

OUTROS EVENTOS

O AVANÇO ÁRABE É DETIDO EM TOURS
(732)

No século VIII, os povos islâmicos da Península Arábica conquistaram boa parte do norte da África e cruzaram até a Europa, ocupando a Espanha e seguindo em direção ao sul da França. Seu avanço ao norte parecia imbatível – até que em 732 encontraram as tropas aliadas dos francos e dos burgúndios em Tours. Estas venceram a batalha, e o líder árabe Abdul Rahman Al Ghafiqi foi morto. Apesar de ter havido uma outra invasão em 735–739, os árabes nunca conseguiram ir além de Tours. Os francos mantiveram seu poder na Europa Ocidental, o cristianismo foi preservado como fé dominante no continente, e apenas a Espanha seguiu sob o domínio muçulmano.

A DISSEMINAÇÃO DA CULTURA MISSISSIPPIANA
(c. 900)

Houve uma longa tradição, que durou vários milênios, de grupos nativos na América do Norte em volta de enormes pilhas de terra que eram feitas para serem usadas em rituais, ou para servir de moradia para a classe dominante. Essas comunidades estavam, na maioria das vezes, confinadas a certos locais, do Ohio ao Mississippi, mas a cultura mississippiana se espalhou muito pelo leste da América do Norte. Eles plantavam milho, trabalhavam o cobre e desenvolveram sociedades hierárquicas. O reconhecimento dessa cultura complexa tem sido um elemento-chave para a rejeição da ideia de que os povos norte-americanos eram primitivos, levando a um melhor entendimento de sua civilização.

OTTO I TORNA-SE O IMPERADOR DO SACRO IMPÉRIO ROMANO-GERMÂNICO
(962)

O governante alemão Otto I reprimiu revoltas, uniu as tribos germânicas e derrotou agressores externos como os magiares. Além disso, mudou o relacionamento entre o governante e a Igreja católica, exercendo controle direto sobre os clérigos e usando suas ligações próximas com a igreja para aumentar seu poder real. Também estendeu seu domínio até o norte da Itália, criando o que veio a se tornar o Sacro Império Romano-Germânico. Esse enorme poder político – cujos imperadores alegavam ser os líderes seculares da Europa cristã, concorrendo com os papas por poder – dominou boa parte da Europa por mais de novecentos anos.

O GRANDE CISMA
(1054)

Durante os últimos séculos do primeiro milênio d.C., as partes ocidentais e orientais da Igreja cristã tiveram diversas discordâncias sobre a autoridade (com o papa alegando autoridade sobre os patriarcas orientais, que sempre a contestaram), as palavras do Credo e questões litúrgicas. Essas disputas chegaram ao fim em 1054, quando o papa Leão IX e o patriarca Michael I se excomungaram mutuamente, criando uma divisão chamada de "O Grande Cisma". Essa divisão entre o que hoje são a Igreja católica e a Igreja ortodoxa nunca foi sanada.

A CONQUISTA NORMANDA DA INGLATERRA
(1066)

Em 1066, o rei inglês Eduardo, o Confessor, morreu sem filhos, e surgiu uma disputa sobre quem deveria sucedê-lo. Um dos que queriam o trono era o duque William da Normandia, que invadiu a Inglaterra, derrotou os ingleses na Batalha de Hastings e foi coroado rei. Esse evento criou uma duradoura ligação entre a Inglaterra e a Europa continental, na qual os governantes ingleses tinham terras na França e falavam francês. Os normandos introduziram uma nova classe dominante, construíram castelos e catedrais e transformaram a língua inglesa com a adição de muitas palavras baseadas no francês, um legado que dura até hoje.

A GUERRA DOS CEM ANOS
(1337–1453)

A Guerra dos Cem Anos foi uma série de conflitos entre a Inglaterra e a França que começaram quando Eduardo III reivindicou seu direito sobre o trono da França, uma tese disputada pela dinastia francesa Valois. Ao final da guerra, as possessões inglesas na

França haviam sido reduzidas à cidade costeira de Calais e seu entorno imediato. Esse resultado transformou a Inglaterra de uma potência que aspirava ser parte de um império europeu maior a uma nação-ilha separada da Europa. A França, inspirada sobretudo na liderança de Joana d'Arc, ganhou um senso mais forte de identidade nacional.

TOMÁS DE AQUINO TERMINA A SUMA TEOLÓGICA
(1273)

Na Baixa Idade Média, os teóricos cristãos reagiram às profundas mudanças sociais vividas pela Europa com um pensamento novo, que aliava a razão e a fé. Nascia assim a Escolástica, o movimento filosófico mais importante da Igreja católica medieval. O maior dos escolásticos foi Tomás de Aquino. Sua *Suma Teológica* une os princípios da *Lógica* de Aristóteles ao dogma católico, um esforço intelectual precursor do racionalismo moderno.

O FRACASSO DAS INVASÕES MONGÓIS NO JAPÃO
(1274–1281)

No final do século XIII, os mongóis estavam no auge de seu poder sob o líder Kublai Khan. A partir de sua base na Ásia Central, eles se moveram ao leste para tomar o controle da China. Em 1271, mandaram tropas por mar para conquistar o Japão. O ataque não teve sucesso, em parte porque os barcos mongóis foram atingidos por um tufão, chamado pelos japoneses de *kamikaze* (vento divino). A derrota mongol foi decisiva ao interromper seu avanço e moldar a ideia de um Japão forte e independente, livre de intervenções ou influências externas. Esse conceito de nação japonesa durou séculos.

OS ESCOCESES MANTÊM A INDEPENDÊNCIA EM BANNOCKBURN
(1314)

A Batalha de Bannockburn, na Escócia, foi um enorme conflito na guerra constante entre Inglaterra e Escócia. Apesar de muito numericamente inferiores, os escoceses, sob o rei Robert Bruce, infligiram uma enorme derrota aos ingleses e ao seu governante Eduardo II. Isso deixou Bruce no controle total da Escócia, a partir de onde seguiu liderando incursões ao norte da Inglaterra. A guerra durou décadas, e a Escócia seguiu independente até 1707. A batalha foi uma vitória tão avassaladora que ainda é lembrada como um evento-chave na história escocesa, simbolizando a independência do resto do Reino Unido à qual muitos escoceses ainda aspiram.

A CONQUISTA DE TAMERLÃO
(1370–1405)

Timur, também conhecido como Tamerlão, foi o último dos grandes conquistadores nômades mongóis. Numa tentativa de reviver o grande império de Kublai Khan, ele vagou por vários territórios por toda a Europa e Ásia, do norte da Índia até a Anatólia e a Rússia. No final do século XIV, havia conquistado Pérsia, Iraque, Síria, Afeganistão e o leste da Rússia, destruindo Délhi em 1398 e invadindo a China em 1405, morrendo no caminho. Seu império não durou, e as técnicas mongóis de lutas com a cavalaria não eram mais páreo às armas de fogo que passaram cada vez mais a definir as guerras no século XV.

A DOAÇÃO DE CONSTANTINO É PROVADA FALSA
(1440)

No ano de 337, o imperador Constantino teria doado todo o Império Romano do Ocidente para a Igreja: é o que afirmava um atestado duvidoso usado pelo papado até o século XV para justificar seu direito de interferir na política dos reinos cristãos. Foi quando o italiano Lorenzo Valla comprovou a falsidade do documento. Como não existiam métodos de datação, Valla fez uma análise de linguagem, revelando expressões que simplesmente não existiam na época de Constantino. Seu estudo revolucionou a filologia, a historiografia, e é considerado um dos marcos do Renascimento e das modernas Ciências Humanas.

A REVOLTA HUSSITA
(1415–1434)

Os hussitas, seguidores do reformador religioso Jan Hus, foram precursores dos protestantes que viviam na Boêmia (atual República Tcheca, depois parte do Império Austro-Húngaro) e combateram seus governantes católicos pela liberdade de culto à sua própria maneira. Hus foi executado por heresia em 1415, detonando uma série de guerras que por fim levaram à derrota dos hussitas. A área continuou sob domínio dos católicos Habsburgo, mas a maior parte das pessoas da Boêmia continuaram fiéis às suas crenças protestantes. Sua revolta contra os governantes católicos em 1618 foi o estopim da Guerra dos Trinta Anos, quando os protestantes boêmios foram de novo derrotados.

O COMEÇO
IDADE MOD
1420–1795

DA
ERNA

INTRODUÇÃO

1420 ↑ Brunelleschi desenha o revolucionário domo da catedral de Florença, sinalizando **o início do Renascimento**.

1492 ↑ Cristóvão Colombo chega à América, começando uma era de **colonização e comércio europeu** que transforma a **ecologia** das Américas.

1517 ↑ Martinho Lutero escreve as 95 teses contra a Igreja católica, levando à **Reforma** e à ascensão do **protestantismo**.

1603 ↑ A Batalha de Sekigahara dá início ao **Período Edo** no Japão – um tempo de **unidade**, **estabilidade** e produção **artística**.

1453 ↓ Os **turcos otomanos** conquistam **Constantinopla**, marcando o fim do Império Romano do Oriente e criando uma nova **capital muçulmana**.

1494 ↓ Espanha e Portugal assinam o **Tratado de Tordesilhas**, dividindo as novas **terras** conquistadas nas **Américas** entre eles.

1548 ↓ Portugal percebe o **potencial econômico do Brasil** e instala ali um **Governo-Geral**, nomeando **Tomé de Souza** responsável pelas terras americanas.

1618 ↓ As **tensões religiosas** entre **protestantes e católicos** viram uma crise na Defenestração de Praga, desencadeando a **Guerra dos Trinta Anos**.

O curso dos eventos mundiais, em retrospectiva, sempre parece diferente quando comparado ao que figurava no período, mas o contraste em perspectiva quase nunca é tão extremo como no começo da Idade Moderna, que durou do século XV ao XVII. Hoje esse período é com frequência visto como uma era durante a qual a Europa ascendeu à dominação do mundo, mas, para os europeus que viviam naquele período, ele parecia ser cheio de desastres sem precedentes. A unidade da cristandade foi dividida pela Reforma, e conflitos sectários entre católicos e protestantes, combinados com a disputa de poder entre dinastias reais em combate, fizeram da Europa um lugar de frequentes guerras – um continente que se esgarçava. Enquanto isso, os exércitos muçulmanos do Império Otomano ameaçavam o coração da Europa, atacando a cidade bizantina de Constantinopla e chegando duas vezes até Viena.

Ainda assim, a retrospectiva histórica decerto reconhece as mudanças subjacentes que fariam as nações europeias as fundadoras do mundo moderno. O florescimento das artes e das deias no Renascimento significou que a Europa tinha parado de ser um fim do mundo cultural. A imprensa e o papel, ambos inventados primeiro na China, foram usados pelos europeus para criar livros em massa, que revolucionaram a disseminação da informação. Armas de pólvora, também inventadas pelos chineses, foram usadas de modo mais eficiente pelos exércitos e marinhas europeus. Acima de tudo, exploradores e navegantes da costa ocidental da Europa estabeleceram rotas comerciais oceânicas que lançaram os alicerces para a primeira economia global.

O começo do colonialismo

A importância da viagem transatlântica de Cristóvão Colombo em 1492 não pode ser exagerada. Ela estabeleceu uma ligação permanente entre dois ecossistemas inteiros que haviam evoluído em isolamento um do outro por quase 10 mil anos. O impacto inicial sobre os habitantes das Américas foi catastrófico. Doenças eurasianas e a terrível brutalidade dos conquistadores espanhóis dizimaram a população. Um grupo impressionantemente pequeno de invasores europeus conquistou os mais sofisticados Estados americanos com enorme facilidade, deixando potencialmente todo o Novo Mundo aberto à exploração e à colonização europeia.

No entanto, a chegada dos navegadores europeus à Ásia não teve o mesmo impacto dramático. Países

O COMEÇO DA IDADE MODERNA

1620 — Os separatistas **religiosos ingleses** (peregrinos) zarpam no *Mayflower* para buscar uma nova vida e fundam uma **colônia** na **América do Norte**.

1649 — A Guerra Civil Inglesa culmina na **execução** do rei Carlos I; a Inglaterra se torna uma **república** pelos próximos onze anos.

1660 — A Companhia Real Africana é fundada na Inglaterra; **escravos são levados** da costa oeste da África para serem vendidos nas Américas.

1687 — Isaac Newton publica suas teorias a respeito da **gravidade** com base na **matemática** e na **lógica**, abrindo caminho para o Iluminismo.

1703 — O czar Pedro, o Grande, funda **São Petersburgo** na costa báltica para encorajar o **comércio** e **modernizar** a Rússia nos moldes europeus.

1751 — O primeiro dos três volumes da *Enciclopédia*, de Diderot, é publicado, destilando as **ideias racionais** do **Iluminismo**.

1759 — A Batalha de Quebec **acaba com o domínio francês** sobre o **Canadá**; foi parte da Guerra dos Sete Anos que envolveu a maioria das nações europeias.

1768 — O capitão Cook **zarpa** em sua primeira viagem; ele mapeia a costa da **Nova Zelândia** e reivindica o sudeste da **Austrália** para o Reino Unido.

---

poderosos, incluindo Índia, China Imperial, Império Mongol e o xogunato japonês, a princípio apenas toleraram os europeus como comerciantes, permitindo-lhes controlar algumas ilhas ou enclaves ao longo da costa, desde que não interferissem nem causassem muitos problemas.

Crescimento econômico

A partir da segunda metade do século XVII, sinais de crescimento econômico se aceleraram na Europa. A produtividade do trabalho no comércio e na agricultura cresceu de forma notável em áreas como a Holanda. Novas instituições financeiras, como bancos centrais e empresas de capital aberto, lançaram os alicerces do moderno capitalismo. Padrões complexos de comércio marítimo ligavam as colônias europeias na América a Europa, África e Ásia.

Escravos comprados por comerciantes europeus na África Ocidental eram transportados em enormes quantidades para trabalhar nas plantations coloniais, e em algumas partes do Novo Mundo pessoas com ascendência africana já eram em número muito maior que os europeus ou os povos nativos. Em casa, os europeus consumiam produtos de luxo vindos da China e da Índia, além de açúcar e café do Caribe e do Brasil. A América do Norte, as Índias Ocidentais e a Índia eram áreas de disputa colonial – o declínio fulminante do Império Mongol abriu partes da Índia para a conquista territorial europeia.

Movimentos intelectuais

Mesmo nesse estágio, o grau da superioridade europeia não poderia ser exagerado. A China havia passado por maus bocados em meados do século XVII, com a transição da dinastia Ming para a Qing, mas, no século XVIII, a China imperial já desfrutava de uma era de ouro de poder e prosperidade. A população da Europa começou a crescer a níveis sem precedentes – um resultado da melhora na produção de alimentos e no declínio de doenças epidêmicas –, mas a China também experimentou rápido crescimento populacional.

O que realmente marcou a Europa como única nessa época foi o desenvolvimento do conhecimento e do pensamento. A revolução científica do século XVII começou uma transformação do nosso entendimento do Universo. O movimento racionalista conhecido como Iluminismo desafiou todos os preconceitos, tradições e convenções. O mundo moderno estava em construção na mente europeia. ■

SE MINHA CIDADE CAIR, EU CAIREI COM ELA
A QUEDA DE CONSTANTINOPLA (1453)

EM CONTEXTO

FOCO
O Império Otomano

ANTES
1071 As forças turcas infligem uma grande derrota ao Império Bizantino na Batalha de Manzikert.

1389 Os otomanos derrotam os sérvios em Kosovo, possibilitando-lhes o avanço na Europa.

1421 Murad II chega ao trono otomano e planeja enormes conquistas.

DEPOIS
1517 Os otomanos conquistam o Egito mameluco.

1571 A marinha otomana sofre uma esmagadora derrota em Lepanto.

1922 O império termina com a fundação da moderna Turquia.

Em 1453, os turcos otomanos atacaram e tomaram a cidade de Constantinopla, a capital do Império Bizantino. A perda desse império cristão milenar, que chegara a ocupar quase toda a extensão às margens do Mediterrâneo, foi um profundo choque para o mundo cristão. Para simbolizar a vitória muçulmana, a Sancta Sophia, uma das maiores catedrais da cristandade, foi convertida numa mesquita.

Os turcos otomanos já haviam conquistado a maior parte do território ao redor antes que o sultão Maomé II (1432–1481) cercasse a cidade e a bombardeasse com artilharia pesada. Tendo rompido suas muralhas, seu exército de mais de 80 mil homens destruiu a pequena força que estava ali dentro.

O COMEÇO DA IDADE MODERNA

Veja também: Justiniano reconquista Roma 76-77 ▪ Maomé recebe a revelação divina 78-81 ▪ A fundação de Bagdá 86-93 ▪ A queda de Jerusalém 106-107 ▪ A Revolução dos Jovens Turcos 260-261

Constantino XI, o último imperador bizantino, foi morto, e com a queda da cidade seu império chegou ao fim. Constantinopla, então, tornou-se a capital do Império Otomano, que durou até 1922.

Um império enfraquecido

O Império Bizantino já estava em profundo declínio quando Constantinopla foi tomada. Ele encolheu a ponto de incluir apenas a cidade, um punhado de terras a oeste e a parte sul da Grécia. O declínio começou na Batalha de Manzikert (1071), durante a qual o exército da dinastia seljúcida expulsou os bizantinos do importantíssimo território da Anatólia. A partir de então, pretendentes rivais ao trono de Bizâncio, disputas por impostos, perda de receita com o comércio e fraca liderança militar contribuíram, como um todo, para a contração do império.

Em 1203, a Quarta Cruzada – uma expedição da Europa Ocidental cuja meta original era a conquista de Jerusalém – viu-se enredada na política do império. Alguns dos líderes cruzados juraram ajudar a restaurar o imperador bizantino deposto, Isaac II Ângelo, em troca de apoio para sua expedição. No início tiveram sucesso: o filho de Ângelo foi coroado como coimperador, mas em 1204 acabou sendo deposto por uma revolta popular. O senado bizantino elegeu um jovem nobre, Nicolas Canabus, como imperador, e ele se recusou a apoiar os cruzados. Não tendo recebido o pagamento prometido, os cruzados e seus aliados, os venezianos, responderam com um cruel ataque à cidade. Violentaram e mataram civis, saquearam igrejas e demoliram inestimáveis obras de arte. Constantinopla chegou perto de ser destruída.

A ascensão dos otomanos

Antes de capturar Constantinopla, o Império Otomano já havia se expandido da Anatólia até os Bálcãs. Depois disso, no século XVI, avançou até o leste do Mediterrâneo, às margens do Mar Vermelho, e dali para o norte da África. A derrota dos mamelucos no Egito em 1536 e a guerra contra os safávidas, uma das

Quando muralhas finas enfrentaram "inúmeras máquinas" enfileiradas numa coluna de mais de seis quilômetros, o primeiro ataque conjunto de artilharia pôs tudo abaixo.

mais importantes dinastias a governar a Pérsia, deram aos otomanos o controle sobre toda a faixa do Oriente Médio árabe.

O Império Otomano era um Estado muçulmano, e os sultões consideravam seu dever promover a disseminação do islã. Porém ele tolerava cristãos e judeus, com um status inferior, e usava escravos em profusão. Falavam-se muitas línguas, e havia muitos credos dentro de seus domínios, mas o império teve de lidar com as diferenças políticas e religiosas, em potencial conflito, ao estabelecer estados vassalos (subordinados) em algumas regiões. Territórios como a Transilvânia e a Crimeia pagavam tributos regulares ao imperador, mas não eram governados diretamente por ele, fazendo o papel de zonas intermediárias entre as áreas »

> [O sangue escorreu] como chuva nos esgotos depois de um ataque repentino.
> **Nicolò Barbaro**
> Testemunha ocular da queda de Constantinopla (1453)

140 A QUEDA DE CONSTANTINOPLA

cristãs e muçulmanas. Alguns Estados vassalos, como Bulgária, Sérvia e Bósnia, foram por fim absorvidos pelo grande império, enquanto outros mantiveram seu status de vassalos.

O governo e os militares

Os otomanos desenvolveram um forte sistema de governo que combinava administração local com controle central. O sultão – cujos irmãos geralmente eram mortos quando da sua ascensão – era o líder supremo. Ele tinha um grupo de conselheiros e, mais tarde, um substituto que governava em seu lugar. As áreas locais eram administradas por governadores militares (beis) sob controle geral do imperador, mas conselhos locais restringiam o poder dos beis.

Comunidades não muçulmanas no império tinham certo grau de autogoverno através de um sistema de tribunais distintos, chamados *millets* – que permitiam às comunidades armênias, judaicas e cristãs ortodoxas julgar de acordo com suas leis os casos que não envolvessem muçulmanos. Esse equilíbrio entre o controle central e o local permitiu aos otomanos

Os janízaros usavam uniformes especiais e, diferente de outras unidades, recebiam salário e viviam em barracas. Eles foram o primeiro grupo militar a usar armas de fogo de forma extensiva.

preservar unido um império enorme e diverso por muito mais tempo do que teria sido possível com um sistema muito mais centralizado.

O exército otomano também foi crucial para o sucesso do império. Ele era tecnicamente avançado – usando canhões a partir do cerco de Constantinopla – e sofisticado em termos táticos. Suas unidades de cavalaria veloz conseguiam transformar aquilo que parecia uma retirada num devastador ataque pelos flancos, cercando os inimigos numa formação, em forma de lua crescente, que os tomava de surpresa.

No cerne desse exército estavam os janízaros, uma unidade de infantaria que começou como guarda imperial e se expandiu até se tornar a força de elite mais temida do período. A princípio, a unidade era composta por homens que, ainda crianças, haviam sido raptados de famílias cristãs nos Bálcãs. Segundo o sistema do *devsirme*, também conhecido como "imposto do sangue", ou "tributo do sangue", meninos entre oito e dezoito anos eram tomados por militares otomanos, convertidos à força ao islã e enviados para viver com famílias turcas, onde aprendiam a língua e os costumes dos turcos. Então recebiam um rigoroso treinamento militar, e qualquer um que mostrasse talento diferenciado era selecionado para cargos específicos, que iam de arqueiros a engenheiros. Os janízaros

Maomé II

Maomé (1432–1481), filho do imperador otomano Murad II, nasceu em Edirne, Turquia. Como era de costume para um herdeiro do trono otomano, ele teve uma educação islâmica e, aos onze anos, foi escolhido governador de uma província, Amásia, para ganhar experiência de liderança. Um ano depois, Murad abdicou a favor do filho, mas logo depois foi chamado de volta da Anatólia para oferecer apoio militar. "Se você é o sultão", escreveu Maomé, "venha e lidere seus exércitos. Se eu sou o sultão, ordeno que você venha e lidere meus exércitos." O segundo e principal governo de Maomé foi de 1451 a 1481. Sua vitória em Constantinopla foi seguida por uma série de conquistas adicionais: Moreia (sul da Grécia), Sérvia, a costa do Mar Negro, Valáquia, Bósnia e parte da Crimeia. Ele reconstruiu Constantinopla como sua capital e fundou mesquitas, ao mesmo tempo que permitia liberdade religiosa a cristãos e judeus. Conhecido por sua cruel liderança militar, também convidou humanistas para a capital, encorajou a cultura e fundou uma universidade.

O COMEÇO DA IDADE MODERNA 141

Motivos naturalistas em azul-cobalto e verde-cromo cercam a caligrafia islâmica nesses azulejos de parede Iznic, comissionados para o palácio Topkapi durante a era clássica da arte turca.

não podiam se casar até que tivessem dado baixa do serviço militar, mas recebiam benesses e privilégios especiais para garantir sua obediência única ao governante. Apesar de serem apenas uma pequena fração do exército otomano, tinham um papel de liderança e desempenharam uma parte importante em muitas vitórias, incluindo aquelas contra o Egito, os húngaros e em Constantinopla.

O apogeu otomano

O império atingiu o seu ápice sob o imperador Suleiman, o Magnífico. Ele teceu uma aliança com os franceses, contra os Habsburgo do Sacro Império Romano-Germânico, e assinou um tratado com os governantes safávidas da Pérsia que dividiu a Armênia e a Geórgia entre as duas potências e deixou o Iraque sob domínio otomano. Suleiman conquistou boa parte da Hungria e chegou até a cercar Viena, se bem que não teve sucesso em conquistá-la.

Os otomanos levaram sua fé islâmica aos novos territórios, construindo mesquitas em todos os lugares – e com elas vieram os eruditos e a educação. As cidades otomanas eram impressionantes. A própria Constantinopla foi quase toda reconstruída: eles reforçaram suas fortificações, adicionaram muitas mesquitas, bazares e fontes. O deslumbrante centro da cidade era o palácio real de Topkapi, comissionado pelo sultão Maomé II por volta de 1460. Pedreiros, britadores e carpinteiros foram trazidos de longe para garantir que o complexo fosse um monumento perene. Continha mesquitas, um hospital, padarias e uma casa da moeda, entre muitas outras coisas, e anexas a ele havia sociedades imperiais de artistas e artesãos que produziam algumas das melhores obras do império.

Declínio gradual

Esse florescimento cultural continuou após a morte de Suleiman, mas o império enfrentou sérios desafios em outras áreas. Uma crescente população fazia pressão sobre as terras disponíveis; houve ameaças militares e revoltas internas; e a derrota para uma coalizão de forças católicas na batalha naval de Lepanto em 1571 impediu a expansão do império do lado europeu do Mediterrâneo.

O Império Otomano perdeu prestígio e influência gradualmente, até que atingiu seu declínio e ganhou o apelido de "homem doente da Europa". Incapaz de resolver as convulsões do século XIX, perdeu território e lutou contra uma crescente maré de nacionalismo entre os povos que conquistou. Sua longa história por fim acabou com a derrota na Primeira Guerra Mundial e a fundação do moderno estado da Turquia por Kemal Atatürk. ■

- Divisões internas **enfraquecem o Império Bizantino** a partir de dentro.
- **Os otomanos atacam e capturam Constantinopla.**
- Os exércitos otomanos **conquistam e pacificam** grandes áreas do leste da Europa e do Oriente Médio.
- Os otomanos governam as terras conquistadas **permitindo os costumes locais e certa autogovernança**.
- O grande e plural Império Otomano **dissemina o islã**, mas falha ao criar uma **cultura singular e unificada**.

SEGUINDO A LUZ DO SOL DEIXAMOS O VELHO MUNDO

CRISTÓVÃO COLOMBO CHEGA À AMÉRICA (1492)

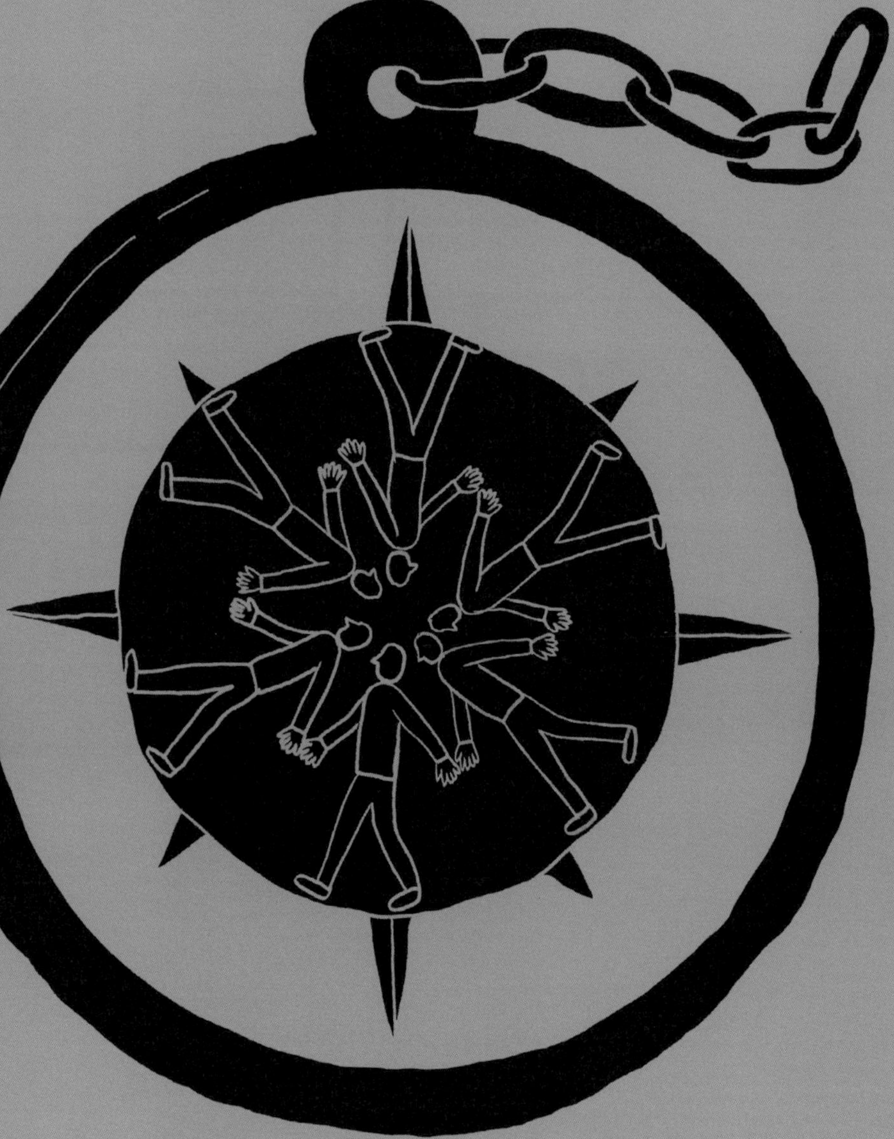

144 CRISTÓVÃO COLOMBO CHEGA À AMÉRICA

EM CONTEXTO

FOCO
Viagens de descoberta

ANTES
1431 O navegador português Gonçalo Velho zarpa para uma viagem de exploração dos Açores.

1488 Bartolomeu Dias contorna o Cabo da Boa Esperança, descobrindo a passagem pelo sul da África.

1492 O rei Fernando e a rainha Isabel da Espanha concordam em financiar a viagem de Colombo.

DEPOIS
1498 A frota de Vasco da Gama chega a Calicute, Índia.

c. 1499 O explorador italiano Américo Vespúcio descobre a foz do Amazonas.

1522 A expedição de Fernando de Magalhães às Índias Orientais, de 1519 a 1522, resulta na primeira circum-navegação da Terra.

Os europeus desenvolvem **o gosto por especiarias asiáticas** e bens de luxo.

↓

As **rotas por terra** para a Ásia são perigosas e **bloqueadas pelo Império Otomano**.

Os **portugueses** exploram rotas pelo **oceano** Índico.

Depois da queda de Granada, o **zelo religioso espanhol** se volta para fora.

↓

A Coroa espanhola **apoia a exploração** de uma rota potencial para a Ásia, cruzando o **oceano Atlântico**.

↓

Colombo navega para o oeste, cruzando o Atlântico para ir à Ásia, mas chega à América.

Cristóvão Colombo (c. 1451–1506), navegador e comerciante italiano de Gênova, fez uma jornada em 1492 que deu início a um contato duradouro entre América e Europa, mudando o mundo.

Quando zarpou, Colombo esperava chegar até a Ásia, já que nenhum europeu da época sabia que existia um continente inteiro bloqueando essa rota. Quando chegou a uma ilha nas Bahamas depois de navegar cinco semanas, ele acreditou haver alcançado alguma parte da Indonésia. A partir de lá, ele continuou a explorar o Caribe, visitando Cuba, São Domingos e várias outras ilhas. Defrontou-se com uma resposta em sua maioria pacífica por parte dos nativos, que observou poderem ser bons servos e escravos. Também percebeu suas joias de ouro e levou amostras do ouro local, bem como alguns nativos prisioneiros, de volta à Europa.

Colombo retornaria ao Caribe em três outras viagens, levando consigo inúmeros visitantes e colonizadores europeus.

Motivações para explorar

Os governantes e mercadores da Europa Ocidental queriam explorar o Atlântico sobretudo por razões econômicas. As especiarias que não podiam ser produzidas na Europa por causa do clima, como canela, cravo, gengibre, noz-moscada e pimenta, eram valorizadas não só pelo seu sabor, mas também por seu uso na preservação de alimentos. Também havia um mercado muito interessado em bens de luxo, como seda e pedras preciosas, mercadorias que vinham principalmente de ilhas da Indonésia, como as Molucas, conhecidas na Europa como as Ilhas das Especiarias.

Trazer tais mercadorias pela Ásia por terra era difícil e perigoso devido a suas guerras locais e instabilidades ao longo da rota. Também custava caro, já que durante a jornada os bens teriam de passar pela mão de diversos mercadores. Com certeza havia excelentes razões econômicas para desenvolver rotas marítimas: qualquer um que pudesse encontrar uma forma mais direta de importar esses bens para a Europa Ocidental ficaria bastante rico.

Outra razão para os europeus começarem a explorar rotas marítimas no fim da Idade Média era para

O COMEÇO DA IDADE MODERNA

Veja também: A incursão viking em Lindisfarne 94-95 ▪ O Tratado de Tordesilhas 148-151 ▪ O intercâmbio colombiano 158-159 ▪ A viagem do *Mayflower* 172-173 ▪ A formação da Companhia Real Africana 176-179

investigar a possibilidade de estabelecer colônias europeias na Ásia. Elas poderiam não só funcionar como entrepostos comerciais, mas também como base para missionários, que poderiam converter os locais ao cristianismo. Eles achavam que isso poderia reduzir o risco premente do islamismo.

Nos séculos xiv e xv, espanhóis, portugueses, ingleses e holandeses desenvolveram barcos e treinaram marinheiros para fazer longas jornadas. Os exploradores usavam vários tipos de embarcações, sendo as caravelas as de maior sucesso – eram rápidas, leves e fáceis de navegar, normalmente equipadas com um mix de velas quadradas e triangulares. Estas últimas tornavam possível navegar contra o vento, permitindo aos exploradores avançar, mesmo em condições desfavoráveis de vento. Eles também usavam a nau, um barco maior mas similar. Em sua primeira viagem transatlântica, Colombo usou duas caravelas, cada uma de cerca de cinquenta a setenta toneladas, e uma nau de quase cem toneladas, usando a capacidade adicional para carga.

Houve um rápido desenvolvimento de habilidades e tecnologias tanto na construção de navios quanto na navegação. Os navegantes usavam a balestilha – um instrumento básico de visão – e, mais tarde, o astrolábio marinho para calcular a latitude do barco. Isso era feito medindo-se ângulos, como o ângulo do Sol em relação ao horizonte. Eles usavam uma bússola magnética para a direção, e seus conhecimentos sobre mapas, ventos e correntes foram melhorando a cada viagem.

Navegadores portugueses

Os navegadores europeus já haviam navegado pelo Atlântico por várias décadas. Marinheiros de Bristol, Inglaterra, por exemplo, navegavam nos anos 1470 em busca de uma ilha mítica chamada "Brasil", a qual achavam estar a oeste da Irlanda. Os portugueses estabeleceram colônias comerciais na Madeira, e o príncipe Henrique, o Navegador, filho do rei de Portugal João i, comissionou diversas jornadas de exploração dos Açores no século xv. Henrique começou a primeira escola de navegação

> " Pretendo ir e ver se consigo chegar à ilha do Japão.
> **Cristóvão Colombo, 1492** "

oceânica, com um observatório astronômico em Sagres, Portugal, em cerca de 1418. Lá ele promoveu o estudo de navegação, cartografia e ciência. Enviou navios para a costa oeste da África, atraído em particular pelo seu potencial de comércio de escravos e ouro. Seus barcos foram mais ao sul, estabelecendo entrepostos comerciais ao longo do caminho. Os governantes que o seguiram continuaram a financiar viagens, e, em 1488, o capitão português Bartolomeu Dias »

Cristóvão Colombo

Nascido em Gênova, Cristóvão Colombo virou agente comercial para várias e importantes famílias genovesas, tendo feito muitas viagens comerciais na Europa e ao longo da costa africana. Depois de sua primeira viagem à América, ele fez outra, em 1493, na a qual explorou as Grandes e Pequenas Antilhas e estabeleceu uma colônia em La Isabela, onde hoje fica a República Dominicana. Sua terceira viagem (1498-1500) o levou à ilha de São Domingos e além, até Trinidad, onde encontrou a costa da América do Sul e adivinhou, pelo tamanho do rio Orinoco, que encontrara uma enorme massa de terra. Nessa época, os colonizadores reclamaram à Coroa da forma como ele administrava sua colônia no Caribe, o que fez com que fosse destituído como governador. Em sua última viagem (1502–1504), ele navegou ao longo da costa da América Central, esperando encontrar um estreito para o oceano Índico. Voltou para a Espanha com a saúde debilitada e um tanto perturbado mentalmente, achando que não havia recebido o reconhecimento e os benefícios que lhe haviam prometido. Morreu em 1506.

CRISTÓVÃO COLOMBO CHEGA À AMÉRICA

contornou a ponta mais ao sul da África. Pouco depois, outro navegador português, Vasco da Gama, liderou o esforço de atravessar o Cabo e seguir adiante através do oceano Índico, ligando a Europa e a Ásia pela primeira vez por uma rota oceânica.

Já que Portugal dominava a rota marítima ao longo da costa da África, seu vizinho e rival europeu, a Espanha, precisava achar uma rota alternativa, caso quisesse ter acesso às riquezas do Oriente. Apesar de as pessoas educadas da época saberem que a Terra era redonda, não conheciam a existência das Américas. Um caminho alternativo para o Oriente parecia ser, portanto, navegar a oeste pelo Atlântico. Essa rota parecia ser especialmente atraente para muitos navegantes – incluindo Cristóvão Colombo – que acreditavam que o diâmetro do planeta fosse bem menor do que realmente é.

Em busca de financiamento

Em 1485, Colombo apresentou ao rei de Portugal, João II, um plano para cruzar o Atlântico até as Ilhas das Especiarias. João, no entanto, se recusou a investir no projeto. Isso se devia, em parte, ao fato de Portugal já estar explorando a costa da África Ocidental com algum sucesso, em parte porque os especialistas consultados por João estarem céticos quanto às distâncias envolvidas.

Colombo lançou sua rede mais além, buscando apoio de cidades marítimas mais poderosas como Gênova e Veneza, inclusive enviando seu irmão para a Inglaterra com o mesmo objetivo – mas não recebeu nenhum encorajamento. Ele, portanto, se voltou para Fernando de Aragão e Isabel de Castela, os "monarcas católicos" que governavam a Espanha juntos. A princípio, eles não aceitaram, já que seus consultores de navegação

> "Cometiam tal desumanidade, tal barbarismo... atos tão estranhos à natureza humana que até tremo ao escrever."
> **Bartolomé de las Casas**
> Historiador espanhol (c. 1527)

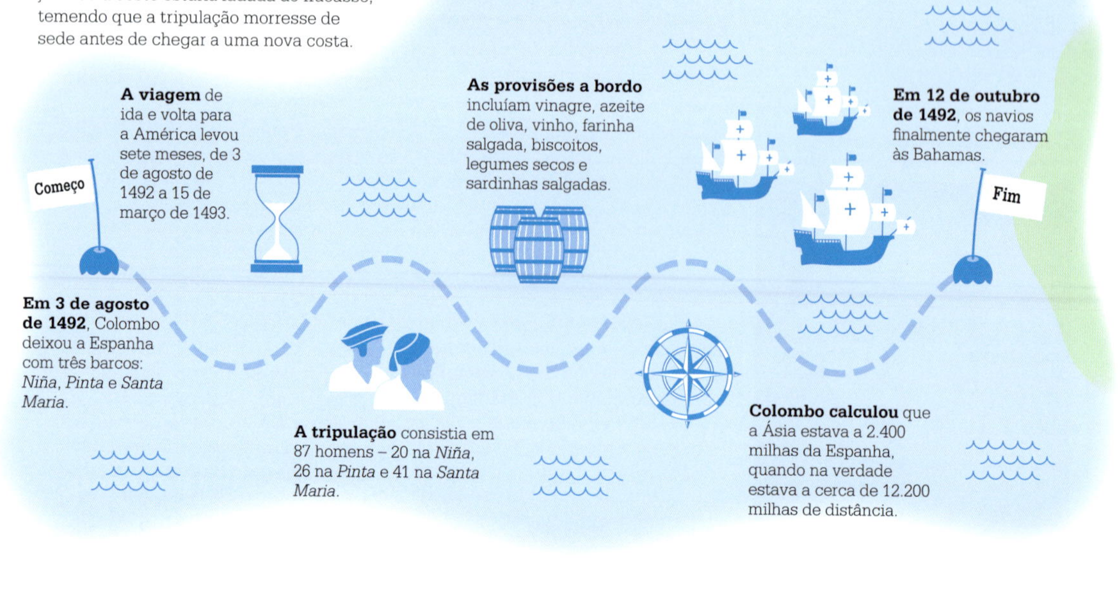

também eram céticos a respeito da distância da rota proposta, mas por fim, depois de longas negociações, concordaram em financiar a viagem. Garantir uma nova rota comercial decerto traria recompensas materiais,

---

A viagem de Colombo foi uma empreitada ousada. A despeito do entendimento geral de que o mundo era esférico, muitos acreditavam que uma jornada a oeste estaria fadada ao fracasso, temendo que a tripulação morresse de sede antes de chegar a uma nova costa.

Começo

A viagem de ida e volta para a América levou sete meses, de 3 de agosto de 1492 a 15 de março de 1493.

Em 3 de agosto de 1492, Colombo deixou a Espanha com três barcos: *Niña*, *Pinta* e *Santa Maria*.

As provisões a bordo incluíam vinagre, azeite de oliva, vinho, farinha salgada, biscoitos, legumes secos e sardinhas salgadas.

A tripulação consistia em 87 homens – 20 na *Niña*, 26 na *Pinta* e 41 na *Santa Maria*.

Em 12 de outubro de 1492, os navios finalmente chegaram às Bahamas.

Fim

Colombo calculou que a Ásia estava a 2.400 milhas da Espanha, quando na verdade estava a cerca de 12.200 milhas de distância.

O COMEÇO DA IDADE MODERNA 147

Colombo descobriu São Domingos em 1492, quando suas bandeiras tremularam naquelas praias. Nueva Isabela, fundada em 1496, é o mais antigo assentamento permanente europeu nas Américas.

mas Isabel também viu a viagem em termos de uma missão religiosa que levaria a luz do cristianismo ao Oriente.

Colombo zarpa para o oeste

Tendo sido prometidos o vice-reinado e o governo de quaisquer terras que pudesse reivindicar para a Espanha, mais alguns benefícios, incluindo 10% de todas as receitas geradas, Colombo partiu para o oeste em 1492. Visitou a Gran Canária antes de ir a oeste, vendo a terra cinco semanas depois. No começo de 1493 voltou à Europa com dois navios, tendo o terceiro afundado na costa do atual Haiti, e foi devidamente apontado governador das Índias.

A segunda expedição de Colombo foi organizada não mais que sete meses depois. Ela contava com dezessete navios carregados com 1.200 homens que fundariam colônias espanholas no Caribe. Junto com agricultores e soldados, os colonizadores incluíam padres que haviam sido especificamente incumbidos de converter os nativos ao cristianismo. A conversão religiosa tornou-se uma parte importante da colonização europeia, ilustrando a ambição colonial de impor sua própria cultura e exercer o controle sobre os povos recém-colonizados.

O feito de Colombo em 1492 é com frequência descrito como a "descoberta" europeia da América. Essa é uma alegação problemática não apenas porque Colombo pensou que havia chegado à Ásia, mas também porque os vikings da Escandinávia já haviam chegado à América do Norte quase quinhentos anos antes – vestígios arqueológicos em L'Anse aux Meadows, em Newfoundland, revelam que eles até tiveram um assentamento lá. No entanto, o povoamento viking não durou muito e era desconhecido de Colombo e seus contemporâneos.

Porém, a jornada de Colombo em 1492 de fato inaugurou um contato duradouro entre as Américas e a Europa. A terrível destruição que ele e seus homens trouxeram aos povos indígenas das Índias Ocidentais que encontrou quando de sua primeira chegada às Américas também iniciou um processo de dizimação das populações americanas nativas que continuaria por um século. ∎

> "Eu não devo seguir por terra ao Oriente, como é de costume, mas por uma rota a oeste."
> **Cristóvão Colombo, 1492**

ESSA LINHA DEVE SER CONSIDERADA UMA MARCA E UM VÍNCULO PERPÉTUOS
O TRATADO DE TORDESILHAS (1494)

EM CONTEXTO

FOCO
As conquistas americanas dos espanhóis e dos portugueses

ANTES
1492 Colombo faz sua primeira jornada ao Novo Mundo, sinalizando o começo do interesse espanhol na área.

DEPOIS
1500 Pedro Álvares Cabral reivindica o Brasil para Portugal.

1521 Hernán Cortés completa sua conquista do Império Asteca.

1525 É estabelecido o primeiro assentamento na Colômbia, em Santa Marta.

1532 Francisco Pizarro começa a campanha espanhola para conquistar o Império Inca.

1598 Juan de Orñate funda o primeiro assentamento espanhol na Califórnia.

Espanha e Portugal assinaram um tratado em 7 de junho de 1494, em Tordesilhas, na Espanha, que pôs fim às disputas dos países sobre a posse do território recém-descoberto. Os governantes definiram uma linha de demarcação no meridiano de 370 léguas a oeste das Ilhas Cabo Verde. Todas as terras a oeste dessa linha pertenceriam à Espanha; as que estivessem a leste seriam de Portugal. A linha foi escolhida por causa de sua localização: ela ficava, grosso modo, na metade do caminho entre as Ilhas Cabo Verde, que já pertenciam a Portugal, e as Ilhas do Caribe, que foram incorporadas por Cristóvão Colombo à Espanha em 1492. Por volta dos anos 1490, os dois países

O COMEÇO DA IDADE MODERNA 149

Veja também: Marco Polo chega a Shangdu 104-105 ▪ A fundação de Tenochtitlán 112-117 ▪ Cristóvão Colombo chega à América 142-147 ▪ O intercâmbio colombiano 158-159 ▪ A formação da Companhia Real Africana 176-179

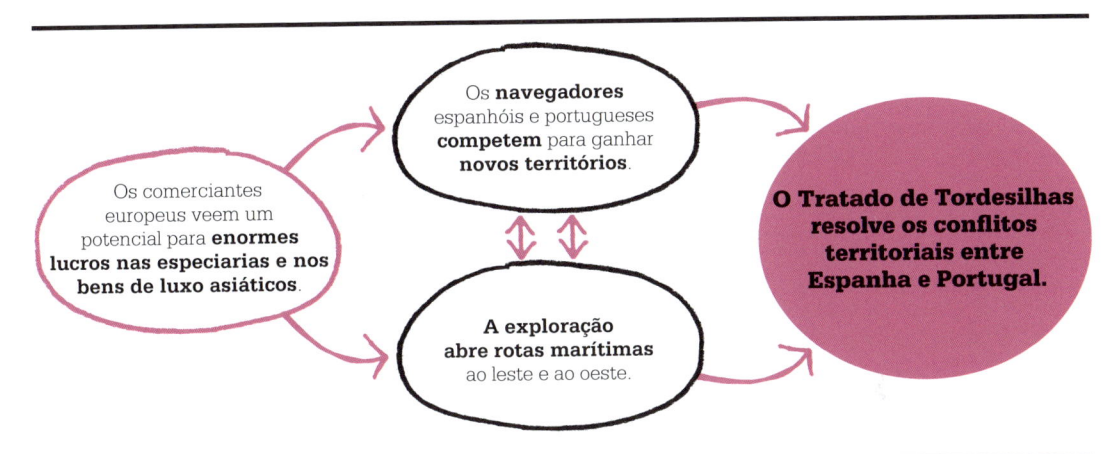

Os comerciantes europeus veem um potencial para **enormes lucros nas especiarias e nos bens de luxo asiáticos**.

Os **navegadores** espanhóis e portugueses **competem** para ganhar **novos territórios**.

A **exploração abre rotas marítimas** ao leste e ao oeste.

O Tratado de Tordesilhas resolve os conflitos territoriais entre Espanha e Portugal.

---

estavam descobrindo territórios importantes, incluindo as terras no Novo Mundo, apesar de nessa época o tamanho e a extensão das Américas não estarem muito claros para os europeus. Embora a Coroa espanhola tenha financiado as viagens de Colombo, os direitos da Espanha sobre suas novas descobertas não eram fato consumado. Em 1479, o tratado de Alcaçovas entre os monarcas católicos da Espanha e os governantes de Portugal deu todas as terras recém-descobertas ao sul das Ilhas Canárias para Portugal. Quando Colombo desembarcou em Lisboa depois de sua primeira viagem, ele disse a João II, rei de Portugal, que estava reivindicando São Domingos e Cuba para seus apoiadores espanhóis. João escreveu de imediato aos governantes da Espanha para dizer que estava se preparando para mandar seus próprios navios para reivindicar o Caribe para Portugal.

Legalizando a posse
Para prevenir que tais disputas surgissem cada vez que um navegador fizesse uma nova descoberta, os líderes desses países decidiram revisar os termos do tratado de Alcaçovas. O papado esteve envolvido no acordo de 1479, e agora o papa Alexandre VI (um espanhol) propôs uma linha divisória combinada de norte a sul e leste a oeste, sugerindo que quaisquer terras a oeste e ao sul de uma linha de cem léguas dos Açores e das Ilhas Cabo Verde fossem dadas à Espanha. João rejeitou a proposta, considerando-a favorável a seus rivais, e, ao final, todas as partes envolvidas concordaram com o meridiano entre as Ilhas Cabo Verde e o Caribe. O tratado resultante estabeleceu uma agenda para futuras colonizações e influenciou o destino de enormes territórios no mundo.

> Eu e meus companheiros sofremos de uma doença do coração que só pode ser curada com ouro.
> **Hernán Cortés, 1519**

Colônias portuguesas
Na época em que o Tratado de Tordesilhas foi assinado, Portugal já havia tomado a dianteira na exploração da África e do sul da Ásia. Indo para o sul a partir de uma base norte-africana em Ceuta, os exploradores estabeleceram uma série de entrepostos comerciais na costa da África Ocidental, gradualmente se movendo para o sul, até que, em 1498, Vasco da Gama contornou o Cabo da Boa Esperança e navegou o oceano Índico. No século XVI, Portugal tinha assentamentos na Índia, Molucas, Sumatra, Burma e Tailândia, e cerca de 1557 havia estabelecido o seu enclave permanente em Macau, que se tornou um centro para o seu comércio com muitas comunidades asiáticas.

A linha do tratado cruzava a América do Sul, alocando uma porção noroeste aos portugueses. Em 1500, o explorador Pedro Álvares Cabral desembarcou na costa do Brasil e o reivindicou para Portugal. Os conquistadores exploraram suas novas colônias, forçando os povos indígenas a cultivar cana-de-açúcar e, mais tarde, a plantar café e extrair ouro. Os nativos morreram aos montes, »

150 O TRATADO DE TORDESILHAS

tanto por doenças introduzidas pelos colonizadores como por seu tratamento cruel, e então escravos foram levados da África para substituí-los. O Brasil, administrado desde meados do século XVI por governadores-gerais, continuou sendo uma colônia até o começo do século XIX.

Os espanhóis na América

Após as viagens transatlânticas de Colombo e a assinatura do tratado, a Espanha se voltou cada vez mais para a América, financiando expedições que combinavam explorações com conquistas e colonização. A primeira dessas, liderada por Hernán Cortés, foi

O cerco de Tenochtitlán, a capital asteca, foi decisivo para a conquista do México pelos espanhóis e lhes deu um passo adiante para atingir sua meta de colonizar as Américas.

ao México, que era então lar do pequeno, mas rico, Império Asteca. A enorme e central capital do império estava em Tenochtitlán (atual Cidade do México). Com uma pequena força de cerca de seiscentos homens, Cortés derrotou o império de mais de milhão, matando ao fim o governante Moctezuma.

Outro líder espanhol, Francisco Pizarro, conquistou o Império Inca, cujo centro estava no Peru, mas que se estendia ao Chile, Equador, boa parte da Bolívia e ao noroeste da Argentina. Uma vez mais, com apenas uma pequena força (180 homens), Pizarro estabeleceu as fundações de outra fortaleza espanhola e fonte de grande riqueza em metais preciosos. A prata peruana se tornou a principal fonte de renda da Espanha com suas colônias.

Vários fatores contribuíram para as impressionantes conquistas de Cortés e Pizarro. Os astecas foram subjugados por um tipo de batalha que lhes era totalmente estranha, envolvendo armas de fogo e a determinada matança dos oponentes – a prática asteca era a de captura de prisioneiros para serem mortos mais tarde num ritual de sacrifício. Os espanhóis também foram ajudados por alianças que fizeram com povos locais, hostis aos astecas. O resultado para a Espanha foi um fluxo de riqueza pelo Atlântico e uma base segura para construir sua presença nas Américas.

Seguiu-se a isso uma maior colonização espanhola, incluindo a Colômbia, conhecida na Espanha como a Nova Granada. No final do século XVII, a maior parte do oeste e do centro da América do Sul estava nas mãos dos espanhóis. As áreas conquistadas, bem como os povos que nelas viviam, foram divididas entre os

O COMEÇO DA IDADE MODERNA

> "As regiões que encontramos e exploramos com nossa frota... podemos com certeza chamar de um Novo Mundo."
> **Américo Vespúcio, 1503**

conquistadores espanhóis, que se empenharam na conversão dos locais ao cristianismo. Eles os converteram, mas também os obrigaram a fazer trabalhos forçados, sobretudo nas minas de prata. Os nativos se tornaram vítimas da doença e da exploração – assim como os seus pares no Brasil, se bem que em menor escala –, e escravos da África foram trazidos como força extra.

A Coroa espanhola tentou controlar esse vasto império, designando vice-reis para governar os colonizadores e os povos nativos americanos, tomando um quinto dos lucros da mineração da prata. Os colonos cada vez mais resistiam a essa influência externa, no entanto, por volta do século XIX, o império passou a diminuir conforme áreas da Colômbia ao Chile ganhavam independência.

Circum-navegação

O Tratado de Tordesilhas estabeleceu o selo de aprovação da atividade espanhola na América, mas isso não impediu nem Espanha nem Portugal de buscar uma rota a oeste até a Ásia Oriental, uma potencial fonte de especiarias, bens de luxo e grande riqueza para os mercadores da Europa. Américo Vespúcio, navegador italiano a serviço da Coroa portuguesa, foi um dos primeiros a levar essa exploração além. Ele explorou a costa da América do Sul, e por isso a América recebeu seu nome por causa dele. O navegador português Fernando de Magalhães foi o próximo a explorar essa rota, dessa vez em nome da Espanha. Ele acreditava que as Ilhas das Especiarias pudessem estar a menos da metade do caminho ao redor do mundo quando navegando a oeste a partir da linha do tratado, o que daria à Espanha o direito sobre elas. Em 1519, partiu com cinco barcos, numa tentativa ambiciosa de fazer a primeira circum--navegação do globo. Apesar de o próprio Magalhães ter morrido durante o trajeto, alguns dos sobreviventes da expedição completaram a viagem, dando à Espanha uma base para sua reivindicação de terras no sudeste asiático.

Em 1529, as coroas rivais assinaram outro tratado, em Saragoça. Esse acordo deu as Filipinas para a Espanha e as Molucas para Portugal.

A herança do Tratado

Os países europeus que não fizeram parte do Tratado de Tordesilhas simplesmente o ignoraram e começaram, pouco depois, a se mover para desenvolver seus próprios impérios. Os britânicos colonizaram a América do Norte, por exemplo, os holandeses tomaram as Ilhas das Especiarias, e vários países europeus estabeleceram colônias no Caribe. O tratado influenciou, no entanto, uma proporção significativa do mundo. Ele enfatizava um desenvolvimento que já estava começando na Europa, no qual a riqueza e a influência estavam passando das antigas potências da Europa Central (baseadas no Sacro Império Romano--Germânico) para as da costa, marítimas, que buscavam construir impérios nos novos territórios. Esses impérios trouxeram enormes riquezas tanto para a Espanha quanto para Portugal, e seus impérios ultramarinos deixaram um legado cultural significativo: muitos da América do Sul e Central falam espanhol, e existe uma grande herança portuguesa em partes da África e da Ásia, sendo a maior de todas no Brasil. ∎

Fernando de Magalhães

Nascido de uma nobre família portuguesa, Magalhães (1480–1521) ficou órfão ainda menino, e foi enviado à corte real portuguesa para servir de pajem.

Ainda jovem, tornou-se um oficial naval. Serviu em colônias portuguesas na Índia e participou da conquista das Molucas, mas depois de uma desavença com o rei português foi para a Espanha em busca de apoio para sua empreitada a oeste. Em 1518, obteve o apoio do rei espanhol Carlos I e zarpou no ano seguinte com cinco navios.

Após perder uma embarcação para o clima e outra num motim, Magalhães navegou numa estreita rota marítima (chamada Estreito de Magalhães em sua homenagem) entre aquilo que hoje é conhecido como a América do Sul continental e a Tierra del Fuego. Ele chegou a um oceano a que chamou Pacífico por causa de sua calma. Atravessou essa extensão de água, parando em Guan, depois nas Filipinas, onde foi morto. Somente um barco, sob Juan Sebastien del Cano, conseguiu voltar à Europa em 1522, tendo feito a primeira circum--navegação do globo.

OS ANTIGOS NUNCA CONSTRUÍRAM PRÉDIOS TÃO ALTOS
O COMEÇO DO RENASCIMENTO ITALIANO (1420)

EM CONTEXTO

FOCO
O Renascimento

ANTES
1296 Começam as obras da catedral de Santa Maria del Fiore (Il Duomo), em Florença.

1305 Giotto completa seus afrescos na Capela Arena (Scrovegni), em Pádua.

1397 É fundado o Banco Médici em Florença, tornando-se o maior da Europa.

DEPOIS
1434 Cosme de Médici se torna o governante *de facto* de Florença e apoia as artes.

1447 Francesco Sforza assume o poder em Milão. Sua corte se torna um centro de cultura.

1503 Leonardo da Vinci começa sua obra *Mona Lisa*.

1508 Michelangelo começa a pintura do teto da Capela Sistina no Vaticano.

Em 1418, a rica Corporação de Ofício dos Mercadores de Lã de Florença lançou uma competição para encontrar um projeto para a cúpula, ou domo, para completar sua catedral inacabada – a Cattedrale di Santa Maria del Fiore, mais conhecida como Il Duomo. Florença era uma das mais ricas cidades da Itália, com um centro bancário e de comércio, e portanto teria dinheiro para encomendar um domo para a catedral que seria de um tamanho sem precedentes.

Esse gasto generoso com arte e arquitetura em breve ecoaria por toda a Itália: a crescente prosperidade da região significava que seus governantes e seus ricos residentes poderiam gastar dinheiro para

O COMEÇO DA IDADE MODERNA

Veja também: A democracia ateniense 46-51 ▪ O assassinato de Júlio César 58-65 ▪ O saque de Roma 68-69 ▪ A queda de Constantinopla 138-141 ▪ Cristóvão Colombo chega à América 142-147 ▪ 95 teses de Martinho Lutero 160-163

> "Esta enorme construção, com suas torres acima do céu, vasta o suficiente para cobrir toda a população da Toscana sob sua sombra."
> **Leon Battista Alberti**
> Pintor e escultor
> (1435)

embelezar suas cidades e aumentar o seu prestígio. A economia forte e um profundo orgulho cívico na Itália lançaram os alicerces para um dos mais importantes movimentos intelectuais da história: o Renascimento.

Il Duomo

Na época da competição, a catedral de Florença tinha um vasto espaço octogonal no seu lado leste, mas, desde que a obra para sua construção começara, em 1296, ninguém havia pensado em como fazer um domo que o cobrisse. O domo teria de ser a maior cúpula já construída desde o fim do período romano, e a corporação de ofício especificou que ele deveria ser construído sem nenhum apoio externo, algo de que seus rivais políticos gostavam tanto na França, Alemanha e Milão, se bem que considerado fora de moda. Esta parecia uma tarefa impossível. O jovem ourives e relojoeiro, que virou arquiteto, Filippo Brunelleschi ganhou a competição com seu audacioso plano para um enorme domo com oito lados, feito de tijolos, mas muitos duvidaram que ele seria capaz de construí-lo.

O principal problema era ser capaz de sustentar a estrutura de tal forma que não cedesse nem caísse com seu próprio peso. A solução engenhosa de Brunelleschi foi construir dois domos concêntricos – um interno e outro maior, do lado de fora. Os domos seriam, então, unidos com enormes arcos de tijolos e um complexo sistema entrelaçado de "correntes", feito de elos de pedra e toras de madeira, que eram conectados com grampos de ferro para evitar que o domo se expandisse para fora.

Concluído em 1436, continua sendo o maior domo de tijolos do mundo. Combinando o estilo da Antiguidade com as novas técnicas de engenharia, ele exibia a mistura de sabedoria antiga e conhecimento moderno que tipificava o Renascimento.

O Renascimento na Itália

Significando "nascer de novo", o Renascimento foi um movimento que começou na Itália e se espalhou por toda a Europa em meados do século XIV. Suas raízes estão na redescoberta da cultura da Grécia e da Roma antiga, e ele influenciou todas as artes, assim como a ciência e a erudição. Pintores, escultores e arquitetos se libertaram das tradições da arte medieval. Eles visitaram os monumentos da Roma antiga, olhando para estátuas clássicas e entalhes das construções romanas, e criaram obras de arte no estilo clássico. Esse novo movimento inspirou arquitetos como Leon Battista Alberti e Brunelleschi e uma onda de grandes artistas incluindo Michelangelo e Leonardo da Vinci. A maioria dessas pessoas atuava em vários campos – Brunelleschi era escultor e engenheiro, bem como arquiteto; Michelangelo pintava, esculpia e escrevia poemas; e os feitos de Da Vinci incluíam tanto as artes como as ciências.

Os pintores e escultores renascentistas buscavam representar »

Dominando a linha do horizonte de Florença, o revolucionário domo de Brunelleschi ainda é o edifício mais alto da cidade, elevando-se de forma majestosa do telhado de azulejos vermelhos a 114 metros de altura.

O COMEÇO DO RENASCIMENTO ITALIANO

O teto pintado da Capela Sistina, no Vaticano, por Michelangelo, combina o interesse renascentista com a beleza física e o realismo com temas religiosos.

o mundo físico de uma forma mais realista que os seus predecessores medievais: eles valorizavam a precisão anatômica e desenvolveram métodos científicos de ilustração em perspectiva. Como na arte clássica, havia um foco maior na beleza humana e no nu.

Também havia um reavivamento do interesse no aprendizado clássico, que foi influenciado pelos eruditos clássicos do Império Bizantino que se estabeleceram na Itália depois da queda de Constantinopla (a capital do império) em 1453. Os emigrantes trouxeram com eles a literatura grega antiga, textos históricos e filosóficos que haviam sido perdidos no Ocidente e ensinaram o grego aos italianos para que pudessem ler e traduzir as obras.

Isso levou à ascensão do Humanismo Renascentista na Itália, o que incluía o estudo das humanidades – gramática, retórica, história, filosofia e poesia – e, de forma mais ampla, uma consideração maior pela dignidade e potencial da raça humana.

Na época do Renascimento, vida, negócios e política na Itália eram dominados por várias e poderosas cidades-estados – principalmente Florença, Milão, Ferrara e Veneza –, junto com Roma, a partir de onde o papa poderia exercer um grande poder secular ("temporal") e ser a cabeça espiritual da Igreja católica. As cidades-estados geraram grande riqueza a partir do comércio e – no caso de Florença – do sistema bancário. As famílias que as governavam, como os Gonzaga em Mântua, os d'Este em Ferrara, os Sforza

A ideia do Homem Renascentista, cujos conhecimento e curiosidade se estendem por um vasto escopo de diversos assuntos, reflete os grandes pensadores da época: polímatas, como Leonardo da Vinci, que dominavam disciplinas da arte à ciência.

O Humanismo colocou o homem no centro do Universo. Ele deu o crédito dos feitos humanos para o homem em vez de para Deus.

A redescoberta dos textos clássicos inspirou pensadores a emularem, e até mesmo ultrapassarem, a obra de filósofos como Aristóteles.

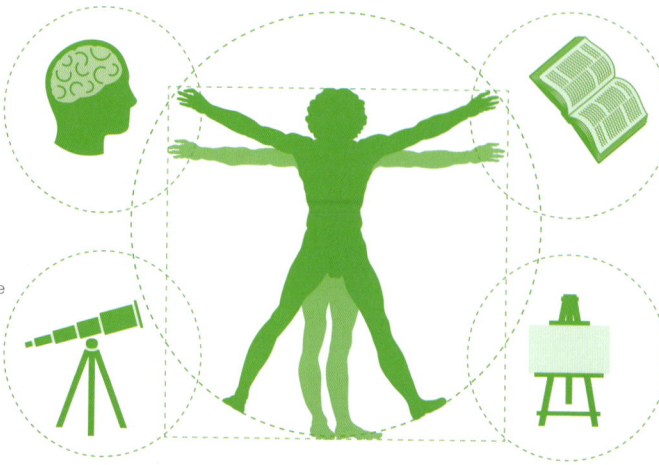

A ciência e um crescente conhecimento de como o mundo funciona contribuíram para campos bem diversos como arquitetura e medicina.

Os artistas renascentistas tiveram vários e grandes feitos, que foram inspirados pela descoberta de esculturas realistas, tanto gregas quanto romanas, e foram ajudados pelo entendimento da perspectiva.

O COMEÇO DA IDADE MODERNA

em Milão e os Médici em Florença, gastavam copiosamente em palácios, igrejas e obras de arte e se tornaram mecenas de muitos e grandes artistas renascentistas. Essas ricas famílias também encorajaram o ressurgimento do aprendizado clássico ao contratarem eruditos como tutores de seus filhos. Além disso, vários membros da família Médici se tornaram papas.

A disseminação do Renascimento

A partir do final do século xv, o Renascimento se espalhou da Itália para outras partes da Europa e levou ao surgimento do Renascimento Nórdico. Países do norte da Europa, sobretudo Holanda e Alemanha, produziram seus próprios artistas como Albrecht Dürer (1471–1528) e Hans Holbein, o Jovem (1497–1543) – ambos ótimos realistas. O Humanismo Renascentista também se espalhou para o norte, mas escritores e filósofos do norte, em especial Erasmo de Roterdã (1466–1546), costumavam dar uma ênfase maior ao cristianismo, educação e reforma que seus pares italianos. A invenção da imprensa, usando tipos móveis, por Johannes Gutenberg na Alemanha nos anos 1430, permitiu às ideias renascentistas se espalhar ainda mais rapidamente. Antes dela, a única forma de disponibilizar um texto impresso era entalhando à mão cada página numa placa de madeira, mas isso era um trabalho tão árduo que os livros acabavam sendo escritos à mão. O método de Gutenberg envolvia arranjar símbolos de letras e pontuações em linhas e páginas. Depois que várias cópias de uma página fossem impressas, os tipos poderiam ser retirados e reutilizados. Ele combinou essa nova ideia com a já existente tecnologia de fabricação de papel e com o tipo de prensa, que era usado na produção de vinho, tendo como resultado a impressão de várias cópias de livros pela primeira vez.

A invenção de Gutenberg teve um enorme impacto. Ela fazia com que os livros, que antes custavam muito e demoravam vários meses para ser produzidos, ficassem agora facilmente disponíveis e muito mais baratos, assim ideias e informações podiam circular mais rápido e alcançar mais pessoas. Enquanto a Igreja usava principalmente o latim como sua língua universal, os escritores agora escreviam em suas próprias línguas locais, resultando no florescimento da literatura em francês, inglês e alemão, entre outras línguas. Além disso, cópias dos clássicos antigos foram reproduzidas em quantidade, ajudando na disseminação de ideias que eram cruciais tanto para o Renascimento quanto para o Humanismo.

O impacto do Renascimento

Em meados do século xvi, a influência do Renascimento estava diminuindo no sul da Europa, mas durou um pouco mais no norte. Porém, muitas grandes obras renascentistas perduraram e continuaram a inspirar futuras gerações de pintores e arquitetos. De fato, a duradoura popularidade das pinturas a óleo e o estilo clássico de arquitetura, bem como a ascensão do humanismo, não teriam sido possíveis sem o movimento que começou com Brunelleschi em Florença no século xv. ∎

> ❝ Para o homem sábio, não há nada invisível.
> **Filippo Brunelleschi** ❞

Filippo Brunelleschi

Nascido em Florença, Filippo Brunelleschi (1377–1446) era filho de um funcionário público que o educou na esperança de que seguisse seus passos. No entanto, Filippo tinha talento artístico e preferiu ser treinado como ourives e relojoeiro antes de se tornar arquiteto. Perto dos 25 anos, ele viajou para Roma com seu amigo, o escultor Donatello, onde estudaram os vestígios de antigas edificações romanas e leram o *Tratado de arquitetura,* do escritor romano Vetrúvio. Em 1419, ganhou seu primeiro grande trabalho – o design de um orfanato, o Ospedale degli Innocenti, em Florença, o qual, com seus pórticos em arcadas, é uma das primeiras grandes edificações renascentistas. Várias outras excelentes obras, incluindo capelas em igrejas florentinas e fortificações para a cidade, sedimentaram sua reputação, mas a maravilhosa cúpula do Il Duomo é sua obra-prima. Além de suas edificações, Brunelleschi escreveu importantes obras sobre a teoria da perspectiva linear e desenhou máquinas para produzir efeitos especiais em produções teatrais.

A GUERRA FICOU MUITO DIFERENTE
A BATALHA DE CASTILLON (1453)

EM CONTEXTO

FOCO
Revolução militar

ANTES
1044 O primeiro registro da fórmula da pólvora aparece num compêndio militar chinês.

1346 Eduardo III usa canhões na Batalha de Crécy.

1439 Jean Bureau é designado mestre canhoneiro da artilharia francesa.

1445 Carlos VII cria um exército francês permanente.

1453 Constantinopla cai diante de um exército otomano que usa canhões pesados.

DEPOIS
Década de 1520 As Guerras Italianas demonstram a eficácia da infantaria com armas de fogo.

1529 Michelangelo desenha uma fortificação abaluartada para Florença.

c. 1540 Algumas cavalarias alemãs adotam as pistolas de *wheellock* como seu principal armamento.

O **sistema feudal** na Europa **declina** com o **aumento** do poder real.

São inventadas **armas de fogo mais eficientes**.

↓

O papel desempenhado pela artilharia em Castillon enfatiza as vantagens de contratar forças profissionais em vez de recrutar tropas entre os nobres.

↓

O poder real se torna mais centralizado conforme os **nobres perdem poder militar e político**.

↓

Cavaleiros com armaduras e arqueiros são gradualmente substituídos por uma infantaria armada **com lanças** e **armas de fogo**.

Em julho de 1453, John Talbot, duque de Shrewsbury, marchou com quase 6 mil homens em direção à cidade de Castillon, sob domínio inglês, a qual os franceses estavam se preparando para tomar. Os franceses construíram um acampamento fortificado grande o suficiente para conter 10 mil homens, e se armaram com quase trezentos canhões sob o comando do especialista em artilharia Jean Bureau. Esperando reforços, Talbot sinalizou um ataque, mas, quando os ingleses se aproximaram, se viram em menor número em relação a um exército bem mais preparado. A artilharia

O COMEÇO DA IDADE MODERNA

Veja também: A assinatura da Magna Carta 100-101 ▪ O surto da Peste Negra na Europa 118-119 ▪ A queda de Constantinopla 138-141 ▪ Cristóvão Colombo chega à América 142-147 ▪ A defenestração de Praga 164-169

francesa abriu fogo, seguida por seus arqueiros, e os ingleses foram massacrados. Essa foi a primeira batalha de campo na história europeia a ser decidida pela pólvora.

Acaba a Guerra dos Cem Anos

A Batalha de Castillon foi o clímax da Guerra dos Cem Anos, lutada desde 1337 por Inglaterra e França, países que sempre estiveram bem unidos por suas famílias dominantes. Na época de Castillon já estavam em curso grandes mudanças no tecido da vida europeia, o que mudou profundamente os exércitos com os quais lutavam os monarcas franceses e ingleses.

A Europa do século XV era essencialmente uma economia monetária, e todos, inclusive os soldados, esperavam ser pagos. Os reis, à época, estavam cada vez mais dependentes de mercenários que lutavam por dinheiro. Esse era um enorme contraste com o sistema feudal que havia antes, no qual os guerreiros eram oferecidos pela nobreza em troca de terras. Assim sendo, os governantes começaram a usar mercenários de forma regular: um exército permanente. Mas foi só ao final do século XVII que esse modelo virou a norma.

> " Não há muros, não importando a grossura, que a artilharia não destrua em uns poucos dias.
> **Maquiavel, 1519** "

Canhões e armas

Os reis que lutavam pelo controle da França dependiam cada vez mais de grandes exércitos e de uma cara artilharia. Canhões como aqueles que asseguraram a vitória francesa em Castillon transformaram o campo de batalha. Os grossos muros dos castelos medievais não eram mais páreo para uma bala de canhão. Para se proteger melhor da artilharia, os governantes começaram, a partir do século XVI, a construir um novo tipo de muro, a fortificação abaluartada, em formato de estrela. Esses fortes tinham seus muros enterrados em valetas para fortalecê-los contra o fogo direto e também usavam canhões numa defesa ativa. Ao mesmo tempo, armas de fogo manuais que atiravam projéteis que varavam a armadura de cavaleiros montados, e não exigiam muita habilidade para serem manuseadas, aos poucos substituíram o arco. Uma infantaria bem treinada – empunhando lanças e armas de fogo – substituíra os enormes grupos de arqueiros e passaria a ser o cerne de uma nova linha de batalha.

As tropas francesas (à esq.) lutam com os ingleses divididos por barreiras de madeira nessa ilustração do século XV da Batalha de Castillon, encontrada em uma crônica francesa da vida do rei Carlos VII.

Para pagar os exércitos, os governantes começaram a centralizar seus domínios. Sistemas de taxação e burocracias mais eficientes foram estabelecidos, eclipsando o poder de uma aristocracia cuja influência já estava em plena decadência com o declínio do sistema feudal. A vitória de Castillon, assegurada pela pólvora, garantiu a sobrevivência de uma França independente, que se transformava mais num Estado centralizado do que numa terra feudal. Como seu triunfo, a França pôde consolidar o território sob seu controle, e o mapa dessa parte da Europa Ocidental começou a assumir sua forma moderna. A Inglaterra, sem suas possessões europeias, tornou-se mais centralizada, afastou-se da Europa continental, concentrando seus recursos para começar a exploração marítima do Atlântico e da América do Norte. ∎

TÃO DIFERENTE DO NOSSO QUANTO O DIA É DA NOITE
O INTERCÂMBIO COLOMBIANO (A PARTIR DE 1492)

EM CONTEXTO

FOCO
Intercâmbio ecológico

ANTES
Pré-1492 Os ecossistemas americanos e eurasianos existiam em completo isolamento.

DEPOIS
1518 Carlos v da Espanha autoriza a venda de escravos africanos às colônias espanholas na América.

1519 Os conquistadores espanhóis levam cavalos para o México.

c. 1520 Os colonizadores espanhóis introduzem o trigo no México.

c. 1528 Os comerciantes espanhóis apresentam o tabaco ao Velho Mundo.

c. 1570 Barcos espanhóis trazem as primeiras batatas à Europa.

1619 Mercadores holandeses levam africanos de um navio negreiro espanhol capturado para Jamestown, Virgínia.

1620 Os peregrinos levam animais como galinhas e porcos para Massachusetts.

A chegada, nos anos 1490, dos primeiros europeus a América do Norte e Central reconecta ecossistemas que haviam se desenvolvido em isolamento uns dos outros por milhares de anos. No chamado Intercâmbio Colombiano, vidas e economias que haviam se alterado de forma lenta no decorrer de séculos são transformadas, de repente, pelo influxo de novas colheitas, animais, tecnologias e doenças. Muitos dos efeitos não haviam sido previstos ou foram mal entendidos tanto pelos europeus quanto pelos nativos americanos da época, mas após o primeiro desembarque não havia mais caminho de volta.

Alimentos e agricultura
Quando os europeus começaram a se fixar nas Américas, eles levaram consigo seus próprios animais domesticados e sua comida. Isso incluía várias espécies como frutas cítricas, uvas e bananas; café, cana-de-açúcar, arroz, aveia e trigo; gado, carneiros, porcos e cavalos. Para cultivar suas plantações e criar seus animais, os colonizadores derrubaram enormes extensões de florestas, destruindo os habitats de algumas espécies selvagens nativas no processo, acabando por contaminar,

> [As terras são] muito propícias para o plantio e o cultivo e para a criação de todos os tipos de rebanhos.
> **Cristóvão Colombo**

sem querer, os campos americanos com as sementes de ervas como o dente-de-leão e leitugas. O intercâmbio na outra direção levou batatas, tomates, milho doce, feijões, abóboras, abobrinha e tabaco para o Velho Mundo, além de perus e porquinhos-da-índia.

A introdução de novos alimentos básicos transformou vidas em ambos os lados do Atlântico. As batatas e o milho, ricos em carboidratos e de fácil cultivo, ajudaram a vencer a crônica falta de alimentos na Europa e, junto com a mandioca e a batata-doce, se espalharam para a África e Ásia. No Novo Mundo, o trigo, que cresce bem

O COMEÇO DA IDADE MODERNA 159

Veja também: Cristóvão Colombo chega à América 142-147 ▪ O Tratado de Tordesilhas 148-151 ▪ A viagem do *Mayflower* 172-173 ▪ A Lei da Abolição do Comércio de Escravos 226-227

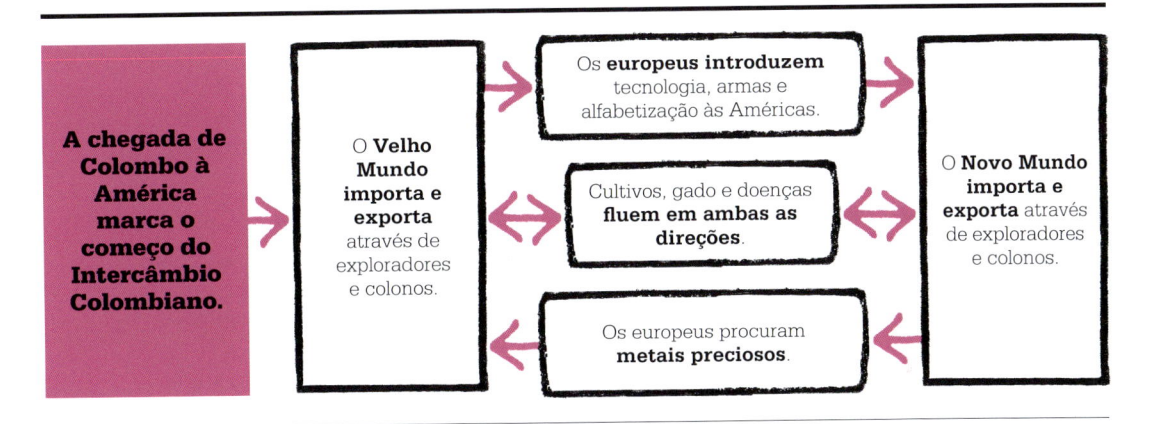

A chegada de Colombo à América marca o começo do Intercâmbio Colombiano.

→ **O Velho Mundo importa e exporta** através de exploradores e colonos.

→ Os **europeus introduzem** tecnologia, armas e alfabetização às Américas.

↔ Cultivos, gado e doenças **fluem em ambas as direções**.

← Os europeus procuram **metais preciosos**.

→ **O Novo Mundo importa e exporta** através de exploradores e colonos.

---

nas latitudes temperadas da América do Norte e do Sul e nas terras altas do México, acabou se tornando um cultivo fundamental para dezenas de milhões de colonizadores. A chegada de cavalos ao Novo Mundo também foi revolucionária, permitindo uma caça mais efetiva e seletiva e facilitando as viagens e o transporte.

Catástrofe biológica

O impacto mais imediatamente devastador do Intercâmbio Colombiano foi depois da introdução de novas doenças nas Américas. Os colonos e as galinhas, gado, ratos negros e mosquitos que os acompanharam introduziram doenças contagiosas a um povo que não tinha nenhuma defesa natural contra elas. O sistema imunológico dos nativos americanos não era adaptado para lidar com doenças estrangeiras como varíola, sarampo, catapora, influenza, malária e febre amarela. Uma vez expostos a elas, começaram a morrer às centenas de milhares. Metade da nação Cherokee morreu numa epidemia de varíola em 1738, e algumas tribos foram totalmente dizimadas. Os exploradores europeus encontraram e levaram de volta doenças americanas, como a doença de Chagas, mas o efeito sobre as populações do Velho Mundo foi irrelevante quando comparado às consequências das doenças do Velho Mundo no Novo Mundo.

Trocas econômicas

Desde o começo, o Intercâmbio Colombiano teve uma forte determinação econômica. Mercadorias desde ouro e prata, até café, tabaco e cana-de-açúcar foram transportadas em enormes escalas, sobretudo em favor dos comerciantes europeus e dos donos de plantations.

Muito rapidamente o comércio escravista também se tornou uma parte-chave dessa rede. O movimento de pessoas de um continente a outro, em grande volume, garantiu um contínuo suprimento de força de trabalho para a expansão de novas economias à custa de indescritíveis opressão, miséria e morte precoce para muitas gerações. As mudanças dramáticas e irreversíveis levadas a ambos os lados do Atlântico pelo Intercâmbio Colombiano continuaram a moldar vidas por séculos. ■

Intercâmbio cultural

Os povos do Novo Mundo usavam utensílios da Idade da Pedra e não tinham veículos com rodas, nem muitos animais domesticados, quando entraram em contato com as sociedades do Velho Mundo, que usavam armas e alfabetos, criavam porcos, carneiros e gado, além de abelhas. Os intercâmbios culturais seguintes ficaram ainda mais complicados por causa das atitudes muito diferentes em relação à "propriedade" da natureza e das coisas, tendo consequências significativas para as futuras relações entre os nativos americanos e os europeus. A chegada dos cavalos gerou uma nova tribo norte-americana, nômade, que veio a dominar as Grandes Planícies ao sul. O cristianismo começou a se espalhar pelo Novo Mundo, tendo alguns de seus elementos se fundido com crenças pré-colombianas nos antigos territórios dos incas e astecas. Também chegaram as religiões da África Ocidental, a alfabetização, os utensílios de metal e as máquinas, que trouxeram avanços na educação, agricultura e evolução da guerra.

MINHA CONSCIÊNCIA É CATIVA À PALAVRA DE DEUS
AS 95 TESES DE MARTINHO LUTERO (1517)

EM CONTEXTO

FOCO
Reforma e Contrarreforma

ANTES
1379 O reformador inglês John Wycliffe critica as práticas da Igreja em *De Ecclesia*.

1415 O reformador tcheco Jan Hus é queimado na fogueira.

1512 Durante uma estadia em Roma, os olhos de Martinho Lutero são abertos para a corrupção da Igreja.

DEPOIS
1520 Cultos luteranos são oferecidos regularmente em Copenhague.

1534 Henrique VIII, da Inglaterra, rompe com Roma e se torna chefe da Igreja na Inglaterra.

1536 João Calvino começa sua reforma da Igreja na Suíça.

1545–1563 O Concílio de Trento reafirma as doutrinas católicas, começando o movimento da Contrarreforma.

No outono de 1517, Martinho Lutero, monge e professor de teologia na Universidade de Wittenberg na Alemanha, desencadeou uma reação em cadeia que transformaria toda a Europa. Profundamente preocupado com o que considerava como práticas corruptas na Igreja católica, escreveu uma série de 95 teses – argumentos – contra elas, que em seguida fez circular pela universidade. De acordo com alguns relatos, ele também as pregou na porta da Igreja do Castelo, em Wittenberg. Tais teses rapidamente se tornaram públicas e se espalharam amplamente, o que fez com que o papa Leão X acusasse Lutero de heresia. Ele então

O COMEÇO DA IDADE MODERNA

Veja também: A Querela das Investiduras 96-97 ▪ O começo do Renascimento Italiano 152-155 ▪ A defenestração de Praga 164-169 ▪ A execução de Carlos I 174-175 ▪ Henrique VIII rompe com Roma 198

> "Comete-se injustiça contra a palavra de Deus quando, no mesmo sermão, se consagra tanto ou mais tempo à indulgência do que à pregação da Palavra."
> **Martinho Lutero, 1517**

rompeu com a fé católica, começando assim a Reforma – a ascensão de Igrejas baseadas nas práticas reformadas e focadas na escritura, em vez de na autoridade dos padres. Por causa da origem das Igrejas em protesto contra a prática e crenças católicas, elas ficaram conhecidas como Igrejas protestantes.

Disseminação da Reforma

Lutero não estava sozinho na busca pela reforma religiosa. O pregador suíço Ulrich Zwingli (1484–1531) liderou uma Igreja protestante baseada em Zurique, e o francês João Calvino rompeu com a Igreja católica por volta de 1530. Forçado a deixar a França, foi para Genebra, na Suíça, onde apoiou o movimento reformador, ajudando a dar forma à doutrina protestante.

Nem sempre havia concordância quanto às crenças dos reformadores. Os calvinistas eram claramente

Na Dieta de Worms, em 1521, Lutero se recusou a se retratar: "A não ser que seja convencido pelo testemunho da Escritura… nada consigo nem quero retratar… Aqui estou. Deus que me ajude!".

diferentes dos luteranos, e os anabatistas eram perseguidos tanto pelos protestantes quanto pelos católicos, por suas visões radicais. O próprio Lutero apoiou a brutal repressão da Revolta Camponesa liderada pelos anabatistas nos anos 1520. O que os protestantes tinham em comum era que suas visões os colocavam em conflito teológico fundamental com a Igreja católica.

As ideias dos reformadores se espalharam com a recém-inventada tecnologia dos livros impressos. Antes de as prensas e os tipos móveis tornarem possível a impressão de obras nos anos 1450, elas eram escritas à mão e em latim, a língua internacional da Igreja. A impressão permitiu que a informação pudesse ser reproduzida rapidamente e de forma barata, aumentando a demanda por livros escritos nas línguas vernáculas. Lutero escreveu suas teses em latim, mas em pouco tempo foram traduzidas para alemão, francês, inglês e outras línguas. Livros e panfletos descrevendo abusos da Igreja e delineando a teologia protestante logo entraram em circulação, impressos em grandes quantidades.

Importância da Palavra

A ideia central da teologia protestante era de que a autoridade não vinha do sacerdócio, mas da própria escritura. Por essa razão, o acesso à Bíblia era essencial tanto para os reformadores quanto para seus seguidores. Começaram a surgir Bíblias impressas em línguas europeias já no século XVI; a tradução alemã de Lutero do Novo Testamento foi publicada em 1522, e uma tradução de toda a Bíblia, incluindo os livros apócrifos, veio em 1534. Um ano depois, Miles Coverdale (1488–1569), frade, pregador e bispo de Exeter, produziu a primeira Bíblia completa em inglês. Uma tradução para o francês pelo teólogo Jacques Lefèvre d'Étaples (c. 1450–1536) apareceu entre 1528 e 1532.

Em meados do século XVI, as ideias da Reforma já haviam se espalhado amplamente. O luteranismo se disseminou pela Alemanha e Escandinávia; o calvinismo tomou conta de boa parte da Suíça, além de »

ter avançado bastante na Escócia. Também havia calvinistas na França, onde eram chamados huguenotes, se bem que este país foi dividido entre católicos e protestantes, que lutaram nas Guerras Religiosas na segunda metade do século XVI. Espanha, Portugal e Itália continuaram católicos.

Na Inglaterra, as sementes da Reforma foram semeadas antes. Muitas pessoas discordavam dos abusos como o uso dos fundos da Igreja para o pagamento de clérigos – incluindo o papa e bispos no exterior – que viviam uma vida de luxos. Porém, as ideias protestantes ainda não estavam disseminadas o suficiente para que a fé se mantivesse sozinha. As coisas mudaram quando Henrique VIII da Inglaterra rompeu com Roma em 1534, rejeitando a autoridade papal e proclamando a si mesmo chefe da Igreja na Inglaterra. Como líder eclesiástico supremo, exerceu seu direito único de autorizar a publicação da Bíblia em inglês, a Bíblia de Coverdale, mas as práticas religiosas inglesas, bem como sua doutrina, continuaram católicas. Uma forma moderada de protestantismo foi mais tarde estabelecida pela filha de Henrique, Elizabeth I.

Os reformadores arriscaram sua vida ao pregarem num tempo em que a heresia era condenada com a morte. O reformador tcheco Jan Hus morrera na fogueira em 1415, Zwingli, numa batalha entre forças protestantes e católicas em 1531, e o tradutor da Bíblia para o inglês, William Tyndale, foi executado em 1536. Lutero, de quem o papa Leão X exigiu retratação em 1520, jogou tal exigência numa fogueira para que as autoridades da Igreja o entregassem a Frederico, o Sábio, eleitor da Saxônia e fundador da Universidade de Wittenberg, para que fosse punido. Frederico convocou uma pesquisa formal, ou "Dieta", em Worms, que foi presidida pelo imperador Carlos V. Este rejeitou os argumentos de Lutero e baniu suas visões do império, mas Lutero se recusou a se retratar, sendo condenado e excomungado. Mas Frederico o salvou da execução ao forjar seu sequestro, para logo em seguida escondê-lo no castelo de Wartburg. Lutero continuou a escrever e a organizar ideias, ganhando apoio crescente.

Aliados poderosos

O apoio de pessoas em posições de poder ajudou na disseminação da Reforma. Como Henrique VIII, na Inglaterra, os príncipes da Alemanha também discordavam da riqueza e da taxação da Igreja, bem como suas cortes jurídicas independentes, e estavam dispostos a aumentar o seu próprio poder. Por toda a Idade Média, os papas fizeram alianças com reis e imperadores e interviram em assuntos seculares. Muitos príncipes alemães quiseram prevenir tais alianças ao romper com Roma e remover bispos de seus principados, para que seu apoio aos reformadores fosse motivado por interesse político, além da piedade pessoal.

> **"**
> Não aceito a autoridade de papas e concílios, que se contradizem.
> **Martinho Lutero, 1517**
> **"**

Naquele que viria a ser o primeiro de uma longa lista de conflitos religiosos entre católicos e protestantes, o imperador do Sacro Império Romano-Germânico Carlos V invadiu território luterano, visando estancar o movimento. Os luteranos se uniram contra ele, que, a despeito de seu triunfo na Batalha de Mühlberg em 1547, não conseguiu vencê-los. Por fim, chegou-se a um acordo temporário em Augsburg em 1555, quando o imperador liberou a cada príncipe do império a escolha da religião em seu próprio território. A paz, entretanto, não duraria muito. Divisões amargas criadas pela Reforma fariam com que povos pela Europa pegassem em armas de novo, e o continente foi sacudido por mais de um século de conflitos religiosos.

Reforma a partir de dentro

Mesmo antes de Lutero escrever suas 95 teses, já havia um movimento por Reforma dentro da Igreja. Inspirado em parte pelo humanismo renascentista, ele gerou uma retomada da educação e da filosofia, motivando religiosos como o espanhol Francisco Ximenes, que produziu uma Bíblia com textos em hebraico, grego, latim e aramaico. Mas os claros desafios teológicos de Lutero fizeram com que o papado preparasse

Imagens do papa como uma besta monstruosa tinham resposta de uma audiência internacional, letrada ou não, e passavam a ideia protestante comum de que o papado era instituição do diabo.

O COMEÇO DA IDADE MODERNA

> "Estava a Igreja católica morta por mil anos para ser reavivada apenas por Martinho?"
> **Cardeal Girolamo Aleandro, 1521**

uma resposta mais ampla. Em 1545, Paulo III convocou o Concílio de Trento, no qual bispos e cardeais reafirmaram as doutrinas católicas, desde a importância do sacerdócio e dos sacramentos até a legitimidade das indulgências. Porém o concílio também introduziu reformas: proibiu abusos, como um padre ocupar vários cargos, criou os seminários para treinar padres e, numa tentativa de atrasar a disseminação da doutrina protestante, estabeleceu uma comissão para especificar quais livros os católicos estariam proibidos de ler. Além disso, vários papas a partir de Paulo III passaram a viver de forma austera, escolhendo bispos alinhados com isso, além de revisar as finanças papais.

A Contrarreforma

O concílio se reuniu periodicamente por dezoito anos e provocou renovação e ressurgimento do catolicismo a partir de dentro da Igreja, um movimento comumente conhecido como Contrarreforma. A nova Sociedade de Jesus (também conhecida como a Ordem dos Jesuítas), fundada pelo cavaleiro espanhol Inácio de Loyola em 1534, foi aprovada pelo papa em 1540 como uma resposta à Reforma e espalhou uma forte mensagem de Contrarreforma por toda Europa. O reavivamento contemporâneo da arte cristã, que coincidiu com o florescimento do estilo barroco na Itália, adicionou uma ênfase mais vibrante. As igrejas barrocas eram imponentes e ornamentadas, cheias de esculturas, pinturas tocantes e cenas bíblicas em poses marcantes. Essa potente propaganda serviu para deixar clara a diferença entre as igrejas católicas e os templos de seus pares protestantes, geralmente simples e sem decoração. A arte barroca, junto com o zelo de papas e padres jesuítas reformadores, ajudou a garantir que a Igreja católica sobrevivesse e florescesse em países como Itália e Espanha, mesmo com o movimento protestante ganhando força em outros lugares. A Europa, que outrora fora unida sob o papa na Igreja Católica Romana, agora estava irremediavelmente dividida entre estados católicos e protestantes. As sementes foram lançadas para mais de um século de conflitos; conforme súditos pegavam em armas contra seus governantes, reis e príncipes entravam em combate, e nações atacavam nações em nome da religião. ∎

O êxtase de Santa Teresa, um altar em mármore branco e uma das obras-primas do Alto Barroco romano, de Gian Lorenzo Bernini, o principal escultor daquela época.

A corrupção é geral na Igreja católica.

↓

Martinho Lutero começa uma campanha de reforma baseada em suas 95 teses.

↓

A **influência reformadora** de Lutero se espalha por toda a Europa e **divide a Igreja católica**.

Existem alguns esforços para uma **reforma interna**.

↓

A Igreja católica começa a **Contrarreforma**.

ELE COMEÇOU A GUERRA NA BOÊMIA, A QUAL SUBJUGOU, E A FORÇOU A SEGUIR SUA RELIGIÃO

A DEFENESTRAÇÃO DE PRAGA (1618)

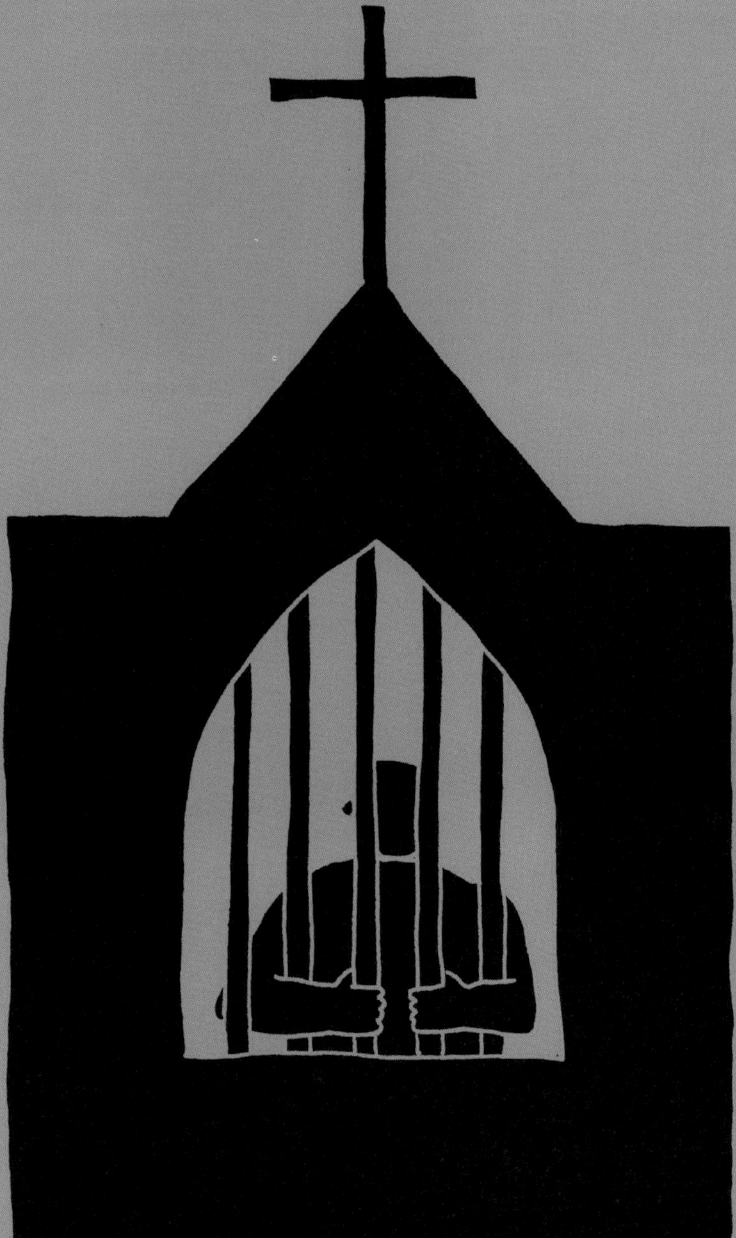

A DEFENESTRAÇÃO DE PRAGA

EM CONTEXTO

FOCO
As Guerras Religiosas

ANTES
1562 As Guerras Religiosas na França iniciam um período de 36 anos de conflitos no país.

1566 O saque do mosteiro de Steenvoorde, em Flandres, leva à Revolta Holandesa.

DEPOIS
1631 A vitória de Gustavo Adolfo evita que os estados alemães sejam forçados a se reconverter ao catolicismo.

1648 A Paz de Vestfália, uma série de tratados de paz, acaba com a Guerra dos Trinta Anos (1618–1648) no Sacro Império Romano-Germânico e a Guerra dos Oitenta Anos (1568–1648) entre a Espanha e a República Holandesa.

1685 A revogação do Édito de Nantes leva a uma nova rodada de perseguições aos protestantes franceses.

Nobres protestantes jogaram os regentes imperiais pela janela da sala onde estavam reunidos, sinalizando o começo de uma revolta contra o imperador Habsburgo e uma das fases iniciais da Guerra dos Trinta Anos.

O trio caiu uns vinte metros sobre uma pilha de estrume que estava encostada na parede do castelo. Conhecido como a Defenestração de Praga, foi o estopim para a Guerra dos Trinta Anos, uma série de conflitos que devastaram enormes áreas da Europa.

Diferenças religiosas

A Defenestração aconteceu com o despertar de longas e latentes disputas entre católicos e protestantes sobre se as pessoas deveriam ter a liberdade para seguir sua fé como quisessem. Essas diferenças afetaram boa parte da Europa, e, antes de a guerra começar na Boêmia, houve conflitos religiosos violentos em várias outras partes do continente.

As disputas também envolviam rivalidades pelo poder por parte de famílias reais e aristocráticas que defendiam lados distintos e usavam os conflitos para promover seus próprios interesses. A Holanda, por exemplo, abrigava vários protestantes, mas era governada pela Espanha católica, cujo governante, Filipe II, queria eliminar os protestantes. As Sete Províncias ao norte se revoltaram contra o poder do rei. Os conflitos religiosos cresceram e se tornaram violentos contra o que se sentia ser uma repressão da Coroa de Habsburgo, levando à formação da República da Holanda, independente, no norte da região.

Filipe também planejava conquistar a Inglaterra, que era mais ou menos protestante sob Elizabeth I, e queria colocar um monarca católico no trono inglês. Em 1588, ele enviou sua famosa Armada para invadir o país, mas uma combinação de tática

> " Eu preferiria perder todas as minhas terras, junto com cem vidas, a ser rei de hereges.
> **Filipe II da Espanha, 1566**

Em maio de 1618, um grupo de líderes protestantes de Praga se reuniu com diversos conselheiros num dos cômodos do Castelo de Praga. Os conselheiros eram católicos, operando como regentes para Fernando, o novo rei da Boêmia (agora parte da República Tcheca). Os protestantes queriam garantir que o rei e os regentes não suspendessem as liberdades religiosas que seus ex-governantes haviam lhes garantido. Quando os regentes se recusaram a se comprometer, os protestantes jogaram dois deles, junto com um clérigo que os acompanhava, pela janela do castelo.

O COMEÇO DA IDADE MODERNA

Veja também: A queda de Granada 128-129 ▪ Cristóvão Colombo chega à América 142-147 ▪ As 95 teses de Martinho Lutero 160-163 ▪ A abertura da Bolsa de Valores de Amsterdã 180-183

---

naval inglesa e uma tempestade que se formou estragou o plano, deixando a Inglaterra independente.

Essas diferenças religiosas se mostraram especialmente devastadoras na França do século XVI, onde uma grande minoria protestante, conhecida por huguenotes, sofria forte perseguição. Muitos protestantes, sobretudo ministros calvinistas, tiveram sua língua cortada ou foram queimados na fogueira. No chamado Massacre do Dia de São Bartolomeu, em 1572, uma série de assassinatos selecionados foi acompanhada de uma onda de violência da massa contra os huguenotes, que durou várias semanas e deixou milhares de mortos.

Depois houve uma série das chamadas Guerras Religiosas que durou quase 36 anos. Depois de oito períodos de lutas, pontuados por tréguas frágeis e acordos rompidos, as guerras acabaram em 1598, quando o rei francês Henrique IV, que havia sido um líder protestante antes de assumir o trono, promulgou o Édito de Nantes. Esse acordo deu aos huguenotes alguns direitos, inclusive a liberdade religiosa em algumas áreas geográficas. Ele também manteve o catolicismo como a religião oficial da França e obrigou os protestantes a observar feriados católicos e a pagar impostos para a Igreja. Mas ainda houve disputas entre os dois lados, de tempos em tempos, e muitos huguenotes deixaram a França e buscaram abrigo em outros países, como Inglaterra e Holanda.

A Guerra dos Trinta Anos

As guerras e as disputas religiosas na França, Holanda e Inglaterra formaram um pano de fundo perturbador para a Guerra dos Trinta Anos na Europa. A maioria das pessoas na Boêmia era

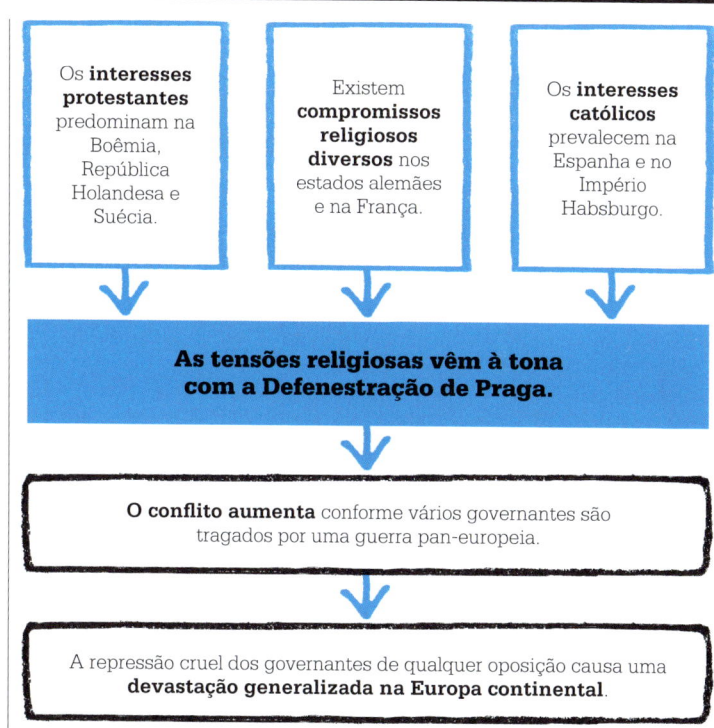

> Os **interesses protestantes** predominam na Boêmia, República Holandesa e Suécia.
>
> Existem **compromissos religiosos diversos** nos estados alemães e na França.
>
> Os **interesses católicos** prevalecem na Espanha e no Império Habsburgo.
>
> ↓
>
> **As tensões religiosas vêm à tona com a Defenestração de Praga.**
>
> ↓
>
> **O conflito aumenta** conforme vários governantes são tragados por uma guerra pan-europeia.
>
> ↓
>
> A repressão cruel dos governantes de qualquer oposição causa uma **devastação generalizada na Europa continental**.

protestante, mas a área era parte do grande Sacro Império Romano-Germânico, que também incluía Alemanha, Áustria e Hungria, sendo governada por imperadores católicos Habsburgo. Os imperadores atuavam como senhores dos reis, príncipes e duques locais. Alguns deles, em especial Matthias, que estava no trono quando houve a Defenestração de Praga, asseguraram aos seus súditos protestantes o direito de adorarem como quisessem. Matthias conseguiu isso ao ratificar a Carta da Majestade, que havia sido assinada pelo imperador anterior, Rodolfo II, garantindo liberdade religiosa aos protestantes, além de outros direitos básicos. No entanto, o sucessor de Matthias, o exageradamente católico Fernando, não sentiu nenhuma obrigação de honrar a Carta da Majestade. Ele perseguiu igrejas protestantes e escolheu católicos para os cargos mais altos. Isso detonou de novo uma disputa que já existia na Boêmia desde os primeiros levantes da Reforma protestante no século XV.

Depois da Defenestração, ambos os lados começaram a se preparar para a guerra, mas o processo foi acelerado em 1619, quando Matthias morreu. Fernando, que já era rei da Boêmia, tornou-se igualmente imperador do Sacro Império Romano-Germânico. Os líderes protestantes boêmios tentaram reduzir o poder local do imperador católico, depondo-o do reino da Boêmia e » convidando seu próprio candidato, o protestante Frederico V, Elector Palatine, para governar em seu lugar.

As credenciais de Frederico como protestante eram excelentes, não apenas por causa da sua própria fé, mas também pelo seu casamento: sua esposa era Elizabeth Stuart, filha do rei protestante da Inglaterra, Jaime I. Mas, para fazerem com que Frederico fosse rei, os boêmios tinham de depor um monarca que havia sido legalmente coroado, uma estratégia que os deixaria sem o apoio de vários potenciais aliados.

Em 1620, as forças da Boêmia se reuniram para confrontar os exércitos do Sacro Império Romano-Germânico na Montanha Branca, nos arredores de Praga. Elas pareciam estar equilibradas: os protestantes, sob Frederico e Christian de Anhalt, tinham mais soldados, mas os do império tinham mais experiência e eram liderados pelo nobre hispano-flamengo marechal de campo Tilly, além do renomado general Albrecht von Wallenstein. Após uma hora, as forças boêmias foram esmagadas – 4 mil homens foram mortos ou levados prisioneiros, comparado com setecentas baixas entre as forças do império – e Tilly invadiu Praga. Frederico fugiu, e muitos dos líderes protestantes foram executados. Protestantes comuns foram obrigados a deixar a região ou se converter ao catolicismo. A Boêmia ficou devastada, despovoada e quase sem nenhum poder. A área continuou predominantemente católica até o século XX.

Uma reforma desestabilizadora

O que aconteceu na Boêmia foi um sintoma da instabilidade do enorme Sacro Império Romano-Germânico. Em sua história já aconteceram, com frequência, disputas de poderes entre imperadores e governantes locais, mas havia surgido um equilíbrio geral de poder, e o imperador resolveu respeitar os direitos dos estados individuais que constituíam o império. Esse equilíbrio foi perturbado pelas mudanças da Reforma, quando as crenças protestantes se fortaleceram em alguns lugares (como a Saxônia) e o catolicismo prevalecia em outras (como a Bavária). Uma série de disputas foi crescendo até se tornar conflitos armados.

A maioria das batalhas foi na Alemanha e nas terras da Europa Central. Em poucos anos, o exército imperial Habsburgo, recrutado por Fernando e liderado pelo hábil líder militar Albrecht Wallenstein, esmagou seus rivais na Alemanha, seguindo depois para a Dinamarca. Em 1629, Fernando estava em posição de exigir de volta as terras que haviam passado para as mãos dos protestantes.

No entanto, os protestantes ainda tinham dois poderosos aliados. Um era a Suécia, sob o rei Gustavo Adolfo, um hábil líder militar. Outro era a França, um país católico, que porém queria limitar o poder imperial. Em 1630, Gustavo chegou à Alemanha com um grande exército e ganhou uma importante batalha em Breitenfeld em 1631, com ajuda financeira da França.

Em meados dos anos 1630, os Habsburgo reagiram, com a ajuda da Espanha. O conflito agora havia se tornado uma guerra total, envolvendo

> A ferida [protestante] se degenerou em gangrena; ela exige fogo e espada.
> **Fernando Álvarez,**
> aproximadamente na década de 1560

Gustavo alcançou sua vitória decisiva em Breitenfeld com uma nova abordagem que combinava armas, na qual infantaria, artilharia e cavalaria atuavam em conjunto, em apoio mútuo.

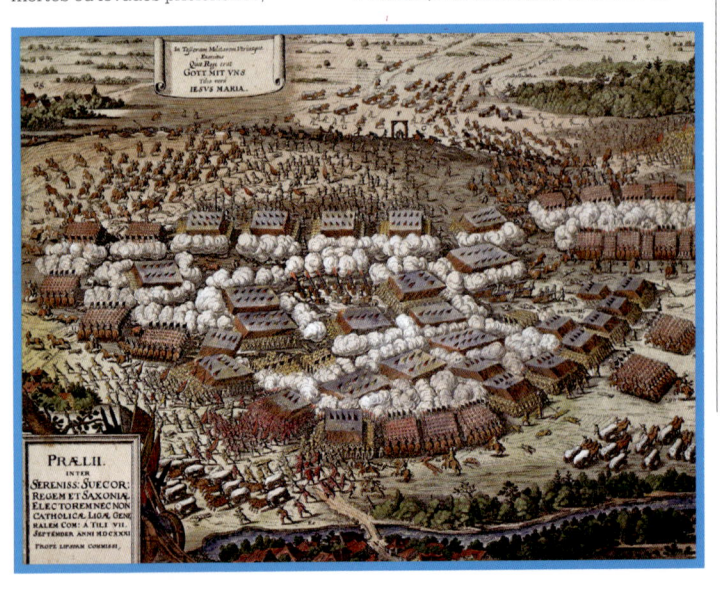

O COMEÇO DA IDADE MODERNA 169

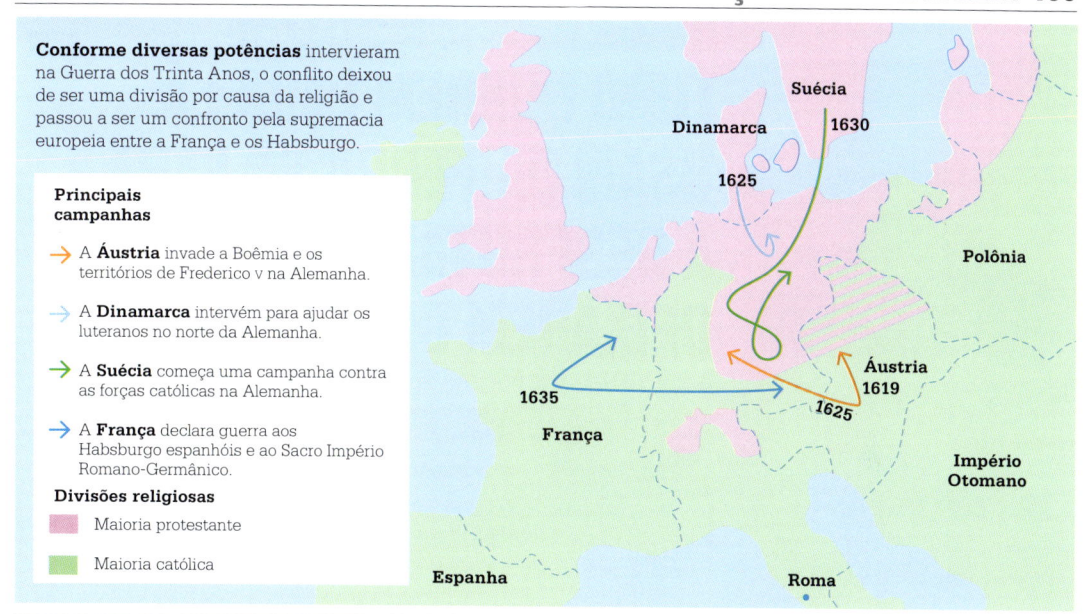

Conforme diversas potências intervieram na Guerra dos Trinta Anos, o conflito deixou de ser uma divisão por causa da religião e passou a ser um confronto pela supremacia europeia entre a França e os Habsburgo.

Principais campanhas

→ A **Áustria** invade a Boêmia e os territórios de Frederico V na Alemanha.

→ A **Dinamarca** intervém para ajudar os luteranos no norte da Alemanha.

→ A **Suécia** começa uma campanha contra as forças católicas na Alemanha.

→ A **França** declara guerra aos Habsburgo espanhóis e ao Sacro Império Romano-Germânico.

Divisões religiosas

- Maioria protestante
- Maioria católica

quase todos os principais países da Europa numa disputa por poder. O imperador queria reconquistar suas terras na Alemanha, enquanto os espanhóis queriam os Habsburgo, seus aliados, no poder para que pudessem cruzar a Europa com facilidade até o seu tão esperado ataque à Holanda. A França, com medo de ser cercada pelos Habsburgo e seus aliados, continuou tentando reduzir o poder imperial.

O fim e as consequências

Por volta dos anos 1640, forças anti-imperiais estavam se recuperando. A França derrotou a Espanha em Rocroi, no Vale do Oise, em 1643, enquanto em 1645 a Suécia enfrentou o exército imperial em Junkau, a sudeste de Praga. Quase metade dos 16 mil bravos soldados do exército imperial foram mortos nessa sangrenta batalha, e parecia que os suecos marchariam sobre Praga e Viena. No entanto, nesse ponto, ambos os lados estavam exaustos, e não houve nenhum avanço sobre as duas cidades.

As batalhas da Guerra dos Trinta Anos foram conduzidas em grande escala. As forças com milhares de soldados na cavalaria foram arregimentadas, apoiadas com arma de fogo, e usou-se uma enorme quantidade de mercenários. As batalhas eram lutadas com velocidade e crueldade profissionais, mas o que vinha depois era quase sempre pior. Os vastos exércitos cometiam terríveis atrocidades conforme pilhavam enormes campos para encontrar comida e remover qualquer coisa que pudesse ser útil a seus inimigos. As áreas rurais sofreram especialmente mais nas mãos das tropas invasoras – a Alemanha perdeu quase 20% da sua população –, mas o comércio e a manufatura também foram afetados pelos estrago e devastação que se seguiram. A Europa Central precisou de décadas para se recuperar da guerra, apesar de países com fortes rotas comerciais e poder marítimo, como Inglaterra e Holanda, terem se dado melhor.

Repetidas batalhas de artilharia também exauriram ambos os exércitos. Exaustos, os lados por fim decidiram se reunir e buscar a paz. Representantes do império, Espanha, França, Suécia e da República Holandesa, bem como os governantes dos principados e cidades alemãs, além de outras partes interessadas, se reuniram em 1648 em duas cidades ao norte da Alemanha, Osnabrück e Münster, para chegarem ao acordo de Paz de Vestfália. As conversações não conseguiram resolver as diferenças básicas entre os interesses políticos e religiosos, mas produziram um acordo que terminou com a guerra, e a paz estabeleceu um equilíbrio geral entre um grande número de nações independentes.

Apesar de a Europa agora estar permanentemente dividida entre Estados em sua maioria católicos e protestantes, todos concordaram em aprender a coexistir. A paz abriu o precedente da criação de acordos entre as nações por meio de encontros diplomáticos de alto escalão, que passaram a desempenhar um papel-chave nas relações internacionais desde então. ■

TUDO QUEREM PARA LÁ. USAM DA TERRA SÓ PARA A DESFRUTAREM E A DEIXAREM DESTRUÍDA
A CRIAÇÃO DO PRIMEIRO GOVERNO-GERAL (1548)

EM CONTEXTO

FOCO
Colonização do Brasil

ANTES
1500 A esquadra de Pedro Álvares Cabral desembarca no Brasil.

1501 Gaspar de Lemos descobre o pau-brasil.

1534 O rei dom João III cria as capitanias hereditárias.

DEPOIS
1624 Holandeses invadem pela primeira vez parte do Nordeste brasileiro. A ocupação só acabaria definitivamente em 1654.

1707 Começa a Guerra dos Emboabas.

1763 A capital da colônia passa a ser o Rio de Janeiro.

A coroa portuguesa se convence do **potencial econômico da colônia** e cria as **capitanias hereditárias**.

↓

Tomé de Souza é nomeado **primeiro governador-geral do Brasil**, com a missão de garantir o funcionamento da economia colonial.

↓ ↓

São criados **enormes latifúndios de cana de açúcar** nas terras brasileiras.

Os colonizadores importam **mão de obra escrava** para dar conta do volume de produção.

↓

Logo o Brasil se torna a **principal fonte de renda** do Império Português, provando o êxito do plano.

Quando Tomé de Souza, o primeiro governador-geral do Brasil, desembarcou em Salvador, ele tinha grandes responsabilidades sobre os ombros. Haviam se passado quase cinquenta anos desde a descoberta do Novo Mundo, mas durante as primeiras décadas a Coroa portuguesa não se interessou pelo território, concentrando suas atenções nas colônias mais lucrativas na África, como Cabo Verde. Os lusitanos se limitaram a extrair o pau-brasil, madeira valiosa no mercado europeu, praticando o escambo com os indígenas e construindo, no máximo,

O COMEÇO DA IDADE MODERNA

Veja também: A Batalha de Ourique 108-109 ▪ Cristóvão Colombo chega à América 142-147 ▪ O Tratado de Tordesilhas 148-151 ▪ O intercâmbio colombiano 158-159 ▪ O Grito do Ipiranga 216-219 ▪ A febre do ouro da Califórnia 248-249

algumas feitorias no litoral para armazenar seus estoques antes de transportá-los.

Isso mudou em 1534, quando dom João III se convenceu do potencial econômico do Brasil e criou as capitanias hereditárias. Estas eram uma espécie de feudo: uma porção de terra, chamada pelos portugueses de sesmaria, era doada pelo rei a um nobre de confiança, que deveria em troca desenvolver alguma atividade agrícola e proteger o território dos indígenas e de invasões estrangeiras. No entanto, o sistema falhou, já que os capitães donatários foram, via de regra, completamente negligentes.

Portugal alterou então sua estratégia e decidiu, em 1548, instalar no Brasil um Governo-Geral, nomeando Tomé de Souza responsável pelas terras americanas. Sua difícil missão era garantir que dessa vez a máquina de exploração colonial funcionasse. Para isso, ele organizou um poder legislativo, centralizou o recolhimento de impostos e nomeou um capitão-mor para defender o litoral. O objetivo era centralizar a administração nas mãos de um funcionário da Coroa. O plano deu certo, e o Brasil foi, até o século XIX, a principal fonte de renda do Império Português.

O sistema colonial

O produto que melhor vingou nas terras brasileiras foi a cana-de-açúcar. Os colonizadores criaram enormes latifúndios no Nordeste do país, onde o clima era privilegiado, e lá instalaram engenhos para moer e embarcar o produto rumo ao mercado europeu. Para dar conta do grande volume de produção, importaram mão de obra escrava em massa da África. A autoridade máxima numa zona produtora de cana era o dono do latifúndio, chamado de senhor de engenho. Ele tinha domínio total sobre seus funcionários, seus escravos e sua família, formando a base cultural autoritária e patriarcal sobre a qual se ergueu a sociedade da colônia.

Todo esse sistema só era lucrativo porque a Coroa mantinha o chamado pacto colonial: os produtores brasileiros deviam negociar o açúcar e comprar artigos manufaturados apenas com comerciantes lusitanos. Isso explica por que praticamente só o litoral brasileiro, onde se plantava a cana e se fazia o comércio ultramarino, foi ocupado nos primeiros séculos de colonização. O frei Vicente de Salvador explicou isso em 1627, dizendo que "da largura que a terra do Brasil tem para o sertão [eu] não trato, porque até agora não houve quem a andasse", já que os portugueses "se contentam em andar arranhando ao longo do mar como caranguejos". Essa situação mudou bastante no século XVIII.

A ocupação do interior

Em meados do século XVII, o ciclo econômico do açúcar estava em declínio. A venda do produto não era mais tão lucrativa no mercado europeu, e Portugal precisou buscar novas fontes de renda no Brasil. A Coroa patrocinou uma série de expedições para tentar achar riquezas no interior do território, o que levou, por exemplo, à extração de especiarias da Amazônia, chamadas de "drogas do sertão",e à criação de gado no atual Rio Grande do Sul.

Então, no início do século XVIII, bandeirantes paulistas encontraram ouro na região de Minas Gerais, dando início a um novo ciclo econômico. Isso atraiu pessoas de todas as partes da América portuguesa e fez com que a Coroa mudasse a capital brasileira em 1763, passando de Salvador para o Rio de Janeiro, mais próximo das regiões auríferas. Esse movimento conectou pela primeira vez as várias províncias, fazendo com que estradas e povoados se formassem no interior do país e a ocupação deixasse de ser uma exclusividade do litoral.

O ciclo do ouro foi curto, mas mudou completamente o perfil da colônia. A interiorização do território e a possibilidade de acumular riqueza no Brasil foram as bases para que um sentimento nacional pudesse emergir no século XIX, época da independência. ■

Engenho de moagem de cana-de-açúcar no Brasil colonial. Nesses engenhos, além da mão de obra escrava, usava-se a força animal como fonte de energia. A cana tornou-se o principal rendimento da coroa portuguesa até o início do século XVIII.

ELES ESTIMAVAM UMA GRANDE ESPERANÇA E UM ZELO INTERIOR
A VIAGEM DO *MAYFLOWER* (1620)

EM CONTEXTO

FOCO
A colonização da América do Norte

ANTES
1585 Colonizadores ingleses fundam a colônia da Ilha de Roanoke, na Carolina do Norte, mas em cinco anos ela é abandonada.

1607 O primeiro assentamento permanente inglês na América do Norte é fundado em Jamestown, Virgínia.

1608 Colonos franceses fundam Quebec, no Canadá.

DEPOIS
1629 Colonos ingleses fundam a Colônia da Baía de Massachusetts, na Costa Leste norte-americana.

1681 O quaker inglês William Penn funda a Pensilvânia como refúgio para seus colegas quakers.

1732 Colonos ingleses fundam a Geórgia, a última das treze colônias originais da Costa Nordeste.

Em 1620, um grupo de ingleses que não podiam, pela lei, seguir sua fé como queriam na Inglaterra, cruzou o Atlântico em busca de liberdade religiosa. Esse grupo ficou mais tarde conhecido como os peregrinos. Eles partiram em dois barcos, mas um não tinha condições de cumprir o trajeto, o que os fez continuar em apenas um deles, o *Mayflower*. As tempestades de inverno castigaram os 66 dias de travessia, e o principal vau do barco se partiu. Ainda a bordo, os peregrinos esboçaram o *Mayflower Compact*, no qual juravam lealdade à Coroa, mas também indicavam o direito de fazer suas próprias leis segundo o ordenamento legal inglês. Eles se estabeleceram em Plymouth, e, apesar de muitos terem morrido no primeiro inverno, a comunidade se perpetuou.

Começo da colonização

Naquela época, a Inglaterra, assim como outros países, estava na disputa para estabelecer colônias na América do Norte. Jamestown havia sido fundada treze anos antes da chegada dos peregrinos em Plymouth, mas não era uma comunidade religiosa. A Colônia da Virgínia, cujo centro era Jamestown, foi estabelecida pelos

---

Protestantes ingleses buscando liberdade religiosa navegam para a América do Norte no *Mayflower*. Ao chegarem, fundam um assentamento.

⬇ ⬇

Mais **separatistas religiosos** fazem a mesma jornada, aumentando a **população da colônia**.

Outras colônias inglesas são fundadas por **companhias autorizadas pela Coroa**.

⬇ ⬇

Os colonos desenvolvem uma **forma de governo** baseada na **busca da liberdade religiosa**, seguindo o **modelo parlamentar** inglês.

O COMEÇO DA IDADE MODERNA   173

Veja também: Cristóvão Colombo chega à América 142-147 ▪ A abertura da Bolsa de Valores de Amsterdã 180-183 ▪ A assinatura da Declaração de Independência 204-207 ▪ A abertura de Ellis Island 250-251

O *Mayflower* tentou partir da Inglaterra em três ocasiões: de Southampton e de Dartmouth em agosto e, finalmente, de Plymouth em 6 de setembro de 1620.

colonizadores ingleses em 1607, com uma autorização da Coroa, e foi sua primeira colônia nas Américas. Os exploradores franceses estabeleceram entrepostos comerciais de peles ao longo de rios ao norte do Canadá. Os colonos holandeses e suecos chegaram à América do Norte no começo do século XVII, e em 1613 os holandeses fundaram um entreposto comercial na margem oeste da Ilha de Manhattan.

Governo e comércio

Plymouth e Jamestown desenvolveram instituições representativas nas quais os colonos elegiam autoridades para governar seus próprios assuntos. Inspiradas no modelo parlamentar inglês, e se baseando na definição de direitos articulada no *Mayflower Compact*, essas primeiras iniciativas criaram um modelo de autogestão que caracterizaria a colonização inglesa na América do Norte.

Cada colônia tinha um governador escolhido pelo monarca britânico e um legislativo eleito pelos colonos. Com frequência havia tensão entre os dois, porque o legislativo tinha de atuar seguindo o ordenamento legal inglês. No entanto, o rei e o governo em Londres, agindo junto com o governador, viam as colônias como um recurso rico em matérias-primas que poderia ser explorado em benefício próprio.

Para garantir que a América continuasse um mercado cativo para as fábricas britânicas, o comércio colonial foi restrito pela Lei da Navegação, que exigia que toda mercadoria comercializada se fizesse em navios britânicos. Os colonos viram essas medidas como uma clara supressão de seu comércio e sua manufatura. Aumentou a tensão em ambos os lados do Atlântico, já que britânicos e comerciantes coloniais buscavam proteger seus interesses.

O crescimento colonial

As relações entre os colonos e os povos indígenas da Costa Leste também estavam começando a se esgarçar. A crescente população colonial sobrecarregou o uso das terras e dos recursos, empurrando as pessoas para o oeste, para se estabelecerem em terras que pertenciam aos índios americanos.

Uma paz desconfortável, pontuada por violência, explica como foram as relações entre os colonizadores e os índios por anos. ▪

Perseguição religiosa

No começo do século XVII, os ingleses eram obrigados a seguir a sua fé conforme ordenado pela Igreja da Inglaterra. Apesar de a Igreja inglesa já ter rompido com o catolicismo, muitas pessoas ainda achavam que sua hierarquia clerical e o seu conjunto de ritos, hinos e orações mantinham a forma católica, e isso deveria ser extinto.

Os puritanos, assim chamados porque desejavam a pureza religiosa, esperavam reformar a Igreja por dentro. Outros grupos, conhecidos como separatistas, estabeleceram suas próprias congregações "separadas", mas, quando seus líderes foram aprisionados ou mesmo executados, se mudaram para a Holanda, que era mais tolerante. Lá poderiam adotar uma forma mais simples de culto, porém era muito difícil para eles trabalharem, porque não podiam entrar nas corporações de ofícios do país. Esta é uma das razões pelas quais os peregrinos, e outros mais tarde, decidiram tentar uma nova vida na América do Norte.

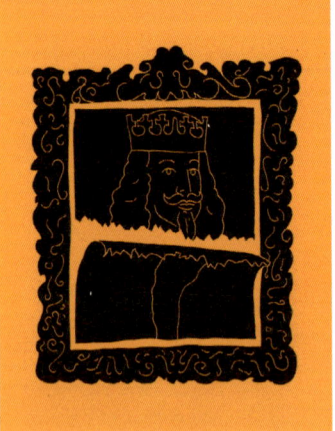

CORTAREMOS SUA CABEÇA COM A COROA AINDA NELA
A EXECUÇÃO DE CARLOS I (1649)

EM CONTEXTO

FOCO
Guerra Civil Inglesa

ANTES
1639 As forças inglesas e escocesas se enfrentam na primeira "Guerra dos Bispos".

1642 Começa a Guerra Civil em Edgehill, Warwickshire.

1645 O "novo modelo de exército" de Oliver Cromwell consegue vitórias em Naseby e Langport.

1646 Carlos é forçado a se render aos seus oponentes.

DEPOIS
1649 É formada a Comunidade da Inglaterra (uma república).

1653 Cromwell assume o título vitalício de Lord Protector, dando-se o poder de convocar e dissolver parlamentos.

1658 Cromwell morre e é substituído como Protector pelo seu filho, Ricardo.

1660 A monarquia é restaurada: Carlos II se torna rei da Inglaterra.

O rei Carlos I declara seu **direito divino de governar**.

O rei precisa **aumentar os impostos** para pagar pelas guerras.

O Parlamento tenta **limitar a autoridade do rei**. Começa uma **guerra civil** entre a Coroa e o Parlamento pelo **direito de governar**.

As **forças parlamentares**, lideradas por Cromwell, **ganham a guerra**.

O rei é executado, e uma república inglesa é criada.

Durante os anos 1640, a Inglaterra afundou numa série de guerras para decidir o futuro do país, que ficaram conhecidas como Guerra Civil Inglesa. De um lado estavam os partidários do rei – predominantemente a aristocracia rural que apoiava o rei Carlos I e seu direito de governar independente do parlamento. Do outro, estavam os partidários do Parlamento – basicamente os pequenos proprietários de terra e comerciantes, e muitos deles tinham crenças puritanas e não gostavam da postura autocrática de Carlos. Em 1648, os parlamentaristas derrotaram Carlos em batalha, e Oliver Cromwell, seu líder, excluiu do Parlamento todos aqueles propensos a negociar com o rei, deixando os restantes (conhecidos como o Resto do Parlamento)

O COMEÇO DA IDADE MODERNA

Veja também: A assinatura da Magna Carta 100-101 ▪ As 95 teses de Martinho Lutero 160-163 ▪ A defenestração de Praga 164-169 ▪ A abertura da Bolsa de Valores de Amsterdã 180-183

para votar o fim da monarquia. Carlos foi julgado por traição à Inglaterra, sendo decapitado em 1649, quando a Inglaterra começou seu período de onze anos como uma república.

As causas da guerra

O rei Carlos I e o Parlamento eram oponentes naturais. Carlos gostava dos católicos enquanto o Parlamento era protestante, e ele acreditava no direito divino dos reis – a ideia de que a escolha do rei é aprovada por Deus, tendo assim poder absoluto.

O conflito começou por causa das repetidas tentativas do rei de arrecadar dinheiro para uma guerra na França. O Parlamento tentou limitar seu poder ao apresentar uma Petição de Direitos em 1628, tornando necessário que seus membros aprovassem a tributação. No entanto, Carlos se livrou disso ao cobrar impostos usando leis medievais, vendendo monopólios comerciais para levantar dinheiro, governando assim sem o Parlamento. Em 1640, o rei foi forçado a convocar o Parlamento pela primeira vez em onze anos para conseguir dinheiro para abafar uma revolta escocesa. Uma vez convocado, o Parlamento tentou adicionar medidas para limitar seu poder, tais como tornar ilegal ao rei dissolver o Parlamento, mas ele respondeu tentando prender cinco parlamentares. A disputa cresceu até virar a Primeira Guerra Civil, em 1642.

A guerra e seus efeitos

A princípio, os partidários do rei saíram na frente, mas em 1644 os parlamentaristas reorganizaram suas tropas sob Oliver Cromwell. Com sua abordagem disciplinada e profissional, esse "novo modelo de exército" forçou Carlos a se render em 1646. Porém, o rei recomeçou a guerra dois anos depois, e essa Segunda Guerra Civil – que terminou com a derrota dos partidários do rei na Batalha de Preston em 1648 – deu início a uma série de eventos que levaram à sua execução em 1649 e à formação de uma república, sob Cromwell, chamada de Comunidade da Inglaterra.

Assim como Carlos, Cromwell teve relações difíceis com o Parlamento, mas tentou implementar reformas. Ele governou com rígida autoridade puritana, impondo-a de forma cruel aos escoceses e irlandeses. Logo depois de sua morte, o país – talvez cansado da austeridade puritana – convidou o filho de Carlos I, que estava no exílio, para que voltasse e assumisse o trono. Carlos II concordou com as limitações ao poder real e a manter a fé protestante, mas seu herdeiro – seu irmão católico Jaime II – entrou em conflito com os bispos anglicanos e desagradou os protestantes ao oferecer cargos importantes para os católicos.

O temor de ter um novo rei católico aumentou até que, em 1688, no que acabou ficando conhecida como a Revolução Gloriosa, Jaime foi deposto. O rei foi exilado e substituído por sua filha protestante, Maria, que governou com seu marido holandês Guilherme de Orange. Em 1689, Guilherme e Maria aceitaram a Declaração de Direitos, que garantia aos súditos liberdades civis básicas, como um julgamento com júri, e sujeitando a monarquia à lei da terra. A partir de então, a Grã-Bretanha tem sido uma monarquia constitucional, na qual nenhum rei ou rainha pode desafiar o Parlamento, como fez Carlos I. ▪

Rei Carlos I, da Inglaterra

Filho do rei Jaime I da Inglaterra, da casa Stuart, também conhecido como rei Jaime VI da Escócia, e de Anne da Dinamarca, Carlos nasceu em 1600 e se tornou rei em 1625. Desde o começo, ele desprezou tanto os súditos quanto o Parlamento, com suas demandas por tributação (na maioria das vezes para financiar guerras na França) e sua afirmação do direito divino de governar. Também confrontou a Igreja por causa de sua simpatia pelo catolicismo (ele era casado com a princesa católica francesa, Henrietta Maria). Além disso, era impopular na Escócia, onde tentou substituir o então prevalecente sistema presbiteriano de governança da Igreja (sem bispos) pelo sistema episcopal hierárquico (com bispos, seguindo o modelo anglicano), o que levou a um conflito político e militar em 1639 e 1640 (conhecido como a Guerra dos Bispos). Durante a Guerra Civil Inglesa, ele assumiu um papel ativo ao liderar os exércitos reais, até ser capturado. A princípio foi posto em prisão domiciliar, depois foi encarcerado antes de sua execução em 1649. Continuou alegando o direito divino de governar durante seu julgamento.

A PRÓPRIA EXISTÊNCIA DAS PLANTATIONS DEPENDE DA OFERTA DE SERVOS NEGROS

A FORMAÇÃO DA COMPANHIA REAL AFRICANA (1660)

EM CONTEXTO

FOCO
Escravos e colônias

ANTES
1532 Os portugueses fundam seu primeiro assentamento no Brasil.

1562 O comércio negreiro britânico na África inicia-se com a viagem de John Hawkins.

1625 Os britânicos tomam posse de Barbados em nome de Jaime I.

1655 Os britânicos capturam a Jamaica dos colonos espanhóis.

DEPOIS
1672 A companhia é reaberta como Companhia Real Africana.

1698 O comércio africano é legalmente aberto a todos os mercadores ingleses, desde que paguem uma taxa de 10% à companhia por todos os bens exportados para a África.

Em 1660, a Companhia dos Aventureiros Reais da África foi fundada na Inglaterra. Seu estatuto, endossado pelo rei, dava a seus barcos o direito exclusivo de fazer o comércio na costa da África Ocidental e permitia aos seus membros construir fortes por lá, em troca de dar à Coroa inglesa metade dos lucros obtidos. Doze anos mais tarde, a companhia foi reorganizada como Companhia Real Africana, agora com poderes ainda maiores: construir fortes e "fábricas" (onde os escravos eram mantidos antes de serem enviados através do Atlântico), e ter suas próprias tropas. O significado específico da companhia se deve ao seu papel crucial na facilitação e no desenvolvimento do tráfico de escravos.

O COMEÇO DA IDADE MODERNA 177

Veja também: Cristóvão Colombo chega à América 142-147 ▪ O Tratado de Tordesilhas 148-151 ▪ O intercâmbio colombiano 158-159 ▪ A Lei da Abolição do Comércio de Escravos 226-227

O tráfico de escravos no Atlântico foi extinto em 1807, mas continuou por décadas. Essa gravura mostra os cativos a bordo de um barco americano, o *Wildfire*, a caminho de Cuba, por volta de 1860.

Ela transportou muitos milhares de africanos para uma vida de escravidão, trabalhando junto com líderes da África Ocidental para criar um mercado que durou até bem depois do seu fim em 1752, e que veria, por fim, milhões de africanos ser transferidos para viver sob trabalho forçado nas Américas.

A fundação da companhia

Logo após sua fundação, a companhia se envolveu na Segunda Guerra Holandesa, um conflito comercial em que a Holanda tomou vários fortes da Inglaterra, excluindo-os do tráfico negreiro durante a guerra. O envolvimento na guerra quase levou a Companhia dos Aventureiros Reais à falência, mas em 1672, com uma nova autorização do rei, ela se reergueu, trocou de nome, se reestruturou e garantiu o direito de levar escravos para serem vendidos na América. Prosperou, transportando cerca de 100 mil escravos entre aquele ano e 1698, quando, com a restrição do poder real pela Declaração de Direitos, ela perdeu o monopólio sobre o comércio. Depois de 1698, foi permitido a outros mercadores entrar no comércio, desde que pagassem uma taxa de 10% de todas as suas exportações africanas. O envolvimento de outros comerciantes fortaleceu o comércio a tal ponto que ele se tornou parte da vida mercantil britânica por todo o século XVIII.

O comércio de escravos era muito mais antigo que a Companhia Real Africana. Os comerciantes portugueses no final do século XIV foram os primeiros europeus a transportar escravos a partir da África Ocidental. No século XVI, estavam levando grandes quantidades »

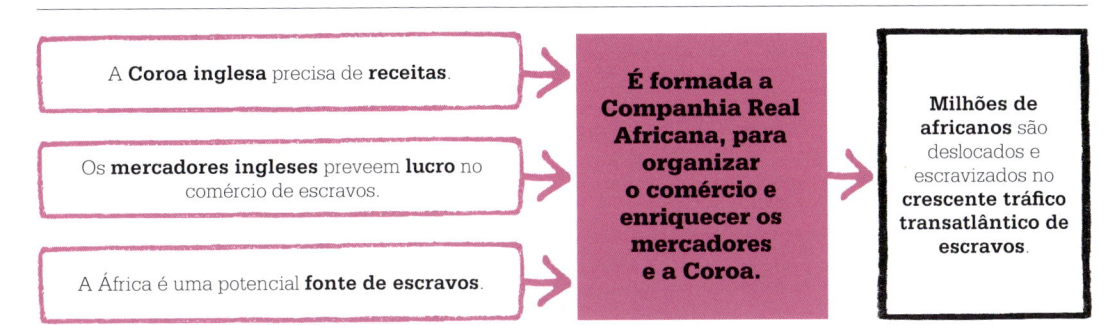

A **Coroa inglesa** precisa de **receitas**. →

Os **mercadores ingleses** preveem **lucro** no comércio de escravos. →

A África é uma potencial **fonte de escravos**. →

É formada a Companhia Real Africana, para organizar o comércio e enriquecer os mercadores e a Coroa. →

Milhões de **africanos** são deslocados e escravizados no **crescente tráfico transatlântico de escravos**.

A FORMAÇÃO DA COMPANHIA REAL AFRICANA

> Eu os levava como se fossem gado até os barcos.
> **Diogo Gomes**
> Explorador português (1458)

de escravos para o Brasil, para trabalhar nas plantations de cana-de-açúcar. O Brasil continuou sendo o maior destino de importação de escravos africanos, até que o comércio foi proibido. As primeiras expedições britânicas em busca de escravos foram nos anos 1560, em que mercadores compravam escravos capturados por líderes africanos. Durante o século XVII, com o crescimento da colonização inglesa, o mercado para escravos africanos cresceu, e a Companhia Real Africana se aproveitou muito disso.

O comércio triangular

O tráfico de escravo transatlântico rapidamente se tornou parte de uma rede triangular de comércio maior, na qual os barcos levavam escravos da África para as Américas, enchiam seus porões de bens para levar para a Europa e levavam bens manufaturados europeus para ser vendidos na África, fechando a triangulação. Os barcos levavam mercadorias como açúcar, melaço e café do Caribe para a Inglaterra; arroz, índigo, algodão e tabaco das colônias sulistas da América do Norte; e peles, madeira e rum do nordeste americano. Na rota Inglaterra-África, levavam uma série de itens como roupas, armas, ferro e cerveja. Bens como o marfim e o ouro eram levados diretamente da África para a Europa não como parte do comércio triangular, mas ainda assim impulsionando o sistema.

A rede de comércio deu lucros enormes aos donos de plantations nas Américas, aos fabricantes na Inglaterra, bem como aos mercadores que comercializavam escravos e outros bens. Todos lucravam: dos operadores de portos aos líderes da África Ocidental, dos banqueiros que financiavam as expedições até os operários das fábricas inglesas cujos empregos dependiam das matérias-primas importadas do exterior.

Como parte-chave dessa rede de comércio, o tráfico negreiro tornou possível a rápida ascensão do capitalismo ocidental no século XVIII. Até fábricas que ficavam a alguma distância dos portos comerciais da Inglaterra se envolveram. Um notável exemplo foi o negócio de fabricação de armas, que ficava no centro da Inglaterra, em núcleos urbanos como Birmingham, convenientemente próximos da oferta de ferro. Quase 150 mil pistolas, a maioria feita em fábricas no interior, eram exportadas para a África todos os anos. Quase todas eram trocadas com mercadores africanos por escravos. Os talheres ingleses de Birmingham e Sheffield também eram comercializados assim. Havia tantas pessoas

> O grito agudo das mulheres e os grunhidos dos que morriam davam à cena um horror quase inconcebível.
> **Olaudah Equiano**
> Escritor africano e escravo liberto (1789)

O tabaco da Virgínia tinha enorme demanda na Europa. Os plantadores mandavam seus produtos direto para seus países de origem e usavam os lucros para comprar trabalhadores africanos e bens europeus.

interessadas no comércio triangular que ficou difícil aos políticos europeus criticar o sistema, quanto mais aboli-lo.

O número de pessoas escravizadas e vendidas era enorme. Estima-se que quando o tráfico negreiro foi proibido na Inglaterra em 1807, os mercadores britânicos já haviam forçado algo próximo de 3 milhões de africanos à escravidão nas Américas. Um número desconhecido de pessoas nem sequer chegou à América, morrendo no percurso por causa das terríveis condições de transporte nos navios negreiros. É provável que um número ainda maior tenha sido transportado pelos portugueses para o Brasil. Navios de outras nações também levavam menos escravos. Alguns historiadores estimaram que o número total pode ter chegado a 10 milhões, se bem que outros dizem que foi ainda maior.

As colônias europeias

Os colonos espanhóis, holandeses e franceses foram os primeiros a usar o

O COMEÇO DA IDADE MODERNA

O comércio triangular de escravos levou miséria para alguns e riqueza para outros. Se os lucros que gerava aceleraram o desenvolvimento de economias europeias, o comércio também deslocou milhões de africanos.

(1) Os bens manufaturados e os têxteis eram levados à África e trocados por escravos.

(2) Os escravos eram vendidos para comerciantes, que conseguiam comprar o dobro de homens e mulheres.

(3) Depois de venderem seus escravos, os mercadores embarcavam algodão, açúcar e tabaco para a Europa, onde investiam seus lucros e perpetuavam o ciclo.

A Passagem do Meio

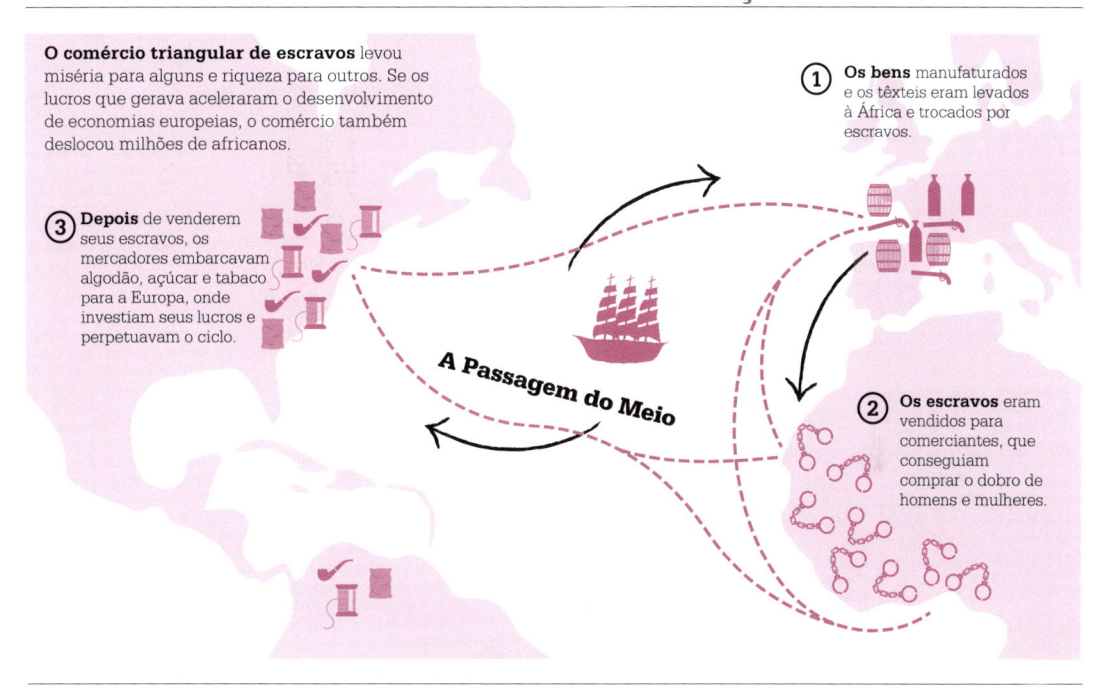

sistema de plantations no Caribe, produzindo colheitas de cana e café em enormes fazendas, ou plantations. Suas principais colônias caribenhas incluíam Cuba (uma colônia da Espanha), Haiti (França) e as Antilhas Holandesas (Holanda). O uso de trabalhadores escravos nessas plantations dava grandes lucros aos seus donos. A presença britânica na área aumentou no século XVII, quando a colônia britânica de maior sucesso era Barbados, onde havia 46 mil escravos por volta dos anos 1680. No século XVIII, também houve um boom de açúcar na Jamaica.

A maior parte da população nativa foi morta pelas conquistas europeias, e os trabalhadores europeus não se adaptaram bem às condições locais, assim os donos das plantations dependiam cada vez mais da implacável exploração dos escravos. A escravidão também era disseminada nas colônias da América do Norte, sobretudo nas áreas do sul onde se cultivava tabaco, por exemplo, nas plantations. Os escravos eram, com frequência, tratados como objetos não humanos, forçados ao trabalho e sujeitos a crueldades como surras, marcação a ferro ou piores.

A escravidão além do triângulo

Os colonizadores da Europa também praticavam a escravidão além do triângulo comercial do Atlântico. Os holandeses foram os primeiros no comércio de escravos no sudeste asiático, e também comercializavam pelo oceano Índico para áreas como Madagascar e Ilhas Maurício. A maior parte desse comércio era conduzida sob os auspícios da Companhia das Índias Orientais, que tinha sua sede na Ilha de Jacarta, conhecida pelos holandeses como Batávia, além de uma base em Sri Lanka. A partir desses pontos eles transportavam escravos por todo o oceano Índico, do leste da Indonésia até o sul da África. Depois que portugueses e ingleses estabeleceram suas bases, também passou a haver um comércio adicional de escravos pela costa da Índia.

O tráfico negreiro não era feito apenas pelos europeus. Os mercadores muçulmanos também transportavam escravos do leste da África para vendê-los em outras partes do mundo muçulmano.

No entanto, o comércio triangular era um elemento crucial na criação de uma economia global movida pelos europeus e suas crias coloniais para seu próprio lucro. Ele permitiu um fenomenal crescimento na riqueza dos países que faziam o comércio. Na Inglaterra, por exemplo, o valor do comércio exterior subiu de £10 milhões no começo do século XVIII para £40 milhões no final. Mas o custo do comércio de escravos, que influenciou padrões de pensamento e comportamento nos séculos seguintes, continua incalculável até hoje. ∎

NÃO HÁ NENHUMA ESQUINA ONDE NÃO SE FALE SOBRE AÇÕES

A ABERTURA DA BOLSA DE VALORES DE AMSTERDÃ (1602)

EM CONTEXTO

FOCO
A Era de Ouro holandesa

ANTES
1585 Fundação da República Holandesa; os protestantes do sul vão para o norte.

1595 Cornelis de Houtman lidera uma expedição à Ásia, iniciando o comércio holandês de especiarias.

DEPOIS
1609 É fundado o Banco de Amsterdã.

1610–1630 As terras trocam de mãos; a República Holandesa aumenta em um terço seu tamanho, e cresce a produção agrícola.

1637 Um único bulbo de tulipa é vendido por mais de dez vezes o salário anual de um artesão especializado.

1650 Metade da República vive em áreas urbanas; a Holanda é a região mais urbanizada da Europa.

A Bolsa de Valores de Amsterdã – o primeiro mercado permanente no mundo para ações e cotas – abriu em 1602, sob os auspícios da Companhia Holandesa das Índias Orientais (conhecida na Holanda como VOC). A companhia era um vasto império – na verdade, a primeira corporação internacional – e foi criada para facilitar as expedições comerciais à Ásia. De forma inusitada, o governo holandês deu à companhia o poder não apenas de fazer comércio, mas também de construir fortificações, criar assentamentos, recrutar exércitos e fazer acordos com governantes estrangeiros. Já que a organização tinha uma enorme rede de navios, portos e pessoal, exigia um financiamento considerável, além de muitos investidores. A Bolsa de Valores de

O COMEÇO DA IDADE MODERNA

Veja também: Cristóvão Colombo chega à América 142-147 ▪ O Tratado de Tordesilhas 148-151 ▪ A defenestração de Praga 164-169 ▪ O *Rocket* de Stephenson entra em operação 220-225 ▪ A construção do Canal de Suez 230-235

A Companhia das Índias Orientais gerenciava seus próprios estaleiros, e o maior deles ficava em Amsterdã, como mostrado aqui. Muito poderosa no século XVII, a companhia foi à falência e dissolvida em 1800.

Amsterdã foi originalmente estabelecida para permitir aos investidores negociar suas ações da Companhia das Índias Orientais, mas acabou se desenvolvendo e se tornando um vibrante mercado de ativos financeiros e o carro-chefe de uma crescente economia capitalista na República Holandesa.

Uma economia em expansão

No século XVII, a Holanda estava crescendo economicamente, a despeito de estar envolvida numa longa guerra com a Espanha. A parte norte da região (a República Holandesa, que era protestante) se dividiu da metade sul (Flandres, que era católica) no final do século XVI. A República consistia em sete províncias separadas ao norte, cada uma com um alto grau de independência, mas sob o guarda-chuva de um governo federal chamado Estados Gerais. Mercadores protestantes que viviam em cidades católicas, como Antuérpia, se mudaram para o norte para escapar da perseguição, levando consigo seu capital e vínculos comerciais. Igualmente, artesãos flamengos que dominavam a técnica da produção têxtil (a princípio de lã, seda e linho) emigraram para o norte, para as cidades de Haarlem, Leiden e Amsterdã, dando um impulso adicional à economia da República Holandesa.

Com o avanço do século XVII, a República de fato começou a prosperar. E, mais importante, a nação tinha uma forte tradição naval, o que lhe deu uma enorme vantagem sobre muitos países. Além disso, seus cidadãos tinham uma forte ética de trabalho – em grande parte devido à crença protestante de que o trabalho mundano era uma obrigação e uma rota para a salvação –, então a produtividade era alta. Também havia uma população em crescimento (sobretudo a classe média urbana) e uma grande cidade em expansão – Amsterdã, que provou ser um centro ideal para o comércio. Todos esses fatores positivos fizeram que a economia holandesa se movesse cada vez mais para navegação, comércio e finanças.

Exploração e comércio

Por ser uma nação costeira, a República Holandesa produziu excelentes navegadores e exploradores, portanto o comércio de longa distância era uma consequência natural da história marítima do país. Além disso, avanços na tecnologia da construção de navios permitiram à frota mercante holandesa se expandir rapidamente. »

Revolução agrícola

A crescente população da República Holandesa no século XVII encorajou os agricultores a deixar seus cultivos muito mais produtivos. Em grande parte, isso foi alcançado pelo aterramento marítimo – um processo que já estava bem avançado na Idade Média. Os holandeses também, em vez de cultivar grãos num ano e deixar a terra descansar no seguinte, começaram a plantar certos cultivos ricos em nitrogênio (como ervilhas, nabos e trevos, que usavam para alimentar os rebanhos) para melhorar o solo para o próximo cultivo de milho. Plantar mais forragens fazia que os fazendeiros pudessem ter rebanhos maiores, aumentando assim a produção de carne e leite, além do esterco, que poderia ser usado como fertilizante. Essa produtividade maior ajudou a sustentar uma população crescente, se bem que ainda se importava trigo para cobrir alguma escassez. Isso também liberou uma parcela maior da população para trabalhar no comércio ou nas finanças, em vez de permanecer apenas na agricultura.

A ABERTURA DA BOLSA DE VALORES DE AMSTERDÃ

Em 1670, os holandeses tinham mais navios mercantes que todo o resto da Europa junto. A crescente classe mercantil via um enorme potencial de lucro no comércio de especiarias com a Ásia, e, como em outras culturas marítimas como Espanha e Portugal, os navegadores procuravam novas rotas para o Oriente. Os holandeses viajaram por todo o globo e estabeleceram colônias, incluindo uma na América do Norte: a Nova Amsterdã, que eles oficialmente fundaram em 1624 e mudou de nome, para Nova York, quando os britânicos assumiram o controle. Em 1596, o explorador holandês Willem Barentsz tentou encontrar uma passagem ao norte para a Ásia e, no processo, descobriu Svalbard (Spitsbergen), que depois se tornou um destino para os baleeiros holandeses.

Mais importante por causa da prosperidade, a partir de 1595 os holandeses começaram a fazer viagens regulares ao sudeste asiático para comercializar especiarias, sobretudo

Batávia era a sede da Companhia das Índias Orientais na Ásia. A cidade portuária foi fundada pelos holandeses em 1619, depois de demolirem toda a cidade de Jacarta, que estava no lugar.

pimenta, noz-moscada, cravo e canela. Fundaram colônias na região e a cidade de Batávia, mais tarde chamada Jacarta. Com essa base permanente, tinham a habilidade de comercializar no longo prazo, dando um enorme impulso à sua economia.

Necessidade de investimento

Enquanto a riqueza gerada pela exploração e pelo comércio era reinjetada na economia holandesa, ao mesmo tempo exigia-se investimento para cobrir os custos consideráveis das expedições ultramarinas. Uma viagem comercial à Ásia no século XVII era uma empreitada arriscada – os lucros potenciais eram altos, mas as tempestades no mar, os piratas, guerras ou acidentes poderiam levar à perda do navio, da tripulação e da carga, acabando com todo o lucro. Fazia então sentido para muitas pessoas investir em cada viagem para diluir o risco, em vez de haver uma única entidade assumindo todos os custos e responsabilidades. Foram fundadas companhias comerciais privadas, cada uma investindo uma pequena quantidade num todo maior, e, se tudo desse certo, todas receberiam uma parte proporcional dos lucros.

> "Se alguém levasse um estrangeiro pelas ruas de Amsterdã e lhe perguntasse onde está, ele responderia: 'No meio de especuladores'."
> **Joseph Peso de la Vega**
> *Confusion of Confusions* (1688)

O nascimento da Bolsa

Em 1602, essas *trading companies* se fundiram para formar a Companhia Holandesa das Índias Orientais, e as ações do novo empreendimento foram oferecidas na recém-criada Bolsa de Valores de Amsterdã. Foi estabelecido desde o começo que os donos poderiam comprar e vender essas ações, e logo em seguida outras companhias passaram a listar suas próprias ações na Bolsa de Valores tentando levantar dinheiro. A facilidade na compra e venda de ações tornou a Bolsa de Valores muito ativa, alimentando o crescimento do capitalismo nessa parte da Europa. O investimento crescente resultou em mais negócios, levando a mais investimentos e geração de uma riqueza ainda maior.

Uma história de comércio

A Bolsa de Valores de Amsterdã não se desenvolveu a partir do nada. A compra e venda de títulos – ativos financeiros comercializáveis como ações – já tinha uma longa história na Europa. No século XIV, talvez até antes, os mercadores nas ricas cidades comerciais italianas, como Veneza e Gênova, já comercializavam títulos. Porém, as condições existentes na Holanda no século XVII indicavam que o mercado estava especialmente em

O COMEÇO DA IDADE MODERNA 183

ebulição. Desde o século XVI, já existia um forte mercado financeiro em Amsterdã, onde havia uma tradição de comércio de mercadorias e especulação para tudo, do óleo de baleia às tulipas. A ideia de comprar e vender ações, portanto, tinha um apelo nessa sociedade empreendedora, sobretudo com as boas perspectivas de grandes lucros no comércio asiático. Além disso, a forma única como funcionava a bolsa – aberta por apenas algumas horas – encorajou as compras e vendas e produziu um mercado muito líquido.

Impulsos à economia

A abertura da Bolsa de Valores de Amsterdã foi seguida, em 1609, pela fundação do Banco de Amsterdã – precursor dos modernos bancos nacionais. O banco oferecia um lugar seguro para manter dinheiro e metais preciosos e garantia que a moeda local mantivesse seu valor. Isso colaborou para tornar a República Holandesa mais segura em termos financeiros, auxiliando a atividade mercantil, vigorosa mas arriscada, a crescer junto com esse mercado em ascensão.

Em 1623, o mercado teve um impulso adicional quando a Companhia Holandesa das Índias Orientais desenvolveu um novo estatuto, pagando um dividendo regular aos investidores e permitindo aos que quisessem sair da companhia que vendessem suas ações na Bolsa de Valores. Essa iniciativa aumentou ainda mais as operações no Mercado de Ações, impulsionando também outras atividades lucrativas, como os mercados futuros.

O negócio de seguros também estava em ascensão em Amsterdã nessa época – sobretudo o seguro marítimo, que foi criado no século XVI para proteger os donos de embarcações e os investidores contra os riscos das viagens de longa distância. Quando a Bolsa de Valores abriu, uma área especial foi designada para a compra e venda de seguros.

> Os exploradores holandeses descobrem **novas rotas marítimas**, e a **frota mercantil holandesa se expande**.
>
> ↓
>
> **As viagens comerciais** para países produtores de especiarias na Ásia davam **muito lucro**, mas também tinham um **alto risco**.
>
> ↓
>
> A **Companhia Holandesa das Índias Orientais** foi fundada para dividir **o risco financeiro das viagens** entre **vários investidores**.
>
> ↓
>
> **A Bolsa de Valores de Amsterdã é formada para permitir a negociação de ações da Companhia Holandesa das Índias Orientais.**
>
> ↓
>
> A grande velocidade **nas compras e vendas** cria um mercado financeiro muito líquido, encorajando os especuladores **a assumir mais riscos**.

Uma cultura florescente

A atividade financeira em ebulição que prevalecia em Amsterdã no século XVII encorajou a crescente classe média a comprar bens de consumo, incluindo mobílias sofisticadas e pinturas a óleo, impulsionando ainda mais a economia dessa região já tão bem-sucedida. Um notadamente forte mercado de arte se desenvolveu, permitindo a grandes pintores – como Vermeer e Rembrandt, e outros menores, mas numerosos – florescer. Muitos eram especialistas, satisfazendo uma crescente demanda por retratos, paisagens (marinhas ou não) e naturezas-mortas, apesar de grandes artistas como Rembrandt se destacarem em todos os gêneros e formas de arte, incluindo pintura, desenho e gravuras.

A crescente riqueza também levou à expansão das cidades, com novas prefeituras, armazéns e lojas comerciais surgindo em todo lugar. Várias casas de tijolos, das classes médias, ainda sobrevivem em cidades como Amsterdã e Delft, muitas erigidas às margens dos canais construídos nessa época – período de boom econômico que combinou elegância e talento artístico com o sucesso no comércio. ∎

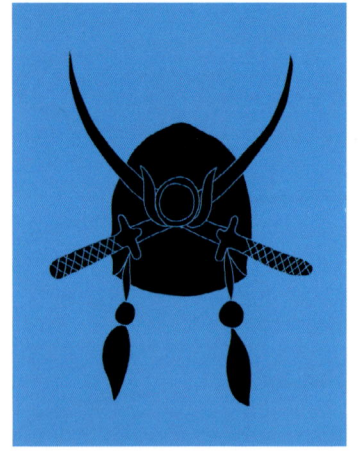

DEPOIS DA VITÓRIA, APERTEM AS FIVELAS DO SEU CAPACETE
A BATALHA DE SEKIGAHARA (1600)

EM CONTEXTO

FOCO
O Período Edo

ANTES
1467 Começa o Período dos Estados Combatentes, com o imperador perdendo poder para facções em conflito lideradas por *daimyos* e xoguns.

1585 Toyotomi Hideyoshi recebe o título de Regente Imperial do imperador.

DEPOIS
1603 Tokugawa Ieyasu é apontado xogum.

1610–1614 Os missionários são expulsos do Japão, e o cristianismo é banido.

1616 Tokugawa Ieyasu morre.

1854 Depois de anos fechado ao Ocidente, o Japão abre suas portas à navegação e ao comércio com os americanos.

1868 O xogunato Tokugawa finalmente termina com a restauração do poder imperial ao imperador Meiji.

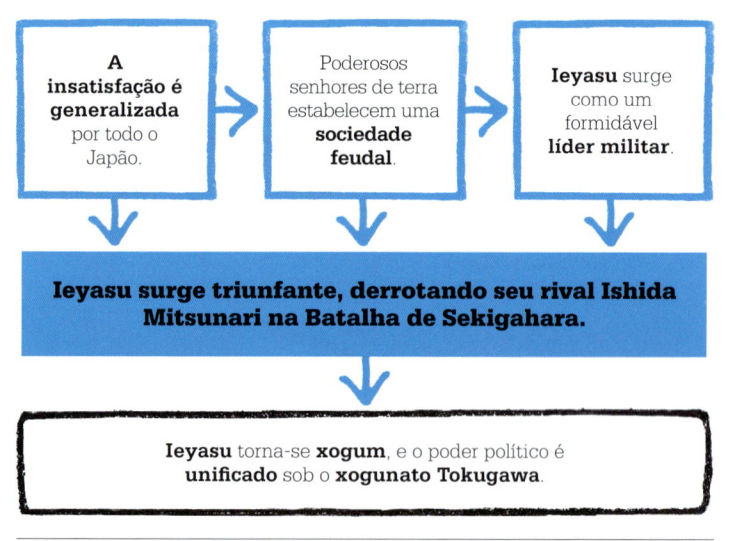

A **insatisfação é generalizada** por todo o Japão.

↓

Poderosos senhores de terra estabelecem uma **sociedade feudal**.

↓

Ieyasu surge como um formidável **líder militar**.

↓

Ieyasu surge triunfante, derrotando seu rival Ishida Mitsunari na Batalha de Sekigahara.

↓

Ieyasu torna-se **xogum**, e o poder político é **unificado** sob o **xogunato Tokugawa**.

Em 21 de outubro de 1600 houve uma impressionante batalha em Sekigahara, centro do Japão, entre duas facções em guerra – os exércitos do leste e do oeste –, ambas lutando pelo controle do país. O Exército do Leste, sob a liderança do sr. Tokugawa Ieyasu, teve uma vitória decisiva. Três anos depois, o imperador do Japão deu a Ieyasu o título de xogum, assegurando-lhe o poder de governar o país no lugar do imperador. Ieyasu trouxe estabilidade e paz ao Japão e transferiu a capital para Edo (atual Tóquio), criando um novo foco para a cultura japonesa, além de estabelecer uma base central de poder.

Disputas entre facções

Desde 1192, o imperador do Japão não passava de uma figura decorativa. Ele delegava o poder ao xogum: um comandante militar hereditário e de alta patente que governava com autoridade absoluta. No entanto, por volta dos anos 1460, os senhores feudais locais

O COMEÇO DA IDADE MODERNA

Veja também: Minamoto Yoritomo torna-se xogum 98-99 ▪ A abertura da Bolsa de Valores de Amsterdã 180-183 ▪ A restauração Meiji 252-253 ▪ A Segunda Guerra do Ópio 254-255

Tokugawa Ieyasu

O líder samurai Tokugawa Ieyasu (1542–1616) era filho de um pequeno senhor da guerra japonês de Mikawa, centro do Japão. Ainda jovem, recebeu treinamento militar antes de se tornar um aliado de senhores da guerra mais poderosos, como Oda Nobunaga (1534–1582) – um dos mais brutais líderes do turbulento Período dos Estados Combatentes no Japão –, e seu sucessor, Toyotomi Hideyoshi (1536–1598). Trabalhando com eles, Ieyasu não apenas acumulou grandes áreas de terra para seu uso pessoal, como aprendeu os principais valores da lealdade e do poder militar que possibilitaram a Hideyoshi trazer um breve período de unidade ao Japão. Quando Hideyoshi morreu, Ieyasu assumiu a proeminência. Como xogum, foi capaz de impor estabilidade ao país, mas abdicou formalmente, depois de dois anos, em favor de seu filho, Hidetada, para assegurar uma suave transição e estabelecer um padrão para os xoguns que fossem transmitir seus cargos, ajudando a garantir que o xogunato Tokugawa fosse duradouro. Apesar de Hidetada ter oficialmente se tornado xogum, Ieyasu continuou sendo o efetivo governante do Japão até sua morte.

(*daimyos*) eram tão poderosos que poucos xoguns tinham poder sobre eles, já que eles e seus exércitos de samurais lutaram para conseguir o direito de escolher o sucessor do xogum. Na época da Batalha de Sekigahara, o Japão já estava enfrentando amargas disputas de facções dentro de suas classes dominantes por mais de um século.

A vitória de Ieyasu na batalha pôs fim a esse Período dos Estados Combatentes. Seu governo firme, seguido pelos xoguns Tokugawa que os sucederam, garantiram um período de 250 anos de estabilidade.

Os xoguns Tokugawa

Em muitos aspectos, os xoguns Tokugawa usavam como modelo os antigos governantes – especialmente Toyotomi Hideyoshi. Apesar de não ter tido um berço importante para que se tornasse xogum, Hideyoshi (que governou com o título inferior de regente imperial) trouxe unidade ao Japão nos anos 1580 ao impor um estilo militar e feudal de governar, onde ele exercia grande poder através dos *daimyos* e de seus guerreiros samurais. Os xoguns Tokugawa decidiram governar da mesma forma, com os *daimyos* mantendo a ordem em suas localidades. Com uma precaução a mais, Ieyasu fez com que os *daimyos* passassem anos alternados em Edo para garantir que não construíssem bases locais de poder. Além disso, também reprimiu seus rivais de forma cruel.

Os xoguns encorajaram a ética da lealdade e desenvolveram uma elite burocrática. Melhoraram a rede de estradas do Japão, promoveram a educação e padronizaram a moeda. O xogunato ainda tentou reduzir a influência externa no Japão ao expulsar estrangeiros e limitar o contato com o mundo exterior. Foram abertas exceções para o comércio estritamente controlado com chineses, coreanos e com a Companhia Holandesa das Índias Orientais. Todos os outros europeus geravam desconfiança, e os xoguns acreditavam que eles queriam converter o Japão ao cristianismo e ganhar poder político. Além disso, o povo japonês foi proibido de viajar e construir navios oceânicos. Essa política de isolamento virtualmente isolou o Japão da influência ocidental até meados do século XIX.

O "mundo flutuante"

A capital Edo tornou-se o centro de uma pujante cultura urbana durante o xogunato dos Tokugawa. As formas literárias japonesas, como o haicai (um poema curto com três linhas e dezessete sílabas), floresceram, bem como formas distintas de teatro como o *kabuki* (que combinava teatro e dança) e o teatro de marionetes *bunraku*. Também foi um período de grandes feitos nas artes visuais, sobretudo na arte de paisagens e na xilogravura.

A elite da capital se tornou cada vez mais hedonista, com seu estilo de vida descrito amiúde como o "mundo flutuante" (*ukiyo*). Originalmente, os budistas usavam o termo *ukiyo* para descrever o "mundo do sofrimento", refletindo sua opinião de que a vida na Terra era transitória e expressando o desejo de alcançar um lugar mais permanente, livre do sofrimento e de todos os prazeres terrenos. Porém, no Período Edo, o homônimo *ukiyo* ("flutuante") era usado para descrever o aspecto alegre do mundo efêmero material, refletindo a propensão, à época, de busca do prazer. ∎

USE OS BÁRBAROS PARA CONTROLAR OS BÁRBAROS
A REVOLTA DOS TRÊS FEUDOS (1673–1681)

EM CONTEXTO

FOCO
Os Três Imperadores da China

ANTES
1636 Os manchus estabelecem a dinastia Qing em sua terra natal Manchúria.

1644 A dinastia Qing conquista o norte da China.

DEPOIS
1683 Os Qing destroem toda a resistência Ming e estabelecem seu domínio sobre toda a China.

1689 O acordo de paz do imperador Kangxi com a Rússia, o Tratado de Nerchinsk, barra a expansão da Rússia a leste.

1720 O Tibete se torna um protetorado chinês.

1750 O Palácio de Verão – uma obra-prima do design de paisagem chinês – é construído.

1755–1760 O imperador Qianlong acaba com a ameaça turca e mongol no nordeste da China.

1792 Invasão do Nepal pelos Qing.

Qianlong empregou o jesuíta italiano Giuseppe Castiglione como pintor da corte, e seus retratos imperiais fundiram elementos da pintura de pergaminhos chinesa com o realismo e a perspectiva ocidentais.

Em 1644, os manchus – um povo seminômade que havia construído um grande Estado no nordeste da Grande Muralha da China – conquistaram Pequim de um regime Ming em frangalhos e estabeleceram sua própria dinastia, os Qing, como os governantes do norte da China. Dezessete anos mais tarde, após uma terrível luta de proporções épicas, os Qing venceram a determinada resistência dos partidários dos Ming e estenderam seu poder por toda a China continental. Porém, sua dinastia ainda não estava segura – em 1673, Kangxi, o segundo imperador, foi forçado a enfrentar um grande levante que ficou conhecido como a Revolta dos Três Feudos.

Os Três Feudos eram vastas áreas no sul da China que haviam sido dadas como campos feudais semi-independentes a três generais Ming vira-casacas que ajudaram os Qing em sua conquista da China. Com o tempo, os campos feudais ficaram cada vez mais autônomos, mas, quando Kangxi declarou que eles não seriam mais hereditários, os generais se rebelaram. A disputa que se seguiu foi muito custosa em termos de vidas e de perturbação econômica, e por pouco tempo parecia que um general, Wu Sangui, derrotaria os Qing. Mas ele foi finalmente derrotado pelos partidários de Kangxi, e em 1683 os Qing eliminaram a última cidadela de apoio Ming em Taiwan, que acabaram ocupando.

Como os Qing eram os incontestáveis governantes da China, Kangxi embarcou em campanhas militares que anexaram partes da Sibéria e da Mongólia ao império chinês, e estendeu seu controle

O COMEÇO DA IDADE MODERNA

Veja também: Marco Polo chega a Shangdu 104-105 ▪ Hongwu funda a dinastia Ming 120-127 ▪ A Segunda Guerra do Ópio 254-255 ▪ A Longa Marcha 304-305

A Revolta dos Três Feudos fracassa, marcando o fim da resistência ao poder manchu.

→ Os primeiros três imperadores Qing **legitimam seu poder estrangeiro** ao adotar práticas chinesas.

→ Na estabilidade que se seguiu, a China **triplica de tamanho**, e a economia **se expande rapidamente**.

↓

No século XVIII, a China se torna o **maior poder manufatureiro** do mundo.

↓

No final do século XIX, os Qing eram um poder apenas no nome, já que **pressões da expansão imperial europeia** e um **crescente desacordo interno** enfraqueceram fatalmente o regime.

---

sobre o Tibete. Sob sua excepcional liderança, e a dos seus próximos dois sucessores, a China desfrutou de uma era de paz, prosperidade econômica e estabilidade política que durou até o final do século XVIII.

Uma superpotência global

Durante os 61 anos de seu reinado, Kangxi conquistou a cooperação e a lealdade de seus súditos chineses Han – que antes viam os manchus como bárbaros –, ao preservar e honrar a herança cultural chinesa. Ele também deu continuidade à forma de governo da dinastia anterior, e permitiu às autoridades Ming que retivessem seus postos provinciais com as indicações manchus, apesar de estes últimos acabarem supervisionando a maior parte do trabalho.

A China Qing se tornou imensamente poderosa durante o reinado dos dois próximos imperadores – Yongzheng (1722–1735), que também manteve um rígido controle sobre o governo e a burocracia e aumentou as receitas do estado ao reformar o sistema tributário, e Qianlong (1735––1796), sob cujo governo as fronteiras do império alcançaram sua maior extensão e a população cresceu muito. Qianlong era um ávido patrono das artes que escrevia poesia e bancava projetos literários que aumentavam a reputação de seu povo – se bem que, ao mesmo tempo, bania e destruía livros julgados antiQing.

A sociedade Qing

A Era dos Três Imperadores foi conservadora sob várias perspectivas: os chineses Han foram obrigados a usar o corte de cabelo manchu, no qual a frente e o lado da cabeça eram raspados e o restante do cabelo era preso numa trança. A sociedade era rigidamente hierárquica, e havia rígidas convenções a respeito do comportamento das mulheres, leis contra a homossexualidade, além da censura. Ainda assim, a economia do país cresceu substancialmente no começo do período Qing, graças a uma forte demanda no Ocidente por produtos de luxo como seda, porcelana e chá.

No entanto, no começo do século XIX, o tratamento repressivo do regime em relação aos chineses Han, junto com a fome e a ampla dependência do ópio – que havia sido trazido para a China por comerciantes europeus –, fez com que o país entrasse em declínio. Esses fatores lançaram as sementes de rebeliões, disputas comerciais e guerras com os parceiros comerciais europeus em meados do século XIX. ■

Os jesuítas na China

Em 1540, Inácio de Loyola, um teólogo católico da Espanha, fundou a Companhia de Jesus – os jesuítas – visando espalhar a fé através dos ensinamentos de Jesus. A Igreja católica enviou missionários jesuítas para a China durante os períodos Ming e o começo do período Qing, e eles foram a princípio bem-vindos. Kangxi estava curioso a respeito do conhecimento que os jesuítas tinham das ciências e da tecnologia (especialmente a fabricação de armas e bombas hidráulicas). Ele apontou os jesuítas para o conselho imperial de astronomia, e foi um jesuíta quem fez o primeiro mapa preciso de Pequim.

Kangxi deu liberdade de culto aos católicos, e os jesuítas permitiram aos convertidos chineses que continuassem seus ritos de adoração aos ancestrais (eles viam tais ritos como comemorações dos mortos). No entanto, quando um enviado do Vaticano em visita proibiu os ritos aos ancestrais e o papa concordou, Kangxi expulsou os missionários jesuítas que se opunham à prática.

O ESTADO SOU EU

LUÍS XIV SE TORNA O GOVERNANTE PESSOAL DA FRANÇA (1661)

EM CONTEXTO

FOCO
O Absolutismo

ANTES
1624–1642 O cardeal Richelieu, ministro-chefe de Luís XIII, reforma e fortalece a administração central.

1643–1661 A mãe de Luís, governando em seu nome, ajuda a consolidar o poder real.

1648–1653 Os nobres se revoltam contra a autoridade real, num conflito chamado a Fronda.

DEPOIS
1685 Luís XIV revoga o Édito de Nantes, que garantia aos huguenotes o direito de praticar sua religião.

1701–1714 A Guerra da Sucessão Espanhola põe uma enorme pressão nas finanças francesas.

1789 A Revolução Francesa remove o rei Luís XVI e acaba com o poder real absolutista na França.

Com a morte do poderoso primeiro-ministro francês Manzarino, o rei Luís XIV, então com apenas 23 anos, declarou que não nomearia um substituto para o cargo, passando a governar sozinho como um monarca absoluto. Durante seus 72 anos de reinado, Luís cultivou a imagem do "Rei Sol", uma semidivindade ao redor da qual o povo francês deveria orbitar. Seguindo tradições políticas medievais que remontam a Carlos Magno, a autoridade do monarca era considerada uma concessão do próprio Deus. Assim, o rei seria a encarnação do Estado e da Justiça, e o resto da população, inclusive a nobreza, dependia dele para ter proteção e liderança.

Claro que todo esse poder não surgiu espontaneamente. Os Bourbon, sobretudo Luís XIV e seu antecessor, Luís XIII, conduziram por décadas um processo de centralização do poder, concedendo cargos e privilégios que fizeram os aristocratas franceses se tornar membros obedientes da corte do Rei Sol. Luís também recuperou os cofres do Tesouro, nomeando novos coletores de impostos para vigiar de perto a arrecadação nas províncias. As taxações eram pesadas e recaíam mais duramente sobre os camponeses. Um dos principais nomes do governo de Luís XIV foi o ministro das Finanças, Jean-Baptiste Colbert. Suas reformas aumentaram a eficiência da arrecadação de impostos e ajudaram o comércio e a indústria da França, tornando o país uma das potências do século XVIII. Eles também tornaram possível a construção do gigantesco Palácio de Versalhes. A nova moradia real era uma espécie de metáfora arquitetônica do poder quase ilimitado do Rei Sol. Não por acaso, Colbert é tido como um dos artífices do sistema político que hoje nomeamos de Absolutismo.

> [Luís XIV] amava o esplendor, a grandiosidade e a abundância em tudo, e encorajava gostos similares em sua corte.
> **Duque de Saint-Simon**
> Memórias das cortes da Europa (1691–1723)

Todo poder ao rei
Na idade moderna, a Europa passou por um processo de centralização política. A

O COMEÇO DA IDADE MODERNA

Veja também: A execução de Carlos I 174-175 ▪ Diderot publica a *Enciclopédia* 192-195 ▪ A queda da Bastilha 208-213 ▪ A Batalha de Waterloo 214-215

nobreza feudal foi enfraquecida pelo crescimento do comércio e da riqueza das cidades, abrindo espaço para a ascensão de uma figura que estava esquecida e sem poder desde a época dos carolíngios: o rei. Os monarcas unificaram seus territórios sob uma única Coroa e concentraram o poder de fato, voltando a controlar o exército e a arrecadação de impostos. Em troca, os senhores feudais foram transformados em nobreza de corte, o que garantia a proteção de seus privilégios ante a ameaçadora ascensão da classe burguesa. O cume desse processo de concentração de poder é o surgimento da Monarquia Absolutista.

O sistema absolutista estava apoiado sobre uma doutrina econômica chamada Mercantilismo. Seu princípio básico era a intervenção do Estado na economia, promovendo políticas protecionistas para garantir um saldo sempre favorável na balança comercial do país. Outro de seus princípios era o metalismo, crença de que a riqueza de um reino é medida pela quantidade de metais preciosos que acumulou. Isso explica a sede de espanhóis e portugueses para arrancar ouro e prata de suas colônias na América. Por fim, o Estado Absolutista também se comprometia a garantir o chamado pacto colonial, isto é, a exclusividade que a metrópole tinha sobre a compra e venda de produtos de suas colônias.

Quase toda monarquia europeia experimentou nos séculos XVII e XVIII um governo absolutista, mas Luís XIV acabou se tornando o grande símbolo desse sistema, porque em nenhum outro país a centralização do poder foi tão completa como na França dos Bourbon.

A expansão da França

O século de Luís XIV foi um momento de crescimento da França também perante os demais Estados europeus. Em primeiro lugar porque o país saiu vitorioso da Guerra dos Trinta Anos. Embora fossem católicos, os Bourbon apoiaram o lado protestante do conflito graças a uma estratégia inteligente arquitetada pelo cardeal Richelieu, primeiro-ministro de Luís XIII. A guerra terminou em 1648, já durante o reinado de Luís XIV, com um saldo extremamente positivo: a França minou o poder dos Habsburgos austríacos, a mais poderosa família nobre da Europa até aquele momento, e anexou as regiões anteriormente germânicas de Alsácia e Lorena.

O país se envolveu também na Guerra de Sucessão Espanhola, ajudando Felipe d'Anjou, neto de Luís XIV, a vencer seu concorrente, Carlos VI da Áustria. O embate terminou com a assinatura do Tratado de Utrecht (1713), consolidando a soberania dos Bourbon também sobre a Espanha.

Mas esse expansionismo teve um custo: a França se endividou e a opinião pública ao longo do tempo se voltou contra a nobreza. Mesmo assim, o modelo quase perfeito de Estado Absolutista estabelecido por Luís XIV só seria derrubado com a Revolução Francesa de 1789. ■

> Os direitos da realeza são estabelecidos por Suas leis [de Deus], e a escolha do ocupante do trono é resultado de Sua decisão.
> **Jacques-Bénigne Bossuet**
> Sermão sobre o direito dos reis

O direito divino

O Absolutismo não poderia ter sobrevivido sem um aparato teórico que justificasse tamanha concentração de poder. Foi por isso que no século XVII ganhou força a doutrina do direito divino, ou seja, a ideia de que a autoridade real é legítima e inquestionável porque o rei foi ungido por Deus.

A divinização do governante era uma prática antiga na Europa. Os imperadores romanos cristãos foram coroados pelo papa, o que se repetiu com o Império Carolíngio e com seu herdeiro, o Sacro Império Romano-Germânico. Além disso, desde pelo menos o século XII acreditava-se popularmente que o toque do rei tinha o poder milagroso de curar doenças. Mas foi só na época de Luís XIV que pensadores como Jean Bodin e, especialmente, Jacques-Bénigne Bossuet sistematizaram a doutrina do direito divino tanto teórica quanto juridicamente.

Essa concepção perdeu força no século seguinte. O poder dos reis continuou enorme, mas a Europa do Iluminismo só dava espaço a uma defesa racional, e não mais mística, de por que o soberano deveria ser absoluto.

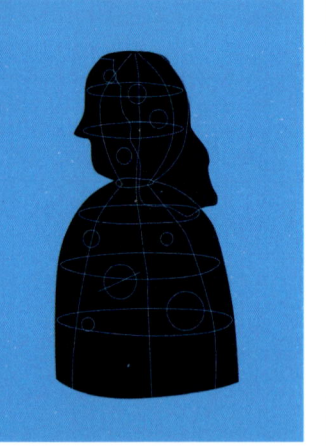

CULTIVEI A MATEMÁTICA, NESSE TRATADO, ENQUANTO FILOSOFIA
NEWTON PUBLICA O *PRINCIPIA* (1687)

EM CONTEXTO

FOCO
Revolução científica

ANTES
1543 Copérnico publica sua versão heliocêntrica do Universo.

1609 O alemão Johannes Kepler descreve as órbitas elípticas e as velocidades dos planetas.

1620 Francis Bacon publica o *Novum Organum*.

1638 O livro *Discursos* do italiano Galileu Galilei lança as bases da ciência da mecânica.

1660 É fundada a Real Sociedade na Inglaterra.

DEPOIS
1690 O holandês Christiaan Huygens publica sua teoria do movimento de onda da luz, *Traité de la lumière*.

1905 A Teoria Especial da Relatividade de Albert Einstein mostra que as leis de Newton são apenas parcialmente corretas.

O cientista inglês Isaac Newton publica a primeira edição de *Princípios matemáticos da filosofia natural*, ou *Principia*, em 1687. O livro examina a forma como os objetos se comportam em movimento, descreve a gravidade e explica os movimentos dos planetas e satélites. Apesar de ele basear sua obra em Galileu, Huygens e Kepler, seu trabalho é revolucionário. Ao ilustrar como a mesma força – a gravidade – é responsável pelos movimentos tanto na Terra como nos céus, ele uniu duas esferas científicas que até então se pensava separadas.

Uma influência duradoura
O uso da teoria baseada na matemática de Newton para explicar fenômenos foi parte de uma revolução científica mais ampla. O ensaísta inglês Francis Bacon insistiu que os cientistas fizessem suas observações usando um argumento racional, e o filósofo francês René Descartes liderou o uso da matemática e da lógica para tratar de questões científicas. Ao enfatizar a importância da razão humana, tais filósofos se libertaram da noção de que as explicações do mundo físico dependiam da fé cristã e da doutrina da Igreja. Isso abriu caminho para o movimento intelectual chamado Iluminismo e até mesmo para obras de outros cientistas mais tarde, como Albert Einstein, que modificou e refinou as teorias de Newton. ■

> [Newton] levou a luz da matemática a uma ciência… que estava nas trevas das conjecturas e hipóteses.
> **Alexis Clairaut**
> Matemático e astrônomo francês (1747)

Veja também: A fundação de Bagdá 86-93 ▪ O começo do Renascimento Italiano 152-155 ▪ Diderot publica a *Enciclopédia* 192-195 ▪ Darwin publica *A origem das espécies* 236-237

NÃO SE ESQUEÇA DE SUAS GRANDES ARMAS, OS MAIS RESPEITÁVEIS ARGUMENTOS A FAVOR DO DIREITO DOS REIS
A BATALHA DE QUEBEC (1759)

EM CONTEXTO

FOCO
A Guerra dos Sete Anos

ANTES
1754 Começa a luta entre França e Inglaterra na América do Norte, a chamada Guerra Francesa e Indiana.

1756 Frederico II, da Prússia, começa a Guerra dos Sete Anos ao invadir a Saxônia para evitar que a Rússia criasse uma base lá.

1757 A Prússia impõe uma significativa derrota às forças francesas e austríacas em Rossbach.

1759 A Rússia acaba com dois terços do exército prussiano em Kunersdorf.

DEPOIS
1760 Forças francesas em Montreal se rendem aos britânicos.

1763 A Guerra dos Sete Anos chega ao fim, com os tratados de Paris e de Hubertusburg.

No dia 13 de setembro de 1759, 24 soldados britânicos escalaram os penhascos ao sul de Quebec, abrindo caminho para as forças britânicas comandadas pelo general James Wolfe conquistarem a cidade. Essa fundamental batalha acabou com o domínio francês no Canadá e foi um evento-chave para a Guerra dos Sete Anos (1756–1763).

A guerra envolveu a maioria das principais nações europeias numa disputa por território e poder. Seu foco estava em dois grandes conflitos: o primeiro, marítimo e colonial, envolveu batalhas em terra na América do Norte e na Índia, entre os britânicos e os Bourbon da França; o segundo, uma guerra terrestre na Europa que juntou França, Áustria e Rússia contra a Prússia. Colônias ultramarinas também foram envolvidas, o que fez desse o primeiro conflito verdadeiramente global.

Consequências imprevisíveis

A Inglaterra obteve vitórias importantes sobre a França. Os britânicos mantiveram ou ampliaram seu território na África, no Caribe, no atual Canadá e

> Sem suprimentos, nenhum exército é corajoso.
> **Frederico, o Grande, 1747**

na Índia, passos importantes para consolidar sua posição de maior potência colonial do mundo.

Porém, no médio prazo, o preço da guerra foi maior do que se poderia prever. O conflito de quase uma década elevou os gastos militares da Inglaterra e deixou o país endividado. Para solucionar o problema, a Coroa decidiu aumentar o controle sobre suas colônias na América do Norte, proibindo indústrias e sobretaxando produtos como o açúcar. A revolta dos colonos com essa súbita perda de autonomia foi uma das causas para a proclamação, anos depois, da Independência dos Estados Unidos. ■

Veja também: Cristóvão Colombo chega à América 142-147 ▪ A defenestração de Praga 164-169 ▪ A viagem do *Mayflower* 172-173 ▪ A Batalha de Waterloo 214-215 ▪ A Batalha de Passchendaele 270-275

JUNTEM TODO O CONHECIMENTO ESPALHADO PELA TERRA

DIDEROT PUBLICA A *ENCICLOPÉDIA* (1751)

EM CONTEXTO

FOCO
O Iluminismo

ANTES
1517 Começa a Reforma, desafiando a autoridade da Igreja católica.

1610 Galileu Galilei publica *Sidereus Nuncius* (*O mensageiro das estrelas*), contendo suas observações dos céus.

1687 Em *Principia*, Newton esboça um conceito do Universo com base em leis naturais, entendidas racionalmente.

DEPOIS
1767 O pensador americano e diplomata Benjamin Franklin visita Paris e leva as ideias iluministas aos EUA.

1791 A escritora inglesa Mary Wollstonecraft adiciona o feminismo às ideias iluministas em sua pioneira obra *Reivindicação dos direitos das mulheres*.

Em meados do século XVIII, o filósofo francês Denis Diderot convidou alguns dos principais intelectuais do país – escritores, cientistas, acadêmicos e filósofos para escrever artigos para um enorme *Dictionnaire raisonné des sciences, des arts et des métiers*, no qual ele atuava como o editor-chefe e colaborador. Os primeiros volumes da sua *Enciclopédia* foram lançados em 1751, e a obra foi completada 21 anos depois, com dezessete volumes de texto e mais onze de ilustrações.

A *Enciclopédia* não foi a primeira grande obra do tipo a ser publicada, mas foi a primeira a ter seu conteúdo assinado por seus autores e a dar especial atenção aos ofícios. Seu mais

O COMEÇO DA IDADE MODERNA

Veja também: Newton publica o *Principia* 190-191 ▪ A assinatura da Declaração de Independência 204-207 ▪ A queda da Bastilha 208-213 ▪ O *Rocket* de Stephenson entra em operação 220-225 ▪ A Lei da Abolição do Comércio de Escravos 226-227

Os **cientistas** começam a fazer **investigações sistemáticas** sobre os fenômenos naturais.

Crescente crença de que o **conhecimento, a liberdade e a felicidade** são alcançados pelo **uso da razão**.

Questionamento das **ideias** sociais, religiosas e políticas **tradicionais**.

Começa o movimento iluminista, tendo como ponta de lança a publicação da *Enciclopédia*.

importante feito, porém, foi a abordagem crítica às ideias e instituições contemporâneas: seus autores eram expoentes do pensamento científico e dos valores seculares. Eles buscaram usar a razão e a lógica para explicar os fenômenos do mundo natural e da existência humana, em vez de dogmas religiosos e políticos. Assim, a obra desafiou tanto a Igreja católica quanto a monarquia francesa, que derivava sua autoridade de ideias tradicionais como a ordem imutável e divinamente estabelecida.

Uma revolução no pensamento

A missão da *Enciclopédia* era catalogar o conhecimento coletivo do mundo ocidental seguindo o espírito do Iluminismo. Este foi um movimento intelectual de múltiplas facetas que se arraigou ao redor de 1715, apesar de suas origens datarem do século anterior da obra dos pioneiros do moderno pensamento científico e filosófico. Os artigos multidisciplinares da obra, cujo número chegava a quase 72 mil, destilavam as ideias e teorias dos principais pensadores iluministas – incluindo escritores e filósofos como Voltaire, Jean-Jacques Rousseau e Montesquieu.

Os artigos eram muito amplos, mas centrados em três principais áreas: a necessidade de basear a sociedade não na fé e nas doutrinas da Igreja católica, mas no pensamento racional; a importância da observação e das experiências para a ciência; e a busca de uma forma de organizar estados e governos em torno de uma lei e justiça natural.

Diderot organizou os artigos da *Enciclopédia* em três grandes categorias: memória (assuntos ligados à história); razão (filosofia); e imaginação (poesia). De forma controversa, não havia nenhuma categoria especial para Deus ou o divino – a religião, assim como a magia e a superstição, era tratada como parte da filosofia. Essa abordagem foi inovadora e litigiosa. A religião tinha estado no próprio cerne da vida e do pensamento da Europa por séculos: a *Enciclopédia* e o próprio Iluminismo negaram-lhe essa posição-chave.

Apesar dos repetidos esforços das autoridades de censurar certos artigos e de intimidar e ameaçar seus editores, a *Enciclopédia* se tornou a obra mais influente e consultada do período. As ideias que ela transmitiu inspiraram revoluções que eclodiram na França e nos EUA no final do século XVIII.

Ciência e razão

O movimento iluminista valorizou o poder da razão e do ceticismo como forma de atingir um conhecimento verdadeiro. Isso significou um rompimento em relação às antigas gerações para as quais as crenças sobre o mundo derivavam de ensinamentos religiosos e doutrinas da Igreja. Esses dogmas governavam tudo, desde as leis do matrimônio até a forma como as pessoas entendiam o movimento dos planetas e a criação do Universo. Para os pensadores iluministas, no entanto, a evidência dos sentidos de uma pessoa e o seu uso da razão eram muito mais importantes que sua aderência cega à fé. Eles argumentavam que as "verdades" a respeito do mundo tangível, que haviam sido estabelecidas na »

> " Ousem saber! Tenham coragem de usar sua própria razão!
> **Immanuel Kant**
> "O que é o iluminismo?" (1784)

Voltaire

François-Marie Arouet, que escolheu ser conhecido publicamente pelo nome de Voltaire, foi um dos maiores escritores e ativistas sociais do Iluminismo, renomado por sua perspicácia e inteligência. Nasceu em Paris em 1694, onde passou boa parte da vida, se bem que viajou bastante e falava várias línguas. Era um escritor muito prolífico, produzindo obras em quase todos os gêneros literários: novelas, peças, poemas, ensaios, estudos biográficos e livros filosóficos, além de muitos panfletos avulsos.

Voltaire era um franco apoiador da reforma social, incluindo a defesa das liberdades civis e de religião e de expressão. Também denunciou a hipocrisia do status quo político e religioso. Isso levou algumas de suas obra à censura, bem como a alguns períodos na cadeia ou no exílio na Inglaterra – após os quais ele converteu suas experiências num influente livro, *Cartas filosóficas* –, e em Genebra, Suíça, onde escreveu sua obra mais famosa, a novela filosófica *Cândido*.

> Em todas as épocas do mundo, os sacerdotes têm sido os inimigos da liberdade.
> **David Hume**

Antiguidade por Aristóteles e outros, e mantidas pela Igreja, deveriam ser testadas através de observação e experimentação, e só depois debatidas.

Esse modo empírico de pensamento teve suas origens na revolução científica do século XVII. Cientistas e filósofos, como Francis Bacon, Johannes Kepler, Isaac Newton e Galileu Galilei transformaram o estudo da natureza e do Universo físico, tornando-o mais observável. Eles conduziram cuidadosos experimentos e sujeitavam seus resultados à análise matemática. No processo, atualizaram e expandiram drasticamente os campos da física, química, biologia e astronomia.

Os cientistas iluministas levaram essa investigação da realidade além, tornando possível, por exemplo, que o botânico sueco Carl von Linné desenvolvesse uma classificação própria, racional e biológica no começo do século XVIII. A abordagem inquisidora, baseada na razão do Iluminismo, também disparou avanços tecnológicos. Nos anos 1760, o físico escocês Joseph Black descobriu o dióxido de carbono, e em 1769 o também escocês James Watt fez melhorias no motor a vapor, aumentando sua eficiência e possibilitando o progresso das fábricas. A *Enciclopédia* ajudou a publicar esses e outros feitos dos cientistas do século XVIII, bem como os de seus precursores.

A obra também encontrou uma audiência nas sociedades letradas, academias e universidades que floresciam no período do Iluminismo. Apesar de muitos professores e eruditos das universidades europeias mais velhas, dominadas pela Igreja, terem ficado surdos à nova forma de pensamento científico, os que eram mais progressistas ajudaram a ensiná-lo e promovê-lo.

Igualdade e liberdade

A revolução científica e o Iluminismo também encorajaram a crença de que a razão poderia revelar as leis naturais dos assuntos humanos. Em vez de concluir o fato a partir da fé, os iluministas acreditavam que a política deveria ser separada da religião, que nenhuma das duas deveria tolher os direitos do indivíduo e que as pessoas deveriam ser livres para expressar suas opiniões, cultuar à sua maneira e ler o que quisessem. Essa doutrina política, que é amiúde rotulada de liberalismo, tem raízes na obra de filósofos do século XVII, como o inglês John Locke – o pai do

> O ceticismo é o primeiro passo em direção à verdade.
> **Denis Diderot**
> *Pensamentos filosóficos* (1746)

O COMEÇO DA IDADE MODERNA

> "Renunciar à liberdade é renunciar à qualidade de homem."
> **Jean-Jacques Rousseau**
> *O contrato social* (1762)

liberalismo. Locke enfatizava que existem certos direitos humanos intrínsecos que não dependem de lei ou costume – em outras palavras, existem bem separados daquilo que a Igreja ou o monarca possam decretar. Esses direitos poderiam ser expressos de formas distintas, mas incluíam o direito à vida, à liberdade e à felicidade de possuir aquilo que se produz. Essas ideias eram centrais para os iluministas, que seguiam Locke e achavam que tais direitos naturais deveriam formar a base de qualquer sistema de governo.

Ideias liberais também acharam expressão na obra de Voltaire. O *Dicionário filosófico* enfatizava as injustiças e os abusos da Igreja católica e abraçava valores como tolerância, liberdade de imprensa e promoção da razão em substituição a doutrina e revelação religiosa. No seu *Espírito das leis*, Montesquieu advogou a separação dos poderes estatais (legislativo, executivo e judiciário) e defendeu o fim da escravidão. No *Contrato social*, Jean-Jacques Rousseau rejeitou o poder do monarca em favor do poder do povo, o qual, disse, deveria equilibrar os direitos com os deveres e ser capaz de decidir as leis que governam sua vida. Os contribuidores da *Enciclopédia* também promoveram valores liberais na economia. Eles criticavam as feiras – onde os bens eram vendidos por comerciantes de fora à custa dos mercadores locais, que com frequência precisavam fechar seus negócios durante tais eventos – e apoiavam os mercados, que permitiam aos mercadores locais satisfazer as necessidades da população local.

Ideias como essas se espalharam por toda a Europa. Conversas e debates sobre filosofia, política e assuntos científicos aconteciam em cafés, que pipocaram nas cidades inglesas, francesas, alemãs e holandesas um século antes. Esses cafés agora serviam de centro para o compartilhamento de informações e onde homens de todos os tipos, incluindo escritores, filósofos e cientistas, poderiam se reunir para trocar opiniões.

Em direção à luz

Na Europa, o movimento iluminista e a própria *Enciclopédia*, que ajudou a promover seus ideais, tiveram um profundo impacto na vida social, política e intelectual. Seus proponentes criam que estavam varrendo uma visão de mundo medieval opressiva e produzindo uma nova era, que acreditavam que seria caracterizada pela liberdade de pensamento, abertura da mente e tolerância. O questionamento, a abordagem racional e a urgente demanda por liberdade do Iluminismo abriram caminho para garantir novos direitos civis. O movimento afetava as políticas dos governantes monárquicos, como a libertação dos servos no Sacro Império Romano-Germânico nos anos 1780. Os reis que aceitaram os valores do Iluminismo assumiram o nome do movimento, chamando a si mesmos de déspotas esclarecidos.

O pensamento iluminista também ofereceu o combustível intelectual para a Revolução Francesa de 1787–1799 – que começou com cidadãos inspirados pelas noções de liberdade e igualdade individuais – e a campanha de abolição do tráfico negreiro no Atlântico no século XIX.

O liberalismo e outros aspectos da filosofia política iluminista começaram a influenciar os líderes em muitas partes do mundo, que se prontificavam a desenvolver sistemas jurídicos e estabelecer direitos para seus cidadãos – de forma mais notável nos recém-nascidos EUA, cuja Constituição (1789) adotava a ideia de Montesquieu de separação dos poderes dentro do estado.

De forma mais geral, o movimento promoveu a busca do conhecimento por si só e reconheceu que a busca de alguém por entendimento poderia beneficiar toda a raça humana. ∎

Em 1783, os irmãos franceses Montgolfier fizeram a primeira demonstração de sua nova invenção, o balão de ar quente, levando a ciência à linha de frente da atenção pública de forma espetacular.

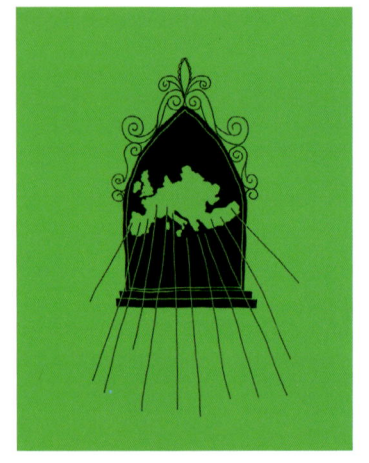

EU CONSTRUÍ SÃO PETERSBURGO COMO UMA JANELA PARA DEIXAR ENTRAR A LUZ DA EUROPA
A FUNDAÇÃO DE SÃO PETERSBURGO (1703)

EM CONTEXTO

FOCO
A ascensão da Rússia

ANTES
1584 Morre o imperador Ivan, o Terrível. A seguinte sucessão de governantes traz grande unidade à Rússia.

1696 Pedro, o Grande, assume a regência da Rússia.

DEPOIS
1709 A Rússia tem uma vitória decisiva sobre a Suécia na Batalha de Poltava.

1718 O filho de Pedro, Alexei, se opõe às reformas de seu pai e morre sob tortura.

1721 A Rússia e a Suécia assinam o Tratado de Nystad, comprometendo-se com a defesa mútua.

1725 Pedro, o Grande, morre, dando lugar a uma era de imperadores menos competentes.

1762 Catarina, a Grande, torna-se imperatriz e continua o trabalho de reforma e expansão de Pedro.

O governante russo Pedro, o Grande, funda São Petersburgo no estuário do rio Neva, em 27 de maio de 1703. Essa nova cidade, uma fortaleza e um porto no Báltico, dá à Rússia um acesso direto por mar à Europa, abrindo novas oportunidades tanto para o comércio quanto para conquistas militares. Em 1712, Pedro fez de sua nova cidade a capital da Rússia, roubando o título de seu antigo lugar, Moscou.

Admirador de palácios ocidentais, Pedro empregou arquitetos europeus para desenhar os prédios do governo, palácios, universidades e casas seguindo o estilo barroco. Também recrutou 30 mil camponeses para sua equipe de pedreiros, junto com trabalhadores russos que estavam na cadeia e prisioneiros de guerra da Suécia. O regime era rígido, e as condições de trabalho, inóspitas. Mais de 100 mil trabalhadores morreram, mas os que sobreviveram puderam alcançar a liberdade.

São Petersburgo oferece uma nova visão para o país. Sua localização estratégica facilita o comércio, seu sistema de crença encoraja a educação, e sua arquitetura oferece uma amostra dos feitos da Rússia.

O design arrojado e a grande escala da arquitetura de Pedro mostraram não apenas sua apreciação pela cultura europeia, como também sua determinação de ser um governante exaltado e absoluto, do estilo dos déspotas ocidentais como Luís XIV. Ele

O COMEÇO DA IDADE MODERNA 197

Veja também: Luís XIV se torna o governante pessoal da França 188 ▪ Diderot publica a *Enciclopédia* 192-195 ▪ A queda da Bastilha 208-213 ▪ A Rússia emancipa os servos 243 ▪ A Revolução de Outubro 276-279

---

usou seu poder para trazer mudanças significativas à Rússia. Fundou a Marinha russa e reformou seu Exército, que até então dependia de bandos de homens liderados por anciãos, sem treinamento e recrutados das vilas. Reorganizou o Exército segundo os padrões europeus e desenvolveu as novas indústrias de ferro e munições para equipá-lo. Em 1725, a Rússia tinha um Exército profissional de 130 mil homens.

Uma cultura nova e moderna

Pedro transformou sua corte, fazendo com que seus membros se vestissem ao estilo dos franceses, em vez de usar suas becas tradicionais, e ordenou que cortassem suas longas barbas. Fundou faculdades, forçou a nobreza a educar seus filhos e promoveu as pessoas a cargos superiores de acordo com seu mérito, em vez de seu berço, como era costume até então.

O imperador também era conhecido por seu tratamento cruel aos que lhe fossem rebeldes, pela sua agressiva política externa e, sobretudo, pelo seu sucesso na guerra contra a Suécia, que lhe deu controle sobre o mar Báltico. Esse estilo de governar foi seguido pelos monarcas que o sucederam, em especial por Catarina II, também "a Grande", que expandiu a tendência modernizadora iniciada por Pedro. Influenciada pelo Iluminismo europeu, ela promoveu a educação e as artes, financiou a tradução de obras literárias estrangeiras e escreveu livros. Também aumentou a força imperial da Rússia, com várias vitórias militares sobre o Império Otomano.

Os governantes também foram influenciados pelo exemplo da Prússia, um Estado do norte da Alemanha que se expandiu no século XVIII por causa de uma eficiente burocracia, um exército poderoso e a forte liderança sob reis como Frederico II. Entre a Prússia e a Rússia estava a Polônia, cujo território essas duas potências, além da Áustria, desejavam e conquistaram em diversas ocasiões. Isso deu à Rússia influência sobre uma área que ia da Europa Oriental até a Sibéria, e boa parte disso faz parte de seu território atualmente. ▪

> Pedro I visita a **Europa Ocidental**, absorvendo **ideias e influências**.

> Teorias contemporâneas de governo previam um **modelo de despotismo esclarecido**.

> Os palácios e cidades ocidentais barrocos **demonstravam o poder de seus governantes**.

> **Pedro funda São Petersburgo como a capital de um império russo ocidentalizado.**

Pedro, o Grande

Pedro (1672–1725) tornou-se o governante da Rússia em 1682, primeiro em conjunto com seu meio-irmão Ivan, como coczares, e sua mãe como regente, depois sozinho, como regente. Bem-educado e muito curioso, ele viajou para Holanda e Inglaterra para aprender sobre a vida, o governo e a arquitetura no Ocidente. Também estudou disciplinas como a construção de navios e obras com madeira. Seu governo foi fortemente influenciado por essas viagens e por conselheiros ocidentais, levando-o a fazer reformas militares e a adotar um estilo de governo ditatorial. A posição e a grande arquitetura de sua nova cidade ilustravam como seu foco havia sido direcionado à cultura e ao poder ocidentais.

Apesar de Pedro ter criado laços diplomáticos duradouros com a Europa Ocidental, ele falhou em sua tentativa de formar uma aliança europeia contra os otomanos. Teve mais sucesso em sua guerra contra a Suécia, em suas reformas e em estabelecer a si mesmo como imperador de um vasto império e de uma monarquia que sobreviveu até a Revolução de 1917.

OUTROS EVENTOS

A FUNDAÇÃO DA DINASTIA SAFÁVIDA, NA PÉRSIA
(1501)

A dinastia safávida subiu ao poder com o xá Ismail I, um líder da escola islâmica do xiismo duodecimano, a qual acredita em 12 imãs como sucessores do profeta Maomé. Numa série de campanhas militares que duraram até 1509, o xá Ismail conquistou a Pérsia (hoje Irã) e áreas do Iraque, em nome do islamismo xiita. Seu filho, o xá Tahmasp (reinou entre 1524 e 1576), defendeu essas terras contra o vizinho Império Otomano, cujos governantes seguiam a escola oposta, o islamismo sunita. A dinastia safávida estabeleceu o domínio xiita na Pérsia, criando um governo eficiente, bem como sua burocracia, que durou até 1736.

CARLOS V SE TORNA IMPERADOR DO SACRO IMPÉRIO ROMANO-GERMÂNICO
(1519)

Um dos mais poderosos monarcas europeus como rei Habsburgo da Espanha e governante da Borgonha e da Holanda, Carlos V foi eleito imperador do Sacro Império Romano-Germânico em 1519, encampando boa parte da Europa Central e o norte da Itália sob seu domínio. Isso lhe deu um poder sem precedentes, mas também desafiou seus impérios vizinhos – a França, de um lado e os otomanos, do outro – e os protestantes dentro de seus territórios. Quando Carlos abdicou, a Coroa espanhola passou para seu filho Filipe, e o título de imperador para seu filho Fernando.

HENRIQUE VIII ROMPE COM ROMA
(1534)

O rei inglês Henrique VIII enfrentou uma crise dinástica: ele precisava de um filho herdeiro que o sucedesse, mas ele e sua esposa Catarina de Aragão não conseguiram gerar um. Henrique queria se divorciar de Catarina, mas o papa não permitiu. Como resposta, ele cortou os laços com Roma e se declarou chefe da Igreja na Inglaterra. Apesar de, sob Henrique, a Igreja da Inglaterra ter continuado em grande parte católica na doutrina e na prática, a ação do rei abriu caminho para que o país mais tarde aceitasse o protestantismo. Além disso, Henrique dissolveu os mosteiros, o que lhe deu uma nova fonte de terra e riqueza, e removeu uma ligação-chave com a Igreja Católica Romana.

O COMEÇO DA REVOLTA HOLANDESA
(1568)

Em 1568, as províncias protestantes ao norte da Holanda se rebelaram contra seu governante católico, Filipe II da Espanha, e declararam sua independência, começando uma guerra de oitenta anos, até que sua república fosse reconhecida. Filipe havia imposto suas crenças católicas sem exceções aos seus súditos holandeses, assim muitos protestantes do sul da Holanda, que se manteve fiel à Coroa, se mudaram para o norte. Esse influxo ajudou a República, que em breve se tornou uma nação estável financeira e culturalmente graças ao comércio ultramarino, ao progresso científico e aos impressionantes feitos artísticos.

O MASSACRE DO DIA DE SÃO BARTOLOMEU
(1572)

Houve conflitos violentos na França do século XVI, e a partir de 1562 eclodiu uma guerra entre os católicos e os protestantes. Um dos piores episódios se deu em 1572, quando o pretendente protestante ao trono da França, Henrique de Navarra, se casou em Paris e muitos milhares de protestantes foram massacrados. Depois de se tornar rei da França, ele publicou o Édito de Nantes em 1598, ordenando a tolerância religiosa. No entanto, o édito foi revogado em 1685 por Luís XIV, que, de forma cruel, oprimiu a população protestante da França. Sob seu reinado, muitos protestantes foram presos, e muitos outros fugiram do país.

A UNIÃO IBÉRICA
(1580–1640)

Com a morte do jovem dom Sebastião na Batalha de Alcácer-Quibir (1578), o trono de Portugal ficou vago. O rei da Espanha, Filipe II, da poderosa família Habsburgo, reivindicou a Coroa para si, já que era neto do rei português Manuel I. Após uma breve disputa, Filipe uniu os dois reinos sob seu comando, levando o Império Espanhol ao ápice. A União Ibérica foi um período de transição para Portugal: após as décadas gloriosas da dinastia de Avis, o país via-se "colonizado" por seu vizinho, e, com a invasão holandesa no Nordeste brasileiro, começava também a sentir sinais de declínio econômico.

O COMEÇO DA IDADE MODERNA

A ARMADA ESPANHOLA
(1588)

Em 1588, o monarca católico Filipe II tentou conquistar a Inglaterra protestante ao enviar uma frota de 130 navios para invadir o país. Depois de a Inglaterra ter sido bem-sucedida em destruir parte da frota usando barcos em chamas, uma derrota em Gravelines forçou o que tinha sobrado da Armada Espanhola a se retirar para o norte, em direção à Escócia, onde muitos outros navios foram destruídos por tormentas. Somente 86 navios voltaram à Espanha. A derrota foi um golpe para o país, pondo fim à sua campanha de capturar a Inglaterra para o catolicismo e confirmando o status inglês de nação protestante segura sob Elizabeth I.

AS INVASÕES JAPONESAS NA COREIA SÃO DERROTADAS
(1592–1598)

O líder samurai japonês Toyotomi Hideyoshi tentou conquistar a Coreia em 1592 e 1597 como parte de uma campanha mais ampla que culminaria com a invasão da China. Em ambas as vezes, o Japão teve grandes avanços, mas os coreanos, com o apoio de forças chinesas, conseguiram reagir. No entanto, eles não puderam expulsar completamente os japoneses, o que levou a um empate em terra, se bem que o almirante coreano Yi infligiu frequentes derrotas navais ao Japão. Derrotado no mar e confinado a poucas fortalezas em terra, o Japão abandonou suas pretensões de invasão. A Coreia continuou independente até 1919, quando houve um período de domínio japonês que durou 35 anos.

O CERCO DE DROGHEDA
(1649)

O líder parlamentar da Inglaterra Oliver Cromwell lançou sua campanha para dominar a Irlanda em 1649, após os católicos irlandeses terem assumido o controle do país das mãos dos administradores ingleses em 1641. Depois que Cromwell tomou Dublin, Drogheda se tornou uma base para os líderes católicos irlandeses. Cromwell cercou a cidade, massacrando as pessoas dentro de seus muros que se recusaram a se render. Muitos da guarnição de quase 2.500 homens, incluindo civis, foram mortos. Apesar de a matança não ter quebrado o código militar da época, a crueldade e o enorme número de vítimas foram sem precedentes e amargaram as futuras relações entre ingleses e irlandeses católicos.

COLÔNIA HOLANDESA NA CIDADE DO CABO
(1650)

Apesar de os exploradores portugueses terem sido os primeiros europeus a descobrir o Cabo da Boa Esperança, no século XV, foram os holandeses que fundaram a Cidade do Cabo. Em 1652, um grupo da Companhia Holandesa das Índias Orientais, sob Jan van Riebeeck, fundou uma colônia lá, criando um entreposto para os navios holandeses que iam e voltavam da Ásia. O assentamento se tornou o centro de uma grande comunidade de pessoas de origem holandesa que dominaram o comércio e a agricultura da região, desenvolveram sua própria língua – o africâner – e desempenharam um papel central na história da África do Sul.

O CERCO OTOMANO DE VIENA
(1683)

Em 1683, o Império Turco Otomano havia alcançado sua maior extensão e incluía grandes áreas do norte da África, Oriente Médio e Europa Oriental. A Áustria estava na fronteira ocidental do império, e os turcos já haviam tentado conquistar Viena. Em 1683, eles cercaram a cidade pela última vez: as forças do Sacro Império Romano-Germânico governado pelos Habsburgo, junto com as da Polônia, vieram defender Viena, derrotando os otomanos. A partir daí, o poder dos otomanos entrou em declínio. Não mais sendo uma ameaça à Europa cristã, eles perderam gradualmente seus territórios europeus.

A BATALHA DE CULLODEN
(1746)

Na Batalha de Culloden, Escócia, um exército liderado pelo duque de Cumberland, filho do rei hanoveriano George II, derrotou uma pequena força de jacobitas (incluindo muitos dos clãs das Terras Altas) sob o príncipe Carlos Eduardo Stuart. Este tinha esperanças de restaurar sua linha de sangue ao trono britânico, mas Culloden pôs fim efetivo à sua campanha. Isso também levou ao desarmamento das terras altas escocesas, onde o apoio jacobita era mais forte, ao desmantelamento do sistema de clãs e à cruel supressão da cultura das terras altas, que incluiu a proibição do uso das roupas da região e de falar o gaélico.

JAMES COOK CHEGA À AUSTRÁLIA
(1768–1779)

Em 1768, o britânico James Cook navegou até o Taiti para fazer observações astronômicas. Finalizada a tarefa, decidiu partir em busca de uma "desconhecida terra do Sul" sobre a qual havia apenas rumores. Começava assim sua jornada de mapeamento da costa da Nova Zelândia e do litoral da Austrália. A descoberta desse território, batizado inicialmente de Nova Gales do Sul, seria o principal capítulo da colonização britânica da Oceania.

SOCIEDAD
TRANSFO
1776–1914

ES EM
RMAÇÃO

INTRODUÇÃO

1776 — É assinada a Declaração de Independência. Ela prevê **direitos humanos** básicos e cria uma nova nação: os **Estados Unidos da América**.

1789 — A queda da Bastilha sinaliza o começo da Revolução Francesa, na qual a **monarquia é derrubada** e a **república é estabelecida**.

1807 — A Lei de Abolição do Comércio de Escravos é aprovada na Inglaterra, **proibindo a comercialização de escravos**; no entanto, a escravidão propriamente dita só é abolida em 1833.

1815 — Napoleão é derrotado na Batalha de Waterloo pelos britânicos, holandeses e prussianos, pondo um fim a 23 anos de guerra na Europa.

1819 — Simon Bolívar estabelece a Gran Colombia, uma **república sul-americana independente** do domínio espanhol; ela dura até 1830.

1830 — O motor a vapor de George Stephenson (*Rocket*) alimenta o **primeiro serviço de estradas de ferro** do mundo, que liga Liverpool a Manchester.

1848 — **Revoltas** acontecem em toda a Europa conforme crescem **o liberalismo, o socialismo e a autodeterminação nacional**; todas são reprimidas à força.

1856 — É lançada a Segunda Guerra do Ópio pelas **potências ocidentais**, para forçar a China a dar acesso **aos portos chineses para o comércio**.

A partir do século XVIII, a história talvez tenha assumido um ilusório ar de "progresso". As transformações se aceleraram e pareceram ter uma clara direção. A população do mundo passou de 1 bilhão em 1804 e chegou a quase 2 bilhões em 1914. Esse crescimento foi possível pelo tremendo crescimento da produção econômica. A agricultura se tornou mais eficiente, e grandes áreas de novas terras passaram a ser usadas para fins produtivos. A exploração de novas fontes de energia – sobretudo a energia a vapor –, a aplicação de novas tecnologias e a produção industrial organizada nas fábricas revolucionaram a manufatura de mercadorias. As ferrovias tornaram possível aos humanos viajar mais rápido do que a cavalo pela primeira vez, e as cidades cresceram de tamanho – por exemplo, a população de Londres passou de 1 milhão em 1800 para 7 milhões em 1910. Melhorias na saúde pública e na medicina aumentaram a expectativa de vida nos países mais avançados.

Direitos humanos e igualdade

A despeito desses avanços, pode-se debater se o progresso podia ser visto na qualidade de vida das pessoas. No começo desse período, revoluções políticas na América e na França enunciaram princípios de direitos humanos e igualdade entre os cidadãos que desafiaram radicalmente a ordem existente na sociedade. No começo do século XX, liberais e democratas na Europa e na América do Norte podiam olhar com certa complacência sucessos como a ampla expansão do direito de voto, a abolição da escravidão e a liberdade de expressão. Porém, quase nenhuma mulher ainda podia votar e não havia igualdade econômica. Extremos de riqueza e pobreza polarizavam as sociedades mais avançadas, e as condições de vida dos trabalhadores industriais eram quase sempre miseráveis. Artistas e intelectuais do movimento romântico criticaram o impacto da indústria mecanizada sobre as pessoas e o ambiente, enquanto movimentos socialistas olhavam adiante, para a expansão das revoluções que poriam fim à exploração do homem pelo homem e criariam sociedades igualitárias.

O imperialismo ocidental

Os maiores perdedores na nova ordem mundial criada pelo capitalismo industrial foram os habitantes dos países na periferia da economia global. Os países em industrialização no Ocidente, em busca de lugares para investir seu excesso de capital, matérias-primas para suas fábricas e

SOCIEDADES EM TRANSFORMAÇÃO 203

1859 — Charles Darwin publica *A origem das espécies*, na qual apresenta sua controversa **teoria da evolução**.

1863 — Durante a **Guerra Civil Americana**, Abraham Lincoln profere o Discurso de Gettysburg, **um dos mais famosos** da história.

1869 — O Canal de Suez é aberto, **ligando** o mar Vermelho ao Mediterrâneo, **reduzindo drasticamente o tempo de navegação** entre a **Europa** e o **Oriente**.

1908 — Uma coalizão de vários grupos reformistas, conhecidos como os **Jovens Turcos**, derruba o **autoritário sultão otomano** e tenta governar.

1860 — Giuseppe **Garibaldi** lidera mil voluntários para **derrubar** os Bourbon franceses no **sul da Itália** e na **Sicília**; a Itália é unificada um ano depois.

1868 — O xogunato Tokugawa é **derrubado**, e o imperador Meiji se torna **governante do Japão**: a nação emerge como um grande **poder imperial**.

1892 — Ellis Island é aberta no Porto de Nova York para processar **a chegada de imigrantes** aos **Estados Unidos**; a maioria se torna cidadão americano. A ilha é fechada em 1954.

1913 — Emily Davison pula sob o cavalo do rei George V no Derby e é morta, aumentando a luta pelo **sufrágio das mulheres** em todo o mundo.

---

mercados para seus novos produtos os encontraram na Ásia, África e América Latina. Eles também buscavam terra para que sua população em crescimento pudesse ocupar áreas quase não povoadas, como as planícies da América do Norte e da Austrália. Os povos que se opuseram a isso foram postos de lado. Os europeus começaram a expandir as áreas sob seu domínio ou controle direto. A conquista pelos britânicos do subcontinente indiano, mais ou menos completa em meados do século XIX, foi o mais espetacular exemplo do imperialismo em ação, e a África Subsaariana foi dividida entre as potências europeias como se a população local não existisse.

A resposta do mundo ao imperialismo ocidental foi dúbia. A resistência se espalhou na forma de guerras e levantes contra o domínio europeu. Por outro lado, a crescente superioridade do Ocidente em tecnologia, ciência, poder militar e organização social levou vários governos não europeus a tentar se modernizar baseados no modelo ocidental. No mundo muçulmano, Egito, Turquia e Irã buscaram, apenas com sucesso parcial, uma agenda modernizadora. Na Ásia Oriental, o Japão transformou-se, de forma bem-sucedida, num Estado moderno e eficiente, tornando-se ele mesmo uma potência imperialista. A China, por outro lado, experimentou conflitos e invasões, e o poder imperial entrou em colapso no começo do século XX.

Crescente nacionalismo

A maioria dos europeus e dos povos de origem europeia se vangloriava de sua superioridade racial e cultural sobre o resto do mundo, mas a Europa prosseguiu como um continente profundamente dividido. O nacionalismo militante, desencadeado pela Revolução Francesa, era uma ameaça à estabilidade. Em 1815, as Guerras Napoleônicas geraram batalhas de escala sem precedentes. Depois que as guerras de meados do século XIX criaram uma Itália e uma Alemanha unificadas, as grandes potências mantiveram enormes exércitos de plantão e formaram sistemas de alianças mutuamente hostis. Esses exércitos eram equipados com bombas com alto poder explosivo e armas de fogo automáticas.

O poder militar europeu, que era apoiado por sistemas de Estado e economias altamente organizados, foi com certeza um dos elementos-chave na dominação mundial da Europa. Mas haveria um desastre quando esses Estados europeus voltassem seus poderes contra si mesmos. ∎

CONSIDERAMOS EVIDENTES AS SEGUINTES VERDADES: QUE TODOS OS HOMENS FORAM CRIADOS IGUAIS
A ASSINATURA DA DECLARAÇÃO DE INDEPENDÊNCIA (1776)

EM CONTEXTO

FOCO
A Revolução Americana

ANTES
1773 A Festa do Chá de Boston protesta contra os impostos sobre as importações de chá.

1775 Conflitos armados acontecem entre a milícia patriótica e as forças britânicas.

DEPOIS
1777 A derrota dos britânicos em Saratoga convence a França a apoiar os rebeldes americanos.

1781 Os britânicos se rendem em Yorktown, Virgínia.

1783 A Inglaterra reconhece a independência americana.

1787 Começa o esboço da Constituição.

1789 George Washington é eleito primeiro presidente dos Estados Unidos.

1790 É ratificada a Constituição americana.

Nunca houve uma declaração tão ousada sobre o Estado que a proclamada pela Declaração de Independência adotada pelo Segundo Congresso Continental, em 4 de julho de 1776, e assinada por todos os 56 delegados presentes. O que viria a ser os Estados Unidos consistia de treze colônias britânicas, gradualmente estabelecidas desde o século XVII e espalhadas pela Costa Leste da América do Norte. Elas não estavam apenas geograficamente longe de sua terra natal; a maioria também ficava longe umas das outras. Suas economias eram frágeis, e elas não tinham nenhuma identidade política coerente – os cidadãos da Virgínia, por exemplo, se consideravam virginianos,

SOCIEDADES EM TRANSFORMAÇÃO

Veja também: A Batalha de Quebec 191 ▪ A queda da Bastilha 208-213 ▪ A Lei da Abolição do Comércio de Escravos 226-227 ▪ As revoluções de 1848 228-229 ▪ O discurso de Gettysburg 244-247 ▪ A Febre do Ouro da Califórnia 248-249

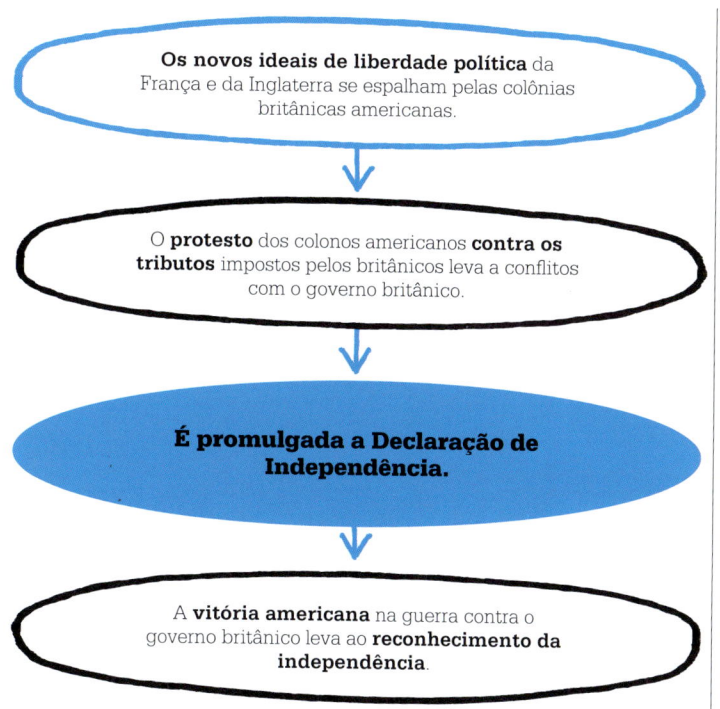

Os novos ideais de liberdade política da França e da Inglaterra se espalham pelas colônias britânicas americanas.

⬇

O **protesto** dos colonos americanos **contra os tributos** impostos pelos britânicos leva a conflitos com o governo britânico.

⬇

É promulgada a Declaração de Independência.

⬇

A **vitória americana** na guerra contra o governo britânico leva ao **reconhecimento da independência**.

---

de 2,5 milhões continuaram leais à Coroa britânica até o fim do conflito, muitos indo morar no Canadá.

O conflito toma forma

Foi necessária uma guerra longa e cruel para tornar a independência uma realidade. A Inglaterra estava determinada a garantir aquilo que via como um domínio legítimo, enquanto as forças recrutadas de modo rápido nos recém-nascidos EUA não estavam menos determinadas a garantir o que viam ser seu direito à independência. Os dois modestos exércitos – o britânico, por causa das dificuldades de enviar forças em massa para a América; e o dos colonos, porque sempre lhes faltavam meios de levantar e equipar qualquer grupo militar significativo – se confrontaram numa série de pequenos combates por seis anos.

Em seu auge, as forças americanas não chegavam a 40 mil homens e quase não tinham uma Marinha. A Inglaterra usou quase o mesmo número de tropas, mas por outro lado tinha um número de navios muito maior. Em 1778, no entanto, a França declarou apoio aos colonos e enviou 5 mil soldados e uma frota considerável. Confrontada com »

---

não americanos –, além de prestarem cada vez menos lealdade à Coroa britânica.

No entanto, as colônias também eram impressionantemente autoconscientes, profundamente cientes das noções iluministas de liberdade política e se preocupavam que sua liberdade estivesse sob ameaça por causa do domínio britânico. Incapazes de afirmar seus próprios direitos naturais, e sujeitos ao que consideravam uma tributação imposta de forma não racional, os colonos questionaram por que um parlamento distante, com um rei, deveria impor sua vontade sobre eles. Impelidos por uma série de líderes excepcionais, em 1776 eles não apenas rejeitaram a autoridade britânica, como também se prontificaram a estabelecer um tipo de Estado totalmente novo, no qual o governo seria derivado do "consentimento dos que são governados". Essa ideia explosivamente nova levaria à criação de um novo e duradouro governo republicano.

Porém, o apoio a uma afirmação formal da independência americana estava longe de ser unanimidade nas colônias. Cinco estados em particular – Nova York, Nova Jersey, Maryland, Delaware e Pensilvânia – temiam que isso atrapalhasse os negócios e, se não funcionasse, desencadeasse duras represálias da Inglaterra. Da mesma forma, quase 500 mil de uma população

---

> ❝ Essas colônias unidas são, e têm o direito de ser, Estados livres e independentes. ❞
>
> **Richard Henry Lee**
> Resolução proposta no Segundo Congresso Continental (junho de 1776)

206 A ASSINATURA DA DECLARAÇÃO DE INDEPENDÊNCIA

uma derrota certa, em outubro de 1781, os britânicos se renderam em Yorktown, Virgínia. A guerra não terminaria oficialmente senão depois de um ano, mas em cada aspecto relevante os colonos – e seus aliados franceses – haviam dado um golpe e tanto em seus senhores ingleses.

O envolvimento francês na criação dessa nova nação se deveu, em todos os aspectos, ao desejo de reverter a humilhação sofrida na Guerra dos Sete Anos. Mas as dívidas que isso causaria se tornariam, ironicamente, uma das principais causas da falência da Coroa francesa, levando à Revolução Francesa de 1789. Também havia uma profunda ironia no fato de a França absolutista querer ganhar, para os americanos, as liberdades que não estava disposta a dar a seus próprios cidadãos.

Ideais revolucionários

No cerne da Revolução Americana estava a nova filosofia política encapsulada pela Declaração de Independência. Ela era obra de um distinto patrício da Virgínia, o arrogante e rico proprietário de escravos chamado Thomas Jefferson. Ele era um dos membros de um comitê de cinco encarregado de escrever a Declaração, embora os dois esboços aprovados em junho de 1776 fossem quase inteiramente escritos por ele. É difícil exagerar a importância da Declaração de Independência. Ela fez, para aquela época, uma assombrosa declaração: "que todos os homens foram criados iguais". Além disso, alegava que "governos são instituídos entre os homens, derivando seus justos poderes do consentimento dos governados".

Esses eram, de forma ativa, sentimentos subversivos pelos quais nem George III da Inglaterra, nem Luís XVI da França poderiam sentir qualquer simpatia. Eles, sem dúvida, formaram a base daquilo que se tornaria os EUA e, de fato, os sistemas políticos liberais por todo o mundo ocidental. Esses credos políticos, derivados das obras de

Na *Declaração de Independência*, de John Trumbull, o comitê responsável por seu esboço apresenta uma proposta ao Congresso. Thomas Jefferson pode ser visto em pé, com colete vermelho.

pensadores iluministas britânicos e franceses, levaram à criação do primeiro Estado moderno, que transformou assim o mundo.

O destino da América

Jefferson continua sendo um enigma. Ele odiava a monarquia, mas ainda assim amava a França pré-revolucionária, sendo o primeiro embaixador dos EUA deslumbrado por sua elegância civilizada. Ele alegava desprezar altos cargos, mas foi duas vezes presidente dos EUA. E, como tal, em 1803, conduziu a Compra da Louisiana, vendo uma vasta área a oeste do Mississippi ser transferida a preço de banana da França, que tinha seu domínio nominal, para os EUA. Ele entendia que o destino do país estava

SOCIEDADES EM TRANSFORMAÇÃO

> O Deus que nos deu a vida também nos deu a liberdade.
> **Thomas Jefferson**

na sua colonização das enormes terras a oeste, concordava com a ideia de que seus habitantes nativos deveriam ser removidos e tinha escravos. "Os negros", dizia, "são inferiores aos brancos em seus dotes tanto de corpo quanto de alma." Se por um lado George Washington, também um patrício virginiano, libertou seus escravos, Jefferson optou por não fazê-lo.

Nada disso, no entanto, pode diminuir a importância de Jefferson em articular noções de liberdade que ecoam até hoje. E, mesmo acreditando que a escravidão fosse errada, sua crença pessoal era de que a libertação seria ruim tanto para os escravos quanto para os americanos brancos – a não ser que os primeiros fossem devolvidos à África.

Uma nova Constituição

Apesar de Jefferson poder ser facilmente considerado a cabeça pensante por trás da Declaração de Independência, ele não desempenhou nenhum papel-chave no planejamento do próximo grande documento que moldaria a nação: sua Constituição. Os EUA se tornaram legalmente capazes de garantir sua independência da Inglaterra em 1783. Mas, para os próximos quatro anos, o país existiu num vácuo político cada vez mais instável, tendo seu destino sido decidido por um Congresso Confederado claramente dividido que se reuniu várias vezes, na Pensilvânia, Nova York e Nova Jersey.

Houve sérios motivos para se acreditar que a nova nação poderia fracassar, dividida entre os que defendiam a primazia dos direitos dos estados individuais em relação ao governo central e aqueles a favor de um forte governo central, ou até mesmo a criação de uma monarquia americana. Na primavera de 1787, houve uma convenção constitucional na Filadélfia. A Constituição escrita, formalizada e proposta, só seria ratificada de modo provisório em junho do ano seguinte, e só após longas disputas. O resultado foi a declaração de uma nova forma de governo. Ela era tanto uma declaração de direitos quanto um projeto para um governo ideal, cujos três poderes – executivo, legislativo e judiciário – se vigiariam simultaneamente. Ela se tornaria uma forte influência sobre a Constituição que foi promulgada na Revolução Francesa em 1791, e ainda é um modelo único.

"Negócio inacabado"

Os pais fundadores estavam corretamente otimistas a respeito do potencial dos EUA, mas falharam em resolver uma questão crucial. O primeiro esboço da Declaração de Independência de Jefferson chamava a escravidão "um comércio execrável" e "uma guerra cruel contra a própria natureza humana". Porém, para acalmar os estados escravistas do Sul e os comerciantes de escravos do Norte, essas afirmações radicais foram mais tarde removidas. Quase noventa anos depois, seriam necessárias uma guerra civil e a morte de 620 mil pessoas para pôr fim a essa prática e completar aquilo que Abraham Lincoln via como o "negócio inacabado" da Declaração de Independência e da Constituição. ∎

George Washington

Nascido em 1732, George Washington serviu a Coroa inglesa com distinção durante a Guerra dos Sete Anos (1754–1761) contra a França. Ele representou a Virgínia na sua Câmara Baixa e nos congressos continentais de 1774 e 1775. Com a eclosão da Guerra Revolucionária, foi a escolha unânime para liderar o Exército continental, o que fez com imaginação e grande coragem, sobretudo nos primeiros e muito difíceis anos do conflito: seu "esqueleto de um exército", desequipado e faminto, foi forçado a aguentar um inverno excepcionalmente duro em 1777–1778 no Vale Forge, na Pensilvânia. A partir de 1783, Washington buscou estabelecer um governo constitucional para a nova nação. Primeiro presidente do país, teve dois mandatos, saindo em 1797 diante das crescentes disputas entre os republicanos democráticos de Jefferson e os federalistas, liderados pelo pavio curto Alexander Hamilton. Washington morreu em 1799 e foi enterrado em sua plantation na Virgínia, chamada Mont Vernon, com vista para o rio Potomac.

MEU SENHOR, É UMA REVOLUÇÃO

A QUEDA DA BASTILHA (1789)

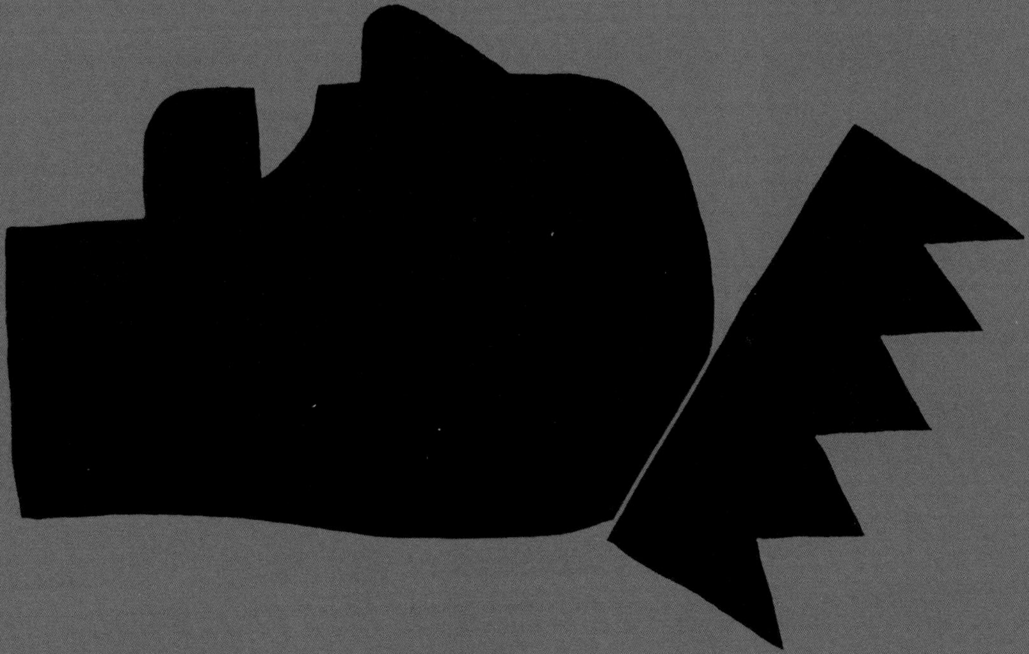

A QUEDA DA BASTILHA

EM CONTEXTO

FOCO
A Revolução Francesa

ANTES
Maio de 1789 Luís XVI convoca os Estados-Gerais. Em junho, os comuns formam a Assembleia Nacional, assumindo o poder efetivo em nome do povo.

DEPOIS
Abril de 1792 A Assembleia Legislativa declara guerra à Áustria e à Prússia. É declarada a Primeira República.

Janeiro de 1793 Luís XVI é executado.

Março de 1794 O terror chega ao ápice. Em julho, Robespierre, seu primeiro expoente, é executado.

Outubro de 1795 Napoleão restaura, à força, a ordem na turbulenta Paris.

Novembro de 1799 Napoleão se torna de fato o governante da França.

No dia 14 de julho de 1789, uma turba parisiense enraivecida, buscando armas para defender sua cidade de um suposto ataque real, atacou a decadente fortaleza conhecida como Bastilha e matou seu diretor e seus guardas. Esse desacato violento do poder real se tornou o símbolo da Revolução Francesa, um movimento que tomou toda a França mas que também reverberou por todo o mundo. As ideias articuladas na revolução marcaram o começo do fim das monarquias absolutas na Europa e inspiraram sua derradeira substituição por governos mais democráticos.

A Revolução Francesa foi planejada originalmente para varrer os privilégios aristocráticos e estabelecer um novo Estado baseado nos princípios iluministas de *liberté*, *égalité* e *fraternité*. Mas, apesar de ter começado, com um vento de otimismo, logo degenerou numa violência que se manteve por muitos anos e só chegaria ao fim com a ditadura de Napoleão Bonaparte. Permanece uma história de confusão e caos, de uma colisão entre a velha ordem privilegiada, o *ancien régime*, e um novo mundo que lutou, às vezes com violência, para criar uma nova ordem coerente.

> A Revolução Francesa foi o maior passo que a humanidade já deu desde o aparecimento de Cristo.
> **Victor Hugo**
> *Les Misérables* (1862)

Um país em desordem

O rei francês Luís XVI, bem-intencionado mas indeciso, seria o último homem a confrontar qualquer crise, muito menos uma tão grave como a atravessada pela França em 1789. No século anterior, seu tetravô Luís XIV, o Rei Sol, fizera da França uma monarquia absoluta, com todos os poderes concentrados nas mãos do rei, e seu palácio em Versalhes como a corte mais sofisticada da Europa, um bastião do privilégio aristocrata.

Luís XVI governava um país onde os nobres se recusavam a abrir mão de qualquer privilégio e os impostos eram

---

O **pensamento iluminista** estabelece a crença numa **nova ordem política** baseada na **liberdade**. → Surge uma **crise política** na França, e a **derrubada da velha ordem**, de uma hora para a outra, parece possível. → **A prisão da Bastilha é atacada por uma turba violenta.** ↓

A crença adjacente em *liberté, égalité* e *fraternité* muda não só a França, mas o mundo. ← Segue-se um longo período de **instabilidade, tumultos, guerra civil e execuções ordenadas pelo Estado**. ← Tenta-se construir uma **nova sociedade**: a monarquia é abolida, e a França é **declarada uma república**.

SOCIEDADES EM TRANSFORMAÇÃO

Veja também: Luís XIV se torna o governante pessoal da França 188 ▪ A Batalha de Quebec 191 ▪ Diderot publica a *Enciclopédia* 192-195 ▪ A assinatura da Declaração de Independência 204-207 ▪ A Batalha de Waterloo 214-215 ▪ As revoluções de 1848 228-229

A queda da Bastilha simboliza o começo da Revolução Francesa. A prisão só tinha sete prisioneiros em julho de 1789, mas sua queda teve grande importância.

pagos quase exclusivamente pelos camponeses oprimidos: na prática, a França estava falida. No final do século XVIII, a população da França estava crescendo rapidamente, mas, diferentemente da Inglaterra, não teve uma revolução agrícola e se manteve particularmente vulnerável a qualquer perda de safra, como as que aconteceram em 1787 e em 1788. Esses terríveis verões foram seguidos em 1788 e 1789 por um fortíssimo inverno, o que levou à fome em massa.

A resposta do rei

Com uma crise financeira aguda, Luís tentou desesperadamente arrecadar fundos, enquanto preservava sua autoridade, convocando os assim chamados Estados Gerais, um corpo semiparlamentar que havia se reunido pela última vez em 1614. Este era constituído do clero, o primeiro Estado; dos nobres, o segundo; e dos comuns (essencialmente um tipo de burguesia, quase todos advogados), o terceiro. Os Estados-Gerais se reuniram em Versalhes em 5 de abril de 1789. Quase instantaneamente nobres e clérigos tentaram garantir que seu voto valesse mais que o dos comuns. Em resposta, no dia 17 de junho, os comuns declararam uma Assembleia Nacional, assumindo o poder em vez da Coroa. Em agosto, com levantes camponeses por toda a França rural, a Assembleia aboliu os impostos feudais e os privilégios aristocráticos e publicou aquilo que chamou de Declaração dos Direitos do Homem, listando liberdades fundamentais.

Em outubro de 1789, os eventos de repente se aceleraram quando uma vasta multidão, enraivecida pela falta de pão em Paris, desceu até Versalhes e obrigou, à força, a volta da família real a Paris, aproveitando para saquear o palácio. Naquilo que se tornaria um inquietante prelúdio da violência que viria a seguir, as cabeças cortadas dos guardas em Versalhes foram penduradas em estacas e perfiladas conforme Luís e sua família eram escoltados até a capital.

Em termos comparativos, foi razoavelmente fácil derrotar o governo real existente, mas se provaria infinitamente mais difícil estabelecer um novo governo. Supunha-se que um tipo de monarquia constitucional seria a solução mais óbvia. Assim, a França se encontrou espremida entre os que defendiam essa opção mais ou menos moderada e aqueles a favor de uma alternativa republicana mais radical.

A Primeira República

Apesar de nos principais aspectos o reino de Luís já parecer estar condenado, ele ainda não havia perdido a esperança de recuperar sua autoridade. Um grande número de aristocratas franceses – *emigrés* – já havia deixado a França, temendo que a revolução a tivesse tornado insegura. Ao tentar persuadir outros regimes europeus – a Áustria acima de todos, »

> 66
>
> O terror não é outra coisa senão a justiça pronta, severa, inflexível; esta é, portanto, uma emanação da virtude.
> **Maximilien Robespierre, fevereiro de 1794**
>
> 99

A QUEDA DA BASTILHA

cujo imperador era irmão da rainha francesa Maria Antonieta –, eles instigaram a oposição à revolução, mas seu principal impacto foi reforçar a determinação na França de ver a revolução chegar a bom termo.

Em junho de 1791, Luís tentou escapar, mas foi interceptado perto da fronteira com a Holanda e trazido de volta a Paris, sob os gritos alegres de um povo cada vez mais violento e politizado, os *sans-culottes*, cujo nome remetia às suas calças rasgadas e puídas. Havia um enfrentamento cada vez mais hostil entre as facções políticas em Paris, como os girondinos e os mais extremistas jacobinos, que atraíram o apoio dos *sans-culottes* e do governo francês.

Uma ameaça externa

Apesar da óbvia instabilidade, houve um progresso em direção a uma nova ordem social. Em setembro de 1791, foi proclamada uma monarquia constitucional. De forma similar, a posição privilegiada da Igreja foi acabada à força, se bem que isso também provocou levantes e violências duradouras. Igualmente crítica, a liberdade de imprensa foi garantida.

Ao mesmo tempo, a França revolucionária enfrentou uma ameaça externa da Áustria e da Prússia, ambas determinadas a reafirmar a primazia da monarquia hereditária e a prevenir tendências revolucionárias em seus próprios países. Em abril de 1792, a França declarou guerra às duas, uma guerra que continuaria, em diferentes disfarces, por 23 anos. Em agosto, as forças conjuntas da Áustria e da Prússia estavam a menos de 160 quilômetros de Paris.

Um tipo de histeria tomou conta da cidade. Uma turba atacou as Tuileries, onde a família real estava detida, matando sua Guarda Suíça. No mês seguinte, uma nova rodada de matanças, os Massacres de Setembro, foi direcionada a qualquer um suspeito de simpatia pela monarquia. Setembro de 1792 também marcou o estabelecimento da Convenção Nacional e da Primeira República Francesa, diretamente eleitas. Uma de suas primeiras ações foi julgar Luís XVI como traidor. Em janeiro de 1793, ele foi executado, uma das primeiras vítimas da guilhotina, considerada uma forma de morte compassiva e igualitária.

O sentimento de crise continuou a crescer. Em abril de 1793, o Comitê de

> "Assim, legisladores, coloquem o Terror na ordem do dia!… A lâmina da lei deve pairar sobre todos os culpados.
> **Comitê de Segurança Geral, setembro de 1793**"

Segurança Pública foi criado para salvaguardar a revolução. Por quase um ano, sob o comando de um advogado provincial, Maximilien Robespierre, o mais influente dos agora poderosos jacobinos, ele quase se tornou o governo da França. Seu impacto na França, a despeito de curto, foi devastador. Isso foi o Terror. Movimentos contrarrevolucionários por todo o país foram cruelmente reprimidos, de forma mais clara na região de Vendée, a sudoeste, onde quase 300 mil morreram. As igrejas viraram alvos especialmente ricos. As vítimas do Terror eram cada vez menos o resto da aristocracia e cada vez mais qualquer um que Robespierre suspeitasse de pensamentos impuros, incluindo quase todos os seus oponentes políticos.

A busca determinada de Robespierre pela pureza revolucionária alcançou um inesperado clímax com sua criação, em 1794, de uma nova religião, o Culto do Ser Supremo. Ela deveria ser um foco de, e um estímulo para,

Luís XVI foi executado em 1793. Usar a guilhotina como a única forma de execução de todas as pessoas – quer da realeza, quer dos pobres – visava reforçar o princípio revolucionário da igualdade.

A **Revolução Francesa** foi feita com a ideia de construir um novo Estado que tomaria os princípios iluministas de liberdade, igualdade e fraternidade como seus alicerces.

Liberté
Um novo entendimento de liberdade sugeria que todos eram livres para se comportar como quisessem se não incomodassem os outros.

+

Égalité
Essa ideia definia que todas as pessoas eram iguais perante a lei, e acabava com os privilégios aristocráticos.

+

Fraternité
Essa era a esperança de que a revolução resultasse num recém-fundado espírito racional de fraternidade.

= 🇫🇷

Maximilien Robespierre

Robespierre (1758–1794), advogado e membro do terceiro estado em 1789, foi o principal arquiteto do Terror que assolou a França entre setembro de 1793 e julho de 1794. Ele foi um consistente defensor dos despossuídos, bem como um impressionante orador, capaz de discursos muito intensos que energizavam tanto seus apoiadores quanto seus opositores. Também era um duro opositor às Guerras Revolucionárias, acreditando que um Exército fortalecido corria o risco de se tornar uma fonte de fervor contrarrevolucionário. No começo, pelo menos, ele também se opunha à pena de morte. A mudança de ideia foi supreendentemente absoluta. Quando se convenceu de que o terror era o meio mais eficiente de preservar a revolução, ele o encampou de forma implacável, argumentando que esta era uma solução natural da virtude, a condutora da revolução. Ele continua sendo um modelo original e assustador para todos aqueles que desde então defendem a violência do Estado no interesse de um suposto bem maior.

virtudes patrióticas e revolucionárias, substituindo a superstição da Igreja católica por uma crença dedicada à razão, celebrando as leis naturais do universo. A megalomania que sugeria contribuiu significativamente para sua abrupta queda, e no final de julho de 1794 Robespierre foi guilhotinado.

A ordem restaurada

Com o fim das matanças – mais especificamente com o estabelecimento de um novo governo, o Diretório, ao final de 1795 –, a ordem foi restaurada, sendo alcançada em parte pela disposição do Diretório de usar a força contra a turba de Paris, ordenada por Napoleão Bonaparte, então um jovem general no exército revolucionário.

Além disso, o Exército da França, fortalecido por alistamentos obrigatórios em massa, estava revertendo antigas derrotas, aparentemente disposto a levar a revolução a novos territórios. Fortalecida, a França reforçou sua reivindicação daquilo que alegava ser suas "fronteiras naturais" no Reno, o que na verdade queria dizer uma audaciosa extensão do domínio francês sobre a Alemanha. Em 1797, ela havia imposto derrotas esmagadoras sobre a Áustria na Holanda e no norte da Itália. A França estava pronta para reafirmar o que via como sua supremacia natural na Europa.

Significado histórico

Qualquer que tenha sido a importância da Revolução Francesa, ela seguiu sendo o assunto de contínuo e intenso debate histórico. Suas metas nominais eram claras: o fim da monarquia repressiva e dos privilégios acumulados; o estabelecimento de um governo representativo; e a valorização dos direitos universais. Mas a realidade foi confusa e quase sempre violenta.

Além disso, em 1804 Napoleão trocara efetivamente uma forma de absolutismo por sua própria, embora muitíssimo mais eficiente que qualquer outra que a França já houvesse conhecido desde Luís XIV. Ainda assim, as consequências da revolução reverberaram até o século XX. Ela permanece um movimento icônico na crença de que a liberdade deve sustentar o mundo civilizado. ∎

DEVO FAZER DE TODOS OS POVOS DA EUROPA UM ÚNICO, E DE PARIS A CAPITAL DO MUNDO
A BATALHA DE WATERLOO (1815)

EM CONTEXTO

FOCO
As Guerras Revolucionárias e Napoleônicas

ANTES
1792 Começam as Guerras Revolucionárias contra a República Francesa.

1799 Napoleão assume o poder num golpe militar.

1804 Napoleão se intitula o imperador da França.

1805 Os britânicos vencem a França e a Espanha na batalha naval de Trafalgar.

1807 A França invade Portugal.

1809 A Áustria é derrotada na última grande vitória de Napoleão.

1814 Uma série de derrotas leva à abdicação de Napoleão.

DEPOIS
1815 Napoleão é exilado pela última vez, e a monarquia Bourbon é restaurada.

1830 A monarquia Bourbon é derrubada.

A França institui o **alistamento militar em massa**, criando exércitos de tamanho nunca visto.

↓

Napoleão se torna imperador e jura **restaurar o papel dominante da França** na Europa.

↓

Enormes conquistas criam o maior **império europeu** desde o tempo de Carlos Magno.

↓

A invasão da Rússia **deixa Napoleão com um território muito amplo** e com uma tropa muito menor.

↓

O ritmo das conquistas napoleônicas se torna **insustentável**.

↓

Napoleão é finalmente derrotado em Waterloo.

A derrota de Napoleão na Batalha de Waterloo, ao sul de Bruxelas, em 18 de junho de 1815, marcou sua derrota final como imperador dos franceses, pondo fim a 25 anos de guerras europeias. Foi um encontro épico, combatido num lamaçal, no qual 118 mil soldados britânicos, holandeses e prussianos finalmente prevaleceram sobre um Exército francês de 73 mil homens arregimentados às pressas por Napoleão.

As Guerras Revolucionárias francesas, que começaram em 1792, foram lançadas para espalhar os princípios revolucionários para os Estados vizinhos e defender a França

SOCIEDADES EM TRANSFORMAÇÃO

Veja também: Luís XIV se torna o governante pessoal da França 188 ▪ A Batalha de Quebec 191 ▪ Diderot publica a *Enciclopédia* 192-195 ▪ A assinatura da Declaração de Independência 204-207 ▪ A queda da Bastilha 208-213 ▪ As revoluções de 1848 228-229

Napoleão Bonaparte

Nascido em Ajaccio, na Ilha da Córsega, de uma família que aspirava à pequena nobreza italiana, Napoleão Bonaparte (1769–1821) entrou para o Exército francês em 1785 e foi um entusiasta defensor da Revolução. Em 1796, aos 26 anos, foi designado comandante do Exército da Itália, obtendo uma série de impressionantes vitórias. Dois anos mais tarde, liderou uma invasão malsucedida ao Egito.

Em 1800, cada vez mais convencido de seu destino e tendo organizado um golpe de Estado, dominou a França do mesmo jeito que dominaria, em seguida, a Europa. Ele era tanto um administrador brilhante e incansável quanto um soldado. Sua mais duradoura reforma foi a introdução, em 1804, do código napoleônico, que segue até hoje como a base da lei francesa. Forçado a renunciar em 1814, foi exilado na Ilha de Elba, no Mediterrâneo, de onde escapou antes de sua derrota final em Waterloo. Em 1815, foi enviado a Santa Helena no Atlântico Sul, onde morreu seis anos depois.

de seus inimigos. Sob Napoleão, elas se tornaram, de fato, guerras de conquista, a despeito de terem sido declaradas em nome da Revolução.

A nova forma do continente

Durante as Guerras da Revolução, a França estabeleceu repúblicas irmãs no norte da Itália e nos Países Baixos. Sob Napoleão, muitas delas foram reformadas em reinos cujos monarcas vieram da família do imperador. Estados por toda a Alemanha foram divididos, à custa da Prússia, para se tornarem fantoches franceses, ao mesmo tempo que o Sacro Império Romano-Germânico de oitocentos anos foi abolido. A partir de 1807, boa parte da Polônia era controlada pelos franceses com o nome de Grande Ducado de Varsóvia. Esses Estados foram reformados ao modelo francês: o poder do clero foi reduzido, a servidão abolida e os privilégios aristocratas, cortados. Mas tais reformas provocaram inevitáveis ressentimentos.

As conquistas de Napoleão foram resultado não apenas de seu gênio militar, mas também devido ao Exército francês, que se tornou enorme. O alistamento militar, introduzido em 1793, aumentou o Exército de 160 mil para 1,5 milhão de homens. Somente a Inglaterra, protegida pelo Canal da Mancha, continuou imbatível, com sua posição de principal potência marítima do mundo, confirmada pela vitória em Trafalgar, no sul da Espanha, em 1805. Mas o poder marítimo sozinho não era capaz de derrotar Napoleão. O papel mais importante da Inglaterra foi financiar as infindáveis e diversas alianças que enfrentaram os franceses.

Em resposta, Napoleão impôs um Sistema Continental que proibia o comércio entre a Europa continental e a Inglaterra. No entanto, Portugal e Rússia continuaram a comercializar com a Inglaterra, levando a invasões em 1807 e 1812, respectivamente.

A resistência ao domínio napoleônico só aumentava. Os espanhóis começaram uma brutal guerra de guerrilha que drenou os recursos franceses, à qual Napoleão se referia como a "úlcera espanhola".

A derrota final

Napoleão cultivou um sentimento de invencibilidade francesa, e isso fez de sua derrota algo muito mais traumático para a nação. Dos 450 mil homens que ele liderou contra a Rússia em 1812, nem 40 mil sobreviveram.

Napoleão sobrepujou a si mesmo. Em Leipzig, Alemanha, em 1813, com um terço do tamanho das forças da Áustria, Prússia, Rússia e Suécia juntos, ele sofreu sua primeira grande derrota. Em Waterloo, suas forças se recuperaram um pouco, e a proporção era de um para dois, mas o gênio militar de Napoleão falhou em corrigir o equilíbrio, e sua ambição imperial acabou na lama de Waterloo. ▪

> " Todos os franceses estão permanentemente a serviço dos exércitos.
> **Declaração de Alistamento, 1793**

INDEPENDÊNCIA OU MORTE!

O GRITO DO IPIRANGA (1822)

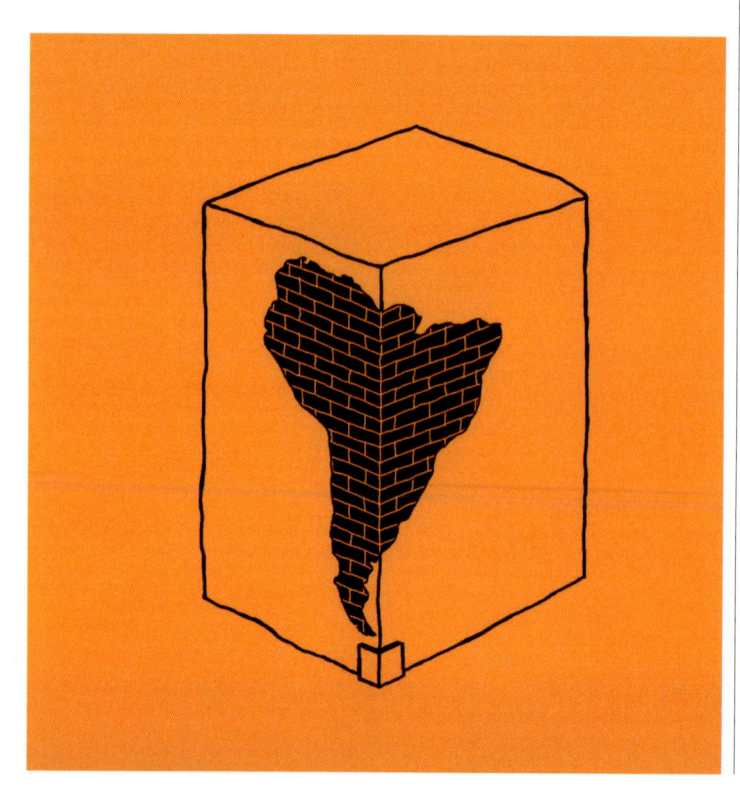

EM CONTEXTO

FOCO
Independência Latino-Americana

ANTES
1807 Napoleão invade a Península Ibérica e provoca uma crise na administração das colônias.

1808 A família real portuguesa desembarca no Rio de Janeiro.

1819 Os espanhóis são expulsos do vice-reino de Nova Granada, dando origem à República da Colômbia.

DEPOIS
1824 A Espanha é derrotada no Peru, perdendo seu último território na América do Sul.

1830 Ocorre o colapso da Gran Colombia de Bolívar. Equador, Colômbia e Venezuela surgem como países independentes.

A situação de dom Pedro às vésperas da independência era delicada. Por um lado, o príncipe era pressionado a retornar a Portugal, onde o Congresso votava uma nova Constituição que pretendia restabelecer a submissão do Brasil à Coroa lusitana. Nessas circunstâncias, era extremamente inconveniente que o herdeiro do trono vivesse na América como uma espécie de "rei paralelo". Por outro, a elite brasileira alertara que, se Pedro embarcasse rumo à Europa, a Independência seria deflagrada no minuto seguinte.

No dia 7 de setembro de 1822, na iminência de ser levado à força por uma esquadra portuguesa, ele

SOCIEDADES EM TRANSFORMAÇÃO 217

Veja também: A assinatura da Declaração de Independência 204-207 ▪ A queda da Bastilha 208-213 ▪ A Lei da Abolição do Comércio de Escravos 226-227 ▪ A Revolução Mexicana 265

As ideias do **Iluminismo** e do **Liberalismo** se espalham pelas colônias espanhola e portuguesa na América.

⬇

Essas ideias **desestabilizam o controle dos impérios ibéricos** sobre o continente.

⬇

No Brasil, a presença da família real dificulta ainda mais a manutenção das relações de exploração colonial.

⬇

A Revolução Liberal do Porto **exige a volta do rei** para sua terra natal.

⬇

Com a manutenção do príncipe regente no Brasil, a elite colonial consegue conduzir uma independência pacífica **e extremamente conservadora**.

---

precisou tomar uma decisão. Seguindo o projeto do ministro José Bonifácio, principal nome do movimento independentista brasileiro, dom Pedro escolheu um meio-termo: proclamou ele mesmo a independência, separando o Brasil de Portugal mas mantendo o país nas mãos da família Bragança. O ato ficou imortalizado pelo grito de "Independência ou morte!" às margens do rio Ipiranga, mas não houve nada de heroico ou arriscado nisso. Dom Pedro apenas buscava uma solução apaziguadora para o impasse brasileiro, afastando o país do risco de uma verdadeira revolução social que poderia ameaçar a monarquia.

Apesar do simbolismo do Grito do Ipiranga, a história da independência brasileira começara muito antes. No final do século XVIII, dois fatos abalaram a política internacional: a Revolução Francesa e a independência dos EUA, em 1776. Não tardou para que as ideias iluministas de liberdade, soberania nacional e cidadania propagadas por esses eventos chegassem ao Brasil, inflamando setores descontentes com a dominação colonial. O primeiro movimento independentista de peso foi a Inconfidência Mineira, em que as elites urbanas de Vila Rica, incomodadas com o declínio do ciclo do ouro, reivindicaram liberdade econômica e autonomia política para a província. Mais tarde, no século XIX, levantes independentistas ocorreram também na Bahia e em Pernambuco, dessa vez com um caráter mais popular, incorporando pautas como o fim da escravidão. Mas o golpe fatal para o sistema colonial brasileiro viria mesmo em 1808.

Uma metrópole dentro da colônia

Em 1807, Napoleão invade Portugal. Incapaz de se defender da maior força militar da época, o rei dom João VI pede ajuda à Inglaterra, inimiga dos franceses. A corte lusitana foge do país e, escoltada pela Marinha britânica, se instala com segurança no Rio de Janeiro, longe das garras do exército bonapartista.

Isso gerou uma situação única: a sede do império passou a ser a capital de uma de suas colônias. Logo adaptações precisaram ser feitas. A principal delas foi a abertura dos portos brasileiros para o comércio com as nações amigas, em especial a Inglaterra. Essa medida de 1808 é considerada por muitos historiadores o marco da independência "de fato" do Brasil, já que o pacto colonial estava oficialmente rompido. Essa anomalia também explica o caráter incrivelmente pacífico e conservador da nossa emancipação. Mesmo com o retorno de dom João VI para Portugal após a queda de Napoleão, a presença do príncipe regente no Brasil garantiu que a independência fosse feita sem modificar o modelo econômico agroexportador e escravista, sem acabar com o regime de »

O GRITO DO IPIRANGA

Pedro I do Brasil, cuja coroação é ilustrada neste quadro de Jean-Baptiste Debret, era filho do rei de Portugal. Ele foi deixado no Brasil para governar como regente.

monarquia e sem tampouco trocar a família real que ocupava o trono.

Apesar de atípica, a independência brasileira não foi isolada: o início do século XIX foi o momento em que as antigas colônias espanholas também proclamavam sua autonomia, aproveitando o declínio do sistema colonial ibérico.

> "Pelo meu sangue, pela minha honra, pelo meu Deus, juro promover a liberdade do Brasil."
> **Príncipe Pedro**
> Futuro imperador Pedro I do Brasil (1822)

Independências na América Espanhola

Nas colônias da Espanha, o movimento de independência foi organizado quase sempre pelos *criollos*, isto é, descendentes de espanhóis nascidos na América. Por comporem as elites locais, os *criollos* buscavam se defender do excessivo controle espanhol sobre o comércio sul-americano e da política fiscal punitiva da Coroa, extremamente desvantajosa para a colônia.

Seu movimento ganhou força quando Napoleão invadiu a Espanha em 1808 e depôs o rei Fernando VII, coroando seu irmão, José Bonaparte. As colônias espanholas não reconheciam a legitimidade do novo rei, passando, portanto, por um período de autogoverno "involuntário".

Os colonos se viram pela primeira vez livres do Absolutismo e em contato com os ideais iluministas. Essa experiência de autonomia tornaria impossível para a Espanha retomar completamente seu controle sobre a América. Mesmo com a expulsão de Napoleão e a volta de Fernando VII ao poder em 1813, era tarde demais.

Revolução social no México

Na época colonial, o atual México era parte do vice-reino de Nova Espanha, uma área imensa que ia do Wyoming, nos EUA, até o atual Panamá, incluindo também a maior parte do Texas.

A guerra de independência começou em 1810, quando o padre Miguel Hidalgo liderou uma revolução popular contra as gritantes desigualdades sociais do México. A revolta foi brutalmente reprimida pela Espanha e terminou no ano seguinte com a execução de Hidalgo. Outra revolta malsucedida teve início em 1813, dessa vez liderada pelo sacerdote José Morelos.

A independência só veio em 1821, quando a resistência espanhola já era praticamente simbólica. O general Agustín de Itubirde, líder do movimento, se proclamou imperador do México, mas seu governo durou menos de um ano. Até a metade do século XIX, o antigo vice-reino de Nova Espanha perderia territórios para os EUA e veria surgir novos países na América Central, reduzindo o México ao tamanho que ele tem hoje.

Bolívar e a Gran Colombia

A independência dos territórios sul-americanos, incluindo os vice-reinos de Nova Granada, do Peru e do Prata, seguiu um percurso histórico bastante diferente. O principal nome desse processo foi Simón Bolívar, um *criollo* membro da elite local e de boa educação. Bolívar visitara diversas vezes a Europa e era um entusiasta do modelo de estado-nação lançado pela Revolução Francesa. Também acreditava que os diversos povos sul-americanos poderiam partilhar uma identidade comum, unindo-se num único e gigantesco país independente.

Foi essa ideia que animou a criação da República da Colômbia em 1819, um marco importantíssimo para o movimento independentista

SOCIEDADES EM TRANSFORMAÇÃO 219

A Batalha de Ayacucho (1824) viu a derrota do Exército espanhol pelas tropas de libertação sul-americanas. Ela marcou o fim do domínio espanhol no Peru e na América do Sul.

Bolívar morreu de tuberculose em 1830, aos 47 anos. Naquela data, a Gran Colombia já não passava de uma lembrança. Sua visão de uma América do Sul unida e independente não pôde florescer num contexto de extrema desigualdade social, alimentada pelas intervenções imperialistas britânicas e pela força das velhas elites latifundiárias. ∎

da América Latina. A "Gran Colombia", como seria chamada pelo autodenominado "Libertador" Simón Bolívar, era bem maior do que o país que conhecemos hoje, englobando territórios dos atuais Equador, Peru, Venezuela e Panamá.

Mas o sonho de Bolívar não se concretizou. Em pouco tempo a Gran Colombia se fragmentou, dando origem a vários países menores. Isso porque as elites regionais nunca concordaram unanimemente com as ideias de Bolívar para o futuro da América do Sul. Discutia-se, por exemplo, se o governo deveria ser liberal, conservador ou autoritário. Bolívar era um líder relativamente progressista e crítico feroz da escravidão. Isso contrariava diretamente os interesses dos caudilhos, poderosos latifundiários donos de forças militares próprias. Esses senhores de terra exerciam autoridade absoluta sobre os camponeses, que precisavam trabalhar em suas propriedades, chamadas de *haciendas*, e rapidamente voltaram-se contra a ideia de uma América do Sul centralizada.

> Que a escravidão seja banida para sempre, junto com a distinção entre castas.
> **José Morelos**
> Líder da fracassada revolta mexicana de 1813–1815

Simón Bolívar

Nascido em Caracas, Venezuela, em 1783, Simón Bolívar veio de uma das mais velhas e ricas famílias nobres da cidade. Completou sua educação na Europa, onde absorveu ideais republicanos das revoluções americana e francesa. Assim, a ideia da independência para a América espanhola se arraigou em sua imaginação.

Sua carreira revolucionária começou com um levante sufocado em Caracas em 1810. Em 1814, o carismático Bolívar se declarou "libertador" e chefe de Estado da nova República da Venezuela.

Em 1817, orquestrou uma ousada invasão da Colômbia e avançou para completar as conquistas do Equador e do Peru em 1824. O sonho de Bolívar era unificar toda a América do Sul – exceto Argentina, Brasil e Chile – numa única e grande república. No entanto, suas tendências ditatoriais e a brutalidade de seus exércitos por fim levaram a conflitos internos e à dissolução da Gran Colombia em 1830, ano de sua morte.

A VIDA SEM INDÚSTRIA É CULPA

O *ROCKET* DE STEPHENSON ENTRA EM OPERAÇÃO (1830)

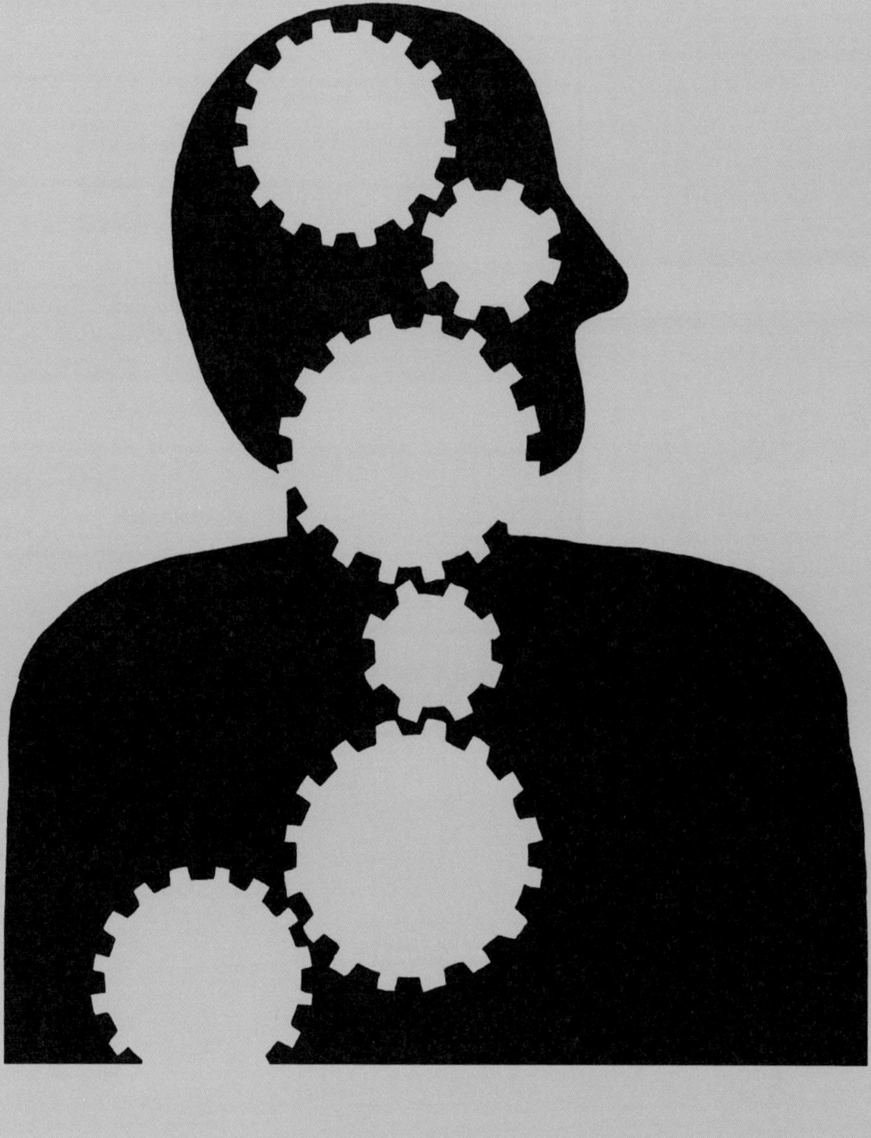

222 O *ROCKET* DE STEPHENSON ENTRA EM OPERAÇÃO

EM CONTEXTO

FOCO
A Revolução Industrial

ANTES
1776 *A riqueza das nações*, de Adam Smith, é publicada.

1781 É inventado o motor rotativo a vapor por Watts; a primeira ponte de ferro é construída em Coalbrookdale, Inglaterra.

1805 O Canal de Grand Junction, entre Birmingham e Londres, é terminado.

1825 É aberta a primeira estrada de ferro comercial movida a vapor, ligando Stockton e Darlington.

DEPOIS
1855 Surge a fornalha Bessemer.

1869 A construção da primeira ferrovia transcontinental nos EUA é terminada.

1885 O primeiro motor prático movido a petróleo e de combustão interna é instalado num veículo na Alemanha.

Uma **revolução científica** no Ocidente cria a sensação de que o mundo pode ser **mais bem entendido e explorado**.

↓

O desenvolvimento de máquinas movidas a vapor encoraja o crescimento da **produção em massa em fábricas**.

↓

O *Rocket* de Stephenson anuncia uma nova forma de transporte, mais rápida e mais confiável.

↓

O Ocidente se impõe a todo o resto do globo, criando **mercados globais interconectados**.

↓

A **dependência** das sociedades industriais de **combustíveis fósseis** leva a uma tensão sobre o **meio ambiente**.

Em 15 de setembro de 1830, foi aberto o primeiro serviço ferroviário comercial de passageiros movido a uma máquina a vapor – o *Rocket*, de George Stephenson. Era a Liverpool and Manchester Railway, com 56 quilômetros e servida por locomotivas, também desenhadas por Stephenson, que conseguiam alcançar a velocidade de 48 quilômetros por hora.

O *Rocket* de Stephenson simbolizava o que ainda hoje é um desenvolvimento-chave na história do mundo nos últimos 250 anos: a transformação de uma sociedade agrícola que dependia de moinhos de vento e de água, cavalos e outros animais de carga, para uma sociedade industrial na qual os motores a vapor eram capazes de gerar uma força confiável até então inimaginável.

Os antecedentes

O processo de industrialização que começou na Inglaterra em meados do século XVIII iniciou-se com a revolução científica na Europa no final do século XVII. De igual importância foram as mudanças financeiras iniciadas pelos holandeses, em seguida importadas pelos britânicos: o crédito, disponível de forma rápida, ajudou a estimular as atividades empresariais. Nunca havia sido tão fácil para membros de uma classe média cada vez maior e abastada achar formas de investir seu dinheiro para apoiar novas invenções e tecnologias.

Um terceiro fator foi a revolução agrícola, que começou na Holanda e na Inglaterra, onde os agricultores perceberam que a rotação dos campos dispensava o costume de deixar a terra descansar a cada três anos. Em ambos os países, os aterros aumentaram a disponibilidade de terras aráveis. O rendimento das

SOCIEDADES EM TRANSFORMAÇÃO

Veja também: A abertura da Bolsa de Valores de Amsterdã 180-183 ▪ Newton publica o *Principia* 190 ▪ Diderot publica a *Enciclopédia* 192-195 ▪ A construção do Canal de Suez 230-235 ▪ Darwin publica *A origem das espécies* 236-237 ▪ A abertura da Torre Eiffel 256-257

colheitas cresceu bastante, assim como a seleção artificial produziu animais domésticos maiores e mais lucrativos – fonte tanto de carne quanto de lã. Sem nenhum sinal de fome em massa, a população da Inglaterra cresceu, entre 1750 e 1800, de 6,5 para mais de 9 milhões. Isso implicava, por sua vez, em novos mercados e numa força de trabalho maior.

Finalmente, na Inglaterra, uma rede de transportes melhorada permitiu que os bens, produzidos em escala cada vez maior, pudessem ser transportados de modo mais rápido e confiável. Entre 1760 e 1800, quase 6.840 quilômetros de canais foram construídos na Inglaterra.

Os pensadores quiseram entender os impulsos por trás dessas mudanças na sociedade. A publicação, em 1776, de *A riqueza das nações* pelo filósofo escocês Adam Smith sustentava o que se tornou conhecido como economia política e o papel central do lucro e da concorrência para o crescimento da eficiência e da queda dos preços.

Essa transformação econômica também contribuiu e foi, por sua vez, impulsionada pela emergência de mercados globais – uma consequência do crescimento dos impérios coloniais, que ofereciam maior acesso a matérias-primas e também mercados para bens finais. Um mundo com mapas melhores e o avanço nos tipos de navios e na navegação pelo mar também facilitaram o mercado global.

Energia a vapor

A força predominante na transformação econômica, porém, foi o desenvolvimento da máquina a vapor. Num impressionante curto espaço de tempo, ela revolucionou a Inglaterra, tornando-a na primeira potência industrial do mundo, acabando por

> 66
> Há cem anos os negócios estavam limitados em área; agora ele é mundial.
> **Frank McVey**
> *Modern Industrialism* (1903)
> 99

transformar o mundo todo. Ainda assim, ela talvez nunca alcançasse um impacto global tão drástico se a Inglaterra não tivesse enormes reservas do combustível necessário para fazê-la funcionar: o carvão. A substituição da madeira como a principal fonte de combustível foi crucial para o desenvolvimento industrial. Da mesma forma, o desenvolvimento do coque (carvão processado que queima a temperaturas muito mais altas que o carvão) no começo do século XVIII tornaria a produção do ferro – o material central e indispensável das novas tecnologias – mais rápida e simples.

Máquinas a vapor de vários graus de confiabilidade já existiam desde 1712, quando Thomas Newcomen construiu uma "máquina atmosférica". Mas foi apenas com o primeiro motor rotativo a vapor de James Watts em 1781 que o extraordinário potencial da máquina a vapor ficou claro. »

O **Rocket** de **Stephenson** foi a máquina a vapor da primeira ferrovia de passageiros do mundo, ligando Liverpool e Manchester. Essa fotografia o mostra fora do Escritório de Patentes, em Londres.

224 O *ROCKET* DE STEPHENSON ENTRA EM OPERAÇÃO

Os primeiros motores a vapor haviam sido usados sobretudo como bombas hidráulicas. O motor rotativo de Watts, por outro lado, poderia servir de energia para máquinas. A companhia de engenharia que ele e Matthew Boulton fundaram em Birmingham em 1775 produziu mais de quinhentos motores a vapor.

Quando a patente de Watts expirou, em 1800, outros começaram a produzir suas próprias máquinas a vapor. As indústrias têxteis no nordeste se beneficiaram em especial com a maior disponibilidade de energia a vapor, e a produção fabril em larga escala, quase toda mecanizada, rapidamente substituiu a pequena manufatura doméstica. Em 1835, existiam mais de 120 mil teares mecânicos nas tecelagens. Não mais dependentes de rios como fonte de energia, as fábricas podiam ser construídas em qualquer lugar e acabaram se concentrando em cidades no norte e no centro da Inglaterra, que cresceram rápido até virarem grandes centros industriais com o passar do século.

Mudanças sociais

Uma enorme quantidade de trabalhadores foi atraída para essas novas cidades, que se tornaram sinônimo de péssimas condições de vida e de trabalho para a força de trabalho. Esse influxo levou à criação de uma subclasse urbana. Demorou muito tempo até que os trabalhadores pudessem ver qualquer melhoria em sua vida e tivessem a percepção de que deveriam participar das recompensas dessa transformação social e econômica, em vez de simplesmente serem explorados como burros de carga. Nesse meio-tempo, porém, os cada vez mais ricos donos de fábricas surgiram como uma voz política importante.

O resto do mundo

Até o final de 1860, a Inglaterra ainda era, de certa forma, a maior potência industrial e mercantil do mundo, mas outras nações ocidentais apertaram o passo para ver como também poderiam ser beneficiadas. Na Europa continental, a industrialização ainda era incerta, inibida pelo tipo de instabilidade que a Inglaterra conseguiu evitar, como as revoluções de 1848. Tempos depois, o ritmo de seu desenvolvimento passaria a rivalizar com o dos britânicos. Em 1840, a Alemanha e a França tinham, cada uma, quase 480 quilômetros de ferrovias em 1860, ambas tinham

O processo Bessemer, desenvolvido pelo engenheiro inglês do mesmo nome, que servia para transformar ferro em aço, aumentou a eficiência em todas as indústrias – de transportes até a militar.

16 mil quilômetros. De forma similar, a produção de gusa de cada uma subiu de 125 mil toneladas em 1840 para 1 milhão em 1870.

No entanto, o mais impressionante desenvolvimento veio dos EUA, onde havia cerca de 5.300 quilômetros de ferrovias em 1840, quase todas

Isambard Kingdom Brunel

Nenhuma figura poderia simbolizar a determinação, a ambição e a visão que marcaram a primeira fase da Revolução Industrial na Inglaterra que o prodigiosamente esforçado Isambard Kingdom Brunel (1806– –1859). Ele foi responsável por uma extraordinária série de inovações: a ponte mais longa do mundo (a ponte suspensa de Clifton), o túnel mais comprido (o Box Tunnel em Wiltshire) e o maior navio do mundo (o *Great Eastern*). Em 1827, ainda com 21 anos, ele foi designado engenheiro- -chefe do Túnel do Tâmisa. Em 1833, tornou-se engenheiro da recém- -fundada ferrovia Great Western, que em 1841 ligou Londres diretamente a Bristol, cujas docas ele estava reconstruindo desde 1832. Acreditando que seria possível viajar direto de Londres para Nova York, Brunel também desenhou o primeiro navio a vapor marítimo do mundo, o *Great Western*. Depois foi a vez do *Great Britain*, feito de ferro e parafusos. A despeito de sua grande visão, atrasos e estouros de orçamento atrapalharam muitos dos seus projetos, mas suas obras incluem alguns dos melhores feitos da engenharia que o mundo havia visto até então.

concentradas no nordeste. Em 1860, esse número já chegava a 51.500, e em 1900 disparou para 310.600 quilômetros de trilhos. A produção de gusa acompanhou esse crescimento: em 1810, era de pouco menos de 100 mil toneladas por ano; em 1850, era de quase 700 mil toneladas; em 1900, já passava de 13 milhões de toneladas.

O papel do aço

Na segunda metade do século XIX, tanto na Europa quanto nos EUA, começou uma segunda onda de industrialização na qual o petróleo, os produtos químicos, a eletricidade e o aço se tornaram cada vez mais importantes. A produção de aço havia sido transformada a partir de 1855 quando o engenheiro inglês Henry Bessemer desenvolveu uma forma de fazer o metal mais leve, forte e versátil. A partir de então, o aço provaria ser o elemento mais importante da indústria. Em 1870, a produção mundial de aço era de 540 mil toneladas, mas em 25 anos subiu para 14 milhões de toneladas, e as ferrovias, a produção de armamentos e a indústria naval se beneficiaram de sua disponibilidade imediata.

Enquanto a Alemanha começava a ameaçar a proeminente posição industrial britânica na Europa, quadruplicando sua produção industrial entre 1870 e 1914, OS EUA estavam rapidamente se transformando na maior potência industrial do mundo. Em 1880, a Inglaterra ainda produzia mais aço que os EUA, mas, em 1900, os americanos já produziam mais aço que a Inglaterra e a Alemanha juntas.

Ao mesmo tempo, também surgiram os navios a vapor. O tempo de navegação, não mais dependente das condições de vento, tornou-se mais controlável, e os tempos de viagem diminuíram. Os navios também eram significativamente maiores. Enquanto o maior navio de madeira quase nunca tinha mais de sessenta metros de comprimento, o *Great Eastern*, lançado em 1858, tinha 210 metros. A tonelagem total de barcos a vapor em 1870 era de 1,4 milhão; em 1910, já havia chegado a 19 milhões.

Vencedores e perdedores

Os benefícios da industrialização se espalharam de forma desigual. O sul da Europa demorou para reagir a ela, assim como a Rússia. Os impérios chineses e indianos não estavam dispostos, ou eram incapazes de se industrializar, a América Latina o fez, mas somente em alguns espasmos, e a África foi dominada pelas potências tecnologicamente superiores. Em contraste, depois de 1868, o esforço concentrado do Japão em se industrializar fez dele uma potência mundial.

A industrialização também permitiu um novo tipo de guerra, capaz de matar numa escala nunca vista antes. Uma interessante ironia da industrialização é que as nações que mais se beneficiaram dela se voltaram umas contra as outras em duas guerras mundiais, usando armas de extraordinário poder destrutivo.

A Revolução Industrial lançou os alicerces para o mundo desenvolvido. Alimentada por um enorme sentimento de novas possibilidades, em alguns lugares ela melhorou o padrão de vida em todos os setores da sociedade de forma impensável em outras eras. No entanto, no rico Ocidente também produziu um sentimento de que a superioridade material era equivalente a um tipo de superioridade moral que não apenas permitiu que o Ocidente dominasse o mundo, mas também exigiu que assim o fosse. ∎

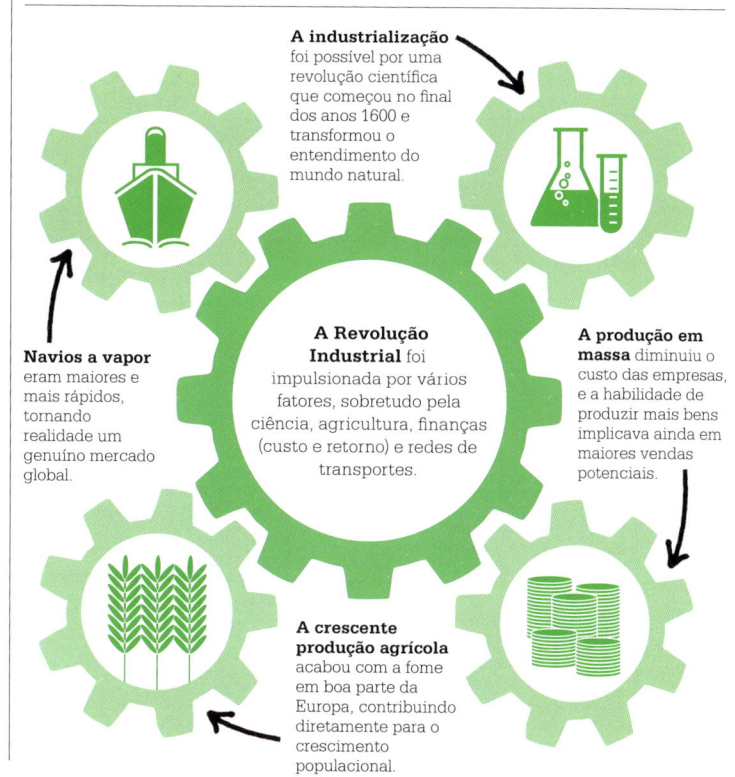

A industrialização foi possível por uma revolução científica que começou no final dos anos 1600 e transformou o entendimento do mundo natural.

Navios a vapor eram maiores e mais rápidos, tornando realidade um genuíno mercado global.

A Revolução Industrial foi impulsionada por vários fatores, sobretudo pela ciência, agricultura, finanças (custo e retorno) e redes de transportes.

A produção em massa diminuiu o custo das empresas, e a habilidade de produzir mais bens implicava ainda em maiores vendas potenciais.

A crescente produção agrícola acabou com a fome em boa parte da Europa, contribuindo diretamente para o crescimento populacional.

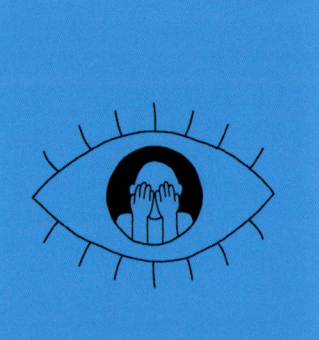

VOCÊ PODE ESCOLHER NÃO OLHAR, MAS JAMAIS PODERÁ DIZER DE NOVO QUE NÃO SABIA
A LEI DA ABOLIÇÃO DO COMÉRCIO DE ESCRAVOS (1807)

EM CONTEXTO

FOCO
Abolicionismo

ANTES
1787 A Sociedade para a Abolição do Comércio de Escravos é fundada em Londres.

1791 Os escravos se revoltam na ilha francesa caribenha do Haiti (São Domingo). A independência é declarada com sucesso em 1804.

DEPOIS
1823 A Sociedade Antiescravidão é fundada. Ela começa com uma campanha para abolir a escravidão em todo o Império Britânico.

1833 A escravidão é proibida em todo o Império Britânico.

1848 A escravidão é abolida nas colônias francesas.

1865 A 13ª Emenda proíbe a escravidão nos Estados Unidos.

1888 O Brasil abole a escravidão, sendo o último país das Américas a fazê-lo.

Noções radicais de liberdade na Inglaterra combinam com a crença religiosa de que a **escravidão** é uma **abominação**.

→ Mercadores e **donos de plantations** resistem ao chamado para pôr fim à escravidão.

↓

Depois de várias derrotas no Parlamento, a Lei da Abolição do Comércio de Escravos é aprovada por imensa maioria.

↓

A **Inglaterra inicia uma campanha** para persuadir com rigor outras nações a **se oporem ao transporte de escravos**.

→ **A escravidão é abolida** no Império Britânico em 1833. Ela não acaba nos EUA até 1865.

A aprovação, em 1807, da Lei Proibindo a Importação de Escravos nos EUA e da Lei da Abolição do Comércio de Escravos na Inglaterra marcou uma mudança radical no pensamento ocidental. No final dos anos 1780, o comércio de escravos ainda era considerado uma atividade econômica "natural". Tanto os recém-constituídos EUA, "concebidos em liberdade", como as colônias europeias no Caribe dependiam do trabalho escravo, que era facilmente obtido na África Ocidental. O Brasil, governado pelos portugueses, dependia ainda mais dos escravos. E a Inglaterra, em especial, se viu numa posição desconfortavelmente parecida.

SOCIEDADES EM TRANSFORMAÇÃO

Veja também: A formação da Companhia Real Africana 176-179 ▪ A assinatura da Declaração de Independência 204-207 ▪ A queda da Bastilha 208-213 ▪ O cerco de Lucknow 242 ▪ A Rússia emancipa os servos 243 ▪ O discurso de Gettysburg 244-247 ▪ A Segunda Guerra do Ópio 254-255

William Wilberforce, aqui retratado por Karl Anton Hickel, era um cristão fervoroso e o político britânico que se tornou a voz mais feroz contra o comércio de escravos.

Não apenas a escravidão nunca tinha sido legal por lá – um ponto que foi bastante reforçado em 1772, naquele que ficou conhecido como o Caso Somersett, que definiu que qualquer escravo estaria livre assim que pisasse em solo britânico –, como os britânicos se orgulhavam de sua firme defesa de tais liberdades fundamentais. Mesmo assim, a Inglaterra era, sem dúvida, a líder no Ocidente do mercado de escravos. Foi essa contradição que ofendeu a sensibilidade política tanto dos religiosos quanto dos iluministas.

Mudanças globais

Para políticos avançados e ativos como William Wilberforce e Thomas Clarkson, a abolição da escravidão se tornou crucial. Uma campanha muito efetiva foi lançada e, apesar de forte oposição, rapidamente ganhou o apoio da grande massa e do Parlamento. Em boa parte do século XIX, a Marinha Real esteve na dianteira da campanha para interceptar os que ainda estivessem envolvidos no comércio de escravos.

Se por um lado a Inglaterra assumiu a liderança, o movimento tinha apoio importante em outros lugares. A revolucionária Convenção Nacional Francesa aboliu a escravidão em 1794 (apesar de isso ter sido parcialmente mudado por Napoleão em 1802). Diferente do Brasil, onde a escravidão só foi extinta em 1888, todos os Estados recém-independentes que surgiram na América Latina após 1810 também baniram a escravidão.

> "A escravidão é repugnante aos princípios da Constituição britânica e à religião cristã."
> **Thomas Fowell Buxton**
> Político britânico (1823)

Foi só em 1833 que a própria escravidão, não só o comércio, se tornou ilegal no Império Britânico. Independente dos esforços de um novo grupo de ativistas, como Elizabeth Heyrick, o motivo não foi exclusivamente humanitário. A revolta no Haiti, que começou em 1791 e levou à independência do país em 1804, deixou o Ocidente desconfortavelmente ciente de que qualquer tipo de levante parecido seria difícil de reprimir. Uma revolta escrava na Jamaica (dominada pelos britânicos) em 1831 confirmou esse temor: no longo prazo, libertar os escravos seria menos problemático que mantê-los cativos.

Os EUA, progressista e em expansão, continuou sendo a grande e problemática ferida. Quanto mais os abolicionistas nos seus estados do Norte denunciavam a escravidão, mais os estados do Sul, cujas economias agrárias dependiam do trabalho escravo, se esforçavam por mantê-la. Seria preciso uma guerra civil de quatro anos e 670 mil mortos para resolver a questão. ∎

A Revolta no Haiti

Poucos levantes ilustram melhor as contradições das revoluções que varreram o mundo ocidental no século XVIII que a do Haiti (1791–1804). A revolta, liderada por um escravo livre, Toussaint L'Ouverture, foi inspirada pelas revoluções americanas e francesas. Ainda assim, nenhum dos dois países a apoiou: os EUA estavam preocupados que ela pudesse inspirar revoltas similares em seus estados escravocratas. A França, a despeito de sua promessa de abolir a escravidão, se preocupava com seu comércio. A Espanha, que governava metade da ilha, também se opunha a ela, como fez a Inglaterra, temendo que fosse se espalhar para suas outras colônias. Até mesmo as colônias sul-americanas que buscavam independência se recusaram a apoiá-la, temendo os impactos entre sua enorme população de escravos. Ainda assim, a improvável combinação de recursos de todos esses Estados não foi capaz de abafar o levante. Essa foi a única revolta de escravos a resultar no surgimento de um Estado independente.

A SOCIEDADE SE DIVIDIU EM DUAS
AS REVOLUÇÕES DE 1848

EM CONTEXTO

FOCO
Movimentos dos trabalhadores, socialismo e revolução

ANTES
1814–1815 O Congresso de Viena restaura a monarquia francesa.

1830 Carlos X da França é derrubado. A Grécia consegue sua independência do Império Otomano.

1834 Um levante de tecelões de seda franceses é reprimido.

DEPOIS
1852 A Segunda República Francesa, estabelecida em 1848, é dissolvida. Luís Napoleão é proclamado Napoleão III.

1861 Victor Emmanuel II é declarado rei de uma Itália unida.

1870–1871 Acaba a Guerra Franco-Prussiana, com a unificação da Alemanha sob a Prússia. A Comuna de Paris é derrotada, e a Terceira República é proclamada.

Em 24 de fevereiro de 1848, Luís Filipe da França, o "Rei Cidadão", abdicou quando Paris explodiu em protestos pela recusa do governo em dar início a reformas – exigidas pela classe média junto com os trabalhadores – para introduzir a liberalização política e acabar com as desigualdades. No seu lugar, foi declarada a Segunda República. Em junho, temendo que um governo autoritário tivesse sido substituído por outro, as classes trabalhadoras francesas se levantaram de novo, mas a revolta foi cruelmente reprimida. Em dezembro, Luís Napoleão Bonaparte – sobrinho de Napoleão, que havia morrido em 1821 – foi eleito presidente.

Esta pintura de Horace Vernet mostra as barricadas da Rue Soufflot, em Paris. Em junho de 1848, eclodiram as lutas entre o governo republicano liberal e os trabalhadores parisienses, que queriam reformas sociais.

Em 1851, ele orquestrou um golpe e, no ano seguinte, foi proclamado imperador Napoleão III.

A França sofreu instabilidade política por todo o século XIX. A revolução de 1848 aconteceu depois de um levante similar em 1830, e seria seguida por um protesto ainda mais violento 23 anos depois, em 1871.

A faísca da revolução de 1848 foi a fome dos últimos dois invernos. Isso provocou uma insatisfação disseminada entre os pobres nas cidades, junto com as demandas da burguesia ascendente por reformas políticas liberais. O ardor da revolução também detonou revoltas parecidas por toda a Europa continental, mais claramente na Confederação Germânica, na Áustria multiétnica e na Itália. Cada uma dessas revoltas foi suprimida, na maioria das vezes pela força.

A ascensão do socialismo

Antes e depois da derrota final de Napoleão em 1815, e preocupados com levantes de cidadãos em outros lugares, os governantes da Europa se reuniram em Viena para tentar criar uma ordem política que os sufocasse. A meta era a preservação das elites aristocráticas dominantes, sustentando a velha ordem e mantendo as fronteiras.

SOCIEDADES EM TRANSFORMAÇÃO 229

Veja também: A assinatura da Declaração de Independência 204-207 ▪ A queda da Bastilha 208-213 ▪ A Expedição dos Mil 238-241 ▪ A Rússia emancipa os servos 243 ▪ O discurso de Gettysburg 244-247 ▪ A Comuna de Paris 265

> 66
>
> Trabalhadores do mundo, uni-vos! Vós não tendes nada a perder, a não ser vossos grilhões!
> **Manifesto Comunista**
>
> 99

Esse desejo, no entanto, seria confrontado por uma nova realidade política constituída por inúmeros fatores, incluindo o desejo de garantir que as liberdades advogadas pela Revolução Francesa fossem mantidas. Essa nova realidade também foi resultado do que acabou sendo chamado de nacionalismo: o direito dos povos, sob qualquer definição, de determinar seu próprio futuro como nações independentes. Quase tão importante foi o surgimento de um novo credo político – o socialismo – que buscava acabar com as desigualdades aceleradas pela Revolução Industrial, que levou os trabalhadores empobrecidos a ser explorados pelos donos das fábricas.

A velha ordem é restaurada

Na atmosfera febril de 1848, no entanto, essas metas provaram ser irreconciliáveis. Com a ameaça de caos, a classe média de tendências liberais se alinhou muito mais naturalmente com as já existentes elites políticas para restaurar a ordem, em vez de se juntar com os radicais, que buscavam reconstruir sociedades e criar novas nações.

Os beneficiários finais das revoluções foram as monarquias na Itália e Alemanha, que explorariam um tipo de nacionalismo popular para unificar seus países. Mas, ao mesmo tempo, conforme as mudanças econômicas traziam mudanças sociais em seu bojo, a gradual ascensão dos sindicatos – pelo menos nas democracias liberais da Europa Ocidental – levou a melhoras no padrão de vida dos que antes eram despossuídos. ■

O **Congresso de Viena** tenta sufocar o **nacionalismo** e a ameaça de **futuras revoltas**.

⬇

A **promessa do liberalismo** se tornou impossível de extinguir. Crescem as demandas por **autodeterminação nacional**.

⬇

A França, em particular, depois da restauração da monarquia, experimenta **violentos levantes**.

⬇

A **Revolução Francesa de 1848** germina rebeliões na **Alemanha, Áustria e Itália**. Todas são reprimidas à força.

⬇

Elites conservadoras exploram o **nacionalismo** para impulsionar as **unificações** da Alemanha e da Itália.

O manifesto comunista

O manifesto comunista foi publicado em Londres em 1848, mesmo ano em que as revoluções engolfaram a Europa. Apesar de seu impacto sobre tais levantes ter sido negligenciável, sua ressonância nos anos seguintes sobre o pensamento social em quase todos os lugares foi impressionante. O panfleto foi o trabalho de dois alemães: Friedrich Engels, filho de um industrialista têxtil, e do também privilegiado acadêmico judeu Karl Marx. Em 1847, os dois haviam se juntado a um grupo francês semissubversivo, a Liga dos Justos, que mais tarde ressurgiu em Londres como a Liga Comunista. Engels acabou financiando o trabalho seminal de Marx, *O capital*, que teve seu primeiro volume publicado, de novo em Londres, em 1867. Foi uma tentativa detalhada de demonstrar como aquilo que Marx chamava de capitalismo continha as sementes da sua própria queda e a inevitabilidade da revolução proletária, que criaria uma sociedade sem classes e livre da exploração e das necessidades.

ESSA EMPREITADA TRARÁ UMA RECOMPENSA ENORME

A CONSTRUÇÃO DO CANAL DE SUEZ (1859–1869)

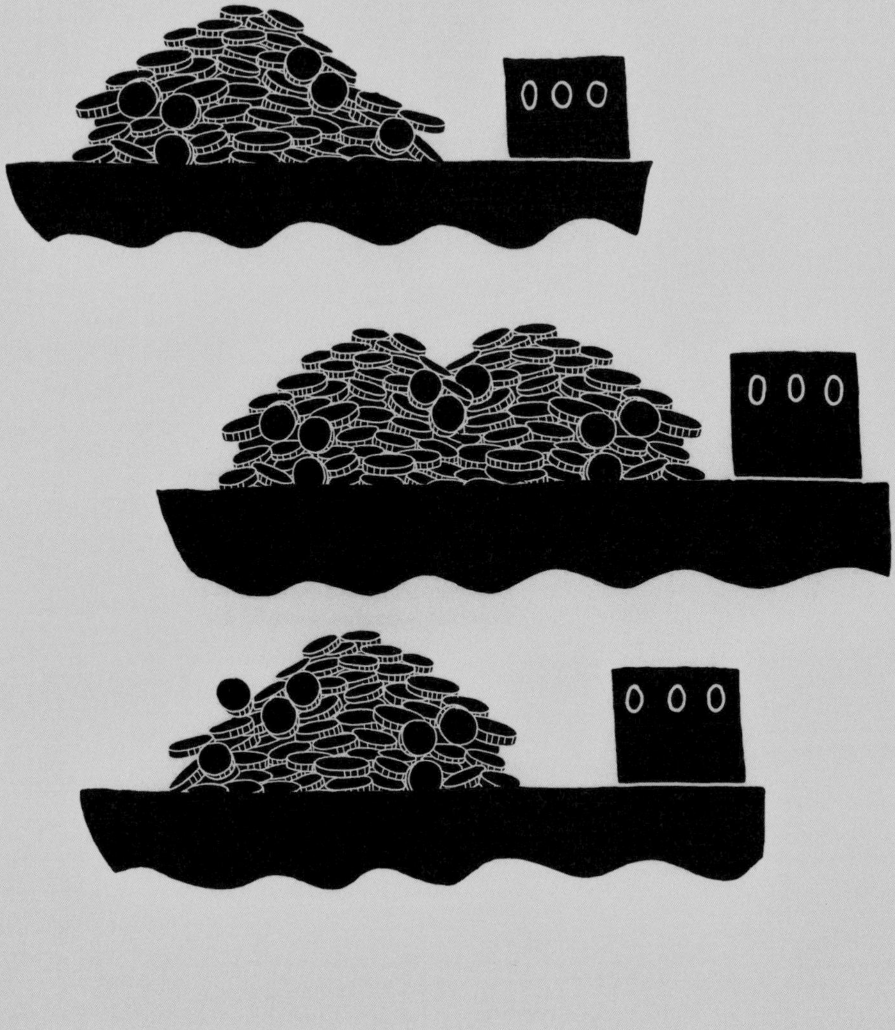

232 A CONSTRUÇÃO DO CANAL DE SUEZ

EM CONTEXTO

FOCO
Economias imperiais

ANTES
1838 É feita a primeira travessia do Atlântico apenas com motor a vapor.

1858 O primeiro cabo transatlântico de telégrafo entra em operação.

DEPOIS
1869 O Canal de Suez é aberto, diminuindo bastante o tempo de navegação entre a Europa e o Oriente.

1878 O Padrão Ouro é adotado na Europa; os EUA fazem o mesmo em 1900.

1891 Começa a construção da ferrovia transiberiana, que termina em 1905.

1899-1902 A Inglaterra busca garantir o controle da África do Sul, na Segunda Guerra dos Bôeres.

1914 É aberto o Canal do Panamá, ligando o Atlântico ao Pacífico.

A **Revolução Industrial** permite o **rápido desenvolvimento** das economias ocidentais.

↓ ↓

Novas indústrias estão sedentas por **mais recursos**.

Novas classes de trabalhadores almejam **bens de consumo**.

↓

Os países desenvolvidos **formam impérios** e usam sua **força colonial** para abastecer suas indústrias.

↓

Há o **desenvolvimento da tecnologia e dos transportes** para sustentar essa nova economia global.

↓

O Canal de Suez é construído, facilitando o comércio global ao encurtar sensivelmente as rotas de navegação.

A cerimônia de inauguração, em 17 de novembro de 1869, do Canal de Suez, ligando o Mar Mediterrâneo ao Mar Vermelho, foi uma enfática declaração da tecnologia e das fontes financeiras dos europeus – sobretudo da França. Também foi um importante exemplo de uma nascente economia global cada vez mais interdependente, onde bens de todas as partes do mundo eram trocados numa escala cada vez maior. Esse foi um processo dominado pelas potências coloniais europeias e pelos EUA, sem dúvida alguma seus principais beneficiários.

Também foi, ao mesmo tempo, um impulso adicional às ambições imperiais europeias.

O Canal de Suez encurtou a rota comercial entre Londres e Mumbai em 41%, e a rota entre Londres e Hong Kong em 26%. O impacto no comércio saltava à vista. Porém, a navegação em tempo mais curto também simplificou a defesa da Índia e seus mercados mais importantes, a principal meta imperial da Inglaterra. No final do século XIX, o comércio no oceano Índico, protegido por não menos que 21 bases da Marinha Real, havia se tornado quase que um monopólio britânico, algo confirmado quando os britânicos tomaram o controle do Canal de Suez em 1888, depois de terem invadido e ocupado o Egito seis anos antes. A "diplomacia da canhoneira" provou ser um meio bastante efetivo de proteger os interesses britânicos.

O Canal do Panamá

O Canal de Suez foi apenas uma entre várias e similares iniciativas a serviço do comércio imperial. Um projeto ainda mais desafiador foi a construção, iniciada em 1881, do Canal do Panamá, na América Central, ligando o Atlântico ao Pacífico. Ele também foi uma

SOCIEDADES EM TRANSFORMAÇÃO 233

Veja também: Marco Polo chega a Shangdu 104-105 ▪ A abertura da Bolsa de Valores de Amsterdã 180-183 ▪ O *Rocket* de Stephenson entra em operação 220-225 ▪ A febre do ouro da Califórnia 248-249 ▪ A restauração Meiji 252-253 ▪ A abertura da Torre Eiffel 256-257

O Canal de Suez foi aberto em 1869 e encurtou bastante o tempo de navegação entre a Europa e a Ásia. Isso garantiu um enorme impulso ao comércio, que, por sua vez, estimulou os avanços tecnológicos.

implementou uma variação mais legalista dessa política – a Diplomacia do Dólar –, através da qual os interesses comerciais americanos, principalmente na América Latina e no Extremo Oriente, fossem sustentados pelo governo dos EUA por meio do encorajamento de enormes investimentos no exterior.

Trens e telégrafos

Ao mesmo tempo, enormes ferrovias foram construídas, tanto nos EUA quanto na Europa. As Costas Leste e Oeste dos EUA foram ligadas, pela primeira vez, por estradas de ferro em 1869, com a abertura da Central Pacific Railroad, com 3.070 quilômetros. Em 1905, havia outras oito ferrovias transcontinentais cruzando os EUA e uma cruzando o Canadá.

A construção da Ferrovia Transiberiana na Rússia, entre 1891 »

iniciativa francesa, mas atrapalhado por controvérsias e por um clima inóspito que custou a vida de 22 mil trabalhadores. Por fim, os EUA completaram o Canal do Panamá em agosto de 1914, assumindo o projeto quando os franceses finalmente admitiram sua incapacidade. Ele foi o maior e mais caro projeto de engenharia no mundo e também abreviou bastante o tempo de navegação, encurtando a rota de Liverpool a San Francisco em 42%, e a rota de Nova York a San Francisco em 60%.

O envolvimento americano

O fato de os EUA terem assumido a construção do Canal do Panamá está por trás de uma mudança crucial na atitude dos americanos: eles estavam comprometidos não apenas com a expansão do comércio, mas também com o avanço dos interesses americanos no exterior. Isso começou em 1898, quando os próprios EUA se tornaram uma potência colonial, conquistando as Filipinas da Espanha.

Esse processo começou a acelerar durante a presidência de Theodore Roosevelt (1901–1909). Ele defendia, de forma ativa, o envolvimento militar americano, sobretudo na América Latina, para garantir estabilidade para o avanço dos interesses americanos. Uma consequência disso foi o fortalecimento da Marinha dos EUA, a Grande Frota Branca. O sucessor de Roosevelt, William Taft,

> ❝ Que o telégrafo atlântico seja, sob a bênção dos céus, uma prova do vínculo de perpétua paz e amizade entre as nações amigas.
> **Presidente Buchanan**
> Telegrama para a rainha Vitória (1858) ❞

> ❝ A proposta em questão é cortar um canal pelo istmo de Suez.
> **Ferdinand de Lesseps**
> Diplomata francês sobre sua proposta para o Canal de Suez (1852) ❞

e 1905, seguiu o mesmo espírito. Seus impressionantes 7.400 quilômetros cruzando sete fusos horários continuam sendo a mais longa ferrovia contínua do mundo. Ela desempenhou um papel crucial não apenas na ocupação dos vastos territórios siberianos da Rússia, mas também na incursão, pela Rússia, em partes do norte da China.

O impacto do telégrafo foi tão importante quanto, permitindo que mensagens fossem enviadas através de linhas elétricas. Samuel Morse projetou o sistema nos EUA nos anos 1830, e a primeira linha telegráfica foi inaugurada em maio de 1844. Na década seguinte, já havia 32.200 quilômetros de cabos telegráficos nos EUA.

O primeiro cabo telegráfico a cruzar o Atlântico, instalado em 1858, operou por apenas duas semanas. Em 1866, um novo cabo fora instalado, capaz de transmitir 120 palavras por minuto. Em 1870, foi estabelecida uma ligação telegráfica entre Londres e Mumbai, que foi expandida até a Austrália em 1872 e à Nova Zelândia em 1876. Em 1902, os EUA se ligaram ao Havaí. Esse foi o primeiro sistema de comunicação internacional quase instantâneo.

O RMS **Mauretania**, construído em Wallsend, Tyne e Wear, Reino Unido, era o maior e mais rápido navio do mundo. Em 1909, ele estabeleceu um recorde, cruzando o Atlântico em menos de cinco dias.

O *Great Eastern*

O navio responsável por instalar o cabo transatlântico em 1866 foi o *Great Eastern*, projetado pelo engenheiro mais visionário da primeira fase da Revolução Industrial, Isambard Kingdom Brunel. Projetado para carregar 4 mil passageiros da Inglaterra à Austrália sem escalas (e voltar para a Inglaterra sem reabastecer), o navio foi ambicioso demais em sua concepção e um fracasso comercial.

No entanto, ele era sinal de uma tendência para barcos maiores, mais rápidos e seguros. Diferentes do *Great Eastern*, que foi feito com ferro, os posteriores, feitos de aço e movidos a hélices, se mostraram muito mais versáteis. Sua introdução coincidiu com o desenvolvimento de motores a vapor mais poderosos e eficientes.

Navios a vapor e o comércio

O declínio dos navios a vela transformou ainda mais o comércio imperial. Um resultado notável foi a introdução de uma série de navios de passageiros cada vez maiores. A rota transatlântica viu os mais óbvios desenvolvimentos. Em 1874, o vapor *Britannic*, impulsionado por 5.500 cavalos de força, estabeleceu um novo recorde da travessia do Atlântico em pouco menos de oito dias. Em 1909, o *Mauretania*, com 70 mil cavalos de força e com capacidade de 2 mil passageiros, estabeleceu um novo recorde de quatro dias e dez horas, navegando a uma velocidade média de 26 nós, ou 48 quilômetros por hora.

Novos tipos de embarcações mercantes – sobretudo navios refrigerados – também foram construídos. Tais desenvolvimentos mostram como a tecnologia ajudou a impulsionar o comércio, possibilitando alcançar mercados globais. As fazendas de gado e

> Embora o ouro e a prata não sejam, por natureza, dinheiro, o dinheiro é, por natureza, ouro e prata.
> **Karl Marx**
> *O Capital*

ovelhas na América do Sul (especialmente na Argentina), na Austrália e na Nova Zelândia cresciam, em tamanho, junto com sua população. Ao mesmo tempo, o número de pessoas na Europa também estava crescendo – por exemplo, a Inglaterra aumentou de 28 para 35 milhões de pessoas entre 1850 e 1880. Alimentar e vestir a população eram prioridades. A lã poderia ser facilmente transportada, mas a carne de carneiro e de vaca, não, porque apodreceriam no trajeto – até 1877, quando oitenta toneladas de carne congelada foram embarcadas da Argentina para a França a bordo do primeiro navio refrigerado do mundo. Em 1881, já havia embarques regulares de carne congelada entre a Austrália e a Inglaterra. O primeiro carregamento de carne de carneiro da Nova Zelândia foi feito no ano seguinte. Houve um enorme crescimento da exportação de carne a partir desses três países – a Nova Zelândia, por exemplo, exportou 2,3 milhões de toneladas de carne de carneiro congelada em 1895, 3,3 milhões em 1900 e 5,8 milhões em 1910.

A demanda por algodão – acima de tudo nas grandes tecelagens do noroeste da Inglaterra, que em 1850 produzia quase 50% dos tecidos do mundo – levou a um enorme crescimento no cultivo de algodão. Nos estados do Sul dos EUA, a produção de

SOCIEDADES EM TRANSFORMAÇÃO   235

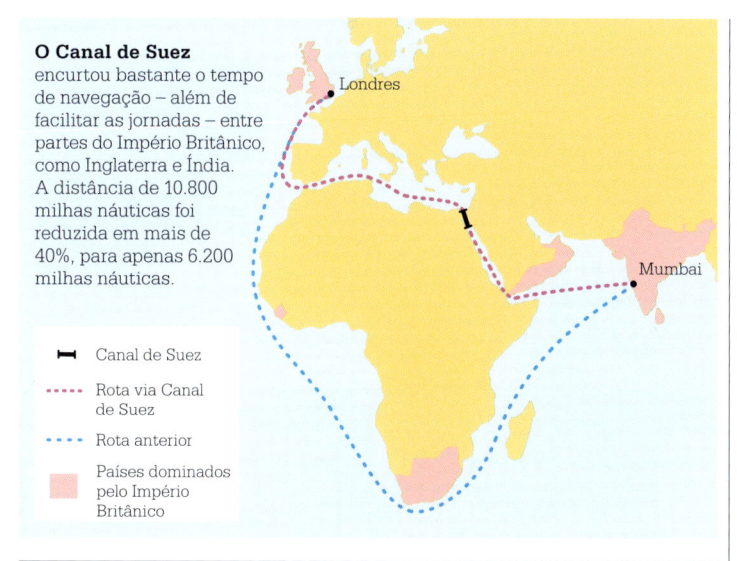

O Canal de Suez

encurtou bastante o tempo de navegação – além de facilitar as jornadas – entre partes do Império Britânico, como Inglaterra e Índia. A distância de 10.800 milhas náuticas foi reduzida em mais de 40%, para apenas 6.200 milhas náuticas.

- Canal de Suez
- Rota via Canal de Suez
- Rota anterior
- Países dominados pelo Império Britânico

algodão cru cresceu de 100 mil fardos em 1800 para 4 milhões em 1860. Durante a Guerra Civil americana, os estados do Sul, confederados, restringiram a exportação de algodão, na tentativa de forçar uma intervenção da Europa na guerra. No entanto, o plano fracassou, uma vez que a Inglaterra simplesmente aumentou suas importações de algodão cru da Índia. Depois de tecer o algodão, ela o exportava de volta para a Índia com enormes lucros.

As finanças globais

Essa complexa rede comercial não poderia ter crescido sem o desenvolvimento dos setores bancários e financeiros. Por todo o século XIX, surgiram novos bancos, cujo capital era usado para apoiar os negócios por todo o mundo. Ao mesmo tempo, Londres surgia como a capital financeira do mundo. Ao final do século XIX, a libra esterlina britânica, cujo valor estava lastreado por 113 gramas de ouro, era a moeda contra a qual todas as outras eram medidas.

Os investimentos estrangeiros ocidentais cresceram de forma drástica. Em 1914, os EUA tinham investimentos estrangeiros de US$ 3,5 bilhões, a Alemanha de US$ 6 bilhões, a França de US$ 8 bilhões e a Inglaterra de quase US$ 20 bilhões. Entre eles, a participação da América do Norte e do norte da Europa na renda mundial em 1860 era de quase US$ 4,3 bilhões por ano, 35% do total mundial. Em 1914, era de US$ 18,5 bilhões, ou 60% do total mundial.

Os padrões de imperialismo foram diversos no século XIX. No Império Britânico, por exemplo, havia uma distinção clara e crescente entre as colônias cujas populações nativas eram governadas pelos europeus – como na África e na Ásia, sobretudo – e aquelas como Canadá, África do Sul, Austrália e Nova Zelândia – que eram consideradas capazes de se autogovernar. Em 1907, todas as quatro receberam o status de domínios. Esse privilégio não foi estendido a nenhuma colônia britânica na África ou Índia. ■

As condições de trabalho nas minas de ouro da África do Sul eram terríveis, e a força de trabalho – principalmente de jovens negros – era explorada e mal paga.

A Grande Febre dos Minérios

A busca de novas fontes de minerais, tanto preciosos quanto industriais, atingiu novos picos no final do século XIX. A descoberta de diamantes e ouro nos EUA, Canadá e Austrália e – sobretudo – na África do Sul disparou uma febre de desenvolvimento. Os diamantes foram descobertos no Estado Livre de Orange, na África do Sul, em 1867, e o ouro em Transvaal em 1886. Ambas eram repúblicas bôeres, estabelecidas pelos descendentes dos primeiros colonos holandeses naquela que passou a ser conhecida como a colônia do Cabo Britânico. Sua importância econômica cada vez maior reforçou a determinação britânica de anexá-las, o que só conseguiram fazer depois da terrível Guerra dos Bôeres (1899–1902), que estendeu os recursos britânicos ao seu limite. A exploração, tanto antes quanto depois do conflito, de recursos minerais do que em 1910 se tornou a União da África do Sul por exércitos mal pagos de trabalhadores negros acabaria se tornando crítica na institucionalização do apartheid.

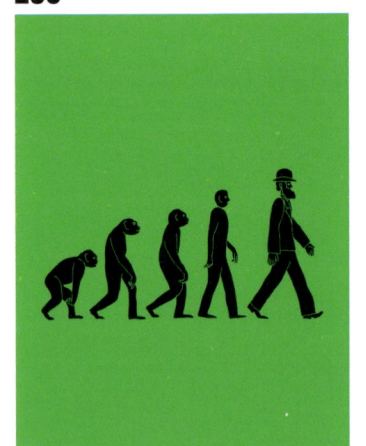

INFINITAS FORMAS MAIS BELAS E MARAVILHOSAS EVOLUÍRAM, E CONTINUAM EVOLUINDO
DARWIN PUBLICA *A ORIGEM DAS ESPÉCIES* (1859)

EM CONTEXTO

FOCO
Avanços científicos

ANTES
1831–1836 A viagem do HMS *Beagle* leva o jovem naturalista Charles Darwin ao redor do mundo.

DEPOIS
1860 Thomas Huxley defende Darwin do ataque da Igreja anglicana.

1863 Gregor Mendel demonstra como a genética influencia a vida de todas as plantas.

1871 *A origem do homem* de Darwin introduz a visão da seleção sexual, onde os membros mais bem-sucedidos de uma espécie são naturalmente atraídos para perpetuar a espécie.

1953 A descoberta do DNA demonstra como os traços são transmitidos geneticamente.

Os geólogos começam a entender que **a Terra já existia** anteriormente por inimagináveis **extensões de tempo**.

Ficou claro aos cientistas que a Terra passou por uma série de **imensas mudanças e extinções**.

Charles Darwin publica *A origem das espécies*.

O livro de Darwin explica a **diversidade das espécies animais** e postula que toda a vida na Terra está **relacionada a um ancestral comum**.

A **ciência moderna**, de forma incisiva, **reforça a evidência e as conclusões** apresentadas na **principal obra de Darwin**.

Talvez o mais importante cientista do século XIX, Charles Darwin pretendia, de início, seguir a carreira de seu pai na medicina, sendo, depois, mandado para Cambridge para ser treinado como um clérigo anglicano. Com uma curiosidade sem limites, ele se interessava por quase todas as questões científicas.

A publicação de seu livro *A origem das espécies* (1859) introduziu um novo entendimento científico daquilo que aos poucos passou a ser conhecido como evolução. No livro, Darwin fazia perguntas fundamentais. O mundo tem uma abundância de vida vegetal e animal: de onde e do que ela veio? Como foi criada? Ele estava longe de ter sido o primeiro a

Veja também: Diderot publica a *Enciclopédia* 192-195 ▪ James Cook chega à Austrália 199 ▪ O *Rocket* de Stephenson entra em operação 220-225

propor que um processo de mudança que durou um tempo enorme produziu tal diversidade, mas foi o primeiro a sugerir uma linha de explicação, à qual chamou de "seleção natural".

A seleção natural

No cerne da ideia de Darwin estava a controvérsia de que toda a vida animal havia derivado de um único ancestral comum – que os ancestrais de todos os mamíferos, inclusive os humanos, eram, por exemplo, os peixes. E, num mundo natural que nunca foi menos que uma violência sem fim, somente aqueles mais aptos sobreviveriam no processo, evoluindo para novas espécies.

Essas visões foram em grande parte formadas pela sua viagem ao redor do mundo como naturalista do navio de pesquisa britânico HMS *Beagle* entre 1831 e 1836, cuja maior parte foi na América do Sul. Ele demoraria dez anos para organizar suas volumosas notas e analisar todas as amostras que havia coletado em viagem.

O livro de Darwin inevitavelmente gerou controvérsia, acendendo a ira dos cristãos que viam o mundo como tendo sido criado intacto e sem mudança por uma deidade benevolente. Ainda assim, a despeito do caloroso debate inicial, rapidamente houve uma aceitação generalizada das visões de Darwin e uma percepção de que ele dera uma contribuição decisiva para o entendimento do mundo. No processo, o status da ciência sofreu um enorme avanço.

Os tentilhões das Ilhas Galápagos foram cruciais na obra de Darwin. As treze espécies que encontrou lá tinham diferentes tipos de bico, que haviam evoluído para lidar com o alimento disponível aos pássaros.

A primazia da ciência

Apesar de tudo, era possível que o darwinismo estivesse distorcido. O que veio a ser chamado de "sobrevivência do mais apto" acabaria, mais tarde, tendo influência na justificação do imperialismo, do racismo e da eugenia.

A origem das espécies foi publicada na época em que um crescente entendimento do mundo natural e um rápido progresso tecnológico implicavam que o estudo científico tinha um valor prático muito maior do que jamais teve. Darwin foi um dos últimos cavalheiros cientistas amadores numa disciplina que estava se profissionalizando conforme a sociedade passava a dar mais valor à ciência. Em parte resultado da obra de Darwin, mas também por causa dessas mudanças nas percepções das pessoas, a ciência começou a ter um papel mais central na vida pública. No fim da vida de Darwin, o progresso contínuo do conhecimento científico se tornou quase que uma expectativa-padrão. ▪

Charles Darwin

Charles Darwin (1809–1882) foi apenas a quinta opção para o cargo de naturalista na viagem do HMS *Beagle* em 1831. Apesar de sua escolha fortuita, tal viagem transformaria sua vida. Embora ficasse quase o tempo todo enjoado a bordo da embarcação, Darwin provou ser um assíduo observador do mundo ao seu redor. Ele acabou tendo o mesmo prazer e deslumbramento nas florestas do Brasil, nos pampas argentinos ou na aridez das Ilhas Galápagos. Depois de voltar à Inglaterra, se dedicou a uma vida de trabalho persistente – o típico cientista da era vitoriana, ajudado por consideráveis recursos privados e uma vida familiar claramente feliz, a despeito da morte de três de seus dez filhos. Apesar de sua própria saúde ter se deteriorado no tempo em que passou no *Beagle*, sua produção continuou prodigiosa, assim como seu nível de curiosidade em quase todos os assuntos relacionados ao mundo natural. Na ausência do exótico, ele se fascinava tanto por pombos quanto por parasitas, tanto por cracas quanto por minhocas.

ARMEMO-NOS. LUTEMOS POR NOSSOS IRMÃOS
A EXPEDIÇÃO DOS MIL (1860)

EM CONTEXTO

FOCO
Nacionalismo

ANTES
1830 A Grécia conquista sua independência dos otomanos.

1848 As revoluções nacionalistas que varriam o centro da Europa e a Itália são abafadas.

1859 A Áustria é expulsa da Lombardia, que é então anexada ao Piemonte.

DEPOIS
1861 É estabelecido o reino italiano.

1866 A Áustria é forçada a ceder Veneza, no nordeste da Itália, ao novo reino italiano.

1870 Os Estados Papais são incorporados à Itália.

1871 A Alemanha é unificada sob o controle prussiano. Roma é declarada a capital da Itália.

Em 11 de maio de 1860, o patriota e guerrilheiro italiano Giuseppe Garibaldi desembarcou na Sicília, então parte do Reino das Duas Sicílias sob o domínio dos Bourbon, no sul da Itália, liderando uma força de voluntários arregimentados por toda a Itália, e não mais de mil homens, daí seu nome *I Mille* (Os Mil). Sua meta era derrubar os Bourbon, mas não estavam muito certos sobre qual tipo de governo substituiria a família dominante.

Assim como outro grande partidário da liberdade italiana no século XIX, Giuseppe Mazzini, que em 1849 havia, por pouco tempo, estabelecido uma república romana, Garibaldi estava comprometido a pôr

SOCIEDADES EM TRANSFORMAÇÃO 239

Veja também: A queda da Bastilha 208-213 ▪ As revoluções de 1848 228-229 ▪ A Rússia emancipa os servos 243 ▪ A abertura da Torre Eiffel 256-257 ▪ A Revolução dos Jovens Turcos 260-261 ▪ A Comuna de Paris 265 ▪ A Revolução de Outubro 276-279 ▪ O Tratado de Versalhes 280

fim aos privilégios reais, clericais e aristocráticos. Também estava motivado em acabar com o domínio austríaco no norte do país e pela ideia de uma Itália unificada. O desejo de formar novas entidades políticas baseadas em elementos nacionais comuns como a geografia e a história veio a ser conhecido como nacionalismo.

Chegando a um acordo

Em 1859, boa parte da Itália já estava unificada sob o Estado de Piemonte-Sardenha, no noroeste da Itália, um processo dirigido por seu astuto e pragmático primeiro-ministro Camillo Cavour e apoiado, de forma importante, pela assistência militar francesa na expulsão dos austríacos.

Para Cavour, a unificação significava a criação não de uma Itália republicana, mas de um Estado centralizado sob uma monarquia constitucional. Ele acreditava ser essa a única forma de a Itália atingir seu potencial – acima de tudo, para prosseguir com a industrialização e competir com as principais potências da Europa.

As forças dos camisas vermelhas, complementadas por cidadãos locais que correram para se juntar a elas, rapidamente derrotaram os mal liderados exércitos do Reino das Duas Sicílias.

Quando chegou a hora de decidir sobre o governo da recém-unificada Itália – com a exceção de Veneza e Roma, ainda que ambas tenham sido incorporadas em 1866 e 1870, respectivamente –, Garibaldi reconheceu a inevitável dominação piemontesa. Em novembro de 1860, com Garibaldi a seu lado, Victor Emmanuel II da Sardenha entrou em Nápoles e, em março de 1861, foi coroado rei da Itália.

Metas diferentes

A diferença entre as metas de Garibaldi e Cavour ilustra as contradições no cerne do nacionalismo da Europa do século XIX. Provocado pelas noções de liberdade e direitos iguais prometidas pela Revolução Francesa, o nacionalismo desenvolveu uma visão idealista de uma sociedade »

Ideias de **autodeterminação nacional**, inspiradas pela **Revolução Francesa**, começam a se proliferar por toda a Europa.

↓

A **Guerra da Independência da Grécia** simboliza as disputas necessárias para libertar nações da **dominação estrangeira**.

↓

As **fracassadas revoluções de 1848** ilustram a **resistência das elites dominantes** às noções de independência nacional.

↓

Garibaldi desembarca na Sicília e derruba o Reino das Duas Sicílias, mas a Itália se mantém uma monarquia constitucional.

↓

A **unificação alemã** sob a Prússia reforça o **nacionalismo conservador** à custa das **liberdades republicanas**.

Giuseppe Garibaldi, usando uma camisa vermelha que simbolizava seu exército improvisado, conseguiu derrotar os Bourbon no Reino das Duas Sicílias, mas teve de fazer um acordo quanto à forma do novo governo.

mais justa. Grupos nacionais oprimidos por domínio estrangeiro acreditavam ser capazes de garantir a independência como um direito natural. Além disso, o nacionalismo foi caracterizado por uma visão romântica do direito dos povos de assumir seus destinos históricos e de governar a si mesmos: a independência. No lugar da lealdade a uma dinastia dominante estabelecida, surgiram novas lealdades a grupos nacionais definidas por língua, cultura, história e identidade própria. A ideia do estado-nação tornou-se cada vez mais comum, assim como a crença no direito à autodeterminação nacional.

O fracasso das revoluções de 1848 na Europa Central e na Itália, que buscavam avançar em direção a essas metas, deixou clara a definição das elites dominantes europeias em se opor a tais iniciativas e em preservar a Europa criada pelo Congresso de Viena em 1814–1815, depois da derrota de Napoleão – uma Europa de monarcas, impérios multinacionais e fronteiras de antes da Revolução Francesa.

Os fracassos de Metternich

A nova Europa estava longe da estabilidade, e o principal arquiteto do Congresso de Viena, o príncipe austríaco Metternich, acabaria

> "Um povo destinado a alcançar grandes feitos para o bem-estar da humanidade tem de, mais cedo ou mais tarde, se constituir como uma nação."
> **Giuseppe Mazzini, 1861**

admitindo: "Gastei minha vida tentando escorar edifícios podres". Em 1830, a Bélgica se revoltou contra o Reino da Holanda, do qual era província. No ano seguinte, garantiu sua independência com apoio britânico. Levantes nacionalistas parecidos aconteceram na Polônia em 1831 e em 1846, ambos selvagemente reprimidos pela Rússia.

O nacionalismo alemão

O crescente nacionalismo teve enormes consequências, sobretudo nos diversos estados da Alemanha. A unificação do país sob o chanceler Otto von Bismarck da Prússia em 1871 e a declaração de um império alemão chacoalharam a Europa para uma nova era. Para Bismarck, assim como foram para Cavour, os benefícios da unificação eram claros. Haveria os meios pelos quais uma nacionalidade alemã comum pudesse ser expressa, permitindo ao país satisfazer a necessidade de um abrangente caráter alemão identificado pelo filósofo Georg Hegel. Também acabaria com o domínio da Áustria dos Habsburgo sobre o mundo de fala alemã – em especial afastando os estados católicos do sul da Alemanha, sobretudo a Bavária, da influência austríaca.

Buscando a construção desse grande Estado alemão, Bismarck aplicou um tipo de nacionalismo conservador. A meta não era a reforma social ou democrática para estabelecer um Estado mais justo ou liberal; era a criação de um país que desafiaria o mundo. O nacionalismo alemão sob Bismarck se traduziu na adoção de um tipo específico de industrialização e na criação de um exército maior e mais eficiente.

E o foco único no militarismo foi o que Bismarck usou para criar essa nova Alemanha. Ele organizou três grandes campanhas militares. A primeira, contra a Dinamarca em 1864, fez com que a Prússia incorporasse os

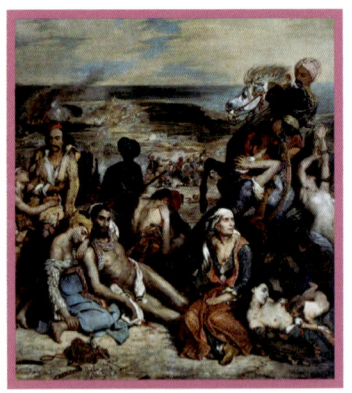

A brutalidade do Exército otomano na repressão às revoltas gregas – como visto na pintura de Eugène Delacroix, *O massacre de Chios* – levou a um crescente apoio à causa grega.

territórios do sul desse outro país, Schleswig e Holstein, com apoio austríaco. Em 1866, as tropas prussianas venceram a própria Áustria. Finalmente, em 1870–1871, um exército de toda a Alemanha derrotou a França de forma completa e humilhante, derrubando o governo de Napoleão III e submetendo Paris, inclusive cortando-lhe a comida. Tais vitórias militares enfatizaram um aparentemente irresistível destino alemão, cuja consequência lógica foi um império alemão sob um rei prussiano, agora imperador, Guilherme I.

Aspirações nacionalistas

Em nenhum outro lugar os impulsos conflitantes do nacionalismo foram tão emaranhados quanto no Império Austríaco Habsburgo, uma imensa colcha de retalhos de grupos étnicos espalhados por toda a Europa Central sob o domínio nominal de Viena. Em 1867, logo após a derrota da Áustria para a Prússia no ano anterior, a Hungria conseguiu assegurar uma independência quase completa da Áustria. A "monarquia dual" resultante – o Império Austríaco, agora Império

SOCIEDADES EM TRANSFORMAÇÃO 241

A proclamação de Guilherme I como imperador da Alemanha aconteceu em Versalhes em 1871. Ela foi anunciada por uma série de campanhas militares, incluindo uma contra a França.

Austro-Húngaro – somente impulsionou um senso afirmativo de autoidentidade húngara, mas também garantiu à Hungria importantes concessões territoriais, principalmente a Transilvânia e a Croácia. Ainda assim, apesar das contínuas tensões entre Áustria e Hungria, as duas nações preferiram continuar unidas exatamente pelo medo de mais agitações nacionalistas vindas de seus próprios cidadãos, com profundas divisões étnicas. Os húngaros, por exemplo, relutavam bastante em conceder os direitos políticos, que exigiam para si mesmos, para os grupos eslovacos, romenos e sérvios. Ao mesmo tempo, o controle otomano dos Bálcãs também encorajou aspirações nacionalistas – a Sérvia, por exemplo, surgiu como um Estado mais ou menos independente já em 1817. A Valáquia e a Moldávia, hoje quase toda a Romênia, também tiveram pretensões de independência em 1829. Os gregos, considerando a si mesmos o legado da antiga civilização grega, um papel que lhes rendeu o apoio dos liberais por toda a Europa, conseguiram sua independência em 1830, depois de nove anos de guerra.

Tanto a Áustria quanto a Rússia competiram para preencher o vácuo deixado pelos otomanos. A ocupação, em tom de provocação, da Bósnia pela Áustria em 1878, que acabou sendo anexada em 1908, criaria tensões que levaram diretamente à eclosão da Primeira Guerra Mundial em 1914. As Guerras dos Bálcãs entre 1912–1913 – na verdade uma amarga disputa por supremacia pela Sérvia, Bulgária e Grécia – eram evidências adicionais do efeito desestabilizador da construção dos Estados provocados pelo nacionalismo.

As consequências

A noção de que a justiça social poderia ser garantida aos povos que buscassem o direito da autodeterminação não se concretizou no século XIX – Viena continuaria a governar sobre seu império multiétnico até sua derrota no final da Primeira Guerra Mundial em 1918, por exemplo. Da mesma forma, o povo da Polônia não conseguiu por nenhum meio exercer tais direitos nacionalistas de autodeterminação. E os judeus da Europa continuaram oprimidos de forma persistente, a despeito da promessa do sionismo a partir dos anos 1890 de criar uma nação judaica na Terra Santa. ∎

Otto von Bismarck

Ministro-presidente da Prússia a partir de 1862 e chanceler da Alemanha de 1871 a 1890, Otto von Bismarck (1815–1898), também conhecido como Chanceler de Ferro, se elevou sobre a Europa continental depois de desenhar a unificação alemã. As principais metas de Bismarck foram garantir a liderança prussiana do mundo alemão à custa da Áustria e conter a ameaça de uma redobrada hostilidade francesa. Um oportunista supremo, apesar de ter começado três guerras, em 1864, 1866 e 1870, ele trabalhou incansavelmente para manter o equilíbrio de poder na Europa, uma tarefa na qual teve grande sucesso ao conciliar interesses díspares. Implementou na Alemanha um enorme programa de industrialização, supervisionou o crescimento ainda maior das forças armadas alemãs e lançou um programa de colonização. A despeito de ser um conservador em termos sociais, criou o primeiro sistema de bem-estar social do mundo, se bem que sua motivação era tanto enfraquecer seus oponentes socialistas quanto proteger os interesses dos trabalhadores alemães.

ESSAS TRISTES CENAS DE MORTE E SOFRIMENTO, QUANDO CHEGARÃO AO FIM?
O CERCO DE LUCKNOW (1857)

EM CONTEXTO

FOCO
O domínio britânico na Índia

ANTES
1824 É lançada a campanha britânica da conquista de Burma, o que acontece, em boa parte, em 1886.

1876 A rainha Vitória é declarada imperatriz da Índia.

Maio 1857 Acontece, em Meerut, a primeira revolta das forças sipais indianas contra o domínio britânico.

DEPOIS
1858 O domínio da Companhia das Índias Orientais chega formalmente ao fim. O controle da Índia passa diretamente à Coroa britânica.

1869 É aberto o Canal de Suez, reduzindo bastante o tempo de navegação para a Índia e a partir dela.

1885 É fundado o Congresso Nacional Indiano – o primeiro movimento político pan-indiano. Mais tarde ele se torna o cerne de um movimento nacionalista.

O cerco de Lucknow, que se deu entre maio e novembro de 1857, levou a cenas que se multiplicaram por todo o norte e centro da Índia durante o Motim Indiano de 1857–1858: os enclaves britânicos passam a ter grande oposição dos que antes eram leais às tropas locais. Quando os britânicos começaram a restaurar a ordem, a revanche não foi menos severa. A violência de ambos os lados chocou o público e imediatamente levou a clamores de reforma.

O motim começou quando as tropas indianas – os sipais – se convenceram de que os cartuchos de seus novos rifles eram lubrificados com gordura de bois e porcos, algo ofensivo tanto para hindus quanto muçulmanos. Mas sua raiz estava na transformação que muitos na Índia sentiram em relação ao controle britânico – a erradicação de governantes tradicionais, a aparente ameaça às religiões locais e a agressiva afirmação do domínio estrangeiro.

A resposta inicial britânica após o motim tinha por objetivo garantir à Índia as intenções pacíficas da Inglaterra, mas na verdade havia o fato de a Índia estar agora totalmente subjugada pelos britânicos, tanto econômica quanto politicamente.

Conforme cresceu o número de membros da elite indiana com educação europeia, estes acabariam por desafiar os direitos dos britânicos sobre o subcontinente. A Inglaterra continuaria a afirmar seu destino imperial, mas tinha de cada vez mais se convencer de que isso não poderia mais ser feito. Se houve uma verdade duradoura, foi a de que o domínio britânico na Índia nunca foi tão robusto quanto parecia. ∎

> Estamos comprometidos com os nativos dos territórios indianos pelas mesmas obrigações que nos ligam aos nossos outros súditos.
> **Rainha Victória**

Veja também: A Batalha de Quebec 191 ▪ A construção do Canal de Suez 230-235 ▪ A Segunda Guerra do Ópio 254-255 ▪ A Conferência de Berlim 258-259

É MELHOR ABOLIR A SERVIDÃO A PARTIR DE CIMA DO QUE ESPERAR QUE ELA SE LIBERTE A PARTIR DE BAIXO
A RÚSSIA EMANCIPA OS SERVOS (1861)

EM CONTEXTO

FOCO
A Rússia czarista

ANTES
1825 A Revolta Dezembrista contra o domínio czarista é suprimida.

1853–1855 A derrota da Rússia para Inglaterra e França na Crimeia mostra claramente sua fraqueza militar.

DEPOIS
1881 O czar Alexandre II é assassinado pela Vontade do Povo, um grupo terrorista clandestino.

1891 Começam as obras da ferrovia transiberiana, levando a novos e enormes assentamentos na Sibéria.

1894 O último czar, Nicolau II, permite ao seu ministro das Finanças Sergei Witte avançar no processo de industrialização.

1905 A expansão russa no Extremo Oriente é barrada por uma humilhante derrota para o Japão.

A emancipação de 20 milhões de servos russos (trabalhadores não livres) por Alexandre II em 1861 não foi um ato humanitário. Sua meta era mais uma tentativa de modernizar a Rússia, que, apesar de seu potencial, havia ficado para trás das nações em industrialização no Ocidente. Para assumir aquilo que considerava seu devido lugar no mundo, a Rússia adotou amplas reformas nas áreas políticas, sociais, econômicas e militares.

O efeito dessas reformas foi dúbio, na melhor das hipóteses. A emancipação fez muito pouco para melhorar o bem-estar dos servos ou a produtividade agrícola, e Alexandre não aceitou nenhuma reforma constitucional de fato: ele continuou sendo um autocrata, convencido de seu direito divino de governar como um monarca absolutista. No entanto, suas reformas alimentaram as esperanças de que haveria certo grau de liberalização.

Um estado policial

Seu assassinato em 1881 provocou um retrocesso reacionário já esperado. Seu sucessor, Alexandre III, demonstrou grande disposição de encampar a reforma industrial, mas também acabou criando um estado policial, introduzindo uma censura severa, suprimindo protestos e proibindo sindicatos.

No entanto, a Rússia czarista buscava um lugar ao sol no mundo industrializado. O país poderia lançar mão de significativos recursos militares, mesmo não tão eficientes. Politicamente, no entanto, sua não disposição em propor reformas causaria sua completa destruição na revolução soviética. ∎

> Devemos oferecer ao país a mesma sofisticação industrial que foi alcançada pelos Estados Unidos da América.
> **Sergei Witte**
> Ministro russo

Veja também: A fundação de São Petersburgo 196-197 ▪ As revoluções de 1848 228-229 ▪ A construção do Canal de Suez 230-235 ▪ A Guerra da Crimeia 264 ▪ A Revolução de Outubro 276-279

O GOVERNO DO POVO, PELO POVO E PARA O POVO JAMAIS DESAPARECERÁ DA FACE DA TERRA
O DISCURSO DE GETTYSBURG (1863)

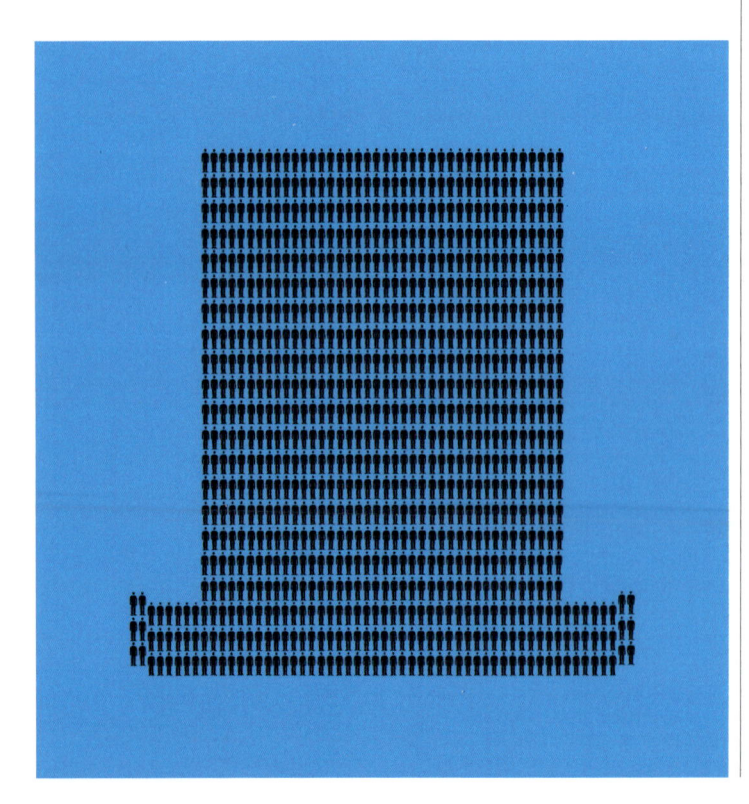

EM CONTEXTO

FOCO
A Guerra Civil Americana

ANTES
1820 Tenta-se, com o estatuto do Compromisso do Missouri, restringir a escravidão aos novos estados que estão ao sul das fronteiras do Missouri.

1854 A Lei Kansas-Nebraska faz crescer a violência no Kansas.

1857 O Caso Dred Scott define que, mesmo em estados não escravocratas, os escravos não podem ser livres.

1861 Declaração dos Estados Confederados (fevereiro); em abril, começa a Guerra Civil.

1863 Em julho, os confederados são derrotados em Gettysburg e Vicksburg.

DEPOIS
1864 Lincoln é reeleito.

1865 O general Lee se rende; Lincoln é assassinado.

Em novembro de 1863, pouco depois da metade da Guerra Civil Americana, em Gettysburg, Pensilvânia, o presidente americano Abraham Lincoln fez o que ficou conhecido como o Discurso de Gettysburg. Nele, definiu a Guerra Civil como uma disputa tanto pela unidade nacional quanto pela garantia de igualdade para todas as pessoas.

Lincoln estava falando na inauguração do Cemitério Nacional dos Soldados, marco para os 7.058 soldados mortos na Batalha de Gettysburg, que ocorreu entre 1º e 3 de julho do mesmo ano e deixou outros 27.224 feridos. Gettysburg havia sido a batalha mais sangrenta da Guerra Civil Americana, bem como um ponto de inflexão no

SOCIEDADES EM TRANSFORMAÇÃO

Veja também: A assinatura da Declaração de Independência 204-207 ▪ A queda da Bastilha 208-213 ▪ As revoluções de 1848 228-225 ▪ A Febre do Ouro da Califórnia 248-249 ▪ A abertura de Ellis Island 250-251

A Batalha de Gettysburg aconteceu em 1863. Após três dias de confrontos e morte de mais de 7 mil soldados, o exército confederado foi forçado a bater em retirada.

qual o exército sulista em menor número, com menos armas e com poucas chances de sucesso (o Exército do Norte da Virgínia), liderado por Robert E. Lee, sofreu sua maior derrota.

As causas da guerra

A Guerra Civil Americana não foi apenas uma guerra sobre a escravidão; foi uma guerra sobre se um problema tão desagregador seria capaz de rachar os EUA. O país, como disse Lincoln, era uma nação "concebida em liberdade e dedicada à proposição de que todos os homens foram criados iguais", ainda que os estados do Sul tivessem uma população de 4 milhões de escravos negros. Segundo a Constituição dos EUA, eles eram juridicamente uma propriedade. Para os abolicionistas do Norte cada vez mais desenvolvido – sempre uma minoria, mas com uma forte voz ativa –, a escravidão era moralmente repugnante e uma ofensa aos seus sentimentos cristãos.

No entanto, a escravidão não era apenas a espinha dorsal da prosperidade agrícola dos estados do Sul; para os senhores de escravos sulistas, ela era um direito. Para eles, a "liberdade" tinha outro sentido: a liberdade de possuir escravos.

A discordância estava por trás da questão do Direito dos Estados – até que ponto os direitos de cada estado individual deveriam prevalecer sobre a autoridade de um governo central, federal, em Washington. Essa questão voltou à tona quando os territórios no Oeste foram ocupados e pediam para ser aceitos na União: eles seriam estados escravocratas ou "livres"?

O Compromisso do Missouri de 1820 declarava que a escravidão só seria permitida nos novos estados ao sul de uma linha que se estenderia a oeste a partir da fronteira sul do Missouri. Mais tarde chegou-se ao acordo de que os colonos dos novos estados deveriam decidir por si mesmos se seriam estados escravocratas ou livres – uma decisão que era reforçada pela Lei Kansas-Nebraska de 1854. Já que tanto o »

Abraham Lincoln

Quando chegou a Washington em fevereiro de 1861 para sua cerimônia de posse, Abraham Lincoln (1809-1865) era rejeitado nos círculos políticos como um caipira ignorante e sem traquejo social. Quando assassinado, apenas quatro anos depois, ele havia dominado a América. Lincoln não havia apenas ganho a Guerra Civil como também se estabelecido como um tipo de oráculo político irresistível.

Nascido numa cabana em Kentucky, ele se formou em direito antes dos trinta anos. Tornou-se, cada vez mais, o articulador daquilo que se confirmaria como o Partido Republicano antiescravagista. Apesar de não ter nenhuma experiência militar, se firmou como um astuto juiz de como a Guerra Civil deveria ser conduzida, defendendo ativamente o general Grant. Ele nunca perdeu de vista seus alvos mais amplos: a manutenção das liberdades americanas e da dignidade essencial da humanidade. Administrou a guerra com impávida determinação, ainda que entendesse a perda de vidas que a escala da Guerra Civil representava.

Kansas quanto o Nebraska estavam ao norte da fronteira sul de Missouri, o que se deu, sobretudo no Kansas, foi um repentino influxo de colonizadores tanto a favor quanto contra a escravidão, cada um deles lutando pela hegemonia. Os dois lados se confrontaram de forma repetida e violenta.

O Sul se separa

Esse conflito levou à fundação de um novo partido antiescravagista, os Republicanos, pelo qual Abraham Lincoln, com quase nenhum apoio dos estados escravocratas, foi eleito em novembro de 1860. A vitória de Lincoln causou uma reação quase imediata da Carolina do Sul de se dividir, deixando a União. Em fevereiro, outros seis estados também participaram dessa secessão, e os quatro declararam-se uma nova nação: os Estados Confederados da América. Em maio, quando Richmond, na Virgínia, foi transformada na capital do novo país, quatro outros estados se juntaram a eles. No entanto, cinco estados escravagistas, os chamados Estados da Fronteira, optaram por continuar na União original.

A Confederação argumentou que, como a Constituição tinha sido livremente aceita, qualquer estado poderia, de forma legítima, se separar da União caso se sentisse oprimido.

> Não posso erguer minha mão contra minha terra natal, meu lar, meus filhos.
> **Robert E. Lee**
> Sobre a sua demissão (abril de 1861)

Os Estados Unidos nascem como um **farol da liberdade**, se bem que a **escravidão** ainda é permitida.

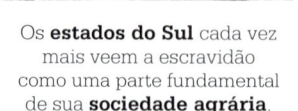

Os **estados do Sul** cada vez mais veem a escravidão como uma parte fundamental de sua **sociedade agrária**.

Os **estados industriais do Norte** se opõem a qualquer tipo de permissão da escravidão em qualquer novo estado.

Essas diferenças de opinião ajudaram a deflagrar a **Guerra Civil**, trazendo **destruição em escala nunca vista**, onde nem o Sul nem o Norte conseguem se impor sobre o inimigo.

O discurso de Gettysburg é a tentativa mais eloquente de Lincoln de justificar a guerra como um meio de garantir um país mais justo.

A **derrota do Sul** resulta numa **paralisia política** e numa **discriminação institucionalizada** contra a população negra que persiste até **o século seguinte**.

Como homens livres, os cidadãos do Sul tinham um direito "inalienável" de moldar seu próprio destino, assim como os pais fundadores tiveram quando rejeitaram a tirania do domínio britânico. Na cabeça de muitos sulistas, o governo dos EUA era culpado exatamente do mesmo tipo de tirania que busca limitar essas liberdades.

Era uma decisão profundamente arraigada. Como disse Alexander Stephens, vice-presidente da Confederação, o alicerce desse novo estado "se baseava na grande verdade de que o negro não é igual ao homem branco; que a escravidão… é sua condição normal e natural…".

Como um importante operador político, Lincoln percebeu a necessidade de avançar com cautela. A princípio, sua posição era de que buscava apenas restringir a expansão da escravidão, ao mesmo tempo que preservava a União. No segundo aspecto, Lincoln era irredutível: ele achava que a autoridade do governo federal se sobrepunha à dos estados individuais.

Os EUA, o único país do mundo que já nasceu como uma democracia, haviam sido criados segundo Lincoln como "uma grande promessa para o mundo", e garantir sua sobrevivência era uma obrigação moral absoluta. Quando da sua Proclamação da Emancipação, em janeiro de 1863, Lincoln sentiu-se politicamente seguro o suficiente para ordenar a libertação de todos os escravos no Sul. Mas, no curto prazo, a Guerra Civil foi combatida para manter sua "grande promessa" intacta.

A vitória final do Norte

O resultado da Guerra Civil Americana foi ditado, ao final, pelas discrepâncias humanas e materiais entre o Norte e o Sul. Havia 21 estados da União com uma população de 20 milhões de pessoas, e onze estados do Sul com uma população de 9 milhões, dos quais 4 milhões eram escravos, logo não autorizados a pegar em armas. A despeito do fato de, em 1864, 44% dos homens do Norte com idade entre dezoito e sessenta anos estarem no serviço militar, contra 90% nos estados sulistas, o Norte ainda foi capaz de alistar 2,2 milhões de homens durante a guerra, comparado com 800 mil do Sul.

O Norte era três vezes mais rico que o Sul. Ele tinha 3,8 quilômetros de ferrovias para cada 1,6 quilômetro no Sul. Suas fábricas produziam dez vezes mais bens. Ele produzia vinte vezes mais ferro que o Sul, 38 vezes mais carvão e 32 vezes mais armas de fogo. A única área em que o Sul era melhor que o Norte era na produção de algodão (24×1).

Em face dessa superioridade, o fato de o Sul ter conseguido resistir às forças do Norte por quatro anos, chegando perto de vencer em 1862 e 1863, era um reflexo da profunda crença dos soldados sulistas em sua causa. O Sul também tinha melhores generais – o virginiano Robert E. Lee acima de todos. Em contraste, pelo menos até a ascensão de Ulysses S. Grant e William Sherman como comandantes em chefe das forças da União, o Norte só conseguiu arrolar uma sucessão de generais tímidos e ineptos que desperdiçaram as vantagens que possuíam em abundância.

Revigorado por Grant e Sherman, o Norte prevaleceu. A completa destruição de Atlanta, em setembro de 1864, foi acompanhada da "marcha para o mar" de Sherman em Savannah, Geórgia. Finda em dezembro, ela deixou um rastro de destruição de 96,5 quilômetros, deliberadamente

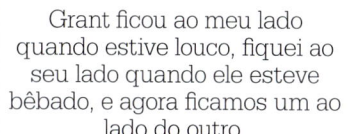

> Grant ficou ao meu lado quando estive louco, fiquei ao seu lado quando ele esteve bêbado, e agora ficamos um ao lado do outro.
> **William Sherman**

atacando propriedades civis. "A guerra é cruel", afirmou Sherman. "Quanto mais cruel ela for, mais rápido terminará."

Uma nova liberdade

A Guerra Civil nos EUA foi uma das primeiras guerras industriais do mundo, a primeira a fazer uso extensivo de ferrovias e a primeira a ser amplamente coberta por um novo tipo popular de imprensa. Houve concentração de mortes numa escala nunca vista antes: cerca de 670 mil mortos, 50 mil deles civis, em pouco mais de quatro anos.

Para Abraham Lincoln, a guerra representou aquilo que no Discurso de Gettysburg ele chamou de "negócio inacabado". A Constituição deixou sem solução a questão de como a escravidão poderia existir numa nação "concebida em liberdade". A despeito da destruição e do enorme número de mortos, a guerra possibilitou um "novo nascimento da liberdade". O fim da escravidão, confirmado pela 13ª Emenda, em 1865, representou uma oportunidade para os EUA se remodelarem como uma terra genuinamente livre para todos os seus cidadãos, negros ou brancos. ∎

Esta ilustração de Thomas Nast mostra a vida dos negros americanos antes e depois da emancipação. Abraham Lincoln também aparece.

NOSSO DESTINO MANIFESTO É NOS ESPALHARMOS POR TODO O CONTINENTE
A FEBRE DO OURO DA CALIFÓRNIA (1848–1855)

Saber que há terras no **Oeste americano** encoraja quem queira se **fixar** lá.

A febre do ouro da Califórnia dá início a um furor para compartilhar dessas novas riquezas, acelerando a colonização da Costa Oeste.

O telégrafo e as ferrovias **melhoram a conexão** entre as Costas Leste e Oeste.

Os índios americanos são expulsos de suas **terras ancestrais**.

A **melhora nas comunicações** estimula o desenvolvimento da **indústria** nos Estados Unidos.

EM CONTEXTO

FOCO
Marcha para o Oeste

ANTES
1845 O Texas, originalmente parte do México, é incorporado aos Estados Unidos.

1846 A Inglaterra entrega o Oregon para os Estados Unidos.

1848 O Novo México e a Califórnia são anexados depois da Guerra Mexicano-Americana.

DEPOIS
1861 A primeira linha telegráfica intercontinental entra em funcionamento; o serviço de correio Poney Express fecha dois dias depois.

1862 O Homestead Act oferece 65 hectares de graça para quem se fixar nela.

1869 Fica pronta a primeira ferrovia transcontinental.

1890 O Bureau do Censo americano dá como acabada a fronteira do país, já que não há mais nenhuma grande extensão de terra não povoada.

A crença do jornalista John L. O'Sullivan de que o "destino manifesto" dos Estados Unidos está em sua expansão para o Oeste foi enormemente inflamada pela descoberta de ouro num rio no norte da Califórnia, em janeiro de 1848. Mesmo levando em conta as inevitáveis dificuldades de comunicação e transporte da época, a descoberta causou uma reação frenética. Nos cinco anos seguintes, quase 300 mil "49ers" – uma referência ao ano no qual começou o enorme influxo de pessoas – foram atraídos para aquele que em 1850 se tornaria o 31º estado dos EUA. A consequência imediata foi tanto uma selvagem e desregrada busca de riqueza instantânea quanto a confirmação da costa do Pacífico da América como uma terra prometida. A população de San Francisco, o

SOCIEDADES EM TRANSFORMAÇÃO

Veja também: A assinatura da Declaração de Independência 204-207 ▪ O discurso de Gettysburg 244-247 ▪ A abertura de Ellis Island 250-251 ▪ A trilha das lágrimas 264

A pintura de John Gast *American Progress* (1872) mostra o conceito de destino manifesto. Nela, a figura de Columbia, representando os EUA, instala cabos telegráficos e lidera os colonos para o Oeste.

principal ponto de entrada, não chegava a duzentas pessoas em 1846. Em 1852, já era mais de 30 mil e, em 1870, já passava de 150 mil.

Um punhado de pessoas, na maioria as que chegaram antes, fez fortunas, enquanto outras ganharam algum lucro e a maioria não conseguiu nada. A febre do ouro da Califórnia parecia uma obsessão nacional. Na verdade, foi mais um exemplo extremo da determinação de colonizar a América do Norte pelos EUA, algo que já estava em ação muito antes de o ouro ter sido descoberto. Em 1803, Vermont, Kentucky, Tennessee e Ohio haviam se tornado estados. Além da anexação do Texas em 1845, outros treze estados foram anexados em 1848. No mesmo ano, o Novo México e a Califórnia foram conquistados do México.

Novas tecnologias

Para chegar à Califórnia, os 49ers suportaram jornadas extremamente difíceis, viajando de carroça pela imensidão das Grandes Planícies, ou por barco, contornando o Cabo Horn, ou às vezes atravessando o istmo do Panamá. Demorava pelo menos seis meses para se fazer essa enorme empreitada.

No entanto, uma extraordinária resolução de ligar todos esses vastos territórios estava sendo concebida, aproveitando a nova tecnologia para se chegar à construção de uma enorme nação numa escala épica. Em 1861, foi inaugurada a primeira linha telegráfica entre as Costas Leste e Oeste. Em 1869, foi completada a primeira linha ferroviária intercontinental, reduzindo drasticamente o tempo de viagem: em 1876, era possível viajar de Nova York para a Califórnia em três dias e meio.

Colonizadores e vítimas

A imigração foi o combustível que permitiu essas transformações, quando as novas terras exigiam um vasto influxo de novos colonos. Em 1803, a população americana era de 4 milhões. Em 1831, era de 31 milhões. E, na virada do século, já era de 76 milhões. Sem dúvida havia custos inevitáveis para um crescimento tão rápido, e os índios americanos pagaram o maior preço. Expulsos de suas terras tribais com enorme violência, sua população caiu de quase 4,5 milhões para 500 mil. Presos em reservas, com sua forma de vida destruída, ficaram desamparados em face dessa aparentemente irresistível expansão.■

O Homestead Act

A conquista do Oeste não faria sentido se não incluísse algum plano de ocupação dos novos territórios. Foi para isso que o presidente Abraham Lincoln assinou, em 1862, o Homestead Act, ou "Lei da Propriedade Rural". Ele determinava que qualquer um poderia requerer do governo um lote de 160 hectares, comprometendo-se a cultivar a terra por cinco anos para obter a posse definitiva. A medida atraiu muitos imigrantes europeus em busca de oportunidades, moldando o perfil multicultural dos EUA.

O aumento populacional provocado pelo Homestead Act cumpria importantes funções: afastava o risco de uma reconquista das terras pelos indígenas; criava um enorme mercado interno, sem o qual o capitalismo não poderia ter se desenvolvido no país; e consolidava o modelo de pequena propriedade, típico dos estados do Norte e oposto aos enormes latifúndios escravistas do Sul.

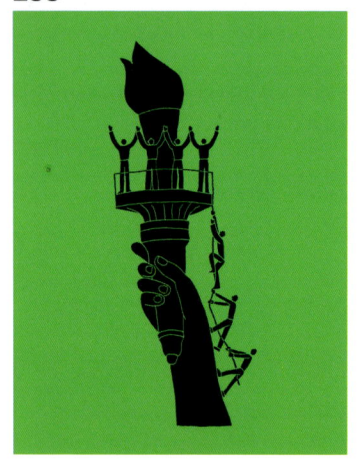

A AMÉRICA É O CALDEIRÃO DE DEUS, O GRANDE CADINHO CULTURAL
A ABERTURA DE ELLIS ISLAND (1892)

EM CONTEXTO

FOCO
Migração em massa e crescimento populacional

ANTES

Década de 1840 A fome da batata na Irlanda leva à emigração em massa.

1848 O fracasso das revoluções liberais detona a emigração em grande escala de alemães.

c. 1870 Começa a grande emigração de judeus da Rússia por temerem perseguição.

1882 São criadas restrições à entrada de chineses nos Estados Unidos.

Década de 1880 Começa a emigração em massa da Itália.

DEPOIS

1900 A população da Europa chega a 408 milhões; a dos EUA é de 76 milhões.

1907 O maior número de imigrantes num único ano entra nos EUA: mais de 1 milhão.

1954 Fechamento de Ellis Island.

Industrialização, crescimento urbano e baixa mortalidade infantil **aumentam sensivelmente a população europeia**.

⬇

A liberdade política e religiosa, bem como **oportunidades econômicas** nos países novos, como os EUA, atrai **milhões de imigrantes**.

⬇

Navios a vapor fazem **viagens oceânicas** para terras distantes de forma mais **segura, rápida e barata**.

⬇

Um posto de imigração em Ellis Island é aberto para processar as chegadas aos Estados Unidos.

Em meados do século XIX, o mundo estava experimentando uma explosão populacional sem precedentes, sobretudo na Europa. Esse crescimento continuaria por todo o século XX e além. Ele se deu em parte devido a melhorias na saúde, sustentadas por acesso mais fácil à comida como consequência de eficazes métodos agrícolas. Também foi resultado da industrialização e do crescimento urbano, bem como da riqueza e da melhoria de vida que ambos produziram. A estabilidade política também cumpriu seu papel. Depois da derrota de Napoleão em 1815, a Europa desfrutou de quase cem anos de paz ininterrupta. A natureza também

SOCIEDADES EM TRANSFORMAÇÃO 251

Veja também: A assinatura da Declaração de Independência 204-207 ▪ O Grito do Ipiranga 216-219 ▪ As revoluções de 1848 228-229 ▪ A Rússia emancipa os servos 243 ▪ A febre do ouro da Califórnia 248-249 ▪ A fome irlandesa 264

---

deu uma força para o aumento das migrações. A fome da batata na Irlanda nos anos 1840, fruto de uma quebra de safra, talvez tenha sido a última maior fome na Europa, mas trouxe sofrimento em escala avassaladora: quase 1 milhão de pessoas morreram. Ela provocou entre os sobreviventes uma enorme onda de emigração de mais de 1 milhão, quase todos para os EUA. A população da Irlanda em 1841 era de 6,5 milhões de pessoas; em 1871, havia caído para 4 milhões.

Subclasse urbana

A industrialização produziu um paradoxo similar. A despeito do orgulho cívico e das falas grandiosas sobre os imensos e novos centros urbanos da Revolução Industrial, sobretudo na Inglaterra, uma nova subclasse urbana estava sendo criada, desesperadamente pobre e vivendo em extrema imundície.

Para os cidadãos da Europa continental, a atração para novas terras nas quais fosse possível ser livre e prosperar se mostrou irresistível. Muitos alemães, tchecos e húngaros deixaram a Europa Central depois da repressão das revoltas nacionalistas de 1848. A partir de 1870, um grande número de judeus russos e poloneses – 1,5 milhão entre 1901–1910 – também emigrou, fugindo de perseguições antissemitas.

O número envolvido nessa enorme transferência de pessoas foi impressionante. Desde meados do século XIX até 1924, 18 milhões de pessoas emigraram da Inglaterra, 9,5 milhões da Itália (principalmente do sul), 8 milhões da Rússia, 5 milhões da Áustria-Hungria e 4,5 milhões da Alemanha. Entre 1820 e 1920, os EUA atraíram 33,6 milhões de imigrantes, onde quase sempre acabavam em péssimas condições de vida em cidades em franco crescimento como Chicago e Nova York, ajudando no avanço da indústria americana com seus baixos salários. No mesmo período, 3,6 milhões de europeus se estabeleceram na América do Sul, e 2 milhões na Austrália e na Nova Zelândia.

Hóspedes indesejados

Esse processo de realocação não foi exclusivamente europeu. Indianos mudaram para a África do Sul, migrantes chineses se espalharam pelas Índias Orientais e emigrantes japoneses se fixaram na Califórnia, e muitos deles não se sentiram muito bem-vindos.

Eles também foram vítimas de emigração forçada. Um número desconhecido de escravos africanos negros ainda estava sendo para todo o mundo.

Em 1910, mais do que um em cada sete habitantes dos EUA havia nascido em outro país. ▪

> **"** Eu sempre esperei que esta terra pudesse se tornar um abrigo seguro e agradável para a parte virtuosa e perseguida da humanidade, independente de qual nação.
> **George Washington "**

Nos seus primeiros trinta anos, Ellis Island serviu de passagem para 80% dos imigrantes dos Estados Unidos – quase 12 milhões de pessoas.

Ellis Island

Aberta em 1º de janeiro de 1892, Ellis Island, junto com a Estátua da Liberdade se tornou um símbolo do enorme fluxo de imigrantes que inundou os EUA. Esse centro de imigração talvez tenha processado 12 milhões de pessoas, e diz-se que algo próximo de 40% da população imigrante dos Estados Unidos tenha pelo menos um parente que foi envolvido nessa imensa máquina burocrática. Construída numa desinteressante ilha de areia, perto da costa de Nova Jersey e do Porto de Nova York, Ellis Island tinha no seu centro um enorme salão. Lá, num burburinho constante, os imigrantes recém-chegados, falando uma infinidade impressionante de línguas, eram recebidos e processados. Primeiro, passavam por um exame médico antes de se sujeitarem a uma série de perguntas simples para estabelecer se poderiam entrar ou não. A grande maioria seria, então, aceita como cidadãos dos Estados Unidos, sendo apenas 2% deles rejeitados. Ellis Island fechou suas portas pela última vez em 12 de novembro de 1954.

ENRIQUEÇAM O PAÍS, FORTALEÇAM OS MILITARES
A RESTAURAÇÃO MEIJI (1868)

EM CONTEXTO

FOCO
A modernização do Japão

ANTES
1853 Uma força naval americana chega ao Japão e exige laços comerciais.

1854–1855 EUA, Inglaterra, Holanda e Rússia obrigam o Japão a aceitar tratados de comércio.

1866 Os governantes das regiões de Choshu e Satsuma formam uma aliança secreta contra o dominante xogunato Tokugawa.

1867 Acaba o xogunato Tokugawa.

DEPOIS
1868–1869 Defensores do xogunato são derrotados.

1871 O feudalismo é abolido, e o Japão lança um amplo programa de reformas.

1894–1895 A Guerra Sino-Japonesa traz em seu bojo as demandas expansionistas japonesas na região.

1904–1905 A Guerra Russo-Japonesa acaba com a vitória japonesa.

Agressivas demandas ocidentais por direitos comerciais no Japão **mostram a fraqueza de sua elite dominante**.

⬇

Grandes barões feudais confirmam a autoridade do imperador menino Meiji e acabam com o xogunato.

⬇ ⬇

Os barões viram a adoção de métodos políticos e sociais do Ocidente como o melhor caminho para **fortalecer o Japão**.

A força militar é vista como o caminho essencial para satisfazer as ambições japonesas.

⬇

Modernização e ocidentalização sintetizam o período Meiji, e o Japão surge como um **poder imperial**.

A derrubada, em 1868, do xogunato Tokugawa, governantes do Japão por 250 anos, foi liderada pelos barões feudais das províncias sulistas de Choshu e Satsuma, consequência direta da fraqueza em face das agressivas demandas dos EUA, Inglaterra, Rússia e Holanda de estabelecer laços de comércio. No lugar dos xoguns, o dócil imperador Meiji de catorze anos "exerceria autoridade suprema". A meta dos barões não era assumir o poder e manter o Japão do jeito que existiu durante o xogunato – com uma hierarquia rígida, deliberadamente isolado do resto do mundo. Em vez disso, achavam que o claro destino do

SOCIEDADES EM TRANSFORMAÇÃO 253

Veja também: A Batalha de Sekigahara 184-185 ▪ O *Rocket* de Stephenson entra em operação 220-225 ▪ A construção do Canal de Suez 230-235 ▪ A Segunda Guerra do Ópio 254-255 ▪ A invasão alemã da Polônia 286-293 ▪ A Longa Marcha 304-305

Esta imagem de Yokohama em 1874 mostra a modernidade do Japão da era Meiji na forma de navios e trens a vapor, o que acabou abrindo o país para o comércio.

O estímulo à modernização era temido há tempos no Japão, pois se pensava que ele pudesse se transformar, como a China, num peão colonial ocidental. Na verdade, aconteceu exatamente o contrário.

O Japão transformado

Seguiu-se uma transformação que nenhum tipo de sociedade já havia experimentado antes, nem depois. Usando o Ocidente como modelo, em trinta anos o Japão tornou-se uma das potências industriais mais dinâmicas do mundo e a principal potência militar do leste da Ásia.

Quase nenhum aspecto da sociedade japonesa ficou intocado por esse turbilhão de mudanças. Em 1871, o Japão aboliu o feudalismo e estabeleceu o iene como sua moeda. Em 1872, teve início a construção da primeira ferrovia; em quinze anos já havia 1.600 quilômetros de trilhos. Em 1873, implementou o recrutamento militar, junto com o uso de armas e uniformes europeus. O mesmo ano viu a reforma do sistema educacional, e em 1877 a primeira universidade do Japão foi fundada em Tóquio. Também introduziu um novo código legal em 1882 e uma nova Constituição sete anos depois. Conforme a industrialização avançou, cresceram as exportações. As cidades se expandiram, junto com suas populações, crescendo de 39,5 milhões em 1888 para 55 milhões em 1918.

Japão somente poderia ser estabelecido pela adoção não só dos meios tecnológicos ocidentais, mas também dos seus sistemas político e financeiro.

Expansão militar

Nos anos 1890, o Japão era uma potência colonial. Em 1894, a Coreia pediu tanto ao Japão quanto à China para que ajudassem a controlar uma revolta lá. Quando, mais tarde, ambos os países tentaram invadir a Coreia, os japoneses puseram os chineses de lado, exigindo e conseguindo a posse de Taiwan, além do direito sobre a Manchúria. Lá entraram em conflito com os russos. A vitória japonesa em 1905 sobre uma frota russa desorganizada na Batalha do Estreito de Tsushima foi a primeira vez que uma potência industrial europeia foi derrotada por uma potência asiática. O Japão chamou a atenção do mundo. ■

Imperador Meiji

Importante não como estadista ou como governante do Japão no sentido do exercício real do poder, o imperador Meiji (1852--1912) – cujo nome próprio, nunca usado, era Mutsuhito – foi, em vez disso, o símbolo do Japão renascido. Até a restauração de Meiji, em janeiro de 1868, os imperadores do Japão não passavam de um símbolo. Sob o xogunato, eram obrigados, quase o tempo todo, a ficarem invisíveis no palácio real em Kyoto. Em poucas palavras, a "restauração" nunca aconteceu: Meiji já havia virado imperador em fevereiro de 1867, logo após a morte de seu pai, o imperador Komei.

Para os ambiciosos *daimyos*, ou barões feudais, que estavam determinados a levar o Japão ao mundo desenvolvido, elevar a posição do imperador garantiu a legitimidade para aquilo que seria, de outra forma, uma usurpação. Diz-se que um dos seus primeiros atos foi forçar o imperador a se mudar para Tóquio em 1868, a antiga residência do xogum. O próprio Meiji permaneceu um enigma até o fim.

EM MINHA MÃO EMPUNHO O UNIVERSO E O PODER DE ATACAR E MATAR
A SEGUNDA GUERRA DO ÓPIO (1856–1860)

A despeito da **grande riqueza da China**, as potências ocidentais têm um **acesso muito restrito** aos portos chineses.

Os **mercadores ocidentais** usam o ópio para pagar mercadorias, causando danos à economia da China.

A Primeira Guerra do Ópio eclode com a tentativa chinesa de **parar o comércio de ópio**.

A Segunda Guerra do Ópio leva a concessões desvantajosas tanto territorial quanto comercialmente.

Incapaz de resistir ao Ocidente, a **China vê seu status diminuir** interna e externamente.

EM CONTEXTO

FOCO
O declínio da China imperial

ANTES
1793 A missão comercial de lorde Macartney à China é rechaçada.

c. 1800 O ópio é cada vez mais usado para pagar bens chineses, causando uma crise no balanço de pagamentos.

1839–1842 A Primeira Guerra do Ópio termina com a cessão de Hong Kong para a Inglaterra e a abertura de cinco portos.

1850–1864 A Rebelião Taiping leva a China à beira da desintegração total com a morte de milhões.

DEPOIS
1899 A Guerra dos Boxers, antiocidental, é vencida por uma força estrangeira de oito nações. Ela sinaliza o fim efetivo da autoridade imperial chinesa.

Em 6 de outubro de 1860, após anos do esporádico conflito conhecido como Segunda Guerra do Ópio, uma força anglo-francesa capturou a capital imperial em Pequim, na China, para forçar os chineses a se submeterem a concessões comerciais. A questão ficou mais clara quando os europeus queimaram o suntuoso Palácio de Verão do imperador. Os chineses concordaram em negociar, e a subsequente Convenção de Pequim não apenas aumentou o número de portos comerciais abertos ao Ocidente, como estendeu as zonas de influência britânica e francesa no sul da China às margens férteis do rio Yangtze. Menos

SOCIEDADES EM TRANSFORMAÇÃO 255

Veja também: O *Rocket* de Stephenson entra em operação 220-225 ▪ A construção do Canal de Suez 230-235 ▪ O cerco de Lucknow 242 ▪ A restauração Meiji 252-253 ▪ A Longa Marcha 304-305

O porto de Cantão, no sul da China, foi, a princípio, o único porto comercial aberto aos comerciantes ocidentais. Depois de duas guerras do ópio, a Europa conseguiu acesso a muitos outros.

de setenta anos antes, a Inglaterra enviou um embaixador à China para abrir negociações comerciais, mas ele foi rejeitado. A China Qing do século XVIII era o país mais rico, populoso e poderoso do mundo, logo podia tomar tal decisão. Porém, em meados do século XIX, a nação estava praticamente falida, sofrendo com fomes e revoltas, sendo cada vez mais explorada e humilhada pelo Ocidente.

Levantes e revoltas

Os problemas da China eram tanto internos quanto externos. Um aumento populacional – 100 milhões de habitantes em 1650, 300 milhões em 1800 e 450 milhões em 1850 – causou contextos de fome recorrentes. Entre 1787 e 1813, houve três grandes levantes. Suas províncias de fronteira, conquistadas a duras penas nos séculos XVII e XVIII, estavam num permanente estado de agitação.

Em 1850, a Rebelião Taiping eclodiu por todo o centro da China, resultando na morte de quase 20 milhões de pessoas. Quando foi por fim derrotada, em 1864, os ocidentais já haviam intervindo no país. A dinastia Qing, com sua administração cada vez mais ineficiente, praticamente perdera o controle da China.

Os intrusos ocidentais

O Ocidente explorou esse crescente tumulto, enfraquecendo ainda mais a China no processo. A princípio, o país fez a primeira modesta concessão comercial, estipulando que todos os bens chineses fossem pagos com prata. No entanto, a partir do começo do século XIX, os comerciantes europeus, através da corrupção de autoridades locais, conseguiram aos poucos usar o ópio, cultivado a custo baixo na Índia, para pagar as mercadorias. Nos anos 1820, 330 toneladas de ópio entravam na China todos os anos.

A tentativa chinesa de pôr fim ao comércio do ópio e seus efeitos debilitantes levou a uma esmagadora derrota na Primeira Guerra do Ópio de 1839-1842, com as potências europeias, sobretudo a Inglaterra, obtendo enormes concessões comerciais. Foi a insistência ocidental em 1856 para que essas concessões fossem ainda mais estendidas que levou à Segunda Guerra do Ópio, encerrada em 1860 pela Convenção de Pequim. Em 1900, uma série de portos comerciais ocidentais se espalhava por toda a costa da China. Inglaterra, França, Japão e Rússia agora controlava o que antes haviam sido os estados acessórios em sua fronteira. A China, devastada pelos conflitos, estava praticamente se desintegrando. ▪

A Guerra dos Boxers

No tumulto do final do século XIX na China, era inevitável que aumentassem os esforços para acabar com o crescente domínio do Ocidente. O governo imperial de Pequim tentou um último trunfo na reforma das linhas ocidentais, mas o caos eclodiu numa crise, em 1899, com a Guerra dos Boxers, organizada pela Milícia Unidos na Justiça (Yihetuan), uma sociedade semissecreta composta sobretudo por jovens. Sua meta, que seria atingida em parte graças à crença delirante de que eram invulneráveis às armas ocidentais, era derrotar os interesses ocidentais. A rebelião foi ora apoiada, ora reprimida pela corte imperial, insegura se ela representava um meio de salvação ou se simplesmente provocaria ainda mais represálias ocidentais. O que aconteceu foi esta última opção. Uma aliança militar de oito países, incluindo o Japão, foi enviada à China para combater os Boxers, e em setembro de 1901 a rebelião foi esmagada, com cenas de violência indiscriminada.

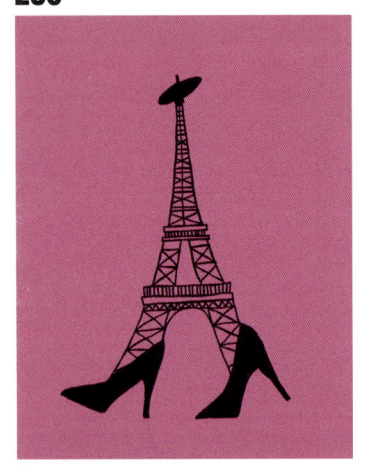

EU DEVERIA TER CIÚMES DA TORRE EIFFEL. ELA É MAIS FAMOSA QUE EU
A ABERTURA DA TORRE EIFFEL (1889)

EM CONTEXTO

FOCO
A *Belle Époque*

ANTES
1858 O Grande Fedor em Londres obriga a construção de um extensivo sistema de esgoto ainda em uso no século XXI.

1863 O primeiro trem subterrâneo entra em operação em Londres.

1868 O primeiro trilho de trem suspenso urbano é aberto em Nova York.

1876 Los Angeles instala a primeira rede de iluminação pública elétrica. Londres vem logo em seguida.

DEPOIS
1895 Um teatro de variedades em Berlim, o Wintergarten, se torna o primeiro cinema do mundo.

1902 O primeiro serviço de ônibus a motor entra em funcionamento em Londres.

A abertura da Torre Eiffel no dia 31 de março de 1889 foi uma impressionante afirmação da grandiloquência parisiense nos anos entre as humilhações da Guerra Franco-Prussiana em 1870–1871 e a eclosão da Primeira Guerra Mundial em 1914. Foi a *belle époque*, período em que Paris queria – e conseguiu – autodenominar-se Cidade Luz, essencialmente cosmopolita, a capital artística do mundo e o epicentro da vida civilizada. Paris era a cidade renascida, sobre a qual se postava a torre de Gustave Eiffel, com trezentos metros de altura, não apenas a estrutura mais alta do mundo, mas também um monumento triunfante ao progresso tecnológico.

A cidade ideal

A Paris moderna foi criação de Napoleão III. Em 1853, o imperador francês derrubou bairros inteiros, substituindo prédios medievais e um emaranhado de ruelas por bulevares largos e imponentes. Era o planejamento urbano numa escala nunca antes vista. Foram construídas estações de trem, houve melhora no abastecimento de água, construíram um sistema de esgotos e lindos parques, criando assim lindas vistas da cidade. A meta era ter uma cidade modelo, que não apenas refletisse a glória da França, mas também toda a maestria da era moderna.

Foi um processo que se reproduziu nas principais cidades do Ocidente industrializado. Em 1850, havia três cidades europeias com população acima de 500 mil habitantes: Paris, Londres e Constantinopla. Cinquenta anos depois, havia nove cidades com mais de 1 milhão, sendo Londres a maior de todas, com seus 6,5 milhões de pessoas. O mesmo e assustador crescimento também se deu nos EUA; entre 1850 e 1900, a população de

A Torre Eiffel foi erguida a tempo para a Exposição Universal de 1889. Naquela época, era a estrutura mais alta do mundo. Desde então, passou a representar Paris para o resto do mundo.

SOCIEDADES EM TRANSFORMAÇÃO

Veja também: O *Rocket* de Stephenson entra em operação 220-225 ▪ A construção do Canal de Suez 230-235 ▪ A abertura de Ellis Island 250-251 ▪ A Comuna de Paris 265

- A **industrialização** e a **emigração** atraem milhões de pessoas para as cidades ao redor do mundo.
- A **sujeira e a doença** afligem os **novos pobres urbanos** que subsistiam em favelas.
- A infraestrutura – **obras sanitárias, de transporte e de iluminação pública** – viram prioridade.
- Reformadores sociais defendem a **melhoria das condições de vida** para todos.
- A abertura da Torre Eiffel é vista como uma afirmação do orgulho cívico.
- Melhores condições de vida e maiores salários nas cidades levam ao nascimento do **consumo de massa**.

Vanguardas artísticas

Aumento da população urbana, avanço científico, apogeu do estilo de vida burguês, cosmopolitismo: nenhuma dessas tendências da *belle époque* passou despercebida pelos artistas do século XIX, que reagiram a esse mundo novo e moderno rompendo com os cânones da arte acadêmica.

O movimento acontece, nas artes plásticas, com o impressionismo da geração de 1830, da qual se destaca o pintor Claude Monet, e depois com o expressionismo. Na literatura, duas correntes principais coexistem: o romantismo, com sua idealização de um passado bucólico oposto ao frenesi da metrópole, e o realismo de Balzac e Flaubert, que retrata os costumes ordinários da burguesia e da classe operária.

As vanguardas se tornam ainda mais radicais no início do século XX. Movimentos como o cubismo, o dadaísmo e o futurismo recusam veementemente a arte figurativa e "realística" consagrada desde o Renascimento. Nas metrópoles do automóvel, do metrô (imagem abaixo), do telégrafo e do cinema, o que importava era representar o movimento veloz, a fugacidade, não o belo e o estático.

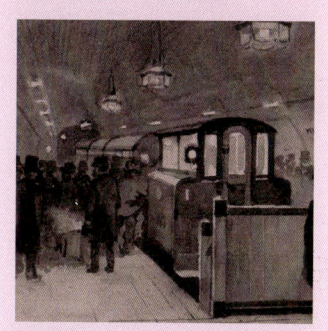

Em 1890, **Londres** abriu a primeira linha ferroviária elétrica. O avanço tecnológico nas metrópoles europeias servia de inspiração às artes.

Chicago, por exemplo, triplicou de 560 mil para 1,7 milhão de habitantes.

Dificuldades e invenções

A primeira consequência dessa explosão populacional foi a chocante imundície urbana. Doenças como a cólera e o tifo proliferavam em todo lugar. Ficou claro que a infraestrutura exigida por qualquer cidade moderna teria de incluir não apenas um transporte público de qualidade e ruas bem iluminadas, por exemplo, mas também uma enorme melhora na saúde pública – acima de tudo, nas condições sanitárias.

A mudança na qualidade de vida nessas grandes metrópoles urbanas foi extraordinária. Ela se deu em paralelo com o rápido desenvolvimento do consumo de massa, consequência direta de melhores padrões de vida, menos horas de trabalho e educação obrigatória, tornando comum as pessoas serem alfabetizadas e aprenderem a aritmética básica. Foi a era das salas de concertos, do teatro popular e, depois, do cinema, do fonógrafo, dos jornais de grande circulação, do crescente interesse pelos esportes.

Centrais a essa era de riqueza crescente e aumento no lazer – pelo menos para alguns – foram as lojas de departamento. Elas eram a parte ostentatória da revolução no varejo, cuja outra face da moeda foi a explosão na propaganda, com a produção, pela primeira vez, de cartazes coloridos e impressos em massa. E, a partir dos anos 1890, nos EUA, os cenários urbanos foram transformados ainda mais por um novo tipo de construção: os arranha-céus. Assim como a Torre Eiffel antes, eles rapidamente se tornaram símbolos da transformação na vida urbana. ▪

SE EU PUDESSE, ANEXARIA OUTROS PLANETAS
A CONFERÊNCIA DE BERLIM (1884)

EM CONTEXTO

FOCO
A "partilha da África"

ANTES
1830 A França começa a ocupação da Argélia.

1862 John Speke descobre a nascente do Nilo.

1879 H. M. Stanley é contratado por Leopoldo II para uma expedição ao Congo.

1882 A Inglaterra ocupa o Egito, sob domínio nominal dos otomanos.

DEPOIS
1886–1894 São estabelecidos territórios alemães na África do Leste.

1890 A Convenção Anglo-Francesa garante à França o controle do Saara.

1891–1893 Cecil Rhodes anexa a Rodésia do Norte e do Sul ao domínio britânico.

1899–1902 Na Guerra dos Bôeres, os britânicos tomam pela força o Estado Livre de Orange e Transvaal.

O **interior da África** é revelado pela exploração europeia. Suas **possibilidades comerciais** são fascinantes.

A implacável concorrência entre as **potências coloniais** europeias dispara uma rápida "partilha da África".

A Europa se aproveita plenamente de sua **superioridade financeira e militar** para se impor sobre a África.

Na Conferência de Berlim são criadas novas possessões coloniais, supostamente a serviço do cristianismo e da "civilização".

Em 1913, somente **Libéria e Etiópia** se mantêm totalmente independentes.

A Conferência de Berlim não precipitou o abrupto controle europeu da África após 1880. Ela só confirmou o direito autoproclamado de se impor sobre um continente considerado atrasado, ignorante e selvagem. Convocada por Otto von Bismarck, o chanceler alemão, a conferência se deu no inverno de 1884–1885 e contou com representantes de catorze países. Ela devia, em parte, legitimar a mais ou menos forçada sujeição da África e, ao estabelecer regras comuns sobre a colonização, evitar conflitos entre as potências coloniais da Europa, em especial a França e a Inglaterra. Ela foi vista como uma forma de acabar com

SOCIEDADES EM TRANSFORMAÇÃO 259

Veja também: A construção do Canal de Suez 230-235 ▪ O cerco de Lucknow 242 ▪ A Segunda Guerra do Ópio 254-255 ▪ Ascensão e queda do Reino Zulu 264 ▪ O Estado Islâmico Mahdista é criado no Sudão 265 ▪ A [Segunda] Guerra dos Bôeres 265 ▪ A independência e partilha da Índia 298-301 ▪ Nkrumah conquista a independência ganesa 306-307

o comércio escravo, sobretudo pela ação de missionários cristãos. Ao mesmo tempo, abriu caminho para Alemanha e Bélgica, duas nações sem nenhum domínio colonial, se tornarem grandes potências imperiais. Para a Alemanha, isso foi apenas um passo adicional lógico em seu desafio à Inglaterra e à França. Se elas podiam ter enormes possessões coloniais, a Alemanha também achava que devia ter.

O controle europeu

Antes da colonização, a África possuía uma variedade de estados e territórios, alguns muito bem definidos, outros um amontoado amorfo de tribos – havia um contraste extremo entre a sofisticação do Egito, por exemplo, e o Congo na África tropical. Ao mesmo tempo, a maior parte do Norte era muçulmana. Os primeiros enclaves europeus na África foram seus fortes comerciais, sustentados pelo comércio de ouro e escravos. O interior seguia impenetrável, mas, conforme se revelou desde o começo dos anos 1800, o controle europeu da África ganhou forte impulso.

O subsequente aumento das tensões resultou na quase completa redução da África ao domínio europeu. Colônias africanas não passavam de criações artificiais, linhas traçadas sobre mapas para satisfazer as potências coloniais. Elas não levavam em conta as histórias e culturas locais, e qualquer resistência local à colonização era invariavelmente abafada por meios militares.

O domínio belga e alemão

Em 1885, Leopoldo II, rei dos belgas, proclamou a fundação do Estado Livre do Congo, uma área 76 vezes maior que a Bélgica. Apresentado como uma colônia modelo, dedicada a fins humanitários e ao livre comércio, na verdade não era nada disso.

Tratado por Leopoldo II como sua possessão pessoal, o Congo testemunhou brutalidades numa escala próxima do genocídio. Os números precisos jamais serão conhecidos, mas acredita-se que entre 2 e 10 milhões de congoleses tinham morrido. As condições na África Oriental alemã, rapidamente conquistada em 1884 e hoje parte da Namíbia, também foram brutais. O verdadeiro preço das riquezas produzidas pela África para seus senhores europeus – marfim, ouro e diamantes – foi o sofrimento extraordinário. ▪

Cecil Rhodes, retratado nesse quadrinho vitoriano como um gigante pisando sobre todo o continente africano, era um grande defensor da colonização em benefício do Império Britânico.

Cecil Rhodes

Não houve um expoente mais importante do domínio imperial britânico que Cecil Rhodes (1853–1902), financista, estadista e imperialista incansável. Ele antevia um contínuo corpo de colônias britânicas indo do norte ao sul da África, ligando as duas estrategicamente vitais extremidades do continente: Cidade do Cabo e Cairo. Tendo enriquecido com as minas e a venda de diamantes na África do Sul, dedicou o resto de sua vida a essa audaciosa visão. Rhodes foi capaz de estabelecer novos territórios britânicos na Rodésia do Norte (hoje parte da Zâmbia) e Rodésia do Sul (hoje Zimbábue), cujos nomes derivavam do seu. Como primeiro-ministro da Colônia do Cabo britânica a partir de 1890, seu infatigável esforço em derrubar as repúblicas bôeres levou ao seu desgaste político em 1895. Ele talvez continue sendo o mais impressionante exemplo do imperialista sem qualquer vergonha, não apenas disposto o tempo todo a estender o controle colonial britânico, mas convencido de ser seu direito fazê-lo segundo os interesses daquilo que lhe parecia uma aptidão autoevidente dos europeus em dominar.

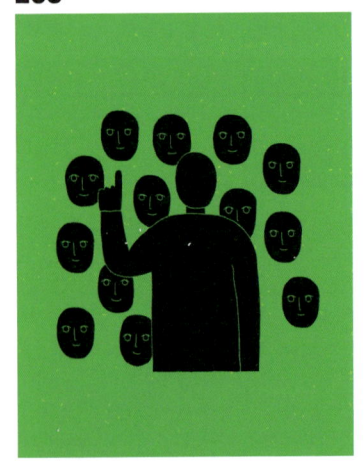

MEU POVO VAI APRENDER OS PRINCÍPIOS DA DEMOCRACIA, OS DIZERES DA VERDADE E OS ENSINAMENTOS DA CIÊNCIA
A REVOLUÇÃO DOS JOVENS TURCOS (1908)

EM CONTEXTO

FOCO
A modernização da Turquia

ANTES
1798 A invasão francesa do Egito leva à perda, pelos otomanos, do país em 1805.

1830 A independência da Grécia sinaliza a perda dos primeiros territórios nos Bálcãs otomanos. A França começa sua conquista da Argélia.

DEPOIS
1912–1913 A Turquia otomana sofre humilhantes derrotas nas Guerras dos Bálcãs.

1914 A Turquia otomana entra na Primeira Guerra Mundial, ao lado da Alemanha.

1920 Mustafa Kemal lidera uma revolta contra o punitivo Tratado de Sèvres imposto ao governo otomano depois da derrota na Primeira Guerra.

1923 O Tratado de Lausanne confirma as fronteiras da Turquia atual; Kemal lança um programa de modernização.

A Turquia otomana se vê cada vez **menos capaz de manter o controle** sobre seu império e de fazer frente às **potências ocidentais**.

O sultanato otomano tenta **reformas ocidentalizantes**, mas tais esforços não têm muito entusiasmo.

O governo de **Abdul Hamid II se mostra repressor e corrupto**, cada vez mais à mercê dos interesses financeiros ocidentais.

A Revolução dos Jovens Turcos instiga reformas modernizantes. Ela é incapaz de oferecer uma solução duradoura para o declinante poder da Turquia.

A **derrota na Primeira Guerra Mundial** arrasa o Império Otomano, mas leva à **formação de uma república secular**.

A Revolução dos Jovens Turcos, em julho de 1908, foi instigada por oficiais nacionalistas do Exército, desalentados pelas perdas territoriais do Império Otomano. Ela forçou o sultão – o ineficiente, mas repressivo, governante otomano Abdul Hamid II – a reintroduzir a monarquia constitucional que ele havia suspendido em 1878 em favor de seu governo pessoal, depois de apenas dois anos. Em 1909, foi forçado a abdicar em favor de seu irmão, Mehmed V, que era, na verdade, apenas uma figura simbólica.

A revolução fez muito pouco para barrar o declínio otomano, se restringindo apenas a sublinhar as

SOCIEDADES EM TRANSFORMAÇÃO

Veja também: O *Rocket* de Stephenson entra em operação 220-225 ▪ As revoluções de 1848 228-229 ▪ A construção do Canal de Suez 230-235 ▪ A Expedição dos Mil 238-241

tensões entre os que defendiam os valores islâmicos turcos e os liberais que acreditavam que apenas as reformas em moldes ocidentais poderiam salvar a Turquia.

Declínio territorial

Em 1800, a despeito das repetidas derrotas nas mãos dos russos, a Turquia otomana ainda governava um enorme império multinacional que ia dos Bálcãs até o Oriente Médio e o norte da África. Em 1805, ela perdeu o controle do Egito, que acabou finalmente independente sob um dos generais do sultão, Muhammad Ali.

Em 1830, ano em que a França começou sua conquista da Argélia (encerrada em 1857), a Grécia conquistou sua independência. E, por volta de 1878, Sérvia, Montenegro, Bulgária e Romênia também se tornaram independentes, menos no nome. Em 1881, a Tunísia também foi dominada pela França.

Depois da Revolução dos Jovens Turcos, continuou o cruel declínio da Turquia otomana. Em 1911, a Líbia foi perdida para a Itália, enquanto as Guerras dos Bálcãs de 1912–1913 viram

O Império Otomano se tornou conhecido como o "doente da Europa" no fim do século XIX, devido à incapacidade de manter seus territórios. Uma derrota na Primeira Guerra Mundial levou a perdas territoriais ainda maiores.

a rendição de quase todos os restantes territórios europeus da Turquia.

Uma aliança desastrosa

Depois da crise dos Bálcãs, o governo militar otomano lançou um esforço de modernizar o país segundo preceitos ocidentais. Em outubro de 1914, a Turquia entrou na Primeira Guerra Mundial como aliada dos Poderes Centrais – Alemanha e Áustria-Hungria –, convencida de que a ajuda militar alemã lhe permitiria restabelecer sua força. Esse foi um erro calamitoso, e a derrota em 1918 fez com que a Turquia se reduzisse ao seu centro na Anatólia, perdendo o que lhe restava de territórios no Oriente Médio, que foram divididos sobretudo entre Inglaterra e França.

Os traumas da derrota turca na Primeira Guerra ficaram muito claros em 1920 com o Tratado de Sèvres, uma clara imposição franco-britânica. Ele confirmou as perdas de territórios otomanos e ainda cedeu boa parte do oeste da Turquia para a Grécia, provocando um imediato retrocesso nacionalista liderado por Mustafa Kemal, bem como a derrubada do último sultão, Mehmed VI.

A Turquia que surgiu com Kemal, mais tarde chamado de Atatürk ("Pai dos Turcos"), foi exatamente o Estado secular centralizado ao estilo ocidental que os reformadores nacionalistas como os Jovens Turcos defendiam. ▪

Kemal Atatürk

Mustafa Kemal, mais conhecido como Atatürk (1881–1938), nome que assumiu em 1934, foi fundador e primeiro presidente da República da Turquia. Nascido em 1881, participou da Revolução dos Jovens Turcos como oficial do Exército. Depois, serviu com distinção na campanha de Gallipoli em 1914–1916, que derrotou uma força conjunta franco-britânica que tentava conquistar o oeste da Turquia.

Após a derrota turca na Primeira Guerra, Atatürk estabeleceu um governo provisório. Como líder dos nacionalistas turcos, desempenhou um papel central na expulsão dos gregos do oeste da Turquia continental. Com a confirmação das fronteiras do país pelo Tratado de Lausanne em 1923 e o Ocidente efetivamente concordando em estabelecer uma nova república turca, Atatürk lançou um programa radical de reformas sociais e políticas, visando transformar a nação numa república moderna e ocidentalizada. Apesar da dificuldade do processo de levar a Turquia para o mundo moderno, sob Atatürk o país de fato surgiu como uma entidade política coerente e secular.

AÇÕES, NÃO PALAVRAS
A MORTE DE EMILY DAVISON (1913)

Cada vez mais mulheres são educadas e assumem cargos profissionais, **aumentando as expectativas** de que elas possam votar.

São fundadas sociedades para defender o **sufrágio das mulheres**, especialmente na Inglaterra e nos Estados Unidos.

Militantes da União Social e Política das Mulheres da Inglaterra **são presas**.

A morte de Emily Davison aumenta a visibilidade do sufrágio das mulheres pelo mundo.

O trabalho das mulheres na guerra **confirma do que são capazes**. As mulheres britânicas **conquistam o direito ao voto** em 1918; as americanas, em 1920.

EM CONTEXTO

FOCO
O sufrágio feminino

ANTES
1869 Nos EUA, são formadas a Associação Nacional do Sufrágio das Mulheres e a Associação Americana do Sufrágio das Mulheres.

1893 A Nova Zelândia é o primeiro país a dar o direito do voto às mulheres.

1897 É formada na Inglaterra a União Nacional das Sociedades pelo Sufrágio das Mulheres, que faz campanhas pacíficas pelo direito ao voto.

1903 Emmeline Pankhurst forma a União Social e Política das Mulheres na Inglaterra. Cresce violentamente a campanha pelo voto.

DEPOIS
1917 O Partido Nacional das Mulheres começa um protesto de trinta meses na Casa Branca.

1918 Todas as mulheres com trinta anos ou mais conquistam o direito de voto na Inglaterra.

1920 O voto é permitido a todas as mulheres americanas com 21 anos ou mais.

No dia 4 de junho de 1913, Emily Davison invadiu a pista do Derby, a principal corrida de cavalos da Inglaterra, e foi atropelada por um cavalo que pertencia ao rei George V. Ela morreu quatro dias depois. Não ficou claro se esse foi um protesto que deu errado ou se foi uma tentativa premeditada de martírio. No entanto, a iniciativa era típica da União Social e Política das Mulheres (WSPU), à qual Davison se filiou em 1906.

Inglaterra: as sufragistas

As mulheres no Ocidente começaram a sentir que elas, e por extensão todas as outras, não deveriam mais ser consideradas cidadãs de segunda

SOCIEDADES EM TRANSFORMAÇÃO

Veja também: A assinatura da Declaração de Independência 204-207 ▪ A Batalha de Passchendaele 270-275 ▪ A Marcha de Washington 311 ▪ Os protestos de 1968 324 ▪ A libertação de Nelson Mandela 325

Emily Davison, o cavalo Anmer de George V e o jóquei Herbert Jones caem na pista de Epsom depois da ação de Davison tentando atrair a atenção para sua causa. A sufragista foi a única a morrer.

classe. A extensão do direito ao voto para um número crescente de homens em países como Inglaterra e Estados Unidos as fez questionar por que as mulheres não tinham o mesmo direito. Em 1903, Emmeline Pankhurst fundou a WSPU, visando usar táticas militares para avançar nessa causa. Seu slogan dizia "Ações, não palavras", e a tática das sufragistas, como passaram a ser jocosamente conhecidas as mulheres que queriam votar, se tornou cada vez mais violenta. Acorrentar-se a prédios públicos e interromper reuniões deram lugar a quebra de vitrines, incêndios e explosões.

As participantes mais ativas da WSPU eram com frequência presas: Pankhurst foi condenada sete vezes; Davison, nove. Em 1909, a WSPU começou a fazer greves de fome nas prisões. Como resposta, passaram a ser alimentadas à força, um processo doloroso e degradante.

Os EUA: as sufragistas

A experiência daquilo que passou a ser conhecido como as sufragistas nos EUA tinha outros similares. A União da Temperança Cristã das Mulheres defendia, pacificamente, os direitos das mulheres, defendendo que elas não conseguiriam influenciar as decisões políticas – nesse caso, a Proibição – sem poderem votar.

No entanto, o Partido Nacional das Mulheres (NWP), criado em 1916, imitava as táticas militantes das britânicas do WSPU. Isso não foi surpresa, já que sua fundadora, Alice Paul, havia sido membro da WSPU de 1907 a 1910 e havia sido condenada três vezes. As chamadas Sentinelas Silenciosas do NWP, que protestaram fora da Casa Branca a partir de janeiro de 1917, também foram presas e alimentadas à força.

Finalmente o sucesso

Com a eclosão da Primeira Guerra Mundial, a WSPU parou com o ativismo, passando a se mobilizar para apoiar o esforço de guerra. A contribuição dada pelas mulheres durante a guerra de fato demonstrou quão amplo poderia ser seu papel, muito além do que tradicionalmente se esperava delas como esposas e mães. Em 1918, todas as mulheres com trinta anos conquistaram o direito de voto. Em 1928, o sufrágio na Inglaterra foi estendido às mulheres com 21 anos ou mais.

Enquanto isso, nos Estados Unidos, o NWP continuou seus protestos até 1919, quando o Congresso aprovou a 19ª Emenda, ratificada no ano seguinte, que garantia às mulheres o mesmo direito de voto dos homens. ▪

Emmeline Pankhurst

A mais conhecida de todas as sufragistas, Emmeline Pankhurst (1858–1928) foi o símbolo de uma nova geração de mulheres politicamente ativas no começo do século XX. Ela nasceu – e continuou depois de casada – numa respeitável família de classe média, com propensões esquerdistas, no norte da Inglaterra, o que só aumentou seu desejo de avançar na causa dos direitos das mulheres. Era determinada, excepcionalmente ativa e muito irredutível em sua negação a qualquer concessão. Sua liderança da WSPU exibia uma determinação que levava a luta pelo sufrágio feminino ao coração daquilo que via como o campo adversário. Sua crescente disposição de usar métodos cada vez mais violentos para garantir o sucesso das sufragistas alienou muitos dos que, de outra forma, poderiam ser seus aliados – tanto mulheres como homens. Porém, sua recusa absoluta de fazer concessões, junto com o fervor que inspirava em suas seguidoras, introduziu um novo estilo de militância feminista num mundo político que só tinha complacência com os homens.

OUTROS EVENTOS

AS DIVISÕES DA POLÔNIA
(1772–1795)

De 1569 ao século XVIII, Polônia e Lituânia estiveram unidas numa grande comunidade federada que ocupava uma enorme extensão no norte da Europa. Em 1772, os poderosos vizinhos da comunidade – Áustria, Prússia e Rússia – tomaram partes de seus territórios numa série de anexações, diminuindo-a até que foi totalmente absorvida em 1795. A Rússia ficou com a metade leste do país; a Prússia com o norte; e a Áustria com o sul e o centro. A eliminação do Estado polonês ajudou essas três grandes potências europeias, deixando aos patriotas poloneses a luta pela independência, o que só conseguiram em 1918.

ASCENSÃO E QUEDA DO REINO ZULU
(c. 1816–1887)

Shaka, o governante de uma pequena tribo zulu, era um líder dinâmico que formou o Estado Zulu depois de 1816, ao conquistar e unificar um grande número de grupos dos povos Nguni do sudeste da África. O reino Zulu teve que enfrentar dois grupos estrangeiros beligerantes: os bôeres (descendentes dos colonizadores holandeses da região de Cidade do Cabo) e os britânicos. Estes últimos invadiram o território Zulu em 1879 e, depois de sofrerem uma derrota inicial em Isandiwana, venceram os locais com seu poder de fogo. Os britânicos dividiram o reino, incorporando, mais tarde, a Zululândia ao seu império.

A REVOLUÇÃO DO PORTO
(1820)

Portugal viveu uma situação única no início do século XIX. Com a queda de Napoleão, a invasão estrangeira no país acabara, mas a família real, instalada emergencialmente no Rio de Janeiro, não retornava. Irritados com o impasse, os portugueses exigiram a volta do rei, desde que ele jurasse uma Constituição aprovada democraticamente pelas Cortes, isto é, o Congresso português. Dom João VI retornou então para sua terra natal, deixando o Brasil nas mãos de dom Pedro. A Revolução do Porto foi contraditória, pois, embora "liberal" e defensora de uma Monarquia Constitucional, pedia a volta da submissão colonial dos brasileiros à metrópole lusitana.

A TRILHA DAS LÁGRIMAS
(1830)

Em 1830, o Congresso dos EUA aprovou a Lei de Remoção dos Índios, que dava aos nativos americanos terras a oeste do Mississippi em troca de eles entregarem suas terras dentro das fronteiras de estados que já existiam no leste. Apesar de a remoção ter sido, teoricamente, voluntária, na verdade resultou na expulsão de dezenas de milhares de pessoas de sua terra natal e numa marcha forçada a oeste que se tornou conhecida como a Trilha das Lágrimas. Os povos forçados a se mudar foram principalmente os Cherokee, Chickasaw, Choctaw, Creek e Seminole. Só entre os Cherokees, mais de 4 mil morreram durante a marcha.

A FOME IRLANDESA
(1845–1849)

Nos anos 1840, a população rural da Irlanda que estava em rápido crescimento sofreu uma série de péssimas quebras de safra de seu alimento mais básico, a batata. Essas safras ruins, devido ao pulgão da batata que se espalhava rapidamente no clima úmido, levou à morte por fome de quase 1 milhão de pessoas, enquanto outro milhão emigrou para a Grã-Bretanha e para a América do Norte. Depois do fim da fome, a emigração, sobretudo para os EUA, continuou conforme os senhores de terra expulsavam seus ocupantes como parte da "racionalização" das propriedades. A fome foi um evento terrível e simbólico na história irlandesa: a população da Irlanda nunca mais voltou aos níveis de antes da fome, e ficou uma insatisfação sobre a forma tímida com que o governo britânico respondeu à catástrofe.

A GUERRA DA CRIMEIA
(1853–1856)

Quando da eclosão da guerra entre Rússia e Turquia em 1853, França e Inglaterra interviram em apoio à Turquia, mandando uma força conjunta para invadir a Crimeia e cercar o porto russo de Sebastopol. Houve muitas fatalidades, sobretudo do lado russo, antes de a Rússia concordar com os termos de paz. Erros crassos como a infame e suicida Carga da Brigada Ligeira da cavalaria britânica tornaram a guerra famosa

SOCIEDADES EM TRANSFORMAÇÃO

devido à desnecessária perda de vidas humanas. A Guerra da Crimeia também ficou associada aos esforços de reformadores médicos como Florence Nightingale, que trabalhou para melhorar o serviço médico oferecido aos feridos e o treinamento de enfermeiros tanto em hospitais militares quanto civis.

A GUERRA DO PARAGUAI
(1864-1870)

Sob o governo de Solano López, o Paraguai lutava para se tornar uma potência regional. Para isso, era urgente encontrar saídas para o mar, o que levou o país a apoiar o Partido Blanco no Uruguai. López esperava assim garantir seu acesso ao porto de Montevidéu. Incomodados com o fortalecimento paraguaio, Brasil e Argentina uniram-se ao Partido Colorado, que governava o Uruguai, e formaram a Tríplice Aliança contra López. A guerra durou seis anos e praticamente dizimou a população masculina paraguaia.

A COMUNA DE PARIS
(1871)

Em 1871, a Assembleia Nacional francesa considerava prudente encerrar a Guerra Franco-Prussiana com uma rendição aos germânicos. A população de Paris, revoltada com essa postura, se aliou à própria Guarda Nacional e depôs o governo local, passando a controlar diretamente a cidade. O autogoverno durou apenas 72 dias, mas foi a primeira experiência socialista da história, observada atentamente por intelectuais como Marx e Mikhail Bakunin. A Comuna terminou quando a França, rendida, se uniu aos alemães para reprimir violentamente os revolucionários. Seu final sangrento marcou o início da Terceira República Francesa.

O ESTADO ISLÂMICO MAHDISTA É CRIADO NO SUDÃO
(1885)

Em 1881, o líder sudanês Muhammad Ahmad se declarou o Mahdi (uma figura messiânica em algumas tradições muçulmanas) e lançou uma revolta contra o governo do Egito, que governava o Sudão, se bem que a Inglaterra de fato controlava ambos os países. Ahmad cercou Cartum, que caiu no começo de 1885, a despeito do esforço de defesa por Charles George Gordon, governador-geral britânico. Os mahdistas foram finalmente derrotados por lorde Kitchener em 1898, e então o Sudão passou a ser governado conjuntamente por britânicos e egípcios.

PROCLAMAÇÃO DA REPÚBLICA NO BRASIL
(1889)

No final do século XIX, regiões do Brasil tipicamente prósperas, como o Nordeste açucareiro, estavam em declínio, abrindo espaço para a ascensão de uma nova elite cafeicultora, concentrada no oeste paulista, e para uma novíssima elite urbana. Descontentes com sua baixa representação no governo, esses grupos fundaram o Partido Republicano para se opor à monarquia. Seu descontentamento encontrou eco especialmente em setores do Exército que após a Guerra do Paraguai se sentiam sub--representados no governo de Pedro II. Um golpe militar liderado pelo marechal Deodoro da Fonseca derrubou então a família real e instalou um regime republicano conservador no país.

A [SEGUNDA] GUERRA DOS BÔERES
(1899–1902)

A guerra de 1899–1902 foi um segundo conflito entre os bôeres (os sul-africanos de origem holandesa) e os britânicos. Depois das vitórias iniciais bôeres, os britânicos derrotaram seus inimigos ao aplicar uma política de "terra arrasada" nas áreas do país nas quais os bôeres haviam lutado guerras de guerrilha com sucesso, capturando mulheres e crianças. Cerca de 20 mil pessoas morreram em campos de concentração, e os bôeres perderam sua independência. A guerra levou muitos sobreviventes bôeres à pobreza, mas também estimulou seu nacionalismo e indiretamente levou ao domínio africâner do governo da África do Sul no século XX.

A REVOLUÇÃO MEXICANA
(1910)

Começando em 1910, e de início liderada por Francisco Madero, a Revolução Mexicana removeu o ditador Porfírio Diaz, que havia governado por quase 35 anos. No entanto, a nova república não foi capaz de prevenir disputas de facções e a guerra civil, que continuaram até a proclamação de uma nova Constituição em 1917 e a eleição de um novo governo em 1920. As duas décadas seguintes viram reformas-chave como a redistribuição de terras entre os camponeses e comunidades indígenas e, em 1938, a nacionalização do petróleo.

O MUNDO MODERNO
1914–PRESENTE

0

INTRODUÇÃO

1917 — Levantes na Rússia levam à abdicação do czar. **Lênin** fala de **revolução**, e os **bolcheviques** tomam o poder em novembro.

1919 — Acaba a Primeira Guerra Mundial (1918), e o Tratado de Versalhes é assinado em junho de 1919. Os **alemães perdem território**, seu **Exército é reduzido**, e eles são obrigados a pagar **reparações**.

1929 — **Crash** da Bolsa de Valores de Nova York. Perdem-se bilhões de dólares, e o **desastre financeiro** afunda o mundo na Grande Depressão.

1934–1935 — Fugindo dos nacionalistas no sul da China, 80 mil **comunistas** liderados por **Mao Tsé-Tung** se dirigem para o norte na arriscada **Longa Marcha**.

1939 — Hitler **invade** a Polônia; Inglaterra e França **declaram guerra à Alemanha**; o conflito dura seis anos e é o que mais causou mortes na história do mundo.

1942 — Os nazistas se reúnem em Wannsee para planejar a aniquilação dos **judeus**. Mais de 6 milhões são **mortos no Holocausto**.

1947 — A Índia britânica se divide em dois **estados-nações independentes**: a Índia, de maioria hindu, e o **Paquistão**, de maioria muçulmana.

1948 — É estabelecido o **Estado judeu de Israel** na Palestina, que estava sob domínio britânico nas últimas três décadas.

As perspectivas históricas sobre eventos que estão perto do tempo presente são, inevitavelmente, incertas e em transformação. Um historiador escrevendo em meados do século XX talvez tivesse caracterizado a era moderna como um período de catástrofes no qual todos os ganhos econômicos e políticos da civilização liberal teriam sido desperdiçados. No entanto, no começo do século XXI daria para ver a continuidade com o mundo antes de 1914, já que a economia capitalista globalizada e a grande inovação tecnológica se combinaram com o rápido crescimento da população e da produtividade.

Duas guerras mundiais

As convulsões do período entre 1914 e 1950 tiveram uma escala épica. Duas guerras mundiais, nessa época, causaram entre 70 e 100 milhões de mortes, o que faz delas, de longe, os conflitos mais destrutivos da história. Tanto a civilização quanto a ciência europeia — os dois pilares gêmeos da ideia de "progresso" tradicional ao século XIX — ficaram manchadas por essa matança. A Alemanha, quase sempre considerada um dos países mais "civilizados" da Europa, foi afundada na ditadura e no massacre genocida. A ciência foi usada para criar armas de destruição em massa, como os gases venenosos e a bomba atômica. Mesmo no interlúdio de relativa paz entre as guerras mundiais, o capitalismo global falhou em funcionar de modo efetivo, e a miséria econômica da Grande Depressão levou ao afastamento da ideia de governo democrático ou de livre mercado.

Para os revolucionários inspirados pela visão marxista, esses problemas pareciam ser o golpe mortal da ordem capitalista. Mas o estabelecimento de sociedades alternativas "comunistas", baseadas no modelo de Estado com partido único e de uma economia sob controle estatal, provou ser uma experiência muito custosa. Na Rússia, e depois na China, o comunismo teve sucesso em transformar países relativamente atrasados em grandes potências industriais e militares, mas milhões morreram vítimas do Estado, e foram negadas aos cidadãos as liberdades fundamentais.

Uma batalha de ideologias

A Segunda Guerra Mundial foi seguida pelo confronto da Guerra Fria entre o "mundo livre", liderado pelos Estados Unidos, e o bloco comunista. Em vez do desarmamento, houve uma corrente armamentista com potencial de causar um desastre nuclear. Ao mesmo tempo, as principais potências europeias, enfraquecidas economicamente e desmoralizadas, não estavam mais em

O MUNDO MODERNO

1956 — O líder egípcio Nasser declara a nacionalização do **Canal de Suez**. Inglaterra, França e Israel **invadem o Egito**, os EUA impõem um cessar-fogo e os aliados **se retiram**.

1962 — Por treze dias o mundo fica sob ameaça de **guerra nuclear** entre Cuba e os EUA durante a Crise dos Mísseis. A disputa é resolvida pela **diplomacia**.

1989 — O governo da Alemanha Oriental acaba com as restrições a viagens, e milhares de pessoas **derrubam o Muro de Berlim**; o comunismo entra em colapso.

2001 — No dia 11 de setembro, **extremistas islâmicos** lançam um enorme **ataque terrorista** nos EUA. Quase 3 mil pessoas são mortas.

1957 — Kwame Nkrumah consegue a **independência ganesa** da Inglaterra por meios **pacíficos**. Nos anos 1970, a maioria dos países da África se torna independente.

1965 — Os EUA enviam tropas para o **Vietnã do Sul**, para prevenir a expansão do **comunismo**, e acabam enrolados na guerra por nove anos.

1991 — O **primeiro website** ("World Wide Web") entra no ar, construído pelo cientista da computação britânico Tim Berners-Lee para possibilitar que acadêmicos **compartilhem informações**.

2011 — A população do mundo passa de **7 bilhões**; o desafio global é melhorar os **padrões de vida** sem destruir o **ambiente**.

---

posição de sustentar seus impérios contra a população das colônias que desejavam a liberdade. As nações recém-independentes se transformaram num campo de batalha ideológico e, às vezes, militar entre os sistemas capitalista e comunista.

No final, o problema foi resolvido pela economia. O capitalismo mostrou sua habilidade de gerar crescimento econômico em enorme escala, criando uma crescente sociedade de consumo nos países mais avançados. Em contraste, nos anos 1980, países comunistas enfrentaram estagnação econômica, além do crescente descontentamento popular. Muito rapidamente os regimes comunistas entraram em colapso no bloco soviético, enquanto a China comunista acabou se tornando uma potência capitalista.

No velório do comunismo, o cientista político Francis Fukuyama usou a expressão "o fim da história" e argumentou que a democracia liberal ocidental era o "único time na área". Certamente, no final do século XX o liberalismo estava surfando uma onda boa: em 1950, somente algumas poucas nações na Europa eram democracias; cinquenta anos depois, todas eram.

Progresso e pessimismo

A partir dos anos 1960, campanhas por direitos civis causaram o progresso dos ideais liberais em assuntos como igualdade racial e política de gênero. Na América Latina e em boa parte da Ásia, os padrões de vida haviam subido bastante no começo do século XXI. A despeito do crescimento da população em escala enorme – de menos de 2 bilhões de pessoas em 1914 para mais de 7 bilhões um século depois –, a oferta de alimentos não entrou em crise, como havia sido previsto. Restringir os estragos ambientais foi reconhecido como um grande desafio para o futuro, um problema gerado pelo crescimento e sucesso da humanidade.

De fato, o progresso humano no século XX foi impressionante, desde o aumento da alfabetização e da expectativa de vida até o desenvolvimento do transporte aéreo e espacial, além dos computadores. Ainda assim, não houve nenhum otimismo generalizado. Deixando as questões ambientais de lado, estava muito evidente que o futuro guardava perigos potenciais: a política incerta no Oriente Médio, atos brutais de terrorismo; desigualdade econômica gerando migrações em massa; instabilidade financeira e quebras de mercados; epidemias se espalhando pelas viagens globais – tudo servindo de material para os pessimistas. A história não ofereceu nenhuma base sólida para previsões, sugerindo apenas que o inesperado deveria passar a ser esperado. ∎

QUASE SEMPRE VOCÊ PREFERIA ESTAR MORTO

A BATALHA DE PASSCHENDAELE (1914)

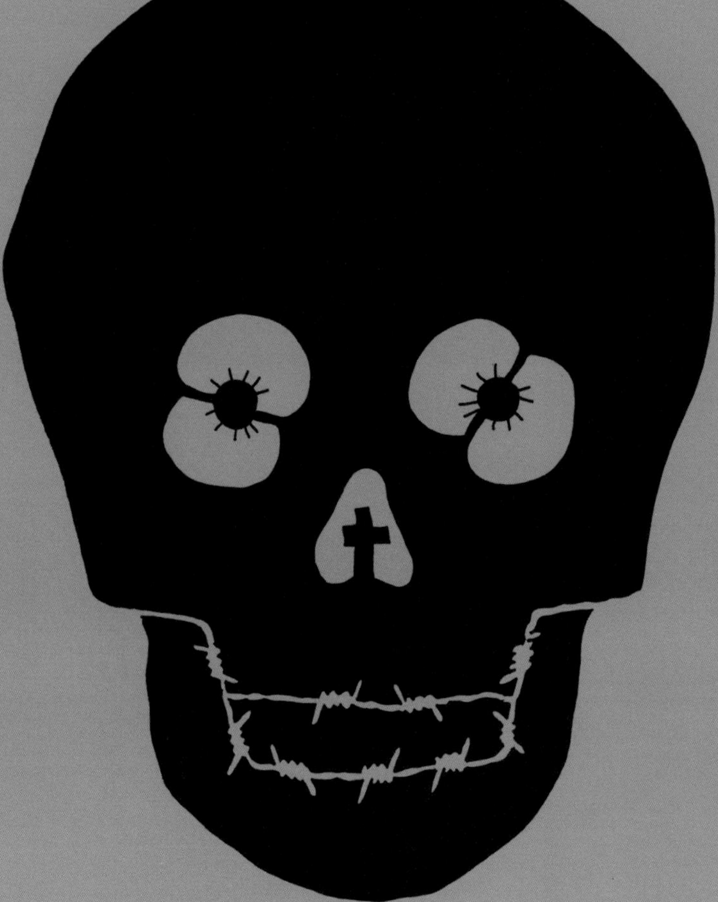

A BATALHA DE PASSCHENDAELE

EM CONTEXTO

FOCO
Primeira Guerra Mundial

ANTES
1870–1871 A derrota da França na guerra contra a Prússia leva à criação de um poderoso império alemão.

1887 A Alemanha ordena a construção de enormes estaleiros.

1912 Eclodem as Guerras dos Bálcãs, endurecendo a postura Austro-Húngara em relação à Sérvia.

DEPOIS
1916 Reuniões secretas entre Inglaterra e França produzem o Acordo Sykes-Picot, dividindo o Império Otomano.

9 de novembro de 1918 O kaiser Wilhelm abdica, e seu governo imperial entra em colapso.

1919 Na Conferência de Paz de Paris, os vitoriosos impõem duríssimos termos aos alemães no Tratado de Versalhes.

Passchendaele, oficialmente conhecida como a Terceira Batalha de Ypres, foi um ataque de grande escala contra o front alemão ao redor de Ypres, Bélgica, durante a Primeira Guerra Mundial. O objetivo dos aliados era avançar na Bélgica e liberar os portos dominados pelos alemães na costa, que estavam sendo usados para atacar os navios britânicos. O maior desafio era romper as posições de defesa dos alemães no sulco ocidental de Flandres. O mais importante para o sucesso seria o cerco da vila de Passchendaele.

Os preparativos para a batalha começaram em 7 de junho de 1917, com um bombardeio pesado, por duas semanas, das posições alemãs. A ofensiva da artilharia começou em 31 de julho de 1917. Em poucos dias, as forças aliadas ficaram presas na lama, já que chuvas torrenciais transformaram a área num pântano. Quando os aliados – formados pelas tropas britânicas, francesas, canadenses e australianas – capturaram Passchendaele, em 6 de novembro, a vila estava em ruínas. O conflito custou a vida de 300 mil soldados aliados, para ganhar oito quilômetros, e 260 mil alemães. Mesmo saudado como uma vitória pelo governo britânico, tornou-se um lema para a enorme futilidade da guerra.

Os soldados em Passchendaele lutaram em condições assustadoras. Na ausência de algo melhor, estes artilheiros de metralhadoras usaram crateras de bombas como abrigos improvisados.

Diplomacia secreta

Duas grandes disputas levaram à Primeira Guerra Mundial: uma entre a Alemanha e a França, e outra entre a Rússia e a Áustria-Hungria. A longa história de antipatia mútua entre Alemanha e França atingiu o ápice em 1870, com a humilhante derrota da França para a Alemanha na Guerra Franco-Prussiana, que levou à anexação da maior parte das províncias de Alsácia e Lorena.

Na Europa Oriental, os impérios Austro-Húngaro e Russo já tinham uma

---

A vida nas trincheiras

Com a eclosão da Primeira Guerra Mundial, ambos os lados previam batalhas ligeiras que cobririam centenas de quilômetros. Ninguém esperava uma luta estática com suas forças afundadas em trincheiras defensivas.

As primeiras trincheiras eram pequenos sulcos, mas foram ficando mais elaboradas, sendo fortificadas com estruturas de madeira e sacos de areia. As trincheiras alemãs eram mais sofisticadas e tinham eletricidade e banheiros. Os soldados gastavam as horas do dia desviando-se de fogo inimigo e passavam muito tempo entediados ou fazendo tarefas diárias, intercalado com curtos períodos de descanso. As trincheiras ficavam, às vezes, cheias de ratos e piolhos, bem como de água que congelava. A vida em tais condições era exaustiva, e os soldados tinham uma dieta repetitiva de comida enlatada e pouco conforto.

Atiradores de tocaia disparavam em qualquer cabeça que aparecesse sobre o parapeito, e grupos de ataque jogando granadas eram um perigo constante. As trincheiras eram bombardeadas com explosivos, balas e gás venenoso.

O MUNDO MODERNO

Veja também: A Expedição dos Mil 238-241 ▪ A Rússia emancipa os servos 243 ▪ A Revolução de Outubro 276-279 ▪ O Tratado de Versalhes 280 ▪ A invasão alemã da Polônia 286-293

> "As lamparinas estão se apagando por toda a Europa. Não devemos vê-las acesas de novo em nossa vida."
> **Sir Edward Grey**
> Secretário Britânico das Relações Exteriores (1914)

longa disputa sobre qual deles era o mais forte na reivindicação dos Bálcãs. Ambos dependiam da área para acesso ao Mediterrâneo, e cada um via os movimentos do outro com enorme suspeição.

Cada Estado precisava de aliados, e em 1882 Áustria-Hungria, Alemanha e Itália assinaram a Tríplice Aliança, prometendo dar uns aos outros apoio militar em caso de guerra. Então, nos anos 1890, Rússia e França assinaram um acordo de se protegerem mutuamente em caso de uma guerra contra a Alemanha. Na virada do século, os discursos nacionalistas e provocadores do kaiser Wilhelm II, bem como sua expansão naval, empurraram a Inglaterra a formar laços mais próximos com a França. Em 1904, Inglaterra e França concordaram com a *entente cordiale*, ou aliança amiga, que acabou ampliada na tríplice entente, com a inclusão da Rússia em 1907. A tríplice entente ficou conhecida como as Potências Aliadas. A atmosfera gerada por esse empurra-empurra internacional levou a um aumento nos gastos militares pelos governos europeus e à expansão dos exércitos e das marinhas.

Eclode a guerra

Não era preciso mais que uma faísca para detonar a chama de inimizade entre as duas alianças. E ela apareceu em 28 de junho de 1914, quando um servo-bósnio assassinou o arquiduque Francisco Ferdinando, herdeiro do trono Habsburgo, em Sarajevo. Os austríacos suspeitavam que a Sérvia, seu principal inimigo nos Bálcãs, estava por trás do ataque. Depois de garantir o apoio de seu aliado alemão, a Áustria-Hungria deu um ultimato à Sérvia em 23 de julho, exigindo que parasse com toda atividade anti-Áustria-Hungria. A Sérvia aceitou a maior parte das demandas, mas a Áustria-Hungria declarou guerra ao país em 28 de julho. A Inglaterra pediu mediação internacional, mas a crise rapidamente cresceu e virou uma guerra europeia. Quando a Rússia se mobilizou contra a Áustria-Hungria, a Alemanha declarou guerra à Rússia em 1º de agosto, e à França dois dias depois. A Inglaterra entrou na guerra em 4 de agosto, depois de os alemães terem invadido a neutra Bélgica. A Força Expedicionária Britânica (BEF), uma pequena tropa profissional liderada pelo Sir Douglas Haig, chegou à França em 22 de agosto. Ela ficou lotada próxima à fronteira franco-belga, alinhada aos planos militares de antes da guerra acordados com o governo francês. »

As potências europeias se juntam, numa **complexa rede de alianças**.

A corrida armamentista europeia leva a **exércitos maiores** e a **armas mais destrutivas**.

↓

Eclode a guerra, atraindo por fim todas as maiores potências e causando **mortes numa escala nunca antes imaginada**.

↓

A **relativa igualdade entre os exércitos** significa que nenhum lado conseguiria ter uma vitória decisiva.

↓

As lutas no Front Ocidental se tornam um amargo empate, apesar do enorme custo de batalhas como Passchendaele.

↓

Com ambos os lados exaustos, os EUA **entram na guerra** no lado dos aliados, facilitando **uma saída para o conflito**.

274 A BATALHA DE PASSCHENDAELE

Enormes armas de artilharia, como o canhão Howitzer, eram transportadas por cavalos e tratores. Bombas altamente explosivas, lançadas em grande quantidade, foram cruciais para as altas taxas de mortalidade da guerra.

A Alemanha teve de lutar uma guerra em dois fronts. No Front Ocidental, nas primeiras semanas do conflito, os alemães invadiram a Bélgica e a França, mas seu avanço foi barrado por franceses e britânicos na Batalha do Marne. No final do outono, os dois lados haviam chegado a um beco sem saída. Enquanto isso, no Front Oriental, a luta seguia solta. A Alemanha dominava, conseguindo uma grande vitória sobre os russos em Tannenberg, mas seus aliados austro-húngaros sofreram várias derrotas. No Front Ocidental, porém, uma linha de trincheiras de 645 quilômetros passava pela costa belga no norte e cortava o leste da França até chegar à fronteira suíça. Os dois lados ficavam cara a cara no espaço aberto, entre as duas linhas do front. Essa área – a terra de ninguém – tinha arame farpado na frente das trincheiras para atrasar os oponentes. Uma luta constante a partir das trincheiras, entrecortadas por terríveis e sangrentas batalhas, fracassou em romper o impasse. Mais de 600 mil tropas aliadas foram mortas ou feridas só na Batalha do Somme.

Guerra total

No início do conflito, ambos os lados estavam convencidos de que seria uma batalha curta e decisiva. Ninguém havia previsto uma guerra de atrito. Novas armas mecanizadas aumentaram as taxas de mortes. Os tanques foram usados pela primeira vez, e metralhadoras como a alemã MG08 Maxim conseguiam disparar até seiscentas balas por minuto. Os aviões, usados primeiro para reconhecimento, foram mais tarde utilizados em bombardeios. Ambos os lados usaram gás venenoso. Os cavalos eram a espinha dorsal das operações logísticas, mas, conforme a guerra avançou, ferrovias e caminhões foram usados para transportar bens para o front.

Os civis foram incluídos na frente de batalha, com os bombardeios de Londres e Paris por aviões e bombardeiros. Em 1917, submarinos alemães afundavam um em cada quatro navios mercantes que iam para a Inglaterra, tentando privar os britânicos de suprimentos para que se rendessem. O bloqueio naval britânico da Alemanha também levou a uma enorme falta de alimentos. Essa foi a primeira "guerra total", ou seja, não apenas soldados, mas os civis também foram envolvidos.

A Inglaterra foi forçada a fazer alistamentos obrigatórios pela

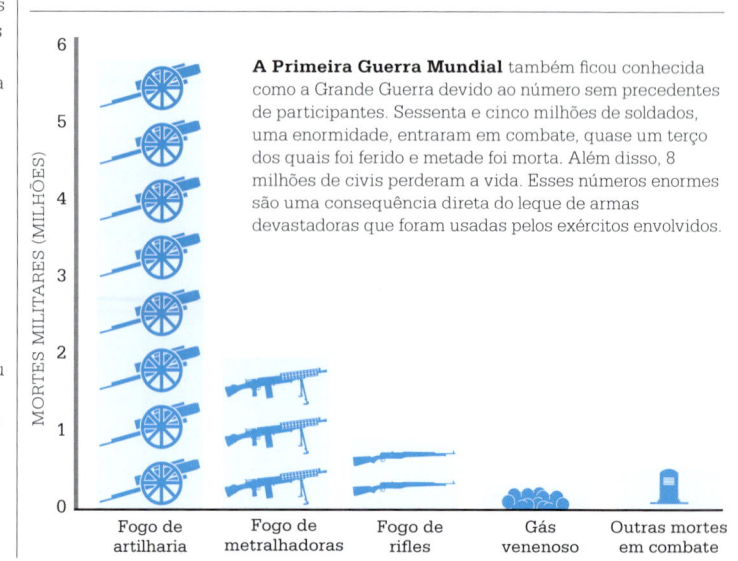

A Primeira Guerra Mundial também ficou conhecida como a Grande Guerra devido ao número sem precedentes de participantes. Sessenta e cinco milhões de soldados, uma enormidade, entraram em combate, quase um terço dos quais foi ferido e metade foi morta. Além disso, 8 milhões de civis perderam a vida. Esses números enormes são uma consequência direta do leque de armas devastadoras que foram usadas pelos exércitos envolvidos.

Fogo de artilharia	Fogo de metralhadoras	Fogo de rifles	Gás venenoso	Outras mortes em combate
~6	~2	~0.5	~0.1	~0.2

MORTES MILITARES (MILHÕES)

O MUNDO MODERNO

> "Não havia qualquer sinal de vida, de qualquer tipo... Nem um pássaro, nem mesmo um rato ou um monte de grama."
> **Soldado R. A. Colwell**
> Passchendaele (1919)

primeira vez em sua história. A partir de janeiro de 1916, todos os homens solteiros entre 18 e 41 anos poderiam ser chamados. Inglaterra e França também arregimentaram exércitos a partir de suas colônias ultramarinas, como a Índia e a África, bem como dos domínios britânicos na Austrália, Nova Zelândia e Canadá. A guerra trouxe muitas mudanças sociais, sobretudo para as mulheres, que ocuparam posições em fábricas e escritórios. Elas também eram usadas cada vez mais nas fábricas de munição conforme os governos começaram sua produção em alta escala.

Conflito global

Os principais estados beligerantes trouxeram seus vastos impérios para a guerra com eles, e o conflito rapidamente se transformou numa guerra mundial. As colônias alemãs na China e no Pacífico foram invadidas pelo Japão, que entrou na guerra no lado dos aliados. As colônias alemãs na África foram tomadas pelas tropas britânicas, francesas e sul-africanas. Em maio de

Uma das mudanças sociais trazidas pela Primeira Guerra Mundial foi o papel das mulheres. A população feminina juntou-se ao esforço de guerra ao trabalhar em lugares como as fábricas de munições.

1915, a Itália se juntou aos aliados, enfrentando a Áustria-Hungria e a Alemanha nos Alpes.

No começo de novembro de 1914, o Império Otomano, uma potência islâmica, abandonou sua neutralidade e declarou uma *jihad* militar (uma guerra santa) contra França, Rússia e Inglaterra. Os EUA foram impelidos à guerra por causa dos ataques de submarinos alemães aos navios comerciais no mar, como a embarcação britânica *Lusitania*, em 1915, com 128 americanos a bordo. Depois da descoberta de uma conspiração alemã de persuadir o México a participar de uma aliança anti-EUA, o Congresso declarou guerra em abril de 1917.

Quando os bolcheviques na Rússia negociaram um tratado de paz com a Alemanha em Brest-Litovsk em 22 de dezembro de 1917, parecia que a Alemanha havia obtido uma vitória significativa. Ela também conseguiu avanços no Front Ocidental em 1918, mas, em julho e agosto, os aliados contra-atacaram, começando uma ofensiva que duraria até novembro. Quatro milhões de novos soldados americanos ajudaram a derrotar as Potências Centrais e a levar os alemães à mesa de negociações de paz.

Quando o conflito terminou, às 11h do dia 11 de novembro de 1918, a aliança liderada por França e Inglaterra surgiu como vitoriosa. Mais de 65 milhões de tropas foram envolvidas na guerra, das quais pelo menos metade morreu ou foi ferida. Os impérios russo, austríaco e alemão entraram em colapso. Depois da guerra, o Tratado de Versalhes redesenhou o mapa da Europa, deixando nações, sobretudo a Alemanha, muito rancorosas. Uma assembleia pública de países, a Liga das Nações, foi fundada para ajudar a manter a paz. No entanto, a Liga se mostrou impotente em relação aos países que optaram por ignorá-la. Quando o fascista Benito Mussolini subiu ao poder na Itália, em 1922, ele denunciou o Tratado. Na Alemanha, onde a resposta ao Tratado foi de profundo ressentimento, o Partido Nazista começou a ganhar fôlego. Longe de ser a "guerra que acabaria com todas as guerras", a Primeira Guerra Mundial acabou por cultivar as sementes de um novo conflito. ■

A HISTÓRIA JAMAIS NOS PERDOARÁ SE NÃO ASSUMIRMOS O PODER AGORA
A REVOLUÇÃO DE OUTUBRO (1917)

EM CONTEXTO

FOCO
A Revolução Russa

ANTES
1898 É formado o Partido Operário Social-Democrata Russo.

1905 A Rússia sofre esmagadora derrota numa guerra contra o Japão, o que provoca um levante.

1914 A Rússia entra na Primeira Guerra Mundial e rapidamente sofre enormes perdas em derrotas para a Alemanha no Front Oriental.

DEPOIS
1918 O czar Nicolau II e sua família são executados.

1922 Lênin cria a União das Repúblicas Socialistas Soviéticas (URSS), sob o controle do Partido Comunista.

1929 Stálin se torna líder da URSS e estabelece uma ditadura.

Em outubro de 1917, a Rússia estava em agitação depois de sofrer enormes perdas na Primeira Guerra Mundial. Havia falta de alimento, e os trabalhadores nas cidades sofriam com baixos salários e péssimas condições de trabalho. A Revolução de Fevereiro expulsara o czar, mas o Governo Provisório que o substituiu estava próximo do colapso.

Vladimir Lênin, um membro do revolucionário Partido Bolchevique, assumiu a dianteira. Ele estava comprometido com uma revolução dos trabalhadores (proletários) e lançou uma série de propostas para derrubar o governo, naquilo que ficou conhecido como as suas Teses de Abril. Seu slogan simples, "Paz, terra e pão",

Veja também: A fundação de São Petersburgo 196-197 ▪ A Rússia emancipa os servos 243 ▪ Stálin assume o poder 281 ▪ O cerco de Sarajevo 326 ▪ A Guerra Civil Espanhola 340

tornou-se um clamor revolucionário agregador. Em 24 de outubro (6 de novembro, segundo o calendário gregoriano – CG), houve tentativas do governo de cercear as atividades dos bolcheviques para evitar um golpe. Foram dadas ordens para prender os principais líderes do partido, e o seu jornal, *Pravda* (A Verdade), foi fechado. Lênin, discreto em seu apartamento, clamava por ação: "Não devemos esperar! Podemos perder tudo! O governo está cambaleando. Demorar para agir é o mesmo que a morte".

No dia 25 de outubro (7 de novembro – CG), o governo tentou, sem sucesso, conseguir apoio militar. O partido Soviete dos Operários e Soldados de Petrogrado, do qual os bolcheviques eram uma facção, poderia contar com o apoio das tropas em Petrogrado (mais tarde, São Petersburgo). A Guarda Vermelha paramilitar bolchevique ocupou os principais escritórios dos telégrafos, do correio e das estações de energia. Só faltava o Palácio de Inverno, sede do governo. A pequena unidade de cadetes militares que o guardava se rendeu prontamente aos soldados revolucionários. O regime foi derrubado, e o poder passou para Lênin e os bolcheviques.

Lançando as bases

A Revolução de Outubro foi o cume da insatisfação civil que durou meses. No dia 23 de fevereiro de 1917 (8 de março – CG), em Petrogrado, começou uma revolta liderada por mulheres frustradas pelas filas de espera de mais de hora por pão. Elas marcharam pela cidade, juntando apoiadores no caminho. Isso acabou virando uma greve geral, e os participantes assumiram uma natureza mais política. Começaram a surgir »

O MUNDO MODERNO 277

Vladimir Ilyich Lênin

Nascido Vladimir Ilyich Ulyanov em 10 de abril de 1870, fundador dos bolcheviques e o primeiro líder da Rússia Soviética era um teórico ousado e um agitador incansável. Ele tornou-se um revolucionário marxista ativo depois que seu irmão Alexander foi executado em 1887 por conspirar pelo assassinato do czar Alexander III, um evento que fez Lênin perder a fé em Deus e na religião. Em 1895, foi preso e exilado por três anos na Sibéria.

O principal alvo de Lênin era organizar a oposição ao czar num único e coerente movimento. Após a Revolução Russa de março de 1917, ele voltou ao país acreditando que seu momento havia chegado. Em outubro, liderou os bolcheviques contra o governo para em seguida, reprimindo toda a oposição, tornar-se ditador do primeiro Estado comunista do mundo.

O principal desafio de Lênin foi a guerra civil (1918-1920). Os comunistas ganharam, mas a Rússia ficou de joelhos. O esforço da liderança também lhe custou a saúde. Depois de dois derrames, um dos quais o deixou sem fala, morreu em 21 de janeiro de 1924.

A Revolução Russa de 1905 impõe uma **série de reformas** para o autocrata czar Nicolau II.

↓

O povo **continua insatisfeito**. → **A Rússia sofre derrotas** na Primeira Guerra Mundial. → A crise econômica leva a **saques de alimentos**.

↓

Em fevereiro de 1917, a **monarquia é derrubada** e substituída pelo Governo Provisório. **O czar abdica** em março.

↓

Lênin e os bolcheviques exigem poder total para o proletariado, lançando a Revolução de Outubro.

A REVOLUÇÃO DE OUTUBRO

bandeiras vermelhas, e estátuas do czar Nicolau II foram derrubadas. Soldados se recusaram a obedecer ordens de atirar na multidão, mas a polícia atirou e matou cinquenta pessoas.

Ascensão dos partidos revolucionários

Com a violência nas ruas das cidades, o czar abdicou em março, entregando o poder para o Governo Provisório em fevereiro, tendo o príncipe Georgi Y. Lvov como chefe. O governo ainda representava apenas a classe média e continuava a apoiar o envolvimento da Rússia na Primeira Guerra Mundial. Grupos como o Soviete dos Operários e Soldados de Petrogrado, um conselho feito de trabalhadores e camponeses agitando por mudanças, ficou mais forte e ganhou poder dentro do Governo Provisório. Lênin, no exílio por suas atividades revolucionárias, estava ansioso por voltar para Petrogrado, convencido de que o colapso do mundo capitalista fosse iminente. Ele recebeu ajuda do governo alemão, que achava que ele poderia desestabilizar ainda mais a situação política na Rússia em seu esforço de guerra, e chegou secretamente num trem de carga. Cheio de zelo revolucionário, estava determinado a moldar o novo governo russo de acordo com suas próprias ideias, e acusou seus colegas de não fazerem o suficiente para derrubar o regime atual.

O primeiro-ministro Lvov resignou-se depois da desastrosa Ofensiva de Julho no Front Ocidental. Seu sucessor, Alexander Kerensky, formou um novo governo socialista com o Soviete de Petrogrado, mas ele também insistia na permanência da Rússia na guerra. Depois de demonstrações em massa em Petrogrado, encorajadas pelos bolcheviques, Kerensky os baniu e prendeu muitos de seus líderes. Lênin fugiu para a Finlândia.

A revolução está próxima

Em agosto, Kerensky enfrentou uma nova ameaça. O general Lavr Kornilov, comandante em chefe do Exército da Rússia, enviou suas tropas para Petrogrado. Kerensky achava que Kornilov estava armando um golpe para assumir o poder. Desesperado, soltou os bolcheviques, que armaram aqueles que quisessem iniciar uma contrarrevolução. Esse foi um enorme fôlego para sua causa. Eles puderam se apresentar ao povo como os defensores de Petrogrado. Em setembro, os bolcheviques assumiram o controle do Soviete de Petrogrado. Lênin aproveitou o momento, voltou à Rússia e renovou seu chamado à revolução. Ele atribuiu a responsabilidade pelas táticas militares a Leon Trótski, um colega marxista. Os camponeses e agricultores se revoltavam na zona rural, e os operários nas cidades. Lênin achou que havia chegado a hora de os bolcheviques assumirem o poder. Eles invadiram prédios governamentais e o Palácio de Inverno, onde o gabinete de Kerensky havia buscado refúgio.

Na noite de 25 de outubro (7 de novembro – CG), Lênin fez um breve pronunciamento ao povo russo: "O Governo Provisório foi derrubado. Vida longa à revolução dos operários, soldados e camponeses!". Depois desse triunfo inicial, Lênin foi compelido a fazer eleições democráticas, mas os bolcheviques ganharam apenas um quarto dos votos. Lênin dissolveu o governo eleito e enviou guardas armados para evitar que se reunisse novamente. Em fevereiro de 1918, ele assinou um tratado de paz com a Alemanha, mas os termos eram muito duros. A Rússia cedeu os Estados bálticos para a Alemanha, enquanto Ucrânia, Finlândia e Estônia foram transformadas em Estados independentes. A Rússia também foi forçada a pagar 6 bilhões de marcos alemães em reparações. Essa iniciativa livrou os bolcheviques da ameaça alemã, mas os termos do tratado eram profundamente impopulares. Muitos o consideraram como uma traição ao país.

Guerra civil

Os bolcheviques haviam ganho o poder, mas agora teriam de mantê-lo. Lênin estabeleceu um sistema de governo altamente centralizado,

Esta pintura da invasão do Palácio de Inverno mostra o momento dramático na Revolução de Outubro, quando os bolcheviques tomaram o prédio do governo.

O MUNDO MODERNO

Vladimir Lênin fala às suas tropas na Praça Vermelha, em Moscou, em 1919, durante a guerra civil que aconteceu depois da Revolução de Outubro.

baniu toda oposição e começou o Terror Vermelho, uma campanha de intimidação, execuções e prisões de todos que ameaçavam os bolcheviques.

Os bolcheviques eram uma minoria na Rússia, e seus oponentes coordenaram suas forças contra eles, principalmente os Brancos, formados por ex-czaristas, oficiais do Exército e democratas. Os bolcheviques eram conhecidos como os Vermelhos.

Conforme várias facções brigavam pelo futuro do país, eclodiu na Rússia uma guerra civil caracterizada pela extrema violência, indo de 1918 a 1921. Os Brancos receberam ajuda dos antigos aliados da Rússia – Inglaterra, França, EUA e Japão –, que temiam a expansão do comunismo. A princípio, eles tiveram ganhos significativos. No entanto, tinham uma péssima coordenação, e Trótski provou ser um brilhante estrategista militar.

Em 1920, Lênin ordenou uma guerra contra a Polônia para liberar os trabalhadores do leste e do centro da Europa, mas na Batalha de Varsóvia, após um impressionante contra-ataque, o Exército Vermelho foi rechaçado.

Um país em ruínas

Em 1921, os Brancos foram vencidos, e Lênin pôde finalmente voltar sua atenção para a reconstrução da economia russa.

Ele enfrentou um país à beira do colapso. No campo, quase 6 milhões de camponeses morreram de fome, e havia protestos nas cidades. A rebelião naval de Kronstadt em março de 1921 minou ainda mais o regime. Kronstadt era uma cidade naval numa ilha na costa de Petrogrado. Em 1921, 16 mil soldados e trabalhadores assinaram uma petição querendo "Sovietes sem bolcheviques". Eles queriam sovietes eleitos livremente e liberdade de expressão e de imprensa. Os Vermelhos reagiram de forma cruel, executando várias centenas de líderes e expulsando mais de 15 mil marinheiros da frota.

Em maio de 1922, Lênin sofreu um derrame. Em dezembro, o governo soviético declarou a criação da União das Repúblicas Socialistas Soviéticas (URSS), uma união federal constituída da Rússia Soviética e de áreas vizinhas que eram governadas por braços do movimento comunista. Desde sua criação, a URSS foi baseada numa premissa de governo a partir de um único partido, proibindo todas as outras organizações políticas.

Lênin ficou desanimado com a luta política interna e preocupado com a forma como a URSS funcionaria após sua morte. Entre final de 1922 e começo de 1923, ele ditou aquilo que ficou conhecido como seu "testamento", no qual expressava arrependimento com a direção que o governo soviético havia tomado. Ele era especialmente crítico de Joseph Stálin, então secretário-geral do Partido Comunista. O comportamento agressivo de Stálin o pôs em conflito com Lênin.

Lênin morreu em 1924, mas seu legado continua vivo. O Partido Bolchevique, com sua criação do primeiro Estado socialista do mundo em sua maior nação, afetou todos os países do mundo. A revolução socialista vitoriosa inspirou trabalhadores como uma alternativa ao capitalismo e aos velhos regimes imperialistas. ■

> " A execução do czar e sua família foi necessária não apenas para... instilar um senso de desesperança no inimigo, mas também para mostrar que adiante está a vitória total, ou o desastre total.
> **Leon Trótski** "

ISSO NÃO É PAZ. ISSO É UM ARMISTÍCIO POR VINTE ANOS
O TRATADO DE VERSALHES (1919)

EM CONTEXTO

FOCO
A paz após a Primeira Guerra Mundial

ANTES
1914 Os quatro impérios da Áustria-Hungria, Alemanha, Turquia Otomana e Rússia czarista governam enormes extensões territoriais.

1916 Diplomatas britânicos e franceses se reúnem secretamente para determinar o destino do mundo árabe pós-otomano.

1919 A Conferência de Paz de Paris define os termos e as condições da paz no pós-guerra.

DEPOIS
1920 O Tratado de Sèvres fatia o Império Otomano para refazer o Oriente Médio.

3 de setembro de 1939 Começa a Segunda Guerra Mundial, com o ataque alemão à Polônia.

24 de outubro de 1945 A Liga das Nações, sem função, se reforma depois da Segunda Guerra Mundial e se torna as Nações Unidas.

Após quatro anos de conflito global, 16 milhões de pessoas morreram e impérios e dinastias centenários entraram em colapso. Em janeiro de 1919, os vencedores da Primeira Guerra Mundial se reuniram para discutir os termos de paz. O presidente americano Woodrow Wilson esboçara um plano que achava ser capaz de trazer uma nova ordem à Europa com base na democracia. Ele propôs que a Liga das Nações agisse como árbitro e pacificador em disputas nacionais.

Inglaterra e França queriam garantir que a Alemanha jamais fosse capaz de ameaçar a paz europeia. O Exército alemão deveria ser reduzido e a Renânia desmilitarizada. A Alemanha também teria de abrir mão de terras ao seu oeste para a França, e ao norte e ao leste para a Polônia. Além disso, o império austro-húngaro deveria ser dividido em novas nações, como Tchecoslováquia e Iugoslávia; o Império Otomano também foi fatiado em favor da Inglaterra e da França.

Cláusula de culpa de guerra
Digno de destaque, numa "cláusula de culpa de guerra", os alemães tinham de admitir que começaram a guerra e pagar 6,6 bilhões de libras em reparações. Eles assinaram o Tratado de Versalhes em 28 de junho de 1919, mas se recusaram a pagar as indenizações, então em 1923 a França ocupou o industrializado Vale do Ruhr na Alemanha. Mas, no período entre guerras, nenhuma das duas nações fez nada para deter agressões da Alemanha nazista. Quando Adolf Hitler tomou a França, em 1940, ele ordenou que o documento original do tratado fosse queimado. ∎

> Vocês pediram paz. Estamos prontos para lhes dar a paz.
> **Georges Clemenceau**
> Primeiro-ministro da França

Veja também: A Revolução dos Jovens Turcos 260-261 ▪ A Batalha de Passchendaele 270-275 ▪ O incêndio no Reichstag 284-285 ▪ A invasão alemã da Polônia 286-293 ▪ A fundação das Nações Unidas 340

A MORTE É A SOLUÇÃO PARA TODOS OS PROBLEMAS. SEM HOMEM – SEM PROBLEMA
STÁLIN ASSUME O PODER (1929)

EM CONTEXTO

FOCO
Rússia soviética

ANTES
1917 Lênin começa o movimento da Rússia em direção ao comunismo.

1922 O Tratado da União junta Rússia, Ucrânia, Belarus e Transcaucásia na União Soviética.

1928 O primeiro Plano Quinquenal é adotado, com o Estado estabelecendo metas ambiciosas para toda a economia.

DEPOIS
1945 A União Soviética derrota a Alemanha nazista e controla a Europa Central.

1989 A Europa Oriental e a Central rejeitam o comunismo com a queda do Muro de Berlim.

1991 O Congresso dos Deputados do Povo vota pela dissolução da União Soviética.

Depois da Revolução de Outubro de 1917, o líder da Rússia, Vladimir Lênin, criou um Estado de partido único e escolheu Joseph Stálin como secretário-geral. Stálin, então, usou sua posição para lançar sua candidatura a líder supremo, tornando-se ditador em 1929, cinco anos após a morte de Lênin.

Stálin levou o país a um período de rápida industrialização. Ele confiscou terras que pertenciam aos fazendeiros para transformá-las em grandes fazendas a serem geridas coletivamente, para garantir comida para a nova força de trabalho. Em 1931–1932, confiscou grãos dos camponeses, o que levou a uma terrível fome na Ucrânia, matando milhões de pessoas.

O Comissariado do Povo para Assuntos Internos (polícia secreta) recebeu a tarefa de caçar os opositores políticos de Stálin. Milhares de cidadãos soviéticos morreram nos "expurgos sangrentos" dos anos 1930, conhecido como o "Grande Terror", e milhões de não russos foram deportados para campos de trabalho. Apesar disso, Stálin falava de seu país como uma terra de paz e progresso, e de si mesmo como um homem trabalhando para o benefício do povo. O ditador buscava oportunidades de expandir o comunismo além das fronteiras soviéticas e, após a Segunda Guerra Mundial, conseguiu seu intento na Polônia, Hungria, Tchecoslováquia, Alemanha Oriental e outros, formando o chamado Bloco Soviético Oriental. Partidos comunistas assumiram o poder na Coreia do Norte em 1948, na China em 1949, em Cuba em 1959 e Vietnã em 1975.

Stálin acabou se tornando um dos homens mais poderosos do mundo. Logo depois de sua morte, em 1953, sua nação era uma superpotência capaz de ameaçar os Estados Unidos. ∎

> Acredito numa única coisa: no poder da vontade humana.
> **Joseph Stálin**

Veja também: A Revolução de Outubro 276-279 ▪ A invasão alemã da Polônia 286-293 ▪ O Bloqueio de Berlim 296-297 ▪ A queda do Muro de Berlim 322-323

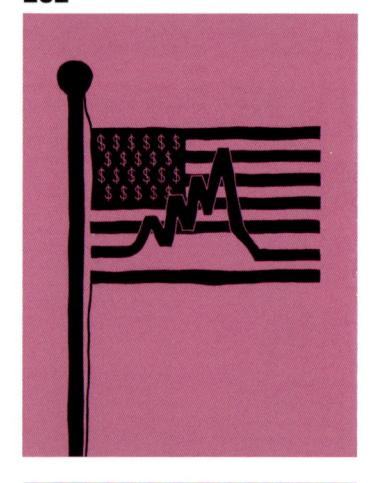

QUALQUER FALTA DE CONFIANÇA NO FUTURO ECONÔMICO DOS ESTADOS UNIDOS É UMA TOLICE
O CRASH DE WALL STREET (1929)

EM CONTEXTO

FOCO
A Grande Depressão

ANTES
1918 A economia global luta para recuperar os estragos causados pela Primeira Guerra Mundial.

1922 A economia americana começa a crescer rapidamente após o advento da produção em massa.

1923 Os preços na Alemanha fogem do controle, numa hiperinflação que destrói a poupança das pessoas.

DEPOIS
1930 O desemprego em massa atinge EUA, Inglaterra, Alemanha e outros países.

1939 O advento da Segunda Guerra Mundial vê um aumento no emprego e no gasto do governo, acelerando a recuperação.

1944 Os líderes mundiais concordam em criar o Fundo Monetário Internacional (FMI) e o Banco Mundial para financiar o desenvolvimento econômico.

Por seis dias desesperadores em outubro de 1929, as ações na Bolsa de Valores de Nova York despencaram. A queda começou no dia 23 de outubro, quando as ações da fabricante de automóveis General Motors foram vendidas com perdas e o mercado começou a entrar em colapso. Veio o pânico, e no dia seguinte o mercado afundou.

Na terça, 29 de outubro, que passou a ser conhecida como a Terça-Feira Negra, os preços das ações despencaram ainda mais. No total, US$ 25 bilhões, mais ou menos US$ 319 bilhões no presente, foram perdidos. Foi a maior catástrofe financeira até então e afundou o mundo na Grande Depressão.

Os *Roaring Twenties*
Os EUA se recuperaram rapidamente da Primeira Guerra Mundial, e as fábricas que produziam suprimentos para o esforço de guerra se transformaram para produzir bens de consumo como carros e rádios. O crescimento das novas tecnologias e a produção em massa viram a economia crescer quase 50%; a era de prosperidade e consumismo resultante disso ficou conhecida como os *Roaring Twenties* (*Os Loucos Anos Vinte*).

Jornais e revistas estavam cheios de histórias de pessoas que ficaram ricas da noite para o dia se aventurando no mercado de ações, e milhares de americanos comuns compraram ações, aumentando a demanda por elas e inflacionando seu preço. Entre 1920 e 1929, o número de acionistas subiu de 4 milhões para 20 milhões.

No final de 1929, já havia sinais de problemas na economia americana: o desemprego estava em alta, a produção do aço caía, a construção desacelerou e a venda de carros despencou. Ainda confiantes de que conseguiriam fazer fortuna, algumas pessoas continuaram a investir no mercado de ações. No entanto, quando o preço das ações

Especuladores se aglomeraram na entrada principal da Bolsa de Valores de Nova York, profundamente preocupados com seus investimentos nos dias que se seguiram ao Crash de Wall Street.

Veja também: A febre do ouro da Califórnia 248-249 ▪ O Tratado de Versalhes 280 ▪ O incêndio no Reichstag 284-285 ▪ A crise financeira global 330-333

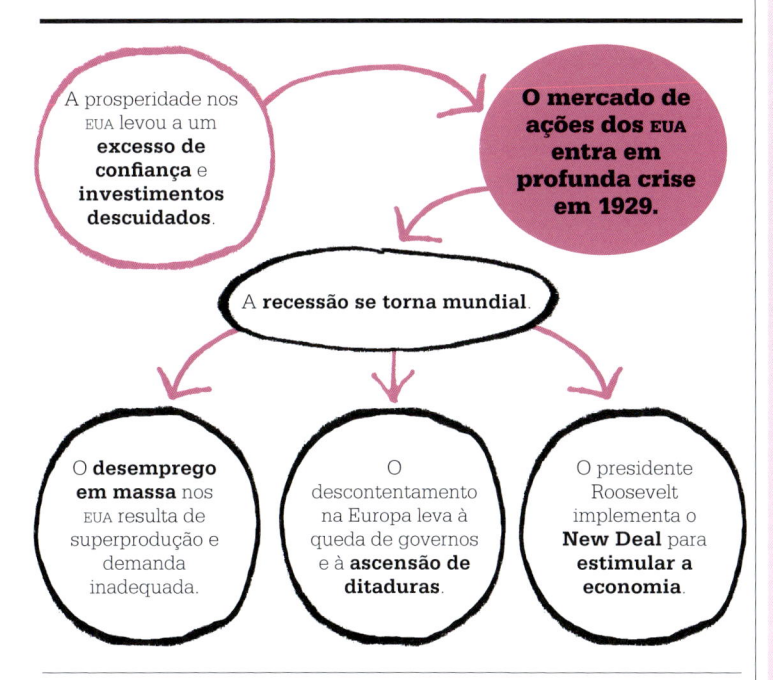

O MUNDO MODERNO

- A prosperidade nos EUA levou a um **excesso de confiança** e **investimentos descuidados**.
- **O mercado de ações dos EUA entra em profunda crise em 1929.**
- A **recessão se torna mundial**.
- O **desemprego em massa** nos EUA resulta de superprodução e demanda inadequada.
- O descontentamento na Europa leva à queda de governos e à **ascensão de ditaduras**.
- O presidente Roosevelt implementa o **New Deal** para estimular a economia.

começou a cair, em outubro de 1929, veio o pânico. O crash que se seguiu detonou uma recessão mundial conhecida como a Grande Depressão.

A Grande Depressão

Nos EUA, fábricas foram fechadas e empregados despedidos. Na primavera de 1933, o setor agrícola estava à beira do desastre: 25% dos agricultores estavam sem trabalho, e muitos até perderam suas fazendas. O desemprego foi de 1,5 milhão em 1929 para 12,8 milhões, ou 24,75% da força de trabalho, em 1933, um padrão visto em todo o mundo.

O desemprego na Inglaterra subiu para 2,5 milhões, 25% da força de trabalho, com a indústria pesada, como os estaleiros, sendo afetado duramente. A Alemanha sofreu terrivelmente, já que sua economia de pós-guerra estava apoiada em enormes empréstimos americanos que ela não conseguia pagar.

O New Deal

O crash ajudou a levar o democrata Franklin D. Roosevelt à Casa Branca, em 1932. Sua política, o New Deal, implementou um programa de bem-estar social para os pobres e gastos públicos em enormes projetos que criaram novos empregos.

A Grande Depressão marcou o fim do boom americano no pós-guerra. Na Europa, muitos se voltaram para partidos de extrema-direita, como o Partido Nacional Socialista de Adolf Hitler na Alemanha, com sua promessa de restaurar a economia. Em muitos países, a recuperação só veio com o aumento do emprego trazido pela Segunda Guerra Mundial. ∎

Franklin D. Roosevelt

Franklin Delano Roosevelt (1882–1945) foi o único presidente em toda a história a ser eleito para quatro mandatos. Ele alcançou esse sucesso apesar da pólio que teve em 1921, que aleijou suas duas pernas e quase o levou a abandonar sua carreira política.

Roosevelt ganhou como governador de Nova York em 1929 e, em 1932, foi nomeado candidato democrata à presidência. Propondo o New Deal aos americanos, teve uma vitória avassaladora. Nos seus primeiros cem dias, implementou um programa de reforma social e econômica para combater a Grande Depressão. Essas medidas populares lhe valeram uma segunda vitória em 1936.

Em 1939, os EUA foram empurrados para a Segunda Guerra Mundial, e Roosevelt assumiu seu lugar como um dos líderes dos aliados na guerra. Ele era um dos principais apoiadores do plano de criação das Nações Unidas, mas morreu em março de 1945, pouco antes da primeira reunião da ONU em San Francisco.

A VERDADE É QUE OS HOMENS ESTÃO CANSADOS DA LIBERDADE
O INCÊNDIO NO REICHSTAG (1933)

EM CONTEXTO

FOCO
Ascensão do fascismo

ANTES
1918 A Primeira Guerra Mundial deixa a Europa política e economicamente instável.

1920 O Partido Nacional Socialista (ou nazista) é fundado na Alemanha, tendo o racismo como seu maior pressuposto.

1922 Benito Mussolini é empossado premiê italiano pelo rei Victor Emmanuel III.

DEPOIS
1935 Mussolini invade a Abissínia (Etiópia) como parte de sua ambiciosa política externa.

1936–1939 Eclode a Guerra Civil Espanhola.

1938 Adolf Hitler invade a Áustria. O Pacto de Munique dá a Hitler o controle sobre a Sudetenland.

1939 Hitler ordena a invasão da Polônia, o que detona a Segunda Guerra Mundial.

As **economias enfraquecidas da Europa** tornam a vida cotidiana muito difícil.

O **ressentimento alemão** piora com os termos do **Tratado de Versalhes**.

⬇ ⬇

Ideologias extremistas, fascistas e comunistas parecem oferecer soluções fáceis para os **problemas nacionais**.

⬇

A culpa pelo incêndio do Reichstag é posta nos comunistas e é usada como pretexto para limitar as liberdades civis e prender dissidentes.

⬇

A **desintegração de estruturas formais** de governo abre caminho para **Hitler** se tornar ditador.

Quando houve o incêndio no Reichstag, o prédio do parlamento alemão, logo depois das 21 horas de 27 de fevereiro de 1933, o chanceler Adolf Hitler alegou que isso havia sido um plano dos comunistas para derrubar o governo – uma manobra cínica que deu a ele a desculpa para dizimar seus rivais comunistas.

O contexto era perfeito: haveria eleições em março de 1933. Se por um lado o Partido Nacional Socialista, ou Nazista, de Hitler era o maior do parlamento, por outro não tinha a maioria, porque os outros dois maiores partidos mais votados (o Social-Democrata e o Comunista) estavam ambos à esquerda, e ele temia que o seu partido não se

O MUNDO MODERNO 285

Veja também: A Expedição dos Mil 238-241 ▪ A Batalha de Passchendaele 270-275 ▪ O Tratado de Versalhes 280 ▪ O Crash de Wall Street 282-283 ▪ A invasão alemã da Polônia 286-293 ▪ A Conferência de Wannsee 294-295

> A nossa é uma luta até o fim para que o comunismo seja completamente removido da Alemanha.
> **Herman Göring**
> Membro líder do Partido Nazista

Diz-se que o incêndio do Reichstag foi tão severo que suas chamas podiam ser vistas a quilômetros de distância. Hitler pôs a culpa nos comunistas, numa tentativa de aumentar o apoio ao seu Partido Nazista.

Eles usavam grupos paramilitares para intimidar seus oponentes e espalhavam propaganda para ganhar popularidade. Na Itália, Benito Mussolini era visto como o único homem capaz de restaurar a ordem. Assim que virou primeiro-ministro, em 1922, passou gradualmente a assumir poderes ditatoriais, tornando-se *Il Duce*, o líder. Em 1928, a Itália havia se tornado um Estado totalitário.

Na Alemanha, Hitler trabalhou sem cessar para transformar os nazistas numa força política importante. Baseado numa mistura de retórica nacionalista, anticomunismo, um vicioso antissemitismo e um clamor incessante para reverter os termos de Versalhes de 1919, ele surfou numa onda de popularidade. Em 1933, tornou-se chanceler e, pouco depois, ditador, chamando-se *Führer*.

Os fascistas unidos

Em 1936, Hitler e Mussolini começaram a enviar apoio militar para ajudar o general Franco na Guerra Civil Espanhola, que colocou frente a frente os direitistas nacionalistas contra os esquerdistas republicanos. A vitória de Franco contra o governo esquerdista desse bem nas eleições. Hitler se afobou para pôr a culpa do incêndio num único comunista holandês, o que levantou suspeitas de que os nazistas estavam por trás do fogo criminoso, já que eles teriam muito a ganhar com o descrédito dos comunistas.

No dia seguinte, o Decreto do Incêndio do Reichstag baniu o Partido Comunista. A resposta de Hitler se valeu do temor da tomada do poder pelos comunistas, e muitos alemães acreditaram que a ação decisiva de Hitler salvara a nação. Em abril, sob pressão dos nazistas, a Lei de Concessão de Plenos Poderes foi aprovada pelo Reichstag. Isso garantiu a Hitler o direito de fazer suas próprias leis sem a aprovação do Reichstag, e solidificou seu lugar como um ditador fascista com controle completo sobre a Alemanha.

Os ditadores tomam o poder

O fascismo surgiu por toda a Europa nos anos 1920 e 1930. Conforme os governos lutavam contra as dificuldades da economia do pós-guerra e o medo de revoluções comunistas, os movimentos de extrema-direita – o fascismo na Itália e o nazismo na Alemanha – se colocaram como os defensores contra o comunismo.

da Frente Popular encorajou os ditadores e enfatizou as fraquezas das democracias ocidentais.

O incêndio do Reichstag foi um momento ímpar na história nazista. Ele levou à ditadura absoluta de Adolf Hitler e ao crescimento do fascismo, colocando a Europa na rota de uma guerra mundial. ∎

O fascismo no mundo

O fascismo floresceu no clima de catástrofe econômica das décadas de 1920 e 1930. Governos democráticos perderam a legitimidade, e movimentos nacionalistas de extrema-direita aparentavam ter a força necessária para superar as dificuldades.

Nos anos 1930, todo país da Europa, com exceção dos socialistas, tinha um partido fascista. Na Inglaterra havia a União Fascista Britânica (BUR, na sigla em inglês), liderada por Oswald Mosley. Na Irlanda, a Liga dos Jovens, chamados de "camisas azuis". Na França, o Le Faisceau. Salazar e Franco assumiram o poder em Portugal e Espanha. Também Romênia, Bulgária e Áustria tiveram movimentos assim.

E o fenômeno não foi só europeu. No Brasil, o Estado Novo instalado em 1937 por Getúlio Vargas era abertamente inspirado na Itália de Mussolini, sobretudo pela perseguição aos grupos "subversivos", pelo culto à figura do líder e pela cooptação de organizações trabalhistas como os sindicatos.

AO COMEÇAR UMA GUERRA, NÃO É O CERTO QUE IMPORTA, MAS A VITÓRIA

A INVASÃO ALEMÃ DA POLÔNIA (1939–1945)

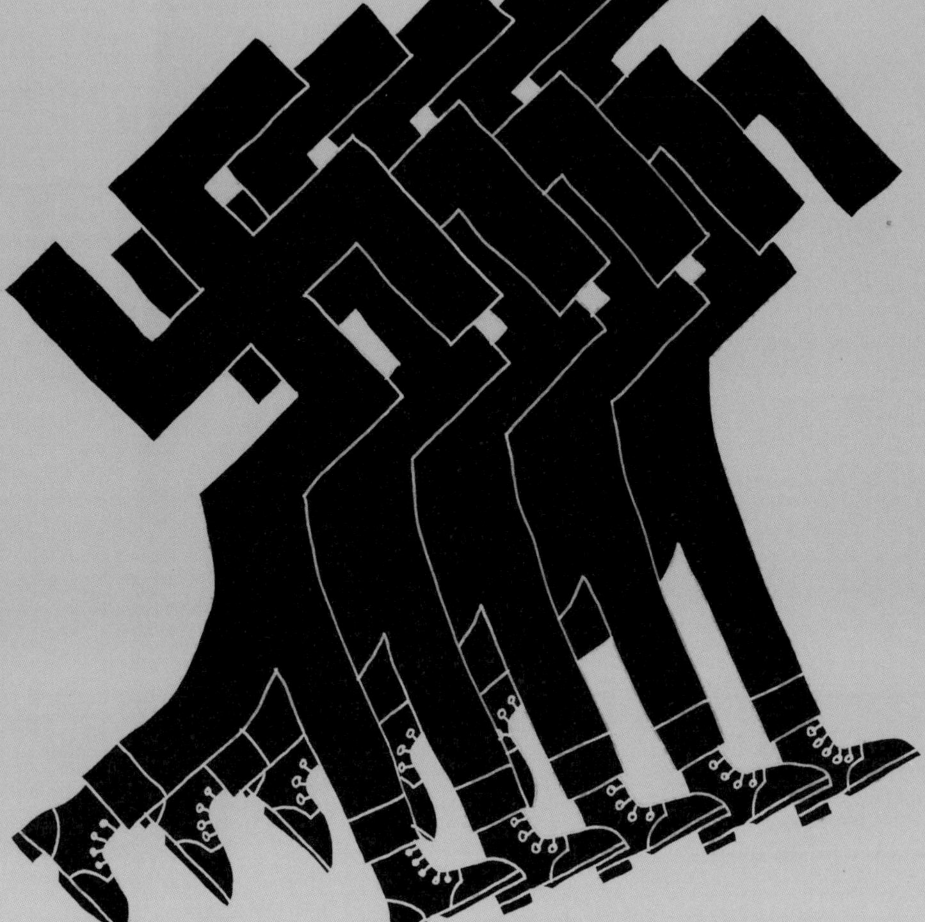

A INVASÃO ALEMÃ DA POLÔNIA

EM CONTEXTO

FOCO
Segunda Guerra Mundial

ANTES
1919 O Tratado de Versalhes no final da Primeira Guerra Mundial humilha a Alemanha e lança as sementes para futuros conflitos.

1922 É fundada a União das Repúblicas Socialistas Soviéticas (URSS).

1933 A Lei de Concessão de Plenos Poderes dá a Adolf Hitler poderes ditatoriais na Alemanha.

DEPOIS
1942–1943 Os soviéticos derrotam os alemães em Stalingrado.

1944 O desembarque do Dia D em 6 de junho, a maior operação militar anfíbia da história, dá início à libertação da Europa Ocidental.

1945 As tropas russas ganham a batalha de Berlim, e Hitler se suicida. Os alemães se rendem incondicionalmente.

Em agosto de 1939, a Alemanha nazista e a União Soviética assinaram um pacto de não agressão, concordando, secretamente, em invadir a Polônia e dividi-la entre si. Stálin decidiu que, em caso de guerra, a Alemanha oferecia a melhor esperança de segurança para os soviéticos. Uma semana depois, em 1º de setembro de 1939, mais de 1 milhão de tropas alemãs invadiram a Polônia a partir do oeste. Depois, em 17 de setembro, as tropas russas atacaram a Polônia a partir do leste. O contexto desse ataque não provocado, conforme declarado pelo Führer alemão, Adolf Hitler, era conseguir a *Lebensraum*, o "espaço vital" considerado necessário para a expansão do povo alemão, o qual Hitler via como uma "raça ariana" superior, com o direito de ocupar o espaço de raças inferiores.

A invasão durou pouco mais de um mês. Enclausurados entre duas enormes e bem armadas potências, a força aérea e o Exército poloneses lutaram bravamente, mas não tinham aviões ou tanques modernos. A Luftwaffe Alemã conseguiu rapidamente controlar os céus. No final, aviadores e soldados poloneses, lutando em dois fronts, foram dizimados.

A invasão resultou numa vitória retumbante e ajudou Hitler a aumentar a crença de que era um gênio militar. Algumas áreas na Polônia ocidental foram absorvidas pela Alemanha, enquanto territórios a leste do rio Bug foram anexados pela URSS.

O regime nazista na Polônia

Os nazistas impuseram um regime brutal na parte alemã da Polônia. Hitler pregava a eliminação de qualquer um que se pusesse no caminho da dominação alemã.

Como parte do plano de limpeza étnica de Hitler, quase 5 milhões de judeus poloneses foram agrupados em guetos. A invasão da Polônia deu um aviso prévio da violência que em breve seria enfrentada por países e pessoas por todo o globo.

A ascensão do Partido Nazista

Apesar de a Segunda Guerra Mundial ter começado pela invasão da Polônia por Hitler, suas origens são de muito antes, com a derrota da Alemanha na Primeira Guerra Mundial e a exigência de pagamento de reparações de guerra. As nações derrotadas perderam território e prestígio, causando um profundo ressentimento. A Alemanha foi forçada a devolver a Alsácia e Lorena à França, e

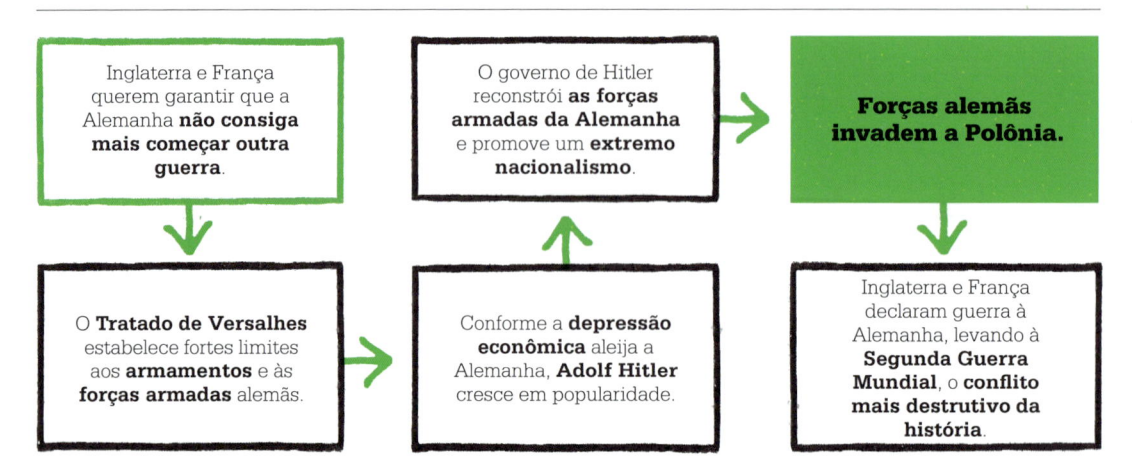

Inglaterra e França querem garantir que a Alemanha **não consiga mais começar outra guerra**.

↓

O **Tratado de Versalhes** estabelece fortes limites aos **armamentos** e às **forças armadas** alemãs.

→

Conforme a **depressão econômica** aleija a Alemanha, **Adolf Hitler** cresce em popularidade.

↑

O governo de Hitler reconstrói **as forças armadas da Alemanha** e promove um **extremo nacionalismo**.

→

Forças alemãs invadem a Polônia.

↓

Inglaterra e França declaram guerra à Alemanha, levando à **Segunda Guerra Mundial**, o **conflito mais destrutivo da história**.

O MUNDO MODERNO

Veja também: A Batalha de Passchendaele 270-275 ▪ O Tratado de Versalhes 280 ▪ O Crash de Wall Street 282-283 ▪ O incêndio no Reichstag 284-285 ▪ A Conferência de Wannsee 294-295 ▪ O bloqueio de Berlim 296-297 ▪ O genocídio armênio 340 ▪ A fundação das Nações Unidas 340

Adolf Hitler assiste a uma parada da vitória em Varsóvia logo depois da invasão da Polônia. Ele e o líder soviético Stálin fizeram um acordo sobre a invasão e dividiram o país.

todas as suas colônias ultramarinas foram anexadas pelos aliados.

A República de Weimar na Alemanha começou sua recuperação econômica nos anos 1920, mas não conseguiu sobreviver ao golpe dado pela quebra da economia dos EUA em 1929. Essa crise financeira ajudou a ascensão do Partido Nacional Socialista (Nazista), liderado por Hitler, que prometeu ao povo alemão que faria sua nação grande de novo.

Hitler lutou na Primeira Guerra Mundial, e a experiência da guerra de trincheiras, o choque da derrota e os termos do Tratado de Versalhes influenciaram o resto de sua vida. Ele desenvolveu visões extremistas baseadas num nacionalismo de extrema-direita. Quando se tornou chanceler do governo de coalizão da Alemanha em 1933 e ditador do país no ano seguinte, seguiu à risca suas políticas de nacionalismo, antissemitismo e anticomunismo.

O *Lebensraum* de Hitler

Segundo esse credo, Hitler embarcou numa ambiciosa política externa. Em 1935, posicionando-se contra o Tratado de Versalhes, começou um maciço programa de rearmamento. Em 1936, ocupou a zona desmilitarizada do Reno, mas nenhuma das potências interveio. Em março de 1938, anexou a Áustria à Alemanha, antes de voltar seu olhar para a parte da Tchecoslováquia que falava alemão, a Sudetenland. Políticos britânicos e franceses queriam evitar uma repetição dos horrores da Primeira Guerra Mundial e acharam que a Sudetenland não seria digna de luta. No Acordo de Munique de 29 de setembro de 1938, a Sudetenland foi entregue a Hitler em troca da promessa de acabar com sua expansão territorial. O primeiro-ministro britânico Neville Chamberlain declarou que havia assegurado "paz para o futuro", mas logo depois os nazistas invadiram o resto da Tchecoslováquia em março de 1939.

Fascismo na Europa

O ditador fascista italiano Benito Mussolini também tinha aspirações a glórias no exterior. Em outubro de 1935, ele invadiu a Abissínia (Etiópia), como retaliação pela derrota dos italianos por lá em 1896. Em maio de 1936, conquistou o país sem qualquer oposição das potências ocidentais.

Uma evidência adicional da fraqueza das democracias ocidentais em confrontar a ameaça fascista foi dada no mesmo ano, quando tanto Mussolini quanto Hitler enviaram "voluntários" para lutar na Guerra Civil Espanhola, para ajudar o nacionalista general Franco em sua campanha contra os apoiadores esquerdistas da República Espanhola. Reino Unido e França nada fizeram, e a vitória de Franco em 1939 impulsionou a causa fascista.

O Ocidente intervém

A invasão da Polônia por Hitler, que começou em 1º de setembro de 1939, finalmente forçou Reino Unido e França a entrar na guerra que tentaram »

> ❝ Tropas alemãs cruzaram a fronteira polonesa hoje de manhã, ao nascer do sol, e tem sido reportado que desde então têm bombardeado cidades. Nessas circunstâncias só existe um caminho aberto para nós.
> **Neville Chamberlain** ❞

A INVASÃO ALEMÃ DA POLÔNIA

desesperadamente evitar. Ao decidirem que precisavam de uma postura mais dura contra Hitler após a invasão da Tchecoslováquia, as duas nações garantiram apoio à Polônia no caso de agressão alemã. Honrando sua promessa, declararam guerra à Alemanha no dia 3 de setembro, o que implicava que as colônias britânicas e francesas também entrariam no conflito: os domínios britânicos da Austrália e da Nova Zelândia declararam guerra imediatamente, a União da África do Sul as acompanhou em 6 de setembro, e o Canadá no dia 10.

A Alemanha invadiu rapidamente a Polônia com sua tática de *blitzkrieg* ("guerra relâmpago"), que usava uma divisão de tanques apoiada pela Luftwaffe, a força aérea alemã. Os britânicos enviaram uma Força Expedicionária (BEF) para a França, mas nem Reino Unido nem França tentaram uma ofensiva contra a Alemanha. Eles não estavam prontos para um ataque em larga escala, e alguns políticos ainda acreditavam que daria para negociar os termos de paz.

Esse período ficou conhecido como "Guerra de Mentira". Esperando ser bombardeado, o Reino Unido começou a evacuar suas crianças das grandes cidades. Foram construídos abrigos antiaéreos, e houve distribuição de máscaras de gás. A Guerra de Mentira acabou em abril de 1940, quando a Alemanha atacou e conquistou a Dinamarca e a Noruega. Um mês depois, os nazistas se voltaram contra França, Bélgica e Holanda. O Exército francês tinha uma fraca liderança e estava mal equipado. A França confiava na Linha Maginot, uma rede de fortalezas ao longo da fronteira da Alemanha, para bloquear qualquer ataque. Mas a fortificação não se estendia ao longo da fronteira franco-belga, e os alemães simplesmente deram a volta pelo norte. Em seis semanas, a França caiu sob o violento ataque alemão.

A Batalha do Reino Unido

Só a hesitação de Hitler, que talvez tenha planejado deixar suas tropas descansar e poupá-las de um possível contra-ataque, evitou a destruição das forças britânicas antes que pudessem ser evacuadas por mar a partir de Dunkirk. Milhares de soldados aliados foram transferidos através do Canal em todos os tipos de embarcações na Operação Dínamo. Winston Churchill, o Primeiro Lorde do Almirantado e mais tarde primeiro-ministro britânico por todo o resto da guerra, disse ao seu Parlamento: "A Batalha da França acabou. Acredito que a Batalha do Reino Unido está para começar".

Mas as tentativas de Hitler de invadir o Reino Unido na Operação Leão Marinho tiveram que ser abandonadas depois que a Luftwaffe fracassou em vencer a batalha nos céus. Com a Luftwaffe triunfando tanto na Polônia quanto na França, os alemães achavam que o Reino Unido poderia ser derrotado só com o poder aéreo. No entanto, as tripulações alemãs estavam exaustas, o serviço de inteligência era fraco e o uso do radar pelo Reino Unido permitiu à Força Aérea Real (RAF) localizar os aviões invasores e decolar a tempo de enfrentar um ataque. A Batalha do Reino Unido no verão de 1940 foi o primeiro freio ao progresso de Hitler, mas o Reino Unido sozinho não poderia lutar contra uma potência que agora tinha controle sobre quase todo o continente.

> "Defenderemos nossa ilha a qualquer custo. Lutaremos nas praias, nos locais de desembarque, nos campos, nas ruas e nos morros. Jamais nos renderemos."
> **Winston Churchill**

A Operação Dínamo, em junho de 1940, focou na evacuação de soldados aliados do porto de Dunkirk, na França, após terem sido cercados pelas tropas alemãs.

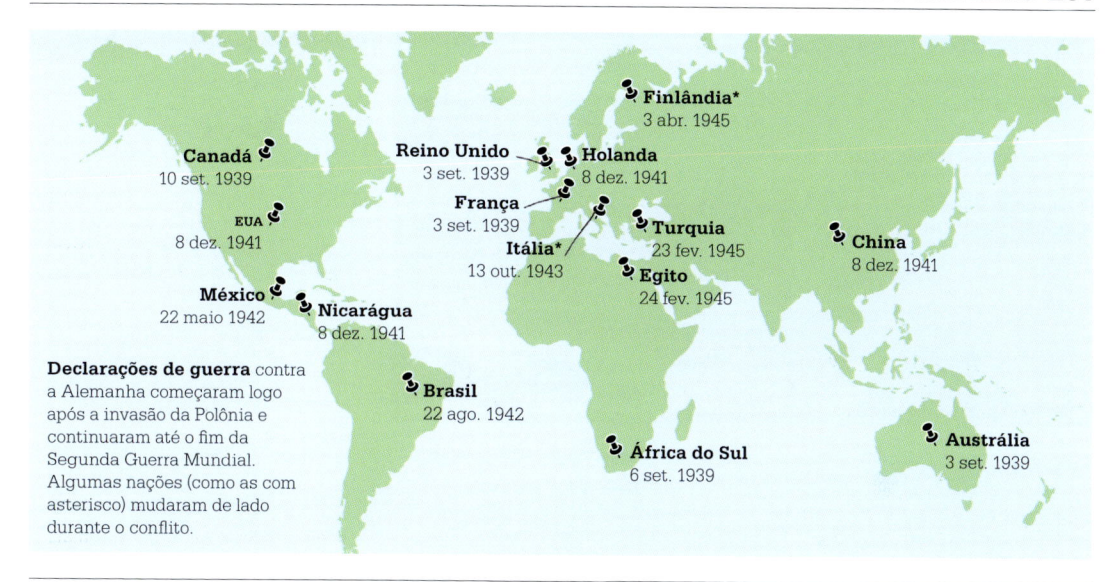

Declarações de guerra contra a Alemanha começaram logo após a invasão da Polônia e continuaram até o fim da Segunda Guerra Mundial. Algumas nações (como as com asterisco) mudaram de lado durante o conflito.

Canadá – 10 set. 1939
Reino Unido – 3 set. 1939
Holanda – 8 dez. 1941
Finlândia* – 3 abr. 1945
EUA – 8 dez. 1941
França – 3 set. 1939
Itália* – 13 out. 1943
Turquia – 23 fev. 1945
Egito – 24 fev. 1945
China – 8 dez. 1941
México – 22 maio 1942
Nicarágua – 8 dez. 1941
Brasil – 22 ago. 1942
África do Sul – 6 set. 1939
Austrália – 3 set. 1939

O mundo em guerra

Aquilo que começou como uma guerra europeia aos poucos se tornou uma guerra mundial. Em junho de 1940, a Itália, encorajada pelo sucesso alemão, declarou guerra ao Reino Unido e à França, cumprindo os termos do acordo do Eixo feito entre Hitler e Mussolini em 22 de maio de 1939. Mas os fracassos da Itália na Grécia e no norte da África forçaram Hitler a enviar exércitos alemães para essas áreas, bem como para a Iugoslávia.

Em 7 de setembro de 1940, a Alemanha deu início ao seu primeiro grande ataque aéreo sobre Londres. O Blitz, nome dado aos bombardeios da capital inglesa, incluiu os civis na guerra e pôs uma pressão enorme sobre a indústria, os portos e o moral dos britânicos. Já que os homens tinham de se alistar no Exército, as mulheres foram usadas no trabalho das fábricas e das fazendas. O racionamento de comida começou no Reino Unido em janeiro de 1940, e as pessoas foram encorajadas a plantar sua própria comida. A Europa ocupada pelos nazistas também experimentou a falta de alimentos, cujo peso maior estava sobre as populações das áreas conquistadas.

Colaboração ou exílio

Em alguns lugares, os alemães trabalhavam junto com governos já existentes e apoiavam plenamente as administrações de fantoches, como a de Vidkun Quisling pró-nazista na Noruega e o regime de Vichy no sul da França. Liderada pelo marechal Philippe Pétain, Vichy era oficialmente neutra, mas colaborou de perto com a Alemanha, lutando contra a resistência francesa e implementando uma legislação antissemita.

A Alemanha tinha controle total sobre a Polônia e parcial dos Estados bálticos. Monarcas e políticos de mais de uma dúzia de países ocupados fugiram para o Reino Unido. Ministros poloneses abriram seus quartéis-generais em Londres, e as operações do governo da Bélgica foram transferidas para lá. A família real holandesa, sob a rainha Wilhelmina, também buscou refúgio em Londres. Quando a França foi tomada pela Alemanha, Charles de Gaulle, que se opunha ao recém-instalado governo de Vichy, tornou-se a voz da oposição francesa à ocupação alemã.

Em 1940, a maior ameaça ao Reino Unido vinha dos submarinos U-boats. Por ser uma ilha, o Reino Unido era dependente de seus navios mercantes para transportar suprimentos vitais, mas também para exportar os equipamentos para suas forças no exterior, e os U-boats alemães estavam afundando dezenas de embarcações aliadas todos os meses. Os navios mercantes viajavam em comboio para aumentar as chances de os suprimentos chegarem ao destino final de cada jornada, mas as perdas eram altas.

Lutando contra a URSS

Em junho de 1941, o Reino Unido ganhou um novo aliado quando a Alemanha invadiu a URSS na Operação Barbarossa. Hitler já olhava para a URSS como um novo território para o povo alemão. Isso também removeria qualquer futura ameaça a partir do leste, mas em essência punha em prática seu plano de acabar com o comunismo. A princípio, parecia que »

A INVASÃO ALEMÃ DA POLÔNIA

A Operação Barbarossa, lançada em junho de 1941, viu a invasão da URSS pela Alemanha, em desrespeito ao pacto de não agressão que os dois países haviam assinado dois anos antes.

a Alemanha e seus aliados teriam tanto sucesso contra a Rússia quanto tiveram contra França. No inverno, a Alemanha já havia chegado a um quilômetro e meio de Moscou, e Leningrado, a segunda cidade da URSS, estava cercada.

Outro e poderoso argumento a favor da guerra no leste estava baseado na ideologia racista e no ódio de Hitler a eslavos e judeus. Conforme as tropas alemãs avançavam na Rússia, infligiam uma terrível campanha de genocídio contra os comunistas e os judeus. As tropas russas suportaram enormes dificuldades. Tanques alemães rompiam as defesas do Exército Vermelho. Os prisioneiros de guerra eram mortos a tiro ou deixados para morrer de fome.

> "A história não conhece uma demonstração maior de coragem do que aquela mostrada pelo povo da União Soviética."
> **Henry L. Stimson**
> Secretário da Guerra dos EUA

Os civis em fuga eram abatidos sem nenhuma hesitação. A dureza do inverno russo segurou um pouco os alemães, e os contra-ataques russos empurraram o front de batalha de volta várias centenas de quilômetros. Na Batalha de Moscou, do começo de outubro de 1941 a janeiro de 1942, estima-se que 650 mil soldados do Exército Soviético perderam a vida. Na primavera de 1942, os alemães retomaram sua ofensiva na URSS, empurrando de volta o Exército Vermelho e chegando perto de tomar os campos de petróleo russos.

O Pacífico e a África

Em dezembro de 1941, o Japão entrou na guerra ao atacar a frota americana em Pearl Harbor, no Havaí, como parte do seu plano de expulsar as forças americanas do Pacífico. A Alemanha – que tinha um acordo tripartido com o Japão e a Itália para suprir assistência militar mútua em caso de qualquer um deles ser atacado por uma nação ainda não envolvida na guerra – imediatamente declarou guerra aos Estados Unidos. O Reino Unido agora tinha dois aliados, a URSS sob Stálin, e os EUA, liderados por Franklin D. Roosevelt. Ambos foram fundamentais na derrota das potências do Eixo. As indústrias americanas se tornaram um triunfo da produção nos tempos de guerra, dando aos americanos em combate na Europa e na Ásia as ferramentas de que precisavam para lutar contra o Eixo.

O Japão teve rápidas vitórias no Pacífico. Teve sucesso em capturar Filipinas, Malásia, Burma, Indonésia e Singapura, a principal base naval britânica no Extremo Oriente.

No norte da África, enquanto isso, uma nova tentativa de ofensiva do Eixo liderada pelo general Erwin Rommel levou os exércitos alemão e italiano a uma curta distância do Cairo e do Canal de Suez. A primeira grande vitória aliada foi no Egito. Em julho de 1942, Rommel foi parado em El Alamein; em outubro, foi forçado a bater em retirada pelo 8º Exército britânico, liderado pelo marechal de campo Montgomery.

Naquele mesmo inverno, o Exército Vermelho derrotou os nazistas em Stalingrado. Os soviéticos cercaram os alemães, forçando sua rendição em fevereiro de 1943.

O general Dwight D. Eisenhower liderou as forças aliadas durante o desembarque da Normandia, em junho de 1944. A invasão foi um passo decisivo em direção à retomada da Europa, que estava em mãos nazistas.

O MUNDO MODERNO

A mudança da maré

Numa conferência em Teerã, em novembro de 1943, os líderes aliados concordaram com a estratégia de libertar a Europa. Enquanto os russos faziam os alemães recuar no leste e os britânicos e americanos avançavam devagar pela Itália, uma enorme força de invasão aliada chegou à Normandia em junho de 1944. Onze meses depois, ela já havia chegado ao rio Elba no norte da Alemanha, enquanto as tropas russas avançavam quarteirão a quarteirão em Berlim. A Alemanha já estava sendo atacada sem parar pelos aviões bombardeiros britânicos Lancaster, sob o Comando de Bombardeiros e do 8º Comando da Força Aérea dos EUA. Prevendo a derrota, Hitler se matou em 30 de abril, e a Alemanha se rendeu incondicionalmente uma semana depois.

O último ato de guerra veio em agosto de 1945, quando os EUA, após lutar ilha a ilha por todo o Pacífico, puseram fim à resistência japonesa ao lançar duas bombas atômicas, uma sobre a cidade de Hiroshima, outra sobre Nagasaki. Os efeitos das bombas foram cataclísmicos, infligindo um horror sem precedentes nas duas cidades japonesas.

A Batalha de Iwo Jima viu as tropas dos EUA lutarem contra o Exército Imperial japonês pela posse dessa pequena ilha no oceano Pacífico, resultando na morte de 100 mil japoneses.

União de nações

A invasão da Polônia por Hitler marcou o começo da Segunda Guerra Mundial, a maior e mais destrutiva guerra da história, no final da qual estima-se que 60 milhões de pessoas foram mortas. Assim como seus predecessores em 1918, os aliados estavam determinados a fazer desta a última guerra desse tipo.

Representantes de cinquenta nações se reuniram em 1945 para criar a Organização das Nações Unidas. Havia esperança de que isso marcaria o começo de uma nova era de entendimentos internacionais. ∎

Hiroshima e Nagasaki

Os aviões americanos jogaram bombas atômicas nas cidades japonesas de Hiroshima e Nagasaki para forçar o Japão a se render e acabar com a Segunda Guerra Mundial. Em 6 de agosto de 1945, a "Little Boy" foi jogada em Hiroshima. Os habitantes não tinham a menor ideia do que estava para acontecer. Pessoas, animais e prédios foram incinerados num calor causticante. Perto de 70 mil pessoas morreram instantaneamente. Apesar desse terrível evento, o Japão não se rendeu.

O Japão tinha motivo para reconsiderar sua posição quando os soviéticos entraram em guerra contra eles ao cruzarem a Manchúria, em 9 de agosto. Quando, naquela mesma tarde, os EUA lançaram a "Fat Man" sobre Nagasaki, matando de imediato 50 mil pessoas, o Japão caiu de joelhos e concordou com os termos dos aliados para rendição. Esses ataques sem precedentes evitaram um sangrento assalto por terra pelos aliados sobre o Japão, mas muitos milhares perderam a vida pelos efeitos de longo prazo de doenças radioativas.

A SOLUÇÃO FINAL PARA A QUESTÃO JUDAICA
A CONFERÊNCIA DE WANNSEE (1942)

EM CONTEXTO

FOCO
O Holocausto

ANTES
1933 O primeiro campo de concentração é construído em Dachau, perto de Munique. Seus primeiros detentos são comunistas, socialistas e sindicalistas.

Setembro de 1935 Como resultado das novas leis de Nuremberg, os judeus perdem seus direitos civis.

1938 Durante a Kristallnacht, a "Noite dos Cristais", os nazistas aterrorizam os judeus por toda a Alemanha e Áustria.

Junho de 1941 A invasão alemã da URSS é acompanhada pela matança em massa dos judeus.

DEPOIS
Maio de 1942 As câmaras de gás entram em funcionamento em Auschwitz, Polônia.

1945–1946 Nos julgamentos de Nuremberg, 24 nazistas são indiciados, e doze são sentenciados à morte.

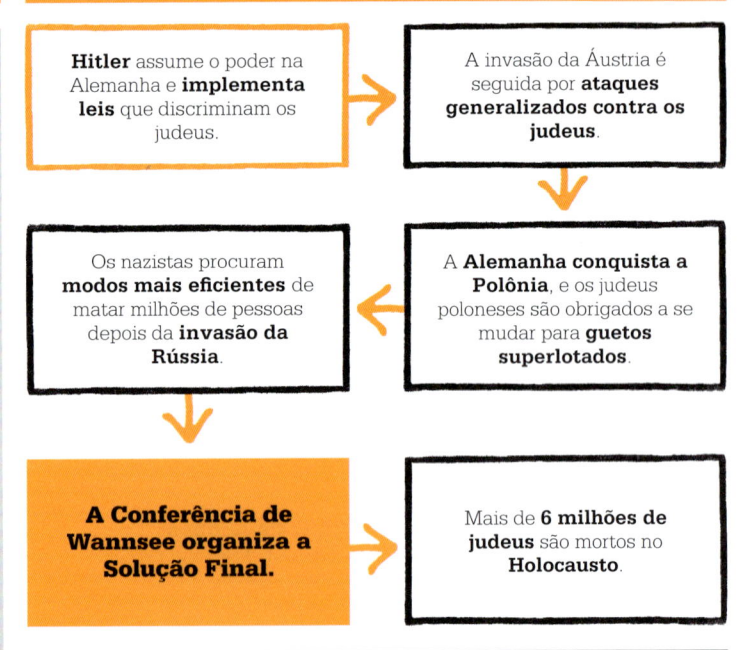

Hitler assume o poder na Alemanha e **implementa leis** que discriminam os judeus. → A invasão da Áustria é seguida por **ataques generalizados contra os judeus**.

↓

Os nazistas procuram **modos mais eficientes** de matar milhões de pessoas depois da **invasão da Rússia**. ← A **Alemanha conquista a Polônia**, e os judeus poloneses são obrigados a se mudar para **guetos superlotados**.

↓

A Conferência de Wannsee organiza a Solução Final. → Mais de **6 milhões de judeus** são mortos no **Holocausto**.

Em 20 de janeiro de 1942, quinze membros do Partido Nazista e autoridades alemãs se reuniram no subúrbio de Berlim chamado Wannsee para discutir a implementação da "Solução Final para a Questão Judaica" – nome secreto para a aniquilação sistemática dos judeus europeus. Durante a conferência, houve a apresentação de uma planilha com todos os judeus da Europa, país por país, bem como a meta de extermínio: 11 milhões. A reunião durou duas horas e foi objetiva e sem sentimentalismos. Depois de aprovadas a "Solução Final" e a matança dos judeus, os presentes celebraram com brandy e charutos. A Conferência de Wannsee de forma alguma foi o começo

O MUNDO MODERNO

Veja também: O Tratado de Versalhes 280 ▪ O Crash de Wall Street 282-283 ▪ O incêndio no Reichstag 284-285 ▪ A invasão alemã da Polônia 286-293 ▪ A criação de Israel 302-303 ▪ O cerco de Sarajevo 326

Auschwitz, no sul da Polônia, acabou virando sinônimo de Holocausto. Os prisioneiros sujeitos a trabalho forçado eram sumariamente executados quando ficavam muito fracos para trabalhar.

da brutalidade nazista contra os judeus. Adolf Hitler chegara ao poder em 1933, espalhando a crença de que os alemães eram uma raça ariana superior a todas as outras e seu sangue não poderia ser contaminado. Ele identificou os judeus como uma raça, não apenas um grupo religioso. Os judeus alemães foram proibidos de se casarem com não judeus alemães e sujeitos a uma crescente discriminação e segregação. Quando a Alemanha tomou a Áustria em 1938, a brutalidade nazista contra os judeus só piorou. Os judeus que queriam fugir da Alemanha não conseguiram encontrar nenhum país disposto a recebê-los.

Aumenta o ímpeto

Depois da invasão alemã da Polônia em 1939, a campanha nazista contra os judeus alcançou um novo e terrível nível. Colocados em guetos, os judeus poloneses começaram a morrer em grande quantidade, tanto de fome quanto por doenças. Quando os alemães invadiram a Rússia, em 1941, esquadrões da morte paramilitares matavam os judeus em massa nas áreas conquistadas. No começo, as vítimas eram mortas a bala, quase 30 mil de cada vez, mas depois a ss começou a matá-los com gás tóxico nas carrocerias de vans. O gás venenoso mostrou ser uma forma muito mais eficiente de fazer assassinatos em massa.

Até 1941, a liderança nazista previa resolver o "problema judeu" enviando-os para lugares distantes. Na época da Conferência de Wannsee, porém, eles estavam comprometidos a matar sistematicamente a população judaica na Europa. Seis campos exclusivos para essa matança foram construídos na Polônia. Adolf Eichmann, das forças paramilitares nazistas, a ss, conseguiu transportar os judeus de toda a Europa, incluindo França, Grécia, Hungria e Itália, para os campos. Os judeus dos guetos poloneses também eram levados para lá, para serem exterminados. Os prisioneiros chegavam a essas enormes fábricas de trem e eram mortos com gás, que saía através de chuveiros em enormes banheiros, e os seus corpos eram queimados em grandes crematórios. No campo de Bełżec, quase meio milhão de judeus foram mortos, e só se sabe de sete deles que conseguiram sobreviver. O campo da morte de Auschwitz, no entanto, tinha uma área de trabalho anexada, onde os que não eram mortos na chegada tinham de trabalhar. Os alemães precisavam de trabalho escravo para apoiar seu esforço de guerra, e isso acabou garantindo aos judeus uma chance maior de sobrevivência. Junto com outros prisioneiros – socialistas, homossexuais, ciganos e prisioneiros de guerra –, muitos judeus foram enviados a campos de concentração. Suas cabeças eram raspadas, e recebiam um uniforme que lhes tirava a identidade. Quando os aliados libertaram os campos em 1945, tiveram uma visão do inferno. Os sobreviventes eram pele e osso e estavam traumatizados.

Genocídio estatal

O Protocolo de Wannsee representa o inimaginável. Pela primeira vez um Estado moderno se comprometera com o assassinato de todo um povo. Quase 6 milhões de judeus perderam a vida, e estima-se que outros 5,5 milhões entre eslavos, homossexuais e comunistas, também foram mortos. ■

Os julgamentos de Nuremberg

No final da guerra, os aliados tentaram julgar os nazistas. Um tribunal internacional foi instalado em Nuremberg, na Alemanha, a partir de 1945. Filmes capturados dos nazistas mostravam as câmaras de gás, o massacre de civis e o péssimo tratamento dado aos prisioneiros. Os julgamentos foram televisionados, mostrando ao mundo – e em particular ao povo alemão – evidências dos horrores que aconteceram nos campos de concentração. Adolf Hitler, Heinrich Himmler, chefe da ss, e Joseph Goebbels, chefe da propaganda, se suicidaram, deixando 24 réus para serem julgados por quatro acusações: crimes contra a paz, planejamento e execução de agressões de guerra, crimes de guerra e crimes contra a humanidade. Muitos disseram que estavam "apenas cumprindo ordens". Albert Speer, chefe da produção de guerra, foi sentenciado a vinte anos de prisão, enquanto outros doze réus foram condenados à morte. Os julgamentos levaram à criação de um tribunal criminal internacional permanente em Haia, na Holanda.

TUDO O QUE FAZÍAMOS ERA VOAR E DORMIR
O BLOQUEIO DE BERLIM (1948)

EM CONTEXTO

FOCO
Guerra Fria

ANTES
1918–1920 Tropas americanas lutam contra os bolcheviques durante a Guerra Civil Russa.

1922 O revolucionário russo Vladimir Lênin cria a Internacional Comunista (Comintern), para promover a revolução internacional.

1947 A Doutrina Truman promete apoio aos países que tentarem barrar a expansão comunista.

DEPOIS
1961 Os soviéticos erguem o Muro de Berlim, dividindo Berlim Oriental e Ocidental.

1985 O líder russo Mikhail Gorbachev defende reformas econômicas e políticas: *glasnost* e *perestroika*.

1990 A Alemanha é unificada depois da queda do Muro de Berlim.

Nas conferências de Ialta e Potsdam, em 1945, os aliados de guerra concordaram em dividir a Alemanha derrotada em quatro zonas, cada uma administrada separadamente por França, Inglaterra, URSS e EUA. A capital, Berlim, ficava bem no interior da Alemanha Oriental, controlada pela URSS. Ela também foi dividida em quatro zonas. Em 24 de junho de 1948, a URSS impôs um bloqueio a Berlim Ocidental, cortando todas as linhas de comunicação por ferrovias, rodovias e canais para impedir que suprimentos vitais chegassem à população. Ao todo, 2,5 milhões de pessoas tiveram de decidir entre morrer de fome ou aceitar um regime comunista. O confronto entre Oriente e Ocidente tinha o potencial de levar a outra guerra mundial, mas as nações ocidentais desenvolveram um plano que usaria aviões para lançar suprimentos sobre Berlim. Nos próximos 24 meses, foram feitas 278.288 missões humanitárias aéreas sobre a cidade. No auge dessa ponte aérea, um avião aterrissava a cada três minutos.

A Guerra Fria
A era de cooperação entre os vitoriosos da Segunda Guerra Mundial durou pouco. Os países ocidentais entraram em choque com a URSS sobre os tipos de governo que seriam instalados na Europa. A URSS baniu os partidos não comunistas de todos os países da Europa Oriental e criou um bloco de estados-satélites subservientes à liderança soviética. As potências ocidentais buscavam criar democracias que excluíssem os comunistas no poder. A Alemanha continuaria dividida entre o leste comunista e o oeste democrático, um emblema da polarização da Europa. Em 1946, o ex-primeiro-ministro britânico Winston Churchill resumiu bem a situação, ao dizer que "uma cortina de ferro desceu sobre o continente". Essa profunda divisão entre o Oriente e o

Dezenas de pessoas em Berlim Ocidental aguardavam os tão esperados suprimentos que eram lançados a partir de aviões da força aérea americana em voos rasantes durante o Bloqueio de Berlim, em 1948.

O MUNDO MODERNO 297

Veja também: A Rússia emancipa os servos 243 ▪ A Revolução de Outubro 276-79 ▪ Stálin assume o poder 281 ▪ A invasão alemã da Polônia 286-293

Após a Segunda Guerra Mundial, **o leste comunista e o oeste democrático** discordaram sobre o **futuro da Alemanha**.

⬇

Os aliados ocidentais planejavam transformar suas **zonas de ocupação** num **Estado alemão independente**.

⬇

Os **soviéticos cortaram as ligações por estradas e ferrovias** para Berlim Oriental, para forçar a capital **a se render**.

⬇

O Ocidente estava **determinado a ter uma presença** em Berlim, mas não queria arriscar uma **nova guerra mundial**.

⬇

A ponte aérea de Berlim foi uma solução pacífica.

Joseph Stálin

Ditador da URSS de 1927 até sua morte, Joseph Stálin (1878–1953) foi notório por sua crueldade em reprimir os dissidentes. Sua ascensão ao poder começou em 1903, quando se tornou amigo de Vladimir Lênin, o primeiro líder da Rússia soviética. Durante e depois da Revolução Russa (1917), ele desempenhou um papel fundamental na ascensão do Partido Comunista ao poder e em 1922 deu um passo além, tornando-se secretário-geral do Partido Comunista russo.

Ele se tornou o líder supremo em 1927, e planejava transformar a URSS numa grande potência industrial. Em 1928, lançou um programa de industrialização e implementou as fazendas coletivas. Milhões morreram de fome, em campos de trabalho ou numa onda de expurgos diretos contra seus supostos oponentes.

Nos anos do pós-guerra, Stálin liderou o Partido Comunista a um período de confrontação com seus antigos aliados na Segunda Guerra Mundial. Após sua morte, foi condenado pelos seus sucessores por suas campanhas de terror e assassinatos.

Ocidente se tornou conhecida como Guerra Fria, já que nunca chegou ao ponto de conflito militar direto. A luta sobre o futuro de Berlim se tornou a primeira grande crise da Guerra Fria.

Um plano para matar Berlim de fome

Em junho de 1948, os três aliados ocidentais anunciaram planos para fundir suas zonas e criar uma nova moeda. A resposta de Stálin foi rápida: seu bloqueio buscava matar Berlim de fome até que se rendesse, roubando o poder do Ocidente. As potências ocidentais não quiseram dar o controle aos soviéticos sobre o setor ocidental e decidiram ficar.

A ponte aérea de Berlim foi um sucesso, e Stálin acabou com o bloqueio em maio de 1949. Instigados pela crise de Berlim, os países europeus ocidentais formaram uma aliança defensiva – a Organização do Tratado do Atlântico Norte (Otan). Os Estados comunistas da Europa Oriental organizaram uma aliança rival, o Pacto de Varsóvia, em 1955.

A crise de Berlim exacerbou a animosidade entre os EUA e a URSS. Após a Segunda Guerra Mundial, a Coreia também foi dividida – os soviéticos ocuparam a zona ao Norte e os americanos ao Sul. O Norte, apoiado pela URSS, invadiu o Sul em junho de 1950. Os EUA ofereceram tropas para um exército das Nações Unidas, que passou a apoiar os sul-coreanos. A Guerra da Coreia acabou em 1953, mas ela, o conflito de Berlim e o teste soviético de sua primeira bomba atômica em 1949 criaram um clima de medo no Ocidente quanto à expansão comunista. ▪

NA BATIDA DA MEIA-NOITE, ENQUANTO O MUNDO DORME, A ÍNDIA DESPERTARÁ PARA A VIDA E A LIBERDADE
A INDEPENDÊNCIA E PARTILHA DA ÍNDIA (1947)

EM CONTEXTO

FOCO
Fim dos impérios

ANTES
1885 O Congresso Nacional Indiano (INC) é fundado para defender os direitos indianos.

1901 As colônias australianas se juntam para formar a Comunidade da Austrália.

1921 O Estado Livre Irlandês (com quatro quintos da Irlanda) ganha independência da Grã-Bretanha.

1922 O Egito conquista uma independência limitada da Grã-Bretanha, mas as tropas britânicas continuam a proteger os interesses imperiais.

DEPOIS
1947 É formada a Commonwealth – todas as ex-colônias britânicas podem participar.

1960 A Declaração da Descolonização afirma os direitos de todos os povos para sua autodeterminação.

Por mais de um século, a Índia foi a joia da Coroa do Império Britânico, mas, na última batida da meia-noite de 14 de agosto de 1947, ela se tornou uma nação independente. Na Assembleia Constituinte da Índia, em Délhi, foi convocada uma reunião especial do parlamento à meia-noite. Jawaharlal Nehru, o primeiro primeiro-ministro da Índia, levantou-se e declarou a liberdade da Índia. Mas essa independência também abriu uma ferida social e geográfica que teria de ser cicatrizada.

O novo Estado indiano foi dividido em dois estados-nações: o Paquistão, com maioria muçulmana, e a Índia, de maioria hindu. O próprio Paquistão foi dividido entre o nordeste e o noroeste, já

Veja também: A formação da Companhia Real Africana 176-179 ▪ O cerco de Lucknow 242 ▪ Nkrumah conquista a independência ganesa 306-307

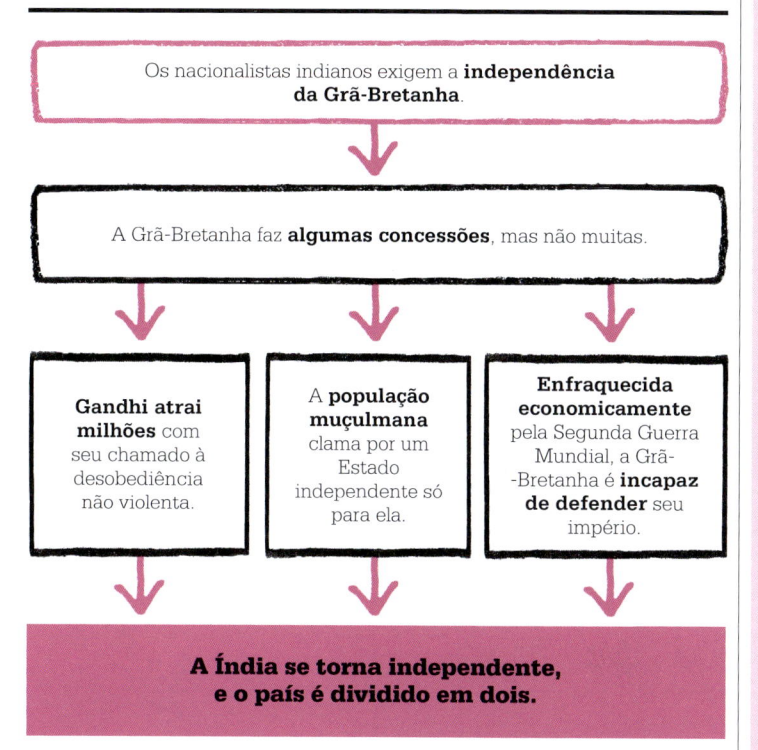

O MUNDO MODERNO

Os nacionalistas indianos exigem a **independência da Grã-Bretanha**.

⬇

A Grã-Bretanha faz **algumas concessões**, mas não muitas.

⬇

- **Gandhi atrai milhões** com seu chamado à desobediência não violenta.
- A **população muçulmana** clama por um Estado independente só para ela.
- **Enfraquecida economicamente** pela Segunda Guerra Mundial, a Grã-Bretanha é **incapaz de defender** seu império.

⬇

A Índia se torna independente, e o país é dividido em dois.

Mohandas Gandhi

Líder nacional indiano conhecido como Mahatma, que quer dizer "grande alma", Mohandas Gandhi (1869–1948) guiou o país em sua luta pela independência da Grã-Bretanha. Ele veio de uma família hindu e estudou direito na Inglaterra antes de passar vinte anos na África do Sul tentando garantir os direitos dos indianos que lá viviam. O envolvimento de Gandhi com a política indiana começou em 1919, e ele logo se tornou o inquestionável líder do movimento de independência. Ele pregava a doutrina de Satyagraha (força da alma, ou resistência passiva), que aplicou contra os britânicos com grande sucesso. Adotou uma vida simples, acreditando na virtude de pequenas comunidades, e foi contra a industrialização da Índia. O trabalho da vida de Gandhi foi coroado em 1947, quando a Índia finalmente conseguiu sua independência, mas as concessões que teve de fazer para os muçulmanos levaram ao seu assassinato no ano seguinte por um fanático hindu, que o culpou pela divisão da Índia, apesar de Gandhi sempre ter sido contrário ao desmembramento do subcontinente.

---

que ambos tinham maioria muçulmana. Imediatamente, milhões de muçulmanos começaram sua marcha para o Paquistão Ocidental e Oriental (este último agora conhecido como Bangladesh), enquanto milhões de hindus e sikhs se dirigiram para o recém-independente Estado da Índia. Milhares jamais conseguiram completar a jornada, e muitos morreram de fome e doenças. Por toda a Índia houve explosões de violência sectária, com os hindus e os sikhs de um lado e os muçulmanos de outro.

Em 1948, com o fim da grande migração, mais de 15 milhões de pessoas foram deslocadas, e entre 1 e 2 milhões morreram. A Índia era independente, e os muçulmanos da Índia tinham seu próprio Estado independente, mas a liberdade veio a um grande custo.

O caminho para a independência

O espírito do nacionalismo na Índia ganhou corpo em meados do século XIX e foi fortalecido em 1885 pela formação do Congresso Nacional Indiano (INC). Durante a Primeira Guerra Mundial, aumentaram as expectativas de uma maior autogovernança quando os britânicos prometeram entregar seu domínio em troca da contribuição da Índia para o esforço de guerra. Mas a Grã-Bretanha previa um processo gradual para o autogoverno, começando com a Lei do Governo da Índia (1919), »

A INDEPENDÊNCIA E PARTILHA DA ÍNDIA

que criou um parlamento onde o poder era compartilhado entre autoridades indianas e britânicas. Isso não satisfez os nacionalistas indianos, e os britânicos responderam aos protestos com uma repressão às vezes brutal.

O empurrão para a independência a partir dos anos 1920 até os 1940 foi galvanizado pelo esforço de Mohandas Karamchand Gandhi, que não apenas lançou a campanha da Satyagraha, promovendo protestos não violentos, mas também se tornou uma figura importante para milhões de seguidores. Em 1942, Gandhi liderou a campanha "Deixem a Índia", convocando a desobediência civil para atrapalhar os esforços britânicos na Segunda Guerra Mundial. Os britânicos de imediato prenderam Gandhi e outros líderes nacionalistas. No final da Segunda Guerra, ficou claro que os britânicos não tinham os meios necessários para derrotar a campanha nacionalista. As autoridades britânicas na Índia estavam próximas da exaustão e a própria Grã-Bretanha estava perto da bancarrota, e então concordou com a independência completa da Índia. Enquanto Gandhi e Nehru defendiam a unidade indiana, a Liga Muçulmana, fundada em 1906 para garantir os direitos dos muçulmanos, exigiu um Estado muçulmano separado. Seu líder, Mohammed Ali Jinnah, temia que os muçulmanos não conseguissem proteger seus direitos de minoria se continuassem sob o domínio dos hindus. O Congresso rejeitou a proposta, o que alimentou a violência nas ruas entre hindus e muçulmanos.

Nasce o Paquistão

Em 1947, o lorde Louis Mountbatten voou para Déli como último vice-rei britânico da Índia. Diante das diferenças irreconciliáveis quanto à exigência de um Estado separado para os muçulmanos indianos, ele convenceu todos os envolvidos da divisão do país entre a Índia hindu e o Paquistão muçulmano.

Desde seu nascimento, o Paquistão enfrentou muitos desafios. Tinha poucos recursos e um enorme problema com os refugiados. Havia diferentes tradições, culturas e línguas, e Jinnah, primeiro governador-geral, morreu no ano seguinte. Em 1948, Índia e Paquistão lutaram por Caxemira, a única área com maioria muçulmana que ficou na Índia.

> "O nosso não é um desejo por poder, mas puramente uma luta não violenta pela independência da Índia."
> **Mohandas Gandhi**

As colônias conseguem a liberdade

Após a Segunda Guerra Mundial, as potências coloniais europeias – sobretudo Grã-Bretanha, França e Holanda, além de Portugal – reconheceram que a mudança era inevitável. Algumas colônias conseguiram sua independência de forma pacífica, como Burma e Ceilão (1948), mas com frequência as potências europeias tentaram manter seus domínios.

Durante a Segunda Guerra, o Japão, já uma importante potência imperial, expulsou as potências europeias da Ásia. Depois da rendição japonesa em 1945, movimentos nacionalistas nas antigas colônias asiáticas passaram a lutar por independência em vez de voltarem ao domínio colonial europeu. O dr. Ahmed Sukarno, líder do movimento nacionalista na Indonésia, declarou a República Independente da Indonésia em 1945. Os holandeses mandaram tropas para restaurar sua autoridade, e nas duas campanhas militares que se seguiram estima-se que 150 mil soldados indonésios morreram, contra 5 mil soldados holandeses. Por fim, a

A independência da Índia foi finalmente declarada por Jawaharlal Nehru e lorde Louis Mountbatten na Assembleia Constituinte em Déli, poucos segundos depois da meia-noite de 15 de agosto de 1947.

pressão internacional forçou os holandeses a conceder a independência em 1949. A ocupação japonesa da Malásia durante a guerra unificou o povo malaio, aumentando sensivelmente os sentimentos nacionalistas. A Grã-Bretanha endureceu a repressão aos protestos, o que levou a ala militante do Partido Comunista malásio a declarar guerra ao Império Britânico em 1948. A Grã-Bretanha respondeu declarando um estado de emergência e desencadeou uma implacável campanha contra os "terroristas comunistas" chineses. A Malásia não conseguiu sua independência senão em 1957.

Insatisfação na África

No Quênia, a imposição do estado de emergência em 1952, em resposta ao levante dos rebeldes Mau-Maus, levou a uma grande insurgência e à prisão de dezenas de milhares de suspeitos. Em 1956, a rebelião fora esmagada, mas os métodos usados pelos britânicos para reconquistar o controle trouxeram condenação internacional. Na África Central, a descolonização também nasceu com a violência. Na Rodésia, aconteceram conflitos selvagens entre a maioria negra e a liderança branca racista e cruel, que havia declarado

> " Estamos orgulhosos dessa luta, das lágrimas, do fogo e do sangue, até o fundo do nosso ser.
> **Patrice Lumumba**
> Primeiro-ministro do Congo (Zaire) (1960) "

unilateralmente a independência em 1965. O processo de descolonização coincidiu com a nova Guerra Fria entre a URSS e os EUA. Estes temiam que, conforme as potências europeias perdessem suas colônias, os partidos comunistas apoiados pelos soviéticos pudessem assumir o poder nos novos Estados. Os EUA usaram enormes pacotes de ajuda para encorajar os recém-independentes nações a adotar governos que fossem alinhados com o Ocidente. A URSS usou táticas parecidas, num esforço de encorajar as novas nações a se juntarem ao bloco comunista. Muitos resistiram à pressão para ser engolfados pela Guerra Fria e acabaram se juntando ao "movimento dos não aliados". Esse movimento começou com uma reunião, em 1955, em Bandung, Indonésia, e incluía 29 países africanos e asiáticos. Os países membros decidiram que não se envolveriam em alianças para defender pactos com as principais potências mundiais, focando, em vez disso, no desenvolvimento interno.

O terrorismo na França

A França estava determinada a manter seu status político na Argélia. Quando a independência não foi alcançada após a Segunda Guerra Mundial, eclodiu uma guerra entre os nacionalistas argelinos e os colonos franceses. Em 1958, a Frente de Libertação Nacional (FLN), principal grupo nacionalista, organizou vários ataques terroristas, primeiro na Argélia, depois em Paris. A crise levou de volta ao poder Charles de Gaulle, o líder da França Livre durante a guerra. Em 1960, De Gaulle, para horror dos colonos franceses, concordou em emancipar a Argélia. Depois de um longo e sangrento conflito no qual se estima que 150 mil pessoas morreram, a Argélia conquistou sua independência em 1962.

A conquista da independência

Durante os anos 1960 e 1970, muitos dos países que haviam sido colônias

Suspeitos Mau-Maus capturados no Great Rift Valley de Nairóbi, no Quênia, em 1952, são levados com suas mãos na cabeça para serem interrogados pela polícia e, possivelmente, presos em campos de detenção.

britânicas tornaram-se Estados independentes e se juntaram à Commonwealth britânica, formada em 1931, que se tornou a sucessora do velho Império Britânico, preservando a influência britânica na economia e na política mundial. Em 1931, a Grã-Bretanha estendeu o status de domínio para as já autogovernadas colônias do Canadá (1867), Austrália (1901), Nova Zelândia (1907) e Newfoundland (1907). A Grã-Bretanha e seus domínios compartilhavam um status comum, e eles aceitaram o monarca britânico como chefe da Commonwealth. Em 1949, a Commonwealth Britânica se transformou na "Commonwealth", uma associação livre e igualitária de Estados independentes, mas o fim do império estava próximo. A Grã-Bretanha lutou uma guerra para manter as Ilhas Malvinas em 1982, e Hong Kong continuou um protetorado britânico até 1997.

Gandhi teve uma profunda influência na política mundial. Outros ativistas pacifistas – como Martin Luther King Jr. e Dalai Lama do Tibete – seguiram seus métodos. Por todo o mundo, uma luta de países para se separarem de nações que os dominavam continuou, como Escócia (Reino Unido), Quebec (Canadá) e Palestina, que lutaram para ser considerados nações com seus próprios direitos. ∎

O NOME DO NOSSO ESTADO SERÁ ISRAEL
A CRIAÇÃO DE ISRAEL (1948)

EM CONTEXTO

FOCO
Criação de Israel

ANTES
1897 O sionismo se torna um movimento organizado, reivindicando um Estado judeu na Palestina.

1917 Na Declaração de Balfour, a Inglaterra promete ajudar os judeus a terem sua terra na Palestina.

1946 Como parte de sua campanha de terrorismo contra a Palestina e a Inglaterra, o exército judeu na clandestinidade explode uma bomba no Hotel King David, matando 91 pessoas.

DEPOIS
1967 Durante a Guerra dos Seis Dias, os árabes se unem contra Israel, mas este sai vitorioso e captura fatias do território árabe.

1993 O Acordo de Paz de Oslo tenta iniciar o processo de paz entre palestinos e israelenses.

2014 A Suécia se torna o 135º país a reconhecer o Estado da Palestina.

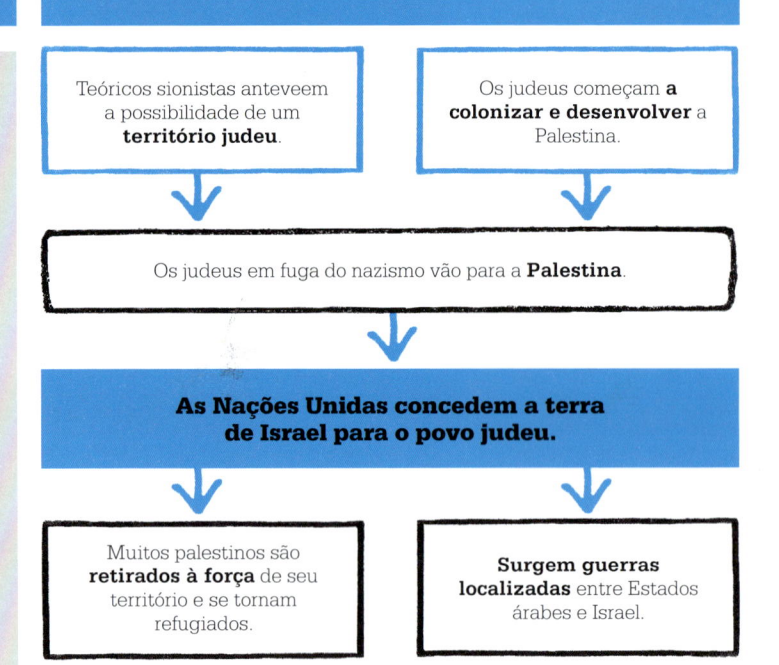

Teóricos sionistas anteveem a possibilidade de um **território judeu**.

Os judeus começam **a colonizar e desenvolver** a Palestina.

Os judeus em fuga do nazismo vão para a **Palestina**.

As Nações Unidas concedem a terra de Israel para o povo judeu.

Muitos palestinos são **retirados à força** de seu território e se tornam refugiados.

Surgem guerras localizadas entre Estados árabes e Israel.

Ao nascer do sol do dia 14 de maio de 1948, a bandeira britânica foi baixada na Casa do Governo, no Monte de Evil Counsel em Jerusalém, pondo fim aos 26 anos de dominação britânica sobre a Palestina. David Ben--Gurion, antigo líder dos colonizadores judeus, ou sionistas, que fugiram para a Palestina vindos da Europa, proclamou as boas-novas da criação do Estado judeu na Palestina. Os vizinhos muçulmanos de Israel, unidos na Liga Árabe, rejeitaram a criação do Estado e reagiram com um ataque. Suas tropas saíram da Transjordânia, Egito, Líbia e Síria. Já calejados depois de tantos anos de luta protegendo seus assentamentos na Palestina, os judeus impediram o avanço árabe.

O MUNDO MODERNO

Veja também: A Revolução dos Jovens Turcos 260-261 ▪ O Tratado de Versalhes 280 ▪ A crise de Suez 318-321 ▪ Os ataques de 11/9 327 ▪ A fundação das Nações Unidas 340

> "Viveremos, enfim, como homens livres em nossa própria terra."
> **Theodor Herzl**
> Escritor sionista

Uma terra problemática

Os judeus já imigravam para a Palestina para evitar a perseguição na Europa desde os anos 1880, crendo que ela é a terra prometida por Deus para eles. Com a Declaração de Balfour, em 1917, o governo britânico passou a apoiar um território judeu. A população de maioria árabe se opôs à reivindicação dos colonos sobre seu país. Sofrendo cada vez mais ataques, os judeus formaram grupos locais de defesa sob o nome comum de Haganah.

Aumento da violência

Em 1939, a ascensão do antissemitismo na Europa, em especial na Alemanha nazista, forçou os judeus a fugirem para Jerusalém. Diante de um influxo muito maior de colonos do que o esperado, os britânicos propuseram uma restrição ao livre assentamento dos refugiados judeus na Palestina.

Após a Segunda Guerra Mundial, aumentou a violência na Palestina, e em 1947 o governo britânico disse que encerraria seu domínio e transferiria o "problema palestino" para as Nações Unidas. O Holocausto convenceu a ONU de que os judeus precisavam de um lar, então ela resolveu dividir a Palestina numa área para os árabes (cerca de 44% do total), sendo o resto para o Estado judeu. Os judeus concordaram com o plano, mas os árabes o recusaram. Apesar disso, em 14 de maio de 1948 nascia o Estado de Israel.

A prioridade imediata de Israel foi constituir uma força de defesa confiável a partir da Haganah. Depois da Guerra dos Seis Dias (1967), Israel controlou o Sinai, Gaza, a Cisjordânia, as Colinas de Golã e Jerusalém. Enfrentou muitos ataques de seus vizinhos árabes, além das ameaças do Exército de Libertação da Palestina (OLP), um grupo paramilitar formado em 1964.

Os palestinos árabes insistiram por muitos anos na criação de um Estado independente na Cisjordânia e em Gaza. Nas zonas ocupadas, eles sofrem com péssimas condições de vida, ataques militares e restrição em ir e vir. ▪

A bandeira de Israel foi adotada em 1948, poucos meses após o nascimento do Estado. Ela foi desenhada originalmente em 1891 para ser usada pelo movimento sionista e tem a estrela de Davi em seu centro.

David Ben-Gurion

O fundador e primeiro primeiro-ministro do Estado de Israel (1948–1963), David Ben-Gurion nasceu em 1886 de pais sionistas na Polônia. Em 1906, emigrou para a Palestina, onde se tornou um apoiador engajado na luta por um Estado judeu independente. Ele liderou a campanha judaica contra os britânicos na Palestina, autorizando atos de sabotagem. Quando se tornou líder da nação, estabeleceu a Força de Defesa de Israel e supervisionou o desenvolvimento moderno de Israel. Também promoveu o uso do hebraico como a língua do país. Sua "Lei da Volta", anunciada em 1950, dava permissão para os judeus de todo o mundo imigrarem para Israel. Ele se aposentou por um curto período em 1953, e nos anos seguintes no poder deu início a negociações secretas com líderes árabes numa tentativa de estabelecer a paz no Oriente Médio. Em 1970, Ben-Gurion finalmente se aposentou do parlamento israelense e se dedicou a escrever suas memórias em Sde-Boqer, um *kibutz* (fazenda coletiva) no deserto de Negev, no sul de Israel. Morreu em 1973 e ainda é uma figura respeitada.

A LONGA MARCHA É UM MANIFESTO, UMA FORÇA DE PROPAGANDA, UMA MÁQUINA DE SEMEAR
A LONGA MARCHA (1934–1935)

EM CONTEXTO

FOCO
O surgimento da China comunista

ANTES
1911–1912 Nasce a República da China, sob o nacionalista Sun Yat-sen; o último imperador Qing abdica.

1919 O Movimento Quatro de Maio, protesto liderado por estudantes, divulga as ideias de nacionalismo e comunismo.

1921 O Partido Comunista é fundado em Xangai para promover a revolução com base no marxismo.

DEPOIS
1958 Mao Tsé-Tung apresenta o Grande Salto Adiante, um plano econômico quinquenal.

1978 O premiê Deng Xiaoping anuncia um novo programa econômico para fazer da China uma grande potência financeira.

1989 Tropas matam centenas de manifestantes pró-democracia na praça Tiananmen.

A China é governada por **senhores da guerra regionais**, sem qualquer governo central.

→ Os **partidos comunista e nacionalista** se juntam contra os **senhores da guerra**.

↓ As ideologias incompatíveis fazem com que esses dois grupos passem a maior parte do tempo **lutando entre si**.

← Os nacionalistas assumem proeminência, e os **comunistas se retiram**.

↓ O esforço e o triunfo da Longa Marcha consolidam a liderança de Mao, tornando-se **mítica**.

→ Os **comunistas** se reorganizam e sobrevivem para lutar até o surgimento da **República Popular da China**.

No outono de 1933, o Partido Comunista Chinês (PCC) estava quase extinto. Os nacionalistas haviam tomado o controle do país e lançado uma grande ofensiva contra sua base em Jiangxi, uma província no sudeste do país. Em outubro de 1934, os comunistas foram forçados a abandonar sua cidadela e romper o bloqueio dos nacionalistas. Quase 80 mil pessoas partiram para uma extraordinária jornada de 6 mil quilômetros que durou 368 dias e ficou conhecida como a Longa Marcha.

Guiados pelo seu futuro líder Mao Tsé-Tung, os comunistas enfrentaram bombardeios e tiros de metralhadora vindos dos aviões e estavam sob

O MUNDO MODERNO

Veja também: A Segunda Guerra do Ópio 254-255 ▪ O Tratado de Versalhes 280 ▪ A Revolução Cultural 316-317 ▪ A Crise Financeira Global 330-333

---

constante ataque das tropas nacionalistas em terra. Eles se moviam quase sempre à noite, com a unidade se dividindo em diferentes colunas para não chamar a atenção.

As montanhas do Tibete, o Deserto de Gobi e quilômetros de natureza selvagem ficavam entre eles e o seu destino: chegar à segurança no norte da China e estabelecer uma nova base comunista por lá. Centenas morreram de fome: dos 80 mil que partiram, só 8 mil sobreviveram. Longe de ser visto como um fracasso, no entanto, seu feito foi saudado como um triunfo da perseverança a garantiu a sobrevivência do PCC.

Unificando a nação

Em 1895, a China sofreu uma enorme derrota para o Japão. O sentimento antijaponês só cresceu durante a agressão do Japão contra a China na Primeira Guerra Mundial. Enormes protestos acompanharam a decisão, em 1919, segundo o Tratado de Versalhes, de entregar as antigas colônias alemãs na China para os japoneses. No bojo desses protestos, os ideais comunistas ganharam apoio, e em 1921 foi fundado

Mao Tsé-Tung monta seu cavalo branco junto com membros do Partido Comunista durante a Longa Marcha de 1934–1935. Seu papel na marcha acabou tornando-o líder da nação.

o PCC. O Kuomintang, um partido nacionalista, também cresceu e em meados dos anos 1920 começou a unificar o país.

Massacre em Xangai

Os nacionalistas uniram forças com os comunistas em 1926 sob Chiang Kai-shek (Jiang Jieshi), na Expedição do Norte para reconquistar territórios controlados pelos senhores da guerra. Durante a expedição, conforme o PCC ficava mais forte, uma forte rivalidade levou a um ataque dos nacionalistas contra o PCC em Xangai, em abril de 1917. Centenas de comunistas foram presos e torturados. O massacre detonou anos de violência anticomunista, e os comunistas se retiraram para o campo em Jiangxi.

A luta pela sobrevivência

Depois da Longa Marcha, o PCC se reagrupou no norte. Os nacionalistas e comunistas foram forçados a uma aliança difícil em 1937, quando o Japão invadiu a China. Em 1939, grandes áreas no norte e no leste haviam sido conquistadas. Depois da derrota do Japão na Segunda Guerra, a tensão entre os nacionalistas e os comunistas aumentou novamente, levando a uma guerra civil em 1946. Os comunistas ganharam, depois de enormes batalhas com mais de meio milhão de tropas de cada lado. Em 1º de outubro de 1949, Mao Tsé-Tung criou a República Popular da China.

A Longa Marcha foi um feito de impressionante perseverança. Para os sobreviventes, ela ofereceu um sentimento profundo de missão e contribuiu para a percepção de Mao como um líder de destino e luta revolucionária. ■

Chiang Kai-shek

O mais importante líder não comunista chinês do século XX, Chiang Kai-shek (1887–1975) foi um soldado que, em 1925, se tornou líder do Kuomintang (Partido Nacionalista), que foi fundado por Sun Yat-sen.

Durante os seus vários períodos como premiê da China, ele governou um país problemático. Tentou reformas modestas, mas enfrentou uma ferrenha disputa interna, além de um conflito armado com invasores japoneses.

Apesar de suas tentativas de esmagar seu principal rival, os comunistas chineses, quando a China foi atacada pelo Japão, seus seguidores o obrigaram a fazer uma aliança com os comunistas contra os invasores japoneses. A aliança não durou depois do fim da Segunda Guerra, e em 1949 Chiang e seu partido foram expulsos do continente para a ilha de Formosa, que desde então ficou conhecida pelos ocidentais como Taiwan. Enquanto viveu lá, Chiang formou um governo no exílio, o qual controlou até sua morte, em 1975. Seu governo foi reconhecido por vários Estados como o governo legítimo da China.

GANA, SEU AMADO PAÍS, ESTÁ LIVRE PARA SEMPRE
NKRUMAH CONQUISTA A INDEPENDÊNCIA GANESA (1957)

EM CONTEXTO

FOCO
África pós-colonial

ANTES
1946 A formação da Federação Pan-Africana internacional promove a independência na África.

1952–1960 O levante Mau-Mau no Quênia contra os britânicos marca um ponto de inflexão na luta pela independência.

1956 Uma humilhante derrota para França e Inglaterra em Suez sinaliza a continuação do declínio das velhas potências europeias.

DEPOIS
1957–1975 A maioria das nações africanas conquista a independência do domínio francês, britânico, português e belga.

1963 É fundada a Organização da Unidade Africana.

1994 Os sul-africanos são o último povo do continente a conquistar o domínio da maioria.

O **nacionalismo africano ganha força** no começo dos anos 1900.

A ideologia **pan-africana** ganha adeptos em todo o mundo.

Experiências africanas na **Segunda Guerra Mundial** impulsionam demandas por **igualdade racial**.

⬇

Nkrumah conquista a independência de Gana.

⬇

Nkrumah fracassa em sua campanha para a **unidade política** da África.

⬇

Em meados de 1970, a maioria da África ganha a **independência**, mas não a paz.

Em fevereiro de 1948, na época em que a Costa Dourada, uma colônia britânica na África Ocidental, já exigia independência há muitos anos, um grupo de ex-combatentes africanos desarmados marchou até o governador britânico com uma petição de queixas. Quando ordenados a parar, eles se recusaram, e a polícia abriu fogo. Em resposta, em 1949, o nacionalista Kwame Nkrumah formou o Partido da Convenção do Povo (PCP), uma organização que lutava por autogovernança. Nkrumah iniciou uma campanha de ação positiva inspirada na filosofia de Gandhi, que pregava a não cooperação não violenta na Índia contra os britânicos. As greves e os

O MUNDO MODERNO

Veja também: A formação da Companhia Real Africana 176-179 ▪ A Lei da Abolição do Comércio de Escravos 226-227 ▪ A Conferência de Berlim 258-259 ▪ A independência e partilha da Índia 298-301 ▪ A libertação de Nelson Mandela 325

protestos que encorajavam continuaram pacíficos, mas paralisaram o país, e os britânicos concordaram com eleições no começo de 1951. O PCP conquistou 35 das 38 cadeiras, e a Costa Dourada seguiu rapidamente em direção à independência, que foi proclamada em 6 de março de 1957, quando Nkrumah se tornou primeiro-ministro da nação de Gana. Foi um momento de enorme esperança para um novo tipo de África.

As potências europeias que governaram a África empobreceram após a Segunda Guerra Mundial, e as atitudes em relação ao colonialismo começaram a mudar. As nações que lutaram contra o fascismo passaram a ter dificuldade em justificar o imperialismo.

Efeito dominó

Os eventos em Gana tiveram um impacto significativo na África Ocidental. Em 1958, a Guiné votou para se separar da França. Determinada a não ser deixada para trás, a Nigéria celebrou sua independência da Grã-Bretanha em 1º de outubro de 1960. Em 1964, a independência também já havia chegado ao Quênia, Rodésia do Norte (Zâmbia), Nyasaland (Malaui) e Uganda.

Kwame Nkrumah, Koto Botsio, Krobo Edusei e outros políticos ganeses celebram a independência de seu país, alcançada de forma pacífica e democrática.

Os franceses lutaram uma guerra de oito anos para não perder a Argélia, cuja independência só aconteceu em 1962.

Os portugueses, a primeira potência colonial europeia na África, lutaram uma longa guerra (de 1961 a 1974) para manter suas colônias de Angola, Moçambique e Guiné. O colapso da autoridade belga no Congo em 1960 levou a uma onda de violência por todo o país e ao assassinato do primeiro primeiro-ministro, Patrice Lumumba, em 1961. Muitos países africanos conquistaram a independência durante a Guerra Fria. Usados como peões entre as superpotências capitalista e comunista, aceitaram empréstimos e ajuda militar: nos anos 1970, a Etiópia recebeu uma ajuda de bilhões de dólares em equipamentos militares soviéticos. Também houve muitas guerras civis, como a guerra civil étnica em Ruanda e Zaire, além dos confrontos entre senhores da guerra em relação às doações de alimentos na Somália.

Governantes ditatoriais

Uma vez alcançada a independência, os líderes nacionalistas africanos buscaram consolidar seu poder banindo os políticos rivais. Em todo lugar havia golpes e governos militares – como o de Idi Amin em Uganda. No começo dos anos 1970, só o Zimbábue e a África do Sul ainda eram governados pela elite política branca. A corrupção, no entanto, existia em quase todos os países africanos. Nkrumah queria que Gana fosse uma referência de sucesso, mas seu pan-africanismo fracassou, e a sorte de Gana começou a mudar conforme foi se tornando, cada vez mais, uma ditadura. ▪

Kwame Nkrumah

Ambicioso e bem-educado, Kwame Nkrumah tinha grandes planos para Gana e para a África como um todo. Frequentou a universidade nos EUA e viajou para a Inglaterra, onde se envolveu com a União dos Estudantes da África Ocidental. Em 1948, viajou por toda a Costa Dourada como líder de um movimento juvenil clamando por "autogoverno já". A convocação de Nkrumah para a ação positiva da desobediência civil como chefe do Partido da Convenção do Povo o levou a ser sentenciado a três anos de cadeia. No cárcere, ganhou a eleição geral e cinco anos mais tarde, em 1957, tornou-se primeiro-ministro da recém-independente Gana. A popularidade de Nkrumah cresceu com a construção de novas escolas, estradas e postos de saúde, mas em 1964 Gana era um Estado de partido único, e Nkrumah era seu "presidente perpétuo". Depois de duas tentativas de assassinato, e uma série de abusos contra os direitos humanos, Nkrumah sofreu um golpe em 1966 e foi para o exílio em Guiné. Morreu de câncer em 1972.

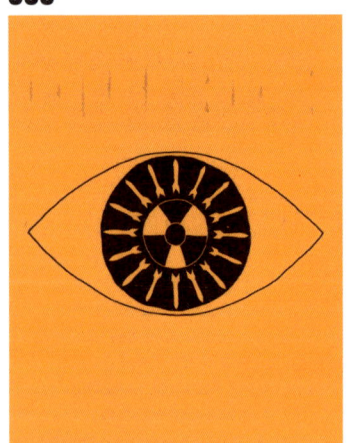

NOS ENCARAMOS OLHO NO OLHO, E ACHO QUE O OUTRO CARA PISCOU PRIMEIRO
A CRISE CUBANA DE MÍSSEIS (1962)

EM CONTEXTO

FOCO
Corrida armamentista nuclear

ANTES
1942–1945 Os EUA criam o Projeto Manhattan para desenvolver a primeira arma nuclear.

1945 Os EUA lançam bombas atômicas nas cidades japonesas de Hiroshima e Nagasaki, pondo fim à Segunda Guerra Mundial.

1952–1953 Tanto os EUA quanto a URSS desenvolvem a bomba H, mil vezes mais potente que a atômica.

DEPOIS
1963 Os EUA e a Rússia assinam um tratado para pôr fim aos testes nucleares, fazendo que a tensão internacional diminuía.

1969–1972 As Conversações sobre Limites para Armas Estratégicas (Salt I) produzem um acordo entre as superpotências sobre o uso de mísseis.

1991 O Tratado para Redução de Armas Estratégicas I (Start I) reduz o número de mísseis, americanos e soviéticos, de longo alcance.

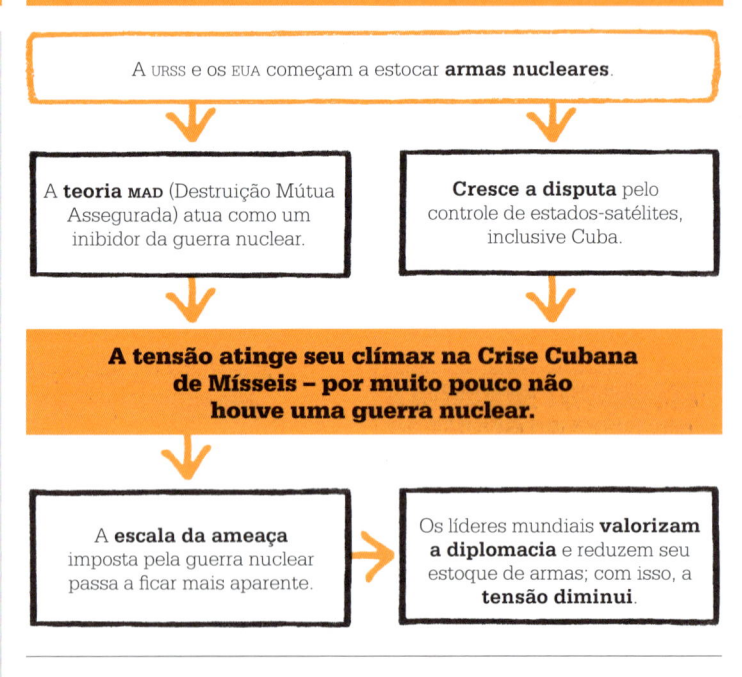

A URSS e os EUA começam a estocar **armas nucleares**.

↓ ↓

A **teoria MAD** (Destruição Mútua Assegurada) atua como um inibidor da guerra nuclear.

Cresce a disputa pelo controle de estados-satélites, inclusive Cuba.

↓ ↓

A tensão atinge seu clímax na Crise Cubana de Mísseis – por muito pouco não houve uma guerra nuclear.

↓ ↓

A **escala da ameaça** imposta pela guerra nuclear passa a ficar mais aparente. → Os líderes mundiais **valorizam a diplomacia** e reduzem seu estoque de armas; com isso, a **tensão diminui**.

Por catorze dias, da segunda feira (15/10) até o domingo (28/10) de 1962, o mundo chegou à beira do abismo da destruição nuclear. O líder soviético Nikita Khrushchev instalou armas nucleares em Cuba, e o presidente americano John F. Kennedy exigiu que fossem removidas. Os dois lados ameaçaram iniciar uma guerra nuclear.

Isso não foi uma ameaça vazia: desde os anos 1950, essas superpotências haviam começado a estocar enormes arsenais nucleares. Os estrategistas articularam uma doutrina conhecida como MAD (Destruição Mútua Assegurada), que previa que, se a Rússia atacasse o Ocidente, o Ocidente garantiria a retaliação. Em poucas palavras, não haveria vencedores. Quando Kennedy

O MUNDO MODERNO

Veja também: A Revolução de Outubro 276-279 ▪ Stálin assume o poder 281 ▪ O bloqueio de Berlim 296-297 ▪ O lançamento do *Sputnik* 310 ▪ A invasão da Baía dos Porcos 314-315 ▪ A queda do Muro de Berlim 322-323 ▪ Os protestos de 1968 324

tornou-se presidente, em 1961, ele herdou uma relação deteriorada com Cuba. Os EUA e Cuba tiveram uma história de cooperação mútua, mas isso mudou com a Revolução Cubana, quando, em 1º de janeiro de 1959, Fidel Castro derrubou o governo do presidente general Fulgencio Batista.

Embargo comercial

Os EUA aceitaram Castro como governante de Cuba, apesar de suas inclinações comunistas, e tinham uma grande presença econômica na ilha. No entanto, Castro começou a desmantelar o domínio americano sobre a economia, nacionalizando todas as fábricas sem nenhuma indenização. Em resposta, os EUA impuseram um fortíssimo embargo comercial, então Castro voltou-se para a URSS em busca de apoio. Temendo a expansão comunista, os EUA tentaram derrubar o governo de Cuba com a fracassada invasão da Baía dos Porcos, em abril de 1961, com a ajuda de exilados cubanos apoiados pela CIA.

Também em 1961, os EUA instalaram quinze mísseis nucleares Júpiter na Turquia, prontos para atingir a URSS caso houvesse necessidade. A Turquia compartilhava fronteiras com a URSS, e isso foi visto como uma ameaça direta ao território soviético.

Um ultimato

Khrushchev sofreu enorme pressão dos linhas-duras soviéticos para que tomasse uma atitude firme. Isso, junto com o desejo de defender seu aliado cubano da agressão americana, levou-o a instalar mísseis em Cuba capazes de transportar ogivas nucleares. Em 14 de outubro de 1962, fotografias tiradas por um avião espião U-2 mostravam instalações de armas nucleares sendo construídas pelos soviéticos. Os conselheiros militares de Kennedy queriam um ataque imediato a esses lugares, mas Kennedy defendia um bloqueio naval a Cuba para evitar a instalação de mais mísseis. Ele declarou um ultimato a Khrushchev para que retrocedesse, e avisou o mundo que a guerra nuclear era uma possibilidade iminente. Enquanto isso, Khrushchev ordenou que os capitães das embarcações soviéticas mantivessem seu curso em direção aos portos cubanos.

Desatando o nó

Uma atuação diplomática frenética, nos bastidores, levou a um acordo que desatou o nó: Kennedy concordou em remover os mísseis da Turquia em segredo, se Khrushchev desativasse todas as armas nucleares em Cuba. O líder soviético concordou – só se a América também abortasse seu plano de invadir Cuba. Em 28 de outubro, Khrushchev ordenou que seus navios dessem meia-volta – um momento crucial da Guerra Fria. As superpotências ficaram mais cuidadosas, e a ameaça de guerra nuclear começou a enfraquecer. ∎

O presidente Fidel Castro e o líder soviético Nikita Khrushchev em visita oficial de Castro a Moscou, em maio de 1963.

John Fitzgerald Kennedy

O 35º presidente dos EUA, John Fitzgerald Kennedy (1917–1963) foi o primeiro católico a ser eleito a presidir o país, além de ter sido o mais jovem, com apenas 43 anos. Como presidente, Kennedy trouxe um estilo novo e jovem à política, chamando seu programa de "Nova Fronteira". Isso incluía um desafio para se aventurar no espaço e eliminar a pobreza. Sua administração rapidamente ganhou apoio popular. Os anos Kennedy foram marcados pela tensão da Guerra Fria. Seu maior teste foi a Crise Cubana de Mísseis de 1962, onde sua posição firme contra a Rússia lhe assegurou uma popularidade ainda maior. Suas ambiciosas reformas domésticas, no entanto, sobre questões como bem-estar social e direitos civis foram sistematicamente bloqueadas pelo Congresso. Enquanto fazia campanha para a próxima eleição presidencial, JFK foi assassinado por Lee Harvey Oswald em Dallas, Texas, em 22 de novembro de 1963. A morte de Kennedy foi um choque e uma tragédia para os americanos, bem na época em que as tensões estavam começando a diminuir entre os Estados Unidos e a Rússia.

AS PESSOAS DO MUNDO INTEIRO ESTÃO APONTANDO PARA O SATÉLITE
O LANÇAMENTO DO *SPUTNIK* (1957)

EM CONTEXTO

FOCO
Corrida espacial

ANTES
1926 Robert Goddard lança o primeiro foguete do mundo movido a combustível líquido.

1942 A Alemanha lança, com sucesso, o primeiro míssil balístico, o A4 ou V-2.

DEPOIS
1961 Alan Shepard comanda a *Freedom 7* na primeira missão Mercury, tornando-se o primeiro americano a ir ao espaço.

20 de julho de 1969 O americano Neil Armstrong se torna o primeiro homem a pisar na Lua.

1971 É lançado o *Salyut 1*, da Rússia, a primeira estação espacial do mundo.

1997 O veículo espacial americano *Sojourner* pousa na superfície de Marte para exploração do planeta.

2015 O *Mars Reconnaissance Orbiter* encontra água em Marte.

No dia 4 de outubro de 1957, a URSS lançou o primeiro satélite artificial do mundo, o *Sputnik 1*. Carregando um simples radiotransmissor para informações sobre as condições no espaço, o satélite ficou em órbita até 4 de janeiro de 1958, quando reentrou na atmosfera e se desintegrou.

O *Sputnik* simbolizou muito mais que uma inovação científica. Ele foi um golpe sensacional dos soviéticos durante a Guerra Fria com o Ocidente. Nenhum tiro foi dado, mas as ramificações militares e políticas foram imensas. Os americanos se sentiram mais vulneráveis a um ataque nuclear. A URSS agora era uma superpotência, chocando os EUA e dando a largada na "corrida espacial", uma competição frenética entre as nações por superioridade tecnológica.

Os EUA correm atrás
O *Sputnik* foi um evento de grande mídia que lançou a "Era Espacial", capturando a imaginação coletiva do mundo. Houve um boom de livros de ficção científica, com filmes e séries de TV falando sobre o espaço. Em 1958, os EUA criaram a Nasa, a Administração Nacional de Aeronáutica e Espaço, mas só puderam assistir, com inveja, quando os soviéticos puseram Yuri Gagarin em órbita em 1961, o primeiro humano a ir ao espaço.

Os EUA correram atrás ao enviar John Glenn ao espaço em 1962, e em 1967 haviam construído um foguete, o *Saturn V*, poderoso o suficiente para chegar até à Lua. Em 1969, doze anos depois do lançamento do *Sputnik 1*, o americano Neil Armstrong deixou o *Apollo 11* e se tornou o primeiro homem a andar na Lua. ∎

> Um pequeno passo para um homem, mas um grande salto para a humanidade.
> **Neil Armstrong**

Veja também: O bloqueio de Berlim 296-297 ▪ A crise cubana de mísseis 308-309 ▪ A queda do Muro de Berlim 322-323 ▪ Os protestos de 1968 324 ▪ O lançamento do primeiro site da web 328-329

EU TENHO UM SONHO
A MARCHA DE WASHINGTON (1963)

EM CONTEXTO

FOCO
Movimento dos direitos civis

ANTES
1909 É fundada a Associação Nacional para o Avanço das Pessoas de Cor (NAACP).

1955 Rosa Parks se recusa a dar seu assento no ônibus para um homem branco, dando início assim ao movimento dos direitos civis.

1960 Quatro estudantes no balcão de um restaurante só para brancos não são servidos, levando a uma série de protestos "pacíficos" por todo os EUA.

DEPOIS
1965 Malcolm X, fundador da Organização da Unidade Afro-Americana, é morto a tiros.

1966 Stokely Carmichael apresenta a ideia de "Black Power", afastando-se dos protestos não violentos.

1968 Martin Luther King Jr. é assassinado, e conflitos surgem em várias cidades americanas.

A Marcha de Washington em 28 de agosto de 1963 reuniu quase 250 mil pessoas – a maioria afro-americanas – na capital do país. Elas reivindicavam igualdade, fim da segregação racial e acesso a todos os americanos a uma boa educação, moradia digna e empregos que pagassem um salário decente.

Um dos oradores foi o reverendo dr. Martin Luther King Jr., que havia sido preso em abril daquele ano nos protestos antissegregação no Alabama. "Eu tenho um sonho", clamou King, começando seu famoso discurso.

Reivindicações de igualdade

A abolição da escravidão depois da Guerra Civil Americana de 1861–1865 fez com que escravos emancipados pedissem cidadania americana. No entanto, se por um lado não eram mais escravos, por outro não eram iguais aos brancos e se sujeitaram à discriminação, segregação e ataques racistas violentos. Nos anos 1950, diversos grupos afro-americanos reagiram à discriminação com uma política de não violência. Nos anos 1960, as marchas pelos direitos civis em Birmingham, Alabama, lideradas por King, foram cruciais para a campanha. Alguns extremistas, sobretudo no Sul, reagiram com abomináveis atos de violência.

Depois da Marcha de Washington, o Congresso dos EUA aprovou a Lei dos Direitos Civis de 1964, proibindo a discriminação, e a Lei dos Direitos ao Voto de 1965. Mais de meio século depois, porém, muitas das metas estabelecidas naqueles dias ainda estão fora do alcance dos negros americanos. ∎

> Há quem diga a vocês que estamos nos afobando quanto a essa questão dos direitos civis. Eu digo que estamos 172 anos atrasados!
> **Hubert Humphrey**
> Prefeito de Mineápolis (1948)

Veja também: A formação da Companhia Real Africana 176-179 ▪ A Lei da Abolição do Comércio de Escravos 226-227 ▪ O Discurso de Gettysburg 244-247 ▪ A libertação de Nelson Mandela 325

EU NÃO PERDEREI O VIETNÃ
O INCIDENTE DO GOLFO DE TONKIN (1964)

EM CONTEXTO

FOCO
Guerra do Vietnã

ANTES
1947 A Doutrina Truman, prometendo apoio americano para os povos livres, guia a política externa americana no sudeste asiático.

1953 O Camboja conquista a independência da França.

1963 O presidente Ngo Dinh Diem do Vietnã do Sul é morto num golpe militar apoiado pelos EUA.

DEPOIS
1967 É fundada a Asean, Associação das Nações do Sudeste Asiático, para promover a estabilidade na região.

1973 O Acordo de Paz de Paris põe fim ao combate americano no Vietnã, mas não acaba com o conflito entre o Norte e o Sul.

1976 É proclamada a República Socialista do Vietnã, e Saigon muda de nome para Ho Chi Minh. Muitos fogem para o exterior.

As nações do sudeste asiático **querem independência do domínio colonial**.

Os EUA temem que o **comunismo se espalhe** pelo sudeste asiático.

Depois de uma guerra com a França, o **Vietnã se divide** entre o Norte comunista e o Sul apoiado pelos EUA.

Os EUA **aumentam sua presença militar** como resposta aos **sucessos comunistas** na região.

Atividades secretas americanas são descobertas, e um de seus navios de guerra é atacado no Golfo de Tonkin.

O presidente Johnson, dos EUA, usa o incidente para justificar uma **intervenção militar no Vietnã**, expandindo as fronteiras da Guerra Fria.

No pós-Segunda Guerra Mundial, os estados do sudeste asiático lutaram para criar sistemas políticos estáveis, e a região acabou enredada na Guerra Fria entre os EUA e a URSS. Em poucos lugares a linha de batalha ficou tão claramente definida como no Vietnã. Depois de o domínio colonial francês ter chegado ao fim em 1954, o Vietnã foi dividido, na Conferência de Genebra, entre o Vietnã do Norte, com um governo comunista sob a liderança do líder revolucionário comunista vietnamita Ho Chi Minh, e o Vietnã do Sul, apoiado pelos EUA. Em 1960, Ho Chi Minh, com o apoio das superpotências comunistas Rússia e China, criou a Frente de Libertação

O MUNDO MODERNO

Veja também: Stálin assume o poder 281 ▪ A invasão alemã da Polônia 286-293 ▪ O Bloqueio de Berlim 296-297 ▪ A Longa Marcha 304-305

O destróier **Maddox**, da Marinha dos EUA, estava navegando na costa do Vietnã do Norte quando sofreu um ataque. Esse incidente foi o estopim que levou à Guerra do Vietnã.

Nacional (NLF) no Vietnã do Sul e começou uma guerra de guerrilha para unir o país sob o domínio comunista.

A tensão cresceu rapidamente até 1964. Em agosto daquele ano, o destróier Maddox da Marinha americana estava operando na costa do Vietnã do Norte, no Golfo de Tonkin, monitorando sinais de radar e rádio das instalações na costa do Norte para dar apoio aos ataques feitos pela Marinha sul-vietnamita. O Vietnã do Norte, achando que o Maddox teria participado de alguns assaltos em sua costa, lançou um ataque de torpedos. Dois dias depois, o Maddox reportou uma vez mais estar sob ataque. Esse segundo ataque nunca foi confirmado, mas o presidente americano Lyndon B. Johnson, reconhecendo que o Vietnã do Sul não conseguiria dar conta sozinho de um movimento de guerrilha liderado pelos comunistas, que já controlavam boa parte do país, usou a disputa para conseguir aprovar, no Congresso, a Resolução do Golfo de Tonkin. Tal lei lhe permitia tomar quaisquer medidas necessárias para lidar com ameaças às forças dos EUA no sudeste asiático.

Intervenção dos EUA

Os EUA temiam que, se o Vietnã se tornasse um regime comunista, outros países da região o seguissem. Usando a Resolução do Golfo de Tonkin, Johnson encheu o Sul de tropas e bombardeou o Vietnã do Norte pelo ar. Um número enorme de civis foi morto, mas, apesar de sua superioridade tecnológica, eles fracassaram em esmagar as guerrilhas vietcongues. As tropas americanas sofreram enormes baixas e acabaram desmoralizadas.

O espectro do comunismo

A Guerra do Vietnã foi a primeira televisionada na história dos EUA. Conforme o público assistia ao desenrolar dos terríveis eventos, um número cada vez maior deles passou a se opor ao conflito. Por todo o mundo, movimentos pacifistas organizaram grandes manifestações contra a guerra.

A Ofensiva Tet, dos comunistas em 1968, uma série de violentos ataques em mais de cem cidades e vilas no Vietnã do Sul, esmagou a esperança dos americanos de um fim iminente para o conflito, então as conversações de paz começaram em 1969. Em março de 1973, as últimas tropas americanas foram retiradas do Vietnã, e em abril de 1975, o Vietnã do Sul foi tomado pelo Norte.

As autoridades americanas interpretaram errado os movimentos nacionalistas como se fossem inspirados no comunismo soviético. No fim das contas, no entanto, o que os EUA temiam nunca chegou a acontecer, e, com exceção de Laos e Camboja, a região continuou fora do controle comunista. ▪

O regime brutal de Pol Pot

Durante a Guerra do Vietnã, o Vietnã do Norte usou o Camboja para enviar soldados e suprimentos para o Sul através da Trilha Ho Chi Minh. Em 1970, uma força conjunta dos EUA com os sul-vietnamitas invadiu o Camboja para livrá-lo dos vietcongues. Os EUA também bombardearam pesadamente o Camboja. A desestabilização no Camboja levou a um aumento do apoio a Pol Pot, líder do Partido Comunista cambojano, ou Khmer Vermelho, um movimento de guerrilha que conquistou o poder em 1975. O regime brutal de Pol Pot pretendia transformar o país numa sociedade agrária sem classes, inspirada pela Revolução Cultural de Mao Tsé-Tung na China. Toda a população foi obrigada a se mudar para a zona rural e forçada a trabalhar nos campos de arroz. Nos 44 meses que se seguiram, quase 2 milhões de pessoas – um quarto da população do Camboja – morreram, assassinadas ou de fome. As áreas onde as pessoas morreram ficaram conhecidas como "Campos da Morte". Depois de três anos de terror, Pol Pot foi removido do poder por uma invasão vietnamita.

UMA REVOLUÇÃO NÃO É UM MAR DE ROSAS
A INVASÃO DA BAÍA DOS PORCOS (1961)

EM CONTEXTO

FOCO
Revolução e reação na América Latina

ANTES
1910 A Revolução Mexicana é a primeira grande revolução social do século XX.

1952 O Movimento Nacional Revolucionário (MNR) assume o poder na Bolívia.

1954 Uma junta militar é instalada na Guatemala através de um golpe organizado pela CIA.

DEPOIS
11 de setembro de 1973 Salvador Allende, presidente do Chile, morre durante um golpe liderado pelo comandante do Exército Augusto Pinochet.

1981 Os EUA suspendem a ajuda à Nicarágua e passam a apoiar os soldados conhecidos como Contras, numa tentativa de derrubar os esquerdistas sandinistas.

Os **Estados Unidos** estão determinados a manter o **comunismo** longe das Américas.

O presidente Kennedy herda um **plano** da CIA para se livrar de Fidel Castro.

A invasão da Baía dos Porcos é um desastre, e Castro emerge triunfante.

Os EUA aumentam seu apoio a **regimes anticomunistas** na América Latina, enquanto a URSS apoia revolucionários **pró-comunistas**.

A **Guerra Fria** continua a dominar a **geopolítica global**.

Em 15 de abril de 1961, uma tropa de exilados cubanos começou uma invasão de Cuba para derrubar o regime esquerdista de Fidel Castro e substituí-lo por um mais aberto aos interesses americanos. Oito bombardeiros americanos B-26 decolaram da Nicarágua para destruir a força aérea de Castro no chão. O ataque aéreo parecia ter tido sucesso, mas pelo menos seis caças de Castro sobreviveram. No dia seguinte, a força aérea de Castro afundou dois navios cheios de suprimentos vitais. Nas primeiras horas de 17 de abril, um grupo de quase 1.400 exilados cubanos cujo codinome era Brigada 2506 lançou um ataque anfíbio à costa sul de Cuba, na Baía dos Porcos. Eles foram rechaçados pelas forças de Castro e ficaram sem munição. Levaram não mais que três dias para exterminar a invasão dos exilados.

O MUNDO MODERNO 315

Veja também: A Revolução de Outubro 276-279 ▪ Stálin assume o poder 281 ▪ A Crise Cubana de Mísseis 308-309 ▪ O golpe militar no Brasil 340 ▪ Pinochet assume o poder no Chile 341

A invasão da Baía dos Porcos foi um desastre para os EUA, e muitos combatentes anti-Castro foram capturados durante o conflito.

Castro tem de sair

Após a Segunda Guerra Mundial, a América Latina tornou-se um campo de batalha, por procuração, de dois sistemas ideológicos em conflito: o capitalismo e o comunismo. Os EUA estavam determinados a erradicar o comunismo e apoiar ditadores de direita com regimes antirreformistas em países como Cuba, Honduras e Guatemala.

Durante os anos 1950, a corrupção e a brutalidade no governo cubano de Batista forçaram uma lenta retirada do apoio americano. Quando Castro derrotou Batista em 1959, o governo dos EUA tinha receio das inclinações comunistas do líder revolucionário. Em 1960, Castro já havia nacionalizado todos os interesses americanos em Cuba sem indenização e rompido com as relações diplomáticas. Para proteger seus ativos econômicos e derrotar o comunismo, as autoridades americanas decidiram que Castro teria de deixar o poder.

Em menos de um ano após Castro tomar o poder, vários grupos contrarrevolucionários foram formados por exilados cubanos em Miami. A Agência Central de Inteligência (CIA) americana se interessou por esses grupos, oferecendo-lhes treinamento e equipamentos para que derrubassem o governo de Castro. O fracasso na Baía dos Porcos se deveu, em grande parte, a um péssimo planejamento e à relutância de Kennedy em se envolver demais com a trama.

Manifestações pró-Cuba

Castro desenvolveu uma aliança mais próxima com a URSS, seu aliado contra a agressão americana, permitindo-lhe exportar seus ideais por toda a América Latina. A invasão provocou manifestações pró-Cuba e antiamericana do Chile ao México. Castro apoiava ativamente a guerra de guerrilha, e milhares de guerrilheiros latino-americanos foram para Cuba em busca de treinamento. A revolução em Cuba inspirou levantes parecidos durante os anos 1960 e 1970 na Nicarágua, Brasil, Uruguai e Venezuela, onde havia insatisfação com o analfabetismo, desigualdade e pobreza.

A América Latina continuou a preocupar a política externa americana. Os EUA intervieram em diversas ocasiões tentando conter o comunismo. Eles apoiaram golpes militares no Chile em 1973, na Argentina em 1976 e, temendo uma vitória comunista, financiaram os militares de El Salvador no final dos anos 1970 para dar força a seu regime. Em 1983, os EUA invadiram Granada e, em 1989, o Panamá. ▪

> ❝ Cuba não pode ser abandonada aos comunistas. ❞
> **John F. Kennedy**

Fidel Castro

Para seus seguidores, Fidel Castro (1926–2016) foi um herói revolucionário que afrontou os EUA. Para os detratores, ele era um ditador cujos vínculos próximos com a URSS deixaram o mundo mais perto de uma guerra nuclear.

Preso ainda estudante em 1953, por suas atividades revolucionárias, Castro foi solto dois anos mais tarde e foi para o exílio nos EUA e no México. Voltou a Cuba em 1956 com um pequeno bando de guerrilheiros, dentre os quais o marxista argentino Ernesto "Che" Guevara, e começou seu esforço de minar o regime do ditador Batista. Em 1º de janeiro de 1959, ele assumiu o poder em Cuba. Castro estava determinado a melhorar o nível de alfabetização, queria garantir assistência médica gratuita e fazer a reforma agrária.

Ele se via como um líder dos povos oprimidos do mundo e ajudou a treinar forças antiapartheid na África do Sul. Nos anos 1970, enviou tropas para apoiar as forças comunistas em Angola, na Etiópia e no Iêmen.

Em 2008, com a saúde debilitada, Castro renunciou à presidência de Cuba, deixando o poder nas mãos de seu irmão Raúl.

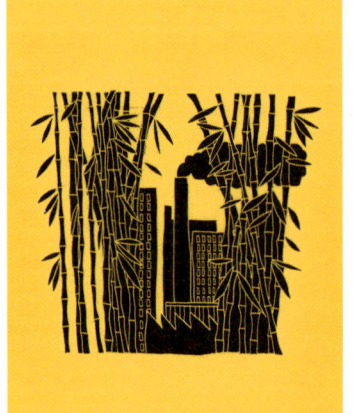

DISPERSANDO O VELHO MUNDO, CONSTRUINDO O NOVO
A REVOLUÇÃO CULTURAL (1966)

EM CONTEXTO

FOCO
Do maoismo ao capitalismo

ANTES
1943 Mao se torna presidente do Partido Comunista da China, o que sustentou sua imagem de "líder forte".

1945–1949 Uma guerra civil entre os comunistas e os nacionalistas termina com a vitória de Mao.

1958–1961 Milhões morrem durante o Grande Salto Adiante de Mao, sua tentativa de modernizar a China.

DEPOIS
1972 A viagem do presidente americano Richard Nixon à China abre caminho para as relações diplomáticas entre os dois países.

1978 Deng Xiaoping tornar-se o grande líder da China e dá início a reformas econômicas.

2015 O FMI classifica a China como a maior economia do mundo, ultrapassando os Estados Unidos.

Mao Tsé-Tung aposta num plano ambicioso para **industrializar a China**.
→ No **Grande Salto Adiante**, toda a sociedade chinesa é direcionada a essa causa.
↓
A fome entra no radar, seguida de desnutrição em massa. **Dezenas de milhões morrem**.
← **Mao lança a Revolução Cultural.**
↓
A morte de Mao marca um importante ponto de inflexão na história da China no pós-guerra.
→ A adoção por Deng Xiaoping de **ideias capitalistas** permite à China perseguir o **status de superpotência**.

A Revolução Cultural foi um dos períodos mais sombrios na história chinesa. Desde que assumiu o poder em 1949, o líder do Partido Comunista Mao Tsé-Tung não conseguiu criar sua China ideal nem assegurar seu poder. Para alavancar sua relevância e despertar o fervor revolucionário, ele decide purgar qualquer oposição e transformar capitalistas e intelectuais em proletários – trabalhadores comuns. Implantou a Revolução Cultural, que atacaria os "Quatro Velhos": velhas ideias, velhos hábitos, velhos costumes e velha cultura. Esquadrões de jovens comunistas, incitados por Mao e conhecidos como a Guarda Vermelha, aterrorizaram

O MUNDO MODERNO

Veja também: A Segunda Guerra do Ópio 254-255 ▪ Stálin assume o poder 281 ▪ A Longa Marcha 304-305 ▪ A Crise Financeira Global 330-333 ▪ A população global passa dos 7 bilhões 334-339

Neste pôster de propaganda da época da Revolução Cultural, a Guarda Vermelha aparece com uma cópia do *Livro vermelho* de Mao.

intelectuais, burocratas e professores. Algo próximo de 36 milhões de pessoas foram perseguidas e quase 1 milhão morreram no tumulto, que durou até 1976.

O Grande Salto Adiante

Depois de criar a República Popular da China em 1949, Mao lançou reformas para transformar a sociedade semifeudal e essencialmente agrícola da China num estado socialista industrializado. No final dos anos 1950, numa aposta para alcançar o rápido crescimento econômico, implementou o Grande Salto Adiante. A produção industrial disparou com a fabricação de aço e carvão, a rede ferroviária dobrou e mais da metade de toda a terra chinesa estava irrigada em 1961.

Porém esse desenvolvimento trouxe consigo um terrível custo. Mao transformou a China rural numa série de comunas agrícolas nas quais os camponeses compartilhavam terra, animais, ferramentas e cultivos. As autoridades confiscavam grandes volumes de grãos das comunas para alimentar os trabalhadores urbanos, e isso, com uma série de desastres naturais, levou à fome em grande escala. As consequências foram impressionantes: estima-se que 45 milhões de pessoas tenham morrido.

Uma nova política externa

Depois da Revolução Cultural, Mao precisava da expertise americana para restaurar a China, e os EUA queriam um aliado contra a URSS. Em 1972, o presidente americano Richard Nixon viajou para Pequim para se encontrar com Mao. Quando Mao morreu em 1976, a China havia se transformado num grande produtor de petróleo, além de deter o poder nuclear.

Deng Xiaoping, que dirigiu a China de 1978 a 1997, estava disposto a usar as ideias capitalistas para focar no crescimento econômico. Mas se por um lado ele tomou novas e abrangentes medidas, como convidar firmas estrangeiras para investir na indústria chinesa e apoiar o desenvolvimento tecnológico, por outro, resistia à pressão para fazer reformas democráticas.

No começo do novo milênio, o crescimento econômico da China foi espetacular. Em 2001, o país foi aceito na Organização Mundial de Comércio, e em 2008 foi palco dos Jogos Olímpicos em Pequim. Alguns economistas preveem que, em 2026, a China terá um produto interno bruto (PIB) maior que o do Japão e da Europa Ocidental.

Depois da morte de Mao, o Partido Comunista Chinês condenou a Revolução Cultural como um desastre. No entanto, conforme o país experimentava um período de crescimento econômico sem paralelos, um sentimento de nostalgia dos ideais de Mao, focado no povo e na autossuficiência, cresceu entre os camponeses e membros da classe trabalhadora urbana. Hoje o legado de Mao continua deixando uma grande sombra sobre uma China modernizada. ▪

Mao Tsé-Tung

Nascido em 1893 numa família de ricos agricultores da província de Hunan, Mao Tsé-Tung foi o líder da China comunista de 1949 até sua morte, em 1976. Enquanto ainda trabalhava como bibliotecário na Universidade de Pequim, ele virou comunista e ajudou a fundar o Partido Comunista, em 1921. Seis anos mais tarde, depois de liderar uma fracassada rebelião contra o líder nacionalista Chiang Kai-shek, foi forçado a se refugiar no campo, onde proclamou a República Soviética Chinesa, em 1931. Ele assumiu o controle do Partido Comunista em 1935, após provar sua liderança durante a Longa Marcha, e derrotou Chiang durante a guerra civil de 1945-1949.

Um devotado leninista, Mao se decepcionou com a política soviética de "coexistência pacífica" com o Ocidente e desenvolveu o maoismo, uma forma mais dura do comunismo. Porém, suas ideias radicais e seus experimentos com coletivização levaram a morte e sofrimento de milhões. Um de seus últimos atos, em 1972, foi ter um encontro com Richard Nixon, o primeiro presidente americano a visitar a China.

NÓS O DEFENDEREMOS COM NOSSO SANGUE E FORÇA, E ENFRENTAREMOS AGRESSÃO COM AGRESSÃO E MAL COM MAL
A CRISE DE SUEZ (1956)

EM CONTEXTO

FOCO
Oriente Médio moderno

ANTES
1945 Egito, Iraque, Líbano, Síria, Arábia Saudita, Iêmen do Norte e a Transjordânia formam a Liga Árabe.

1948 Israel é fundado na antiga Palestina, dividindo árabes e judeus.

1952 Um golpe militar tira do poder o rei Farouk do Egito. O coronel Gamal Nasser assume o poder dois anos depois.

DEPOIS
1964 A Organização para a Libertação da Palestina (OLP) exige o fim do estado judeu.

1993 O Acordo de Oslo garante o reconhecimento mútuo entre a OLP e Israel.

2011 Protestos por diversos Estados árabes reivindicam reformas numa série de levantes populares.

Em 26 de julho de 1956, o líder egípcio coronel Gamal Abdel Nasser discursou para uma multidão na cidade de Alexandria declarando a nacionalização do Canal de Suez, o caminho marítimo por onde a maior parte do petróleo que chegava ao Ocidente tinha de passar. Para os egípcios, a nacionalização simbolizava a libertação do país do domínio imperialista britânico, ao qual havia se submetido desde os anos 1880. Em resposta à ousada iniciativa de Nasser, um plano secreto foi gestado por Inglaterra, França e Israel. A França queria a queda de Nasser por causa de seu apoio aos insurgentes argelinos contra o domínio colonial francês na Argélia. Israel tinha muitas razões para

O MUNDO MODERNO

Veja também: A construção do Canal de Suez 230-235 ▪ A Revolução dos Jovens Turcos 260-261 ▪ O Tratado de Versalhes 280 ▪ A criação de Israel 302-303 ▪ Os ataques de 11/9 327 ▪ A invasão soviética do Afeganistão 341 ▪ A Revolução Iraniana 341 ▪ Os EUA e a Inglaterra invadem o Iraque 341

O presidente Nasser do Egito anuncia a nacionalização do Canal de Suez para uma multidão de 250 mil pessoas em Alexandria, celebrando os quatro anos da revolução.

derrubar Nasser, incluindo a proibição egípcia de passagem no canal de qualquer barco com bandeira israelense. Os três conspiraram que Israel atacaria o Egito, e Inglaterra e França interviriam alguns dias depois, fingindo ser pacificadores e tomando o controle do canal. Em 26 de outubro de 1956, os israelenses começaram o ataque. Tropas britânicas e francesas invadiram em 31 de outubro, mas enfrentaram pressões diplomáticas imediatas para um cessar-fogo. Os EUA, que estavam tentando cultivar boas relações com os Estados árabes, ficaram chocados com a invasão anglo-francesa, achando que seria uma ameaça à estabilidade de toda a região. O presidente Dwight Eisenhower forçou um cessar-fogo através de uma resolução nas Nações Unidas, e as tropas britânicas e francesas tiveram de fazer uma humilhante retirada.

Dividindo a terra

O forte sentimento antiocidental no Oriente Médio vinha de séculos, alimentado pelo crescente envolvimento do Ocidente na região. O colonialismo nos anos 1800 e a divisão do Império Otomano após a Primeira Guerra Mundial foram amargas humilhações para pessoas que achavam que sua religião, o islã, era a mais elevada forma de revelação divina. Em 1948, a seção da Palestina para formar Israel dividiu a região em dois Estados, um árabe, outro judeu, e foi veementemente rejeitada pelos árabes israelenses e enraiveceu outras nações árabes. Os exércitos regulares dos Estados árabes – incluindo Iraque, Líbano, Síria, Transjordânia, Arábia Saudita, Iêmen e Egito – atacaram Israel na primeira guerra árabe-israelense, em maio e junho de 1948. A guerra acabou em derrota para os árabes e desastre para os palestinos: mais da metade dos árabes do país foram expulsos como refugiados e perderam qualquer chance de ter um Estado próprio.

Planos ambiciosos

O Egito continuou com sua postura beligerante em relação a Israel ao fechar o Canal de Suez para seus navios. Quando Nasser derrubou o regime do rei Farouk em 1954, exilando-o, importou armas da URSS para fortalecer seu arsenal para futuros confrontos com Israel. A Inglaterra concordou em retirar suas tropas da zona de Suez em junho de 1956, mas, quando as últimas tropas deixaram o Egito, Nasser ainda dependia de fundos da Inglaterra e dos EUA para financiar seus planos ambiciosos de desenvolver o Egito. Isso incluía o projeto da Represa de Assuã no Nilo. Nasser ficou bravo quando Inglaterra e EUA retiraram sua oferta de empréstimos para ajudá-lo a pagar pela represa. Os britânicos e os americanos voltaram atrás por causa da associação »

Israel é fundado na Palestina.

Há um crescimento do **nacionalismo árabe**.

⬇ ⬇

A crise de Suez dá um golpe no imperialismo britânico e francês e desperta sentimentos antiocidentais no mundo muçulmano.

⬇ ⬇ ⬇

A disputa árabe-israelense se amplia para se tornar um **conflito árabe-israelense**.

Os Estados Unidos se tornam o **maior apoiador de Israel**.

Existe um crescimento **nos movimentos de libertação dos palestinos**.

⬇ ⬇ ⬇

Caos e violência tomam o Oriente Médio.

de Nasser com os soviéticos e suas infindáveis diatribes contra o Ocidente. Nasser sentiu-se insultado e de imediato nacionalizou o Canal de Suez. A ação foi popular no Egito, já que o canal era uma fonte de orgulho árabe.

Nasser foi um modernizador secular que defendia a separação entre a religião e a vida política, acreditando no selo da modernidade árabe, mas isso não foi universalmente aceito. A Irmandade Muçulmana, fundada no Egito em 1928, argumentava que o islã deveria ter um papel central no governo. Após repetidas exigências a favor da aplicação da lei da sharia – um sistema jurídico baseado no islã – e uma tentativa de assassinato contra Nasser, a organização foi enfim banida em 1954.

Em 1967, os países árabes sofreram uma esmagadora derrota nas mãos de Israel na Guerra dos Seis Dias, na qual Israel tomou o Sinai do Egito, as Colinas de Golã da Síria e a Cisjordânia e Jerusalém Oriental da Jordânia, o que representava que o país passara a ser uma força de ocupação. Nos anos 1970 e 1980, o conflito árabe-israelense acabou se movendo em direção à paz: em 1979, o acordo de paz entre Israel e Egito acabou com uma guerra de trinta anos. A ascensão do Exército de Libertação da Palestina e de outros grupos palestinos atacando Israel, no entanto, bem como a invasão israelense do Líbano, em 1982, onde muitos desses grupos tinham suas bases, continuamente desestabilizaram a frágil paz.

O presidente Carter (no centro) observa o presidente Sadat do Egito apertar a mão de Begin, premiê de Israel, depois da assinatura de um tratado de paz na Casa Branca em 1979.

A Guerra Irã-Iraque

Assim como muitos países no Oriente Médio, o Iraque moderno foi formado a partir das ruínas do Império Otomano no pós-Primeira Guerra Mundial. O Iraque era uma terra dividida por linhas étnicas entre árabes e curdos e por linhas sectárias entre muçulmanos sunitas e xiitas, sendo este último o grupo majoritário. Saddam Hussein, um sunita, tornou-se líder em 1979, suprimindo as etnias curda e xiita com enorme brutalidade. Ele, assim como Nasser no Egito, abraçou o nacionalismo árabe e governou o Iraque como um Estado secular.

Em 1979, eventos no Irã inspiraram islamitas por todo o Oriente Médio. O estilo de vida secular ocidental foi abolido numa revolução islâmica na qual o xá, apoiado pelos EUA, foi deposto. O novo regime, sob o aiatolá Khomeini, um muçulmano xiita, baseou suas leis e sua ideologia nos estritos ensinamentos do Corão. Saddam sentiu-se ameaçado pela revolução islâmica e por um possível levante xiita em seu próprio país e por isso invadiu o Irã em 22 de setembro de 1980, sob pretexto de uma disputa territorial sobre Shatt al-Arab, uma linha-d'água entre os dois países.

A invasão deu início a uma guerra brutal de oito anos que devastou os dois países e aumentou as tensões no Oriente Médio. O principal aliado do Irã era a Síria, mas Líbia, China e Coreia do Norte também enviaram armas. O apoio ao Iraque veio sobretudo dos países do Golfo Árabe, que viam o Irã como um grande perigo à sua segurança. A Arábia Saudita e o Kuwait deram bilhões de dólares em empréstimos. No

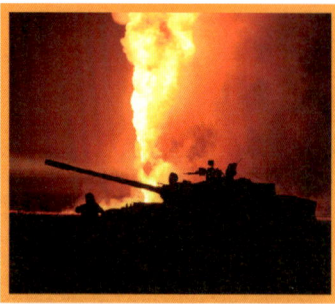

Durante a Primeira Guerra do Golfo, forças iraquianas atearam fogo em mais de seiscentos poços de petróleo no Kuwait. O desejo de Saddam Hussein de controlar os campos petrolíferos nesse país foi o que levou à invasão do Kuwait pelo Iraque em 1990.

fim, o Irã foi derrotado, e o Iraque, entupido de armas fornecidas por várias nações ocidentais, incluindo Inglaterra, França e Estados Unidos, invadiu o Kuwait, país rico em petróleo, em 1990. A ONU exigiu a retirada, mas Saddam anunciou que o Kuwait havia sido anexado pelo Iraque. Os EUA, com apoio de uma coalizão de forças, enviaram tropas durante a Primeira Guerra do Golfo (1990–1991) e tiraram Saddam do poder.

Os ataques de 11/9

O contínuo apoio americano a Israel levou a profundas mágoas entre os islamitas. Para eles, os EUA capitalista e secular, sedento por petróleo, simbolizava tudo que havia de errado no Ocidente, e ataques terroristas em alvos americanos passaram a ser mais frequentes. A Al-Qaeda levou a cabo o mais chocante deles, em 11 de setembro de 2001, contra quatro alvos nos Estados Unidos, incluindo o World Trade Center em Nova York.

Em resposta aos ataques de 11/9, uma intervenção internacional bem-sucedida e liderada pelos EUA derrubou o regime talibã no Afeganistão, que os americanos acreditavam ter dado cobertura a Osama bin Laden e à

> "Não estaremos satisfeitos senão com a obliteração final de Israel do mapa do Oriente Médio."
>
> **Muhammad Salah al-Din**
> Ministro das Relações Exteriores do Egito (1954)

Al-Qaeda. Depois de 11/9, o presidente Bush declarou "Guerra ao Terror" e, em 2002, com ajuda do governo britânico, atacou o Iraque com a premissa de acabar com as "armas de destruição em massa" consideradas uma ameaça à segurança nacional. A intervenção ocidental no mundo muçulmano aumentou a crença entre os islamitas de que o Ocidente era o inimigo do islã.

A Primavera Árabe

Os ataques de 11/9 foram inspirados por uma ideologia e uma crença radicais que diziam que os problemas fundamentais que oprimiam árabes e muçulmanos poderiam ser resolvidos com o ataque a potências estrangeiras, vistas como opressoras do islã. Em 2011, jovens árabes – olhando para dentro de seus países e culpando seus próprios líderes por décadas de decadência política, econômica e cultural – estavam no centro dos levantes por todo o mundo árabe. Em seu cerne, aquilo que ficou conhecido como Primavera Árabe era a tentativa de uma nova geração de mudar a ordem do Estado. Uma série extraordinária de levantes pró-democracia, a Primavera Árabe causou enormes transtornos no Oriente Médio e no norte da África. Ela começou na Tunísia em 17 de dezembro de 2010, quando um vendedor ateou fogo a si mesmo em protesto contra a brutalidade policial. Manifestantes por toda a Tunísia exigiam democracia, e o presidente Zine el Abidine fugiu do país em 14 de janeiro. A desordem se espalhou para a vizinha Argélia, onde a insatisfação era pelo alto desemprego.

Em 25 de janeiro, milhares de manifestantes tomaram as ruas do Egito, e, depois de dezoito dias de protesto, o presidente Hosni Mubarak renunciou. Em meados de fevereiro, a insatisfação civil se espalhou para o Bahrain, onde foi brutalmente sufocada, e para a Líbia. A resposta violenta de Muammar al-Gaddafi aos dissidentes levou à guerra civil. Uma coalizão internacional liderada pela Otan lançou uma campanha de ataques aéreos focada nas forças de Gaddafi, que acabou morto em outubro de 2011.

Novos levantes aconteceram na Jordânia, Iêmen e Arábia Saudita, mas a pior violência contra os civis foi vista na Síria, onde o presidente Bashar al-Assad prometeu reformas mas usou da força para esmagar os dissidentes – uma atitude que só endureceu a resolução dos manifestantes. Em julho de 2011, centenas de milhares de pessoas tomaram as ruas, e o país entrou em guerra civil. Em agosto de 2015, as Nações Unidas reportaram que mais de 210 mil pessoas haviam sido mortas no conflito. Aproveitando-se do caos na região, o chamado Estado Islâmico (também conhecido como Isis ou Isil), grupo muçulmano extremista que substituiu a Al-Qaeda, assumiu o controle de enormes fatias do território ao norte e a leste da Síria, bem como no vizinho Iraque.

Instabilidade no Oriente Médio

A Crise de Suez foi o fim de uma era na política do Oriente Médio e o começo de outra. Ela marcou o humilhante fim da influência imperial por dois países europeus, Inglaterra e França, cujo papel foi rapidamente assumido pelos EUA. Estimulou o nacionalismo árabe e abriu uma era de guerras árabe-israelenses e de terrorismo palestino.

Nos tempos modernos, o Oriente Médio nunca foi visto como tão instável. Guerreia-se por religião, etnia, território, política e comércio, e esses conflitos levaram à pior crise de refugiados desde a Segunda Guerra Mundial, com milhões de pessoas fugindo da anarquia e do fanatismo. ∎

Terrorismo no Oriente Médio

Desde meados do século XX, o terrorismo tem sido sinônimo de Oriente Médio. O conflito Israel-Palestina é um dos maiores desafios do mundo. Em 1964, líderes árabes formaram a Organização para a Libertação da Palestina (OLP), declarando a fundação de Israel como ilegal. A OLP usou o terrorismo para atacar Israel e alvos ocidentais por seu apoio a esse país. Em 1970, militantes palestinos explodiram três aviões sequestrados no deserto da Jordânia, e um grupo ligado à OLP atacou a delegação israelense nos Jogos Olímpicos de Munique, na Alemanha, em 1972. Em 1983, o Hezbollah, grupo muçulmano xiita fundamentalista apoiado pelo Irã no Líbano, atacou quartéis em Beirute, ocupado tanto por fuzileiros navais americanos quanto por forças francesas, matando 298 pessoas. O Hezbollah foi o primeiro a usar homens-bomba no Oriente Médio. Tanto judeus quanto muçulmanos têm usado o terrorismo para atrapalhar as diversas tentativas de paz na região.

CAI A CORTINA DE FERRO
A QUEDA DO MURO DE BERLIM (1989)

EM CONTEXTO

FOCO
Colapso do comunismo

ANTES
Agosto de 1989 Depois de 45 anos, a Polônia vê o fim do domínio comunista. O Solidariedade, um sindicato, forma um novo governo não comunista.

23 de agosto de 1989 Dois milhões de pessoas formam uma corrente humana por toda a Estônia, Lituânia e Letônia em protesto contra o domínio soviético.

11 de setembro de 1989 A Hungria abre sua fronteira com a Áustria para permitir a saída de refugiados alemães-orientais.

DEPOIS
3 de dezembro de 1989 Os EUA e a URSS anunciam conjuntamente que a Guerra Fria acabou.

3 de outubro de 1990 A Alemanha é reunificada.

Dezembro de 1991 A URSS se desintegra em quinze Estados independentes.

Gorbachev se torna presidente da URSS. Ele implementa **reformas radicais na política e na economia**.

↓   ↓

Esse processo de democratização **reduz as tensões da Guerra Fria**.

Gorbachev não pretende usar **força militar** para apoiar regimes comunistas satélites.

↓   ↓

Surgem levantes por toda a Europa Oriental, e os **regimes comunistas** são derrubados.

↓

Cai o Muro de Berlim, seguido logo depois pelo colapso da URSS.

Por décadas, o Muro de Berlim, que separava Berlim Ocidental da Oriental, serviu de lembrança da Guerra Fria, a amarga divisão entre o comunismo soviético e o capitalismo ocidental. Em 9 de novembro de 1989, o governo da Alemanha Oriental suspendeu as restrições a viagens, e milhares de pessoas começaram a se dirigir para o muro. Os guardas de fronteira da Alemanha Oriental não intervieram em face da multidão em êxtase. Em 10 de novembro, em cenas extraordinárias, os soldados de ambos os lados ajudaram os berlinenses a romper o muro. Nos próximos dois dias, mais de 3 milhões de pessoas cruzaram a fronteira.

O MUNDO MODERNO

Veja também: A Revolução de Outubro 276-279 ▪ Stálin assume o poder 281 ▪ A invasão alemã da Polônia 286-293 ▪ O Bloqueio de Berlim 296-297 ▪ A Longa Marcha 304-305 ▪ A Crise Cubana de Mísseis 308-309 ▪ O lançamento do *Sputnik* 310 ▪ A atividade terrorista da Facção do Exército Vermelho 340

A queda do Muro de Berlim significou a libertação para muitas pessoas. A reunificação alemã, o colapso da URSS e o fim do comunismo na Europa Oriental vieram logo em seguida.

Solidariedade da Polônia, de início um sindicato clandestino, foi eleito para liderar um governo de coalizão. Conforme o impulso para reformas ganhava força, o governo da Alemanha Oriental declarou que seus cidadãos poderiam visitar Berlim Ocidental através de qualquer cruzamento na fronteira, inclusive o Muro de Berlim.

A queda do Muro de Berlim foi um evento monumental, marcando uma era que viu o fim da Guerra Fria e a dissolução da URSS. Também permitiu a milhões de pessoas viajar mais livremente, e economias antes sufocadas por toda a Europa Oriental e na antiga URSS se abriram para o mundo. Muitos antigos países comunistas foram bem-vindos à Otan e se juntaram à União Europeia.

O mundo mudou seu curso em 1989. O comunismo estava morto no Leste, e uma Alemanha reunificada estava pronta para assumir seu lugar no centro da Europa. ▪

Governando o Bloco Oriental

No final da Segunda Guerra Mundial, a URSS havia banido os partidos anticomunistas em todos os países do Leste Europeu e criou um bloco de estados-satélites sob a liderança soviética, reprimindo cruelmente qualquer oposição. No outono de 1956, a Hungria se levantou contra seu governo comunista, só para ser esmagada por tanques soviéticos, e em 1968 a URSS invadiu a Tchecoslováquia para remover um governo que considerava liberal demais.

Nos anos 1960, a Alemanha ainda estava dividida entre Oriental e Ocidental, e sua antiga capital, Berlim, dividida entre a Ocidental, operada pelos aliados, e a Oriental, controlada pelos soviéticos. Cada uma tinha sua própria administração alemã: democrática no Oeste, comunista no Leste. Milhares de alemães-orientais fugiram para o Ocidente, causando uma debandada de seus trabalhadores mais qualificados. Em 13 de agosto de 1961, o governo isolou Berlim Oriental da Ocidental com uma cerca que, com o passar do tempo, se tornou uma barreira fortificada dividindo a cidade, a nação, famílias e amigos.

Em 1985, Mikhail Gorbachev foi escolhido secretário-geral do Partido Comunista soviético. Buscando uma melhor relação com o Ocidente, ele propôs novas reformas: a *glasnost* ("abertura" política) e a *perestroika* ("reestruturação" econômica liberal). De forma crítica, revogou a proibição sobre os países do Bloco Oriental para que pudessem reformar seus sistemas políticos.

O colapso do comunismo

Sem a ameaça da intervenção militar soviética, os cidadãos de todos os países do Bloco Oriental protestaram pelo fim do domínio comunista. Em junho de 1989, o

A dissolução da União Soviética

Em 1985, Mikhail Gorbachev se tornou líder de uma União Soviética estagnada. Ele implementou reformas radicais – *glasnost* e *perestroika* – e em julho de 1989 anunciou que países do Pacto de Varsóvia poderiam ter eleições livres. Poloneses, tchecos, húngaros e outros optaram por governos democráticos, desestabilizando a própria URSS.

Em julho de 1991, o anticomunista Boris Yeltsin foi eleito presidente da Rússia. Um mês depois, com Gorbachev enfraquecido por uma tentativa de golpe vinda da linha-dura comunista, Yeltsin tomou a frente. Baniu o Partido Comunista na Rússia e se reuniu secretamente com líderes da Ucrânia e Belarus, que concordaram em se separar da URSS. No Natal de 1991, Gorbachev renunciou, deixando Yeltsin como presidente do novo Estado russo. O antigo império se dividiu em quinze novos Estados independentes, e a URSS deixou de existir.

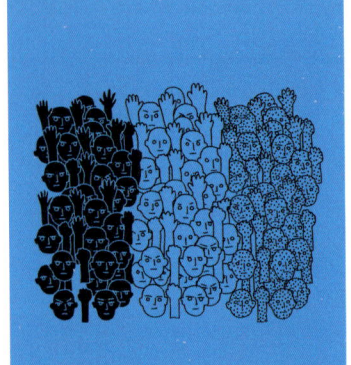

TODO PODER PARA O POVO
OS PROTESTOS DE 1968

EM CONTEXTO

FOCO
Política radical no pós-guerra

ANTES
1963 *A mística feminina* de Betty Friedan revive o movimento do direito das mulheres.

1967 O assassinato em Berlim do estudante e manifestante Benno Ohnesorg dispara uma revolta.

Março de 1968 Manifestantes na Itália protestam contra a brutalidade policial.

DEPOIS
1969 Demonstrações dos "Dias de Ira" em Chicago usam violência para protestar contra a Guerra do Vietnã e o racismo nos EUA.

Década de 1970 O grupo radical japonês Exército Vermelho protesta contra a presença de bases militares americanas no Japão.

1978 As Brigadas Vermelhas na Itália sequestram o ex-primeiro-ministro Aldo Moro como parte de sua campanha terrorista de esquerda.

Em 1968, uma pequena manifestação por melhoras no campus da Universidade de Nanterre, num subúrbio de Paris, França, se espalhou pelo país. Em março, a tropa de choque da polícia foi chamada para reprimir o protesto, e centenas de estudantes invadiram Nanterre. Em maio, o levante mudara-se para o centro de Paris, e o número de manifestantes cresceu para milhares. A tensão se espalhou pelas ruas, conforme manifestantes clamavam por mudanças sociais revolucionárias e o fim do governo. Em poucos dias, 8 milhões de trabalhadores entraram numa greve que paralisou a França.

Um ano impressionante

A jornada da França até chegar perto da revolução é o evento mais significativo de 1968, um ano de protesto global. Muitos eram contra a Guerra do Vietnã, mas muitas pessoas também protestaram contra regimes opressores. A política ficou mais radical: a "saída do armário" de minorias sexuais, a liberação das mulheres e a igualdade de gênero vieram à tona. Nos EUA, grupos como os Panteras Negras lutavam por igualdade racial; e o Movimento dos Estudantes Alemães, liderado por Rudi Dutschke, se opunha à velha geração que havia participado da Segunda Guerra Mundial.

Os protestos franceses perderam fôlego, já que as eleições mostraram um apoio enorme ao governo. Os movimentos revolucionários de 1968 acabaram fracassando, mas inspiraram uma geração a questionar a autoridade. Em seu bojo houve um aumento de grupos terroristas de esquerda que usavam bombas e sequestravam pessoas enquanto diziam lutar por justiça social. ∎

> O importante é que a ação aconteceu quando todos julgavam-na impensável.
> **Jean-Paul Sartre**

Veja também: Nkrumah conquista a independência ganesa 306-307 ▪ A Marcha de Washington 311 ▪ O incidente do Golfo de Tonkin 312-313 ▪ De Gaulle funda a Quinta República Francesa 340 ▪ A atividade terrorista da Facção do Exército Vermelho 340

NUNCA, NUNCA, NUNCA DE NOVO
A LIBERTAÇÃO DE NELSON MANDELA (1990)

EM CONTEXTO

FOCO
Fim do apartheid

ANTES
1948 O Partido Nacional (NP) assume o poder adotando uma política de apartheid (separação).

1960 Setenta manifestantes negros são mortos em Sharpeville; o Congresso Nacional Africano (ANC) é banido.

1961 A África do Sul é declarada uma república e deixa a Commonwealth. Mandela lidera o braço militar do ANC.

DEPOIS
1991 F. W. de Klerk acaba com as leis do apartheid; cessam as sanções internacionais.

1994 Com as primeiras eleições democráticas, a África do Sul entra na Assembleia Geral da ONU.

1996 A Comissão da Verdade e da Reconciliação dá início a audiências sobre crimes contra direitos humanos na era do apartheid.

Nelson Mandela foi sentenciado à prisão perpétua em 1964 por seu papel nos protestos antiapartheid em Sharpeville, África do Sul. Mandela era um membro militante do Congresso Nacional Africano (ANC), criado para combater o apartheid, um sistema de segregação racial imposto pelo governo dominante branco. Na prisão, Mandela virou um símbolo da luta por igualdade racial. Quando solto, em 1990, foi saudado com euforia.

> ❝ Amigos, camaradas e companheiros sul-africanos, eu os saúdo em nome da paz, da democracia e da liberdade para todos. ❞
> **Nelson Mandela**

Quando o Partido Nacional foi eleito em 1948, os brancos africâneres implementaram uma brutal política de apartheid – os negros foram segregados e não podiam votar. Muitos no movimento antiapartheid defendiam protestos não violentos, o que ajudou a atrair brancos sul-africanos à sua causa. O apartheid foi condenado por todo o mundo, e duras sanções internacionais foram impostas.

Um novo começo
Em 1990, o presidente F. W. de Klerk espantou o mundo ao suspender as restrições ao ANC. Vendo a necessidade de mudanças fundamentais, ele havia participado de negociações secretas por dois anos para acabar com o sistema de apartheid.

Houve eleições multirraciais em 1994, e Mandela ganhou com larga margem. Sua libertação foi um dos principais eventos do final do século XX, acabando com trezentos anos de dominação branca na África do Sul. O país virou uma democracia racial sem a guerra civil sangrenta que muitos temiam. ∎

Veja também: A Lei da Abolição do Comércio de Escravos 226-227 ▪ A Conferência de Berlim 258-259 ▪ Nkrumah conquista a independência ganesa 306-307 ▪ A Marcha de Washington 311

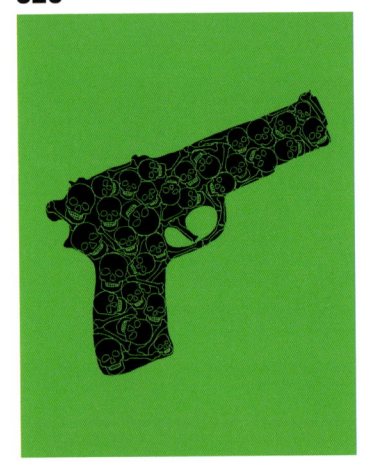

CRIEMOS UMA SITUAÇÃO INSUPORTÁVEL DE INSEGURANÇA TOTAL SEM QUALQUER ESPERANÇA DE SOBREVIVÊNCIA
O CERCO DE SARAJEVO (1992–1996)

EM CONTEXTO

FOCO
Conflitos oriundos do colapso da URSS

ANTES
9 de novembro de 1989 Cai o Muro de Berlim, levando à reunificação da Alemanha.

1989 A Romênia derruba o cruel regime de Nicolae Ceauşescu.

1990 Na Polônia, Hungria e Tchecoslováquia, partidos de centro-direita recém-formados assumem o poder.

1992–1995 A guerra na Bósnia e Herzegovina resulta na morte de quase 100 mil pessoas.

DEPOIS
1998-1999 Eclode a guerra em Kosovo entre as etnias albanesa e sérvia. Tropas da Otan intervêm.

2014 Irrompem lutas entre russos e ucranianos no leste da Ucrânia.

O cerco de Sarajevo, Bósnia, foi uma das mais marcantes tragédias na guerra civil da Iugoslávia (1991–2002). Durante o cerco de 44 meses, os suprimentos de comida e eletricidade da cidade foram cortados, e a população civil foi bombardeada pelos sérvios bósnios nacionalistas. Milhares de bósnios muçulmanos foram atacados e mortos.

Uma nova onda de nacionalismo

A Iugoslávia era composta de seis repúblicas socialistas: Croácia, Montenegro, Eslovênia, Bósnia e Herzegovina, Macedônia e Sérvia, cada uma com seu primeiro-ministro e Constituição. O controle geral da Iugoslávia era mantido por um presidente, o líder comunista Josip Broz Tito de 1953 a 1980.

Depois da dissolução da URSS, em 1991, um reavivamento nacionalista tomou conta da Europa Oriental. A reivindicação de independência pela Croácia e Eslovênia teve oposição da Sérvia, e Vulkar, no leste da Croácia, foi destruída pelo Exército iugoslavo sob a liderança do sérvio Slobodan Milošević.

Quando a Bósnia também declarou independência em 1992, a violência se intensificou. Os sérvios bósnios queriam criar um Estado sérvio etnicamente puro e separado, a Republika Srpska, tomando um pedaço da nova República da Bósnia e Herzegovina. Sérvios bósnios nacionalistas, apoiados pela vizinha Sérvia, lançaram uma campanha para expulsar os não sérvios e, durante o cerco de Sarajevo, lançaram seus ataques contra a população bósnia muçulmana, que era maioria.

A Guerra da Bósnia acabou em 1995, mas a luta continuou em Kosovo, onde a etnia albanesa iniciou um movimento separatista contra os sérvios. Um nacionalismo baseado em etnias também levou aos sangrentos pogroms antiarmênios na região de Nagorno-Karabakh e em Baku, capital do Azerbaijão. Na Geórgia, a violência explodiu entre os georgianos e os abecazes.

As guerras na Iugoslávia trouxeram à tona a questão da responsabilidade da comunidade internacional para resolver disputas que ameaçassem uma instabilidade maior ou causassem sofrimento humano inaceitável ou violações de direitos. ∎

Veja também: A Revolução de Outubro 276-279 ▪ A invasão alemã da Polônia 286-293 ▪ A queda do Muro de Berlim 322-323

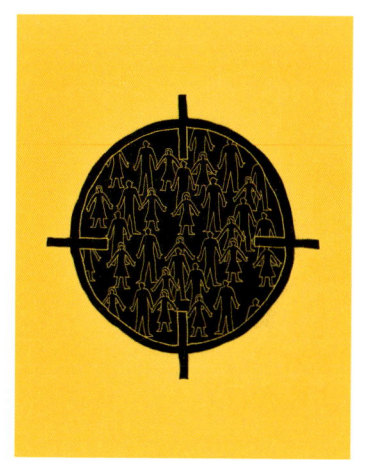

HOJE, NOSSOS CAROS CIDADÃOS, NOSSA FORMA DE VIDA, NOSSA PRÓPRIA LIBERDADE ESTÃO SOB ATAQUE

OS ATAQUES DE 11/9 (2001)

EM CONTEXTO

FOCO
Ascensão do radicalismo islâmico

ANTES
1979 A Revolução Islâmica do Irã substitui o xá pró-Ocidente pelo clérigo muçulmano xiita aiatolá Khomeini.

1989 Conforme as tropas soviéticas deixam o Afeganistão, o milionário saudita Osama bin Laden forma a Al-Qaeda para lutar uma nova *jihad* (guerra).

26 de fevereiro de 1993 A Al-Qaeda deixa clara sua ambição com um audacioso ataque contra o World Trade Center em Nova York.

DEPOIS
2004 A Al-Qaeda convoca os muçulmanos sunitas a se revoltarem contra as forças americanas no Iraque. As bombas usadas por extremistas islâmicos em Madri, Espanha, matam 190 pessoas.

Fevereiro de 2014 O grupo terrorista Isis pretende criar um califado islâmico que vá do Iraque à Síria, e espalha sua influência pelo mundo.

Em 11 de setembro de 2001, um grupo de islamistas extremistas lançou um devastador ataque contra os EUA. Dois aviões sequestrados colidiram com o World Trade Center em Nova York; outro atingiu o Pentágono, em Washington, DC; e um quarto caiu na Pensilvânia. Quase 3 mil pessoas foram mortas.

As sementes do extremismo

O 11/9 não foi o primeiro grande ataque terrorista em solo americano por extremistas islâmicos. Em 26 de fevereiro de 1993, uma bomba explodiu no World Trade Center, posta por homens que se julgava terem conexões com a Al-Qaeda, uma organização militante islamista. Alguns muçulmanos haviam sido radicalizados e adotaram o terrorismo internacional durante seus conflitos contra Israel. Em 1979, a invasão soviética do Afeganistão levou a uma mobilização mundial de militantes muçulmanos para combater o invasor. Nessa época, Osama bin Laden formou a Al-Qaeda. Relatórios de segurança sugeriam que ele era o organizador por trás do 11/9.

> Amamos a morte mais do que vocês amam a vida.
> **Lema da Al-Qaeda**

Ele foi morto em 2011. A guerra civil na Síria desde 2011 e o vácuo de poder deixado pelas forças americanas no Iraque levaram ao surgimento do Isis, o Estado Islâmico do Iraque e da Síria, que assumiu o controle de várias cidades da região.

Os eventos do 11/9 marcam o maior ataque terrorista de todos os tempos em solo americano. Ataques subsequentes em Londres, Madri e Paris, planejados por uma rede difusa de grupos terroristas regionais, adicionaram uma dimensão assustadora à ameaça do terrorismo islâmico. ∎

Veja também: A Revolução dos Jovens Turcos 260-261 ▪ A criação de Israel 302-303 ▪ A crise de Suez 318-321

VOCÊ AFETA O MUNDO POR ONDE NAVEGA
O LANÇAMENTO DO PRIMEIRO SITE DA WEB (1991)

EM CONTEXTO

FOCO
Comunicação e computação

ANTES
1943–1944 John Mauchly e J. Presper Eckert constroem o Calculador Integrador Numérico Eletrônico (Eniac), o precursor dos computadores digitais.

1947 O transistor permite produtos eletrônicos menores e mais poderosos, garantindo desenvolvimentos posteriores como o computador pessoal.

1962 O satélite Telstar 1 é lançado, enviando sinais de TV, chamadas telefônicas e imagens de fax pelo espaço.

Década de 1980 Os primeiros celulares chegam ao mercado.

DEPOIS
Década de 2000 O boom nas comunicações sem fio conecta praticamente toda a humanidade.

2003 A invenção do Skype permite comunicação grátis pela internet.

Os militares americanos criam a **Rede de Agência de Pesquisas em Projetos Avançados** (Arpanet).

O **Arpanet** cresce e se desenvolve, virando **a internet**.

O primeiro site é lançado para ajudar os usuários a navegar pela internet.

A rede se torna uma ferramenta de **telecomunicações global** usada por bilhões.

A internet muda radicalmente a forma como o mundo **troca informações e faz negócios**.

O primeiro site da internet recebeu o nome de "World Wide Web" e dava informações básicas sobre o projeto da World Wide Web e como criar páginas na rede. Ele foi construído por Tim Berners-Lee, um cientista da computação britânico da Organização Europeia para a Pesquisa Nuclear (Cern) em Genebra, Suíça.

Berners-Lee estava interessado em facilitar a troca de ideias entre os cientistas em universidades e institutos de pesquisa, e apresentou sua ideia de uma rede mundial de computadores compartilhando informações em 1989. Seu site entrou no ar em 1991 e foi acessado por um pequeno grupo de colegas pesquisadores no Cern. O mais

O MUNDO MODERNO

Veja também: A abertura da Bolsa de Valores de Amsterdã 180-183 ■ Darwin publica *A origem das espécies* 236-237 ■ O bloqueio de Berlim 296-297 ■ O lançamento do *Sputnik* 310

Sir Tim Berners-Lee, criador da World Wide Web, era fascinado por computadores desde jovem. Hoje ele é defensor de uma internet aberta e gratuita.

importante foi que Berners-Lee convenceu o Cern de que a World Wide Web deveria ser disponibilizada ao mundo como um recurso gratuito.

Apesar ter revolucionado o mundo dos computadores e das comunicações como nada antes, a World Wide Web só foi possível pela junção de várias tecnologias já existentes: telefone, televisão, rádio e internet.

A internet

O lançamento pela URSS do satélite *Sputnik 1*, em 1957, estimulou o Departamento de Defesa dos EUA a considerar formas de comunicação no caso de um ataque nuclear. Isso levou à formação da Arpanet (Rede de Agência de Pesquisas em Projetos Avançados) em 1969, um sistema, a princípio, com quatro computadores. Em meados de 1980, essa rede crescente de computadores interconectados passou a ser conhecida como internet. Tanto a internet quanto a World Wide Web eram limitadas às organizações acadêmicas e de pesquisa.

Foi só com o lançamento, em 1993, de um navegador da web fácil de ser usado chamado Mosaic que a web passou a ser usada por um público mais amplo. O Mosaic era capaz de mostrar tanto figuras quanto texto, e os usuários podiam seguir links na web simplesmente clicando sobre eles com o mouse. A web tornou-se sinônimo de internet, mas elas são diferentes entre si. A World Wide Web facilitou a navegação da internet e ajudou a fazer desta um modo efetivo de comunicação.

A revolução na computação

O surgimento, em 1981, do computador pessoal 5150 da IBM trouxe uma revolução na computação nas casas e nos escritórios. Menores e mais baratos que os grandes computadores comerciais, ele e seus sucessores tinham acesso à internet e e-mail. Com os computadores pessoais, a internet viu um grande crescimento. As primeiras ferramentas de busca começaram a aparecer no começo dos anos 1990. O Google, que hoje é quase sinônimo de busca na web, chegou um pouco mais tarde, em 1997. O lançamento do mercado on-line Amazon, em 1994, revolucionou a forma como as pessoas faziam compras, permitindo a compra de tudo, de livros e CDs a reservas de hotéis e bilhetes aéreos, tudo no conforto do lar.

A internet trouxe mudanças significativas no modo como os negócios são administrados. A globalização aumentou, e o mundo parecia ter se tornado um lugar pequeno, com a comunicação melhorada pela velocidade e eficiência da internet. Tarefas foram terceirizadas, e as companhias passaram a ser efetivamente "de país nenhum", já que era mais fácil operar de qualquer lugar do mundo.

A próxima onda de avanços tecnológicos viu os aparelhos ficarem menores e mais móveis devido a componentes eletrônicos em pequenos circuitos integrados, ou "chips".

O futuro é agora

Em nenhum lugar a introdução da tecnologia de microchip teve maior impacto que no lançamento do iPhone da Apple, em 2007. Os chamados smartphones fizeram da internet um recurso móvel, com conectividade sem fio, oferecendo acesso em qualquer lugar e a notícias e navegação via satélite, por exemplo. Informações e ideias podem ser compartilhadas de qualquer lugar com um toque, via sites de redes sociais como Facebook e Twitter. Os smartphones também tiveram um impacto na educação, na saúde pessoal e na cultura e mudaram o cenário político pelo uso, por manifestantes, da organização de protestos via mídias sociais, podendo transformar regimes. Levantes como a Primavera Árabe, que começou em 2010, eram em parte empoderados por ativistas que se comunicavam através da internet. O ativismo na internet, ou "clicktivismo", desde então se tornou uma forma poderosa de compartilhar ideias, conscientizar as pessoas ou apoiar uma causa. Com mais de 3 bilhões de usuários, a World Wide Web transformou todos os aspectos da vida cotidiana moderna. ■

> ❝ A autoestrada da informação transformará nossa cultura tão drasticamente quanto a imprensa de Gutenberg fez na Idade Média.
> **Bill Gates** ❞

UMA CRISE QUE COMEÇOU NO MERCADO DE HIPOTECAS DOS EUA LEVOU O SISTEMA FINANCEIRO DO MUNDO BEM PERTO DO COLAPSO

A CRISE FINANCEIRA GLOBAL (2008)

EM CONTEXTO

FOCO
Globalização e desigualdade

ANTES
1929 O crash de Wall Street leva à Grande Depressão, a pior crise econômica do século XX.

1944 Delegados de 44 países se reúnem em Bretton Woods, New Hampshire, EUA, para remodelar o sistema financeiro global.

1975 França, Itália, Alemanha, Japão, Inglaterra e EUA formam o Grupo dos Seis (G6) para impulsionar o comércio internacional.

1997–1998 A crise financeira asiática, começando na Indonésia e se espalhando pelo mundo, é uma precursora dos eventos em 2008.

DEPOIS
2015 Os líderes do mundo se comprometem a erradicar a pobreza mundial até 2030.

A virada do século XXI trouxe sinais perturbadores de uma recessão mundial. Taxas de juros baixas e crédito não regulado induziram mais e mais pessoas a se endividar a um ponto insustentável. Os banqueiros, principalmente nos EUA, ofereciam hipotecas a clientes com um histórico de crédito ruim. Essas hipotecas eram chamadas de "hipotecas subprime". Esperava-se que, se as pessoas não conseguissem pagar as prestações de suas hipotecas, elas seriam retomadas como garantia e revendidas com lucro, mas isso dependia de o preço das casas continuar a subir. Em 2007, as taxas de juros aumentaram inesperadamente, e o preço das casas nos EUA caiu. As pessoas

O MUNDO MODERNO 331

Veja também: O Crash de Wall Street 282-283 ▪ Os protestos de 1968 324 ▪ O lançamento do primeiro site da web 328-329 ▪ A população global passa dos 7 bilhões 334-339

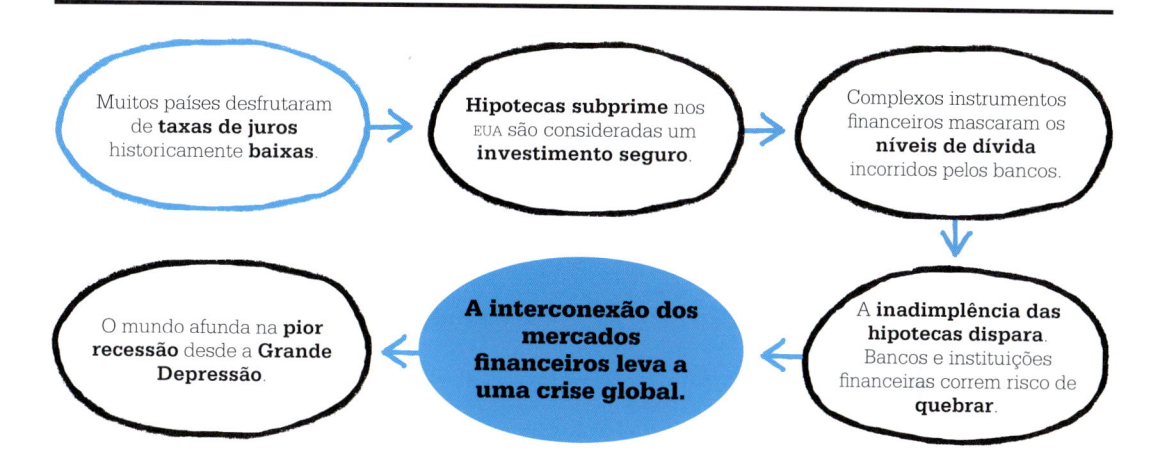

- Muitos países desfrutaram de **taxas de juros** historicamente **baixas**.
- **Hipotecas subprime** nos EUA são consideradas um **investimento seguro**.
- Complexos instrumentos financeiros mascaram os **níveis de dívida** incorridos pelos bancos.
- A **inadimplência das hipotecas dispara**. Bancos e instituições financeiras correm risco de **quebrar**.
- **A interconexão dos mercados financeiros leva a uma crise global.**
- O mundo afunda na **pior recessão** desde a **Grande Depressão**.

---

começaram a atrasar o pagamento das prestações. Por todo o país, casas foram tomadas pelos bancos com perdas enormes, e os banqueiros temiam não receber seu dinheiro de volta.

A crise se espalha para a Europa

Em agosto de 2007, o banco francês Paribas revelou que estava correndo risco por causa do mercado de hipotecas subprime. Os banqueiros haviam feito apostas com trilhões de dólares de investimentos em hipotecas arriscadas que talvez não valessem mais nada. O pânico se espalhou, e os bancos pararam de emprestar uns aos outros. O banco britânico Northern Rock enfrentou falta de dinheiro para uso imediato e foi forçado a pedir ao governo britânico um empréstimo emergencial.

Por todo o mundo, ações começaram a despencar. Em setembro de 2008, as

O Lehman Brothers, banco de investimentos com longa história de transações, pede falência em 15 de setembro de 2008, depois de se envolver no mercado de hipotecas subprime com problemas.

refinanciadoras de hipotecas americanas Fannie Mae e Freddie Mac foram socorridas pelo governo americano, enquanto o Lehman Brothers, um poderoso banco de investimento muitíssimo envolvido com o mercado de hipotecas subprime, foi forçado a pedir falência. O governo americano considerou o Lehman Brothers muito insolvente e decidiu não socorrê-lo.

O caos nos mercados financeiros levou a uma severa queda na economia da maioria dos países ocidentais. O preço das ações despencou, e o comércio mundial caiu porque os governos gastaram menos. A Irlanda se tornou o primeiro país europeu a entrar em recessão, um período de declínio econômico. O governo da Islândia renunciou em outubro de 2008, depois »

A crise do petróleo que atingiu os países ocidentais em 1973–1974 foi resultado da Guerra do Yom Kippur. O racionamento de combustíveis nos EUA levou a cenas como essa, com os motoristas ficando sem gasolina.

O papel do petróleo

Nos anos 1970, o mundo estava dividido entre países industriais ricos e nações em desenvolvimento pobres, e o petróleo se tornou cada vez mais importante. Em 1960, a Organização dos Países Árabes Exportadores de Petróleo (OAPEC), incluindo Arábia Saudita, Egito, Iraque e Irã, foi fundada. Conforme as reservas de petróleo em outros países diminuíam, os Estados ao redor do Golfo Pérsico, onde esse recurso se manteve abundante, se tornaram dominantes. Em outubro de 1973, quando Egito e Síria invadiram Israel durante a Guerra do Yom Kippur, a OAPEC fez um embargo de petróleo contra todos os países que ajudassem Israel, o que fez os preços triplicar. Sem o petróleo, a produção industrial caiu. Os Estados Unidos implementaram um forte racionamento de combustíveis que terminou em março de 1974, quando o embargo do petróleo foi revogado.

Um novo modelo econômico

A crise do petróleo de meados dos anos 1970 levou a uma profunda recessão global, à disparada na inflação e ao alto desemprego. Em resposta, uma nova política econômica "neoliberal" foi adotada, transferindo o controle dos fatores econômicos do setor público para o privado. Programas de bem-estar social foram considerados como uma das causas dos fracassos econômicos, e houve enormes cortes. A desregulação tornou-se a força motriz da economia mundial, acabando com muitos controles governamentais e liberando organizações para fazer negócios em muitos territórios. Isso foi necessário sobretudo nos Estados Unidos, que enfrentavam dura concorrência de um mundo que já se reconstruíra após a Segunda Guerra Mundial. Algumas das

de o próprio país quase quebrar. Alguns governos – como os dos EUA, China, Brasil e Argentina – planejaram pacotes de estímulo para impulsionar suas economias. Eles aumentaram os gastos do governo e diminuíram os impostos. Outros, sobretudo na Europa, optaram pela austeridade, congelando os gastos públicos e aumentando os impostos. Protestos e greves varreram a Europa em resposta a essas medidas. Portugal, Espanha e Grécia sofreram pressões da União Europeia (UE) para baixar suas dívidas. A UE gastou bilhões socorrendo economias fracas, na esperança de manter viáveis a Zona do Euro e o próprio euro. Mas o efeito da crise econômica foi devastador, e muitas pessoas perderam suas casas e empregos. Foi a pior queda na economia desde a Segunda Guerra Mundial.

A economia do pós-guerra

Após a Segunda Guerra Mundial, a maior parte da Europa, Japão, China e URSS foi devastada pela guerra e precisava de tempo para se recuperar. Os EUA, que haviam experimentado um enorme aumento na manufatura de itens para o esforço de guerra e não vivenciaram nenhuma destruição, continuaram a fabricar bens a níveis ainda maiores que antes e dominaram a economia do mundo. Os planejadores da economia do pós-guerra buscaram uma nova ordem econômica baseada na força industrial e num dólar estável. Em 1944, o FMI foi formado para estimular o reavivamento do comércio global. A forte economia americana no pós-guerra e o Plano Marshall de 1947, uma iniciativa dos EUA para ajudar países ocidentais, revigoraram o comércio mundial através do encorajamento do capitalismo e da livre troca de mercadorias entre as nações. Assinado em 1947, o Acordo Geral sobre Tarifas e Comércio (Gatt) definiu que tarifas fossem removidas para abrir mercados ao redor do mundo.

O tigre asiático

O Japão, enquanto isso, viu um enorme crescimento econômico. O governo japonês implementou reformas com base na eficiência e restringiu a importação. Eles não assinaram o acordo do Gatt senão em 1955. O Japão investiu em seu carvão e siderúrgicas, bem como em estaleiros e montadoras de automóveis. Nos anos 1960, o país se especializou em produtos de alta tecnologia, como câmeras e chips de computador. Países como Coreia do Sul, Taiwan, Singapura e Malásia experimentaram um crescimento parecido, com ênfase em eletrônicos e tecnologia. Esses casos de sucesso ficaram conhecidos conjuntamente como "as economias dos tigres asiáticos".

O MUNDO MODERNO

> "Setembro e outubro de 2008 foram a pior crise financeira na história mundial, incluindo a Grande Depressão."
>
> **Ben Bernanke**
> Ex-presidente do Federal Reserve

rígidas leis e regulações que haviam sido implementadas para proteger os consumidores eram agora consideradas como interferências na livre-iniciativa.

A pressão global por desregulação resultou na adoção de novos mercados, numa maior concorrência e abertura, sobretudo quando o mundo se adapta ao fim da Guerra Fria e ao colapso da URSS. O exemplo dado no leste da Ásia influenciou as autoridades em outros países asiáticos, como Índia e China. México e Brasil baixaram suas barreiras ao comércio e iniciaram reformas econômicas, levando a uma melhora nos padrões de vida. Com a reunificação da Alemanha em 1989, depois da queda do Muro de Berlim, a União Europeia (UE), união econômica de 28 países europeus, surgiu como uma grande força na economia do mundo. Também nos anos 1980, a China se abriu para o comércio exterior, e enormes somas de investimento estrangeiro inundaram o país, levando a um crescimento extraordinário.

A economia global

A economia do mundo está, agora, muito mais aberta. O uso da internet permite às pessoas encomendar bens em uma parte do mundo para serem entregues em qualquer lugar numa questão de dias. O comércio mundial é feito de parcerias globais, com companhias multinacionais que geram enormes receitas. Por todo o mundo pessoas tendem a migrar para cidades para arranjar emprego, resultando no aumento da urbanização.

Uma reclamação que em geral se faz contra a globalização é que algumas companhias exploram trabalho barato e se comportam de forma antiética na sua busca por lucro. Outra é que a globalização contribuiu para uma extraordinária acumulação de riqueza nas mãos de poucos indivíduos, aumentando assim a desigualdade. Além disso, alguns países continuaram extremamente pobres – áreas da África Subsaariana, por exemplo, não tiveram bom desempenho e foram deixadas para trás, devendo às nações mais ricas.

Houve recessões econômicas por toda a história, mas a crise financeira de 2008–2011 foi a pior – ao menos desde a Grande Depressão de 1929 –, e talvez a pior de todas. Muitos acharam que foi um desastre que poderia ter sido evitado, causado por falhas generalizadas em regulação governamental e riscos negligentes por parte de bancos de investimentos. Somente enormes estímulos monetários e fiscais evitaram a catástrofe. As dívidas das famílias e dos negócios continuaram altas, e houve uma grande fúria direcionada aos banqueiros, que muitos acham que sobreviveram quase ilesos. Medidas de austeridade provocaram insatisfação popular. Houve demonstrações contra o capitalismo. O movimento Occupy se espalhou, com dezenas de milhares de manifestantes em Nova York, Londres, Frankfurt, Madri, Roma, Sydney e Hong Kong. Enquanto os financistas discutiam sobre as causas da Recessão Global, o impacto na vida das pessoas comuns teve consequências profundas e, ao que tudo indica, duradouras. ∎

As pessoas foram às ruas para protestar contra o comportamento dos bancos e das multinacionais, que eram vistos como o estopim da crise financeira.

Uma era de protestos

A crise econômica global que começou em 2008 gerou muita raiva contra símbolos institucionais de poder e cobiça, e houve grande crescimento nos protestos populares. As manifestações uniram pessoas enfurecidas com banqueiros e capitalistas: manifestantes antiglobalização e ambientalistas. Houve um rancor crescente contra o nível de desigualdade, cobiça corporativa e falta de empregos.

Quando o G20, um fórum internacional de ministros de Economia, se reuniu em Londres em 2009, teve de enfrentar milhares de manifestantes raivosos. As mídias sociais se tornaram fundamentais na organização de grandes aglomerações e na ocupação de espaços físicos. Conforme os protestos se espalharam pela Europa, surgiu a bandeira do Occupy, um movimento que começou em Nova York para protestar contra a desigualdade social e econômica. Houve manifestações em Roma, Grécia, Portugal e ocupações em praças públicas de Barcelona, Moscou, Madri, Nova York, Chicago e Istambul.

ESSE É UM DIA DE TODA A NOSSA FAMÍLIA HUMANA

A POPULAÇÃO GLOBAL PASSA DOS 7 BILHÕES (2011)

A POPULAÇÃO GLOBAL PASSA DOS 7 BILHÕES

EM CONTEXTO

FOCO
Explosão populacional

ANTES
1804 A população mundial chega a 1 bilhão. O crescimento populacional é mais rápido na Europa.

1927 A população do mundo chega a 2 bilhões enquanto as taxas de mortalidade caem e as de natalidade se mantêm altas.

1959 O bebê número 3 bilhões, aproximadamente, nasce.

1989 O Dia Anual da População Mundial é criado pela ONU em 11 de julho, inspirado pelo interesse no número simbólico de 5 bilhões de pessoas.

DEPOIS
2050 Estima-se que a população global chegue a 9,7 bilhões, uma queda no crescimento, com menos bebês nascendo por família.

2100 Estimativas sugerem que a população mundial será de mais de 11 bilhões de pessoas, com um desafio sério sobre a oferta de alimentos.

No dia 31 de outubro de 2011, um bebê nascido em Manila, capital das Filipinas, foi escolhido pelas Nações Unidas (ONU) para simbolicamente representar a 7ª bilionésima pessoa na Terra. Para enfatizar esse marco na população mundial, 31 de outubro foi chamado de Dia dos Sete Bilhões, mas, como havia registros de que 1 bilhão de pessoas passariam fome naquele dia, ressurgiram debates sobre se a Terra poderia suportar tantas pessoas.

Antes do século XVII, a população do mundo crescia muito devagar, mas começou a se expandir mais rapidamente depois de 1850. Isso se deu em parte por causa de uma redução no número de crianças mortas na infância, mas as taxas de mortalidade também caíram como um todo, conforme novas tecnologias na agricultura aumentaram a oferta de alimentos e diminuíram o risco de fome generalizada. O importante aumento da industrialização e avanços na medicina melhoraram a saúde pública e os padrões de vida.

Em 1927, a população chegou a 2 bilhões. No começo do século XX, o crescimento populacional foi mais alto no Ocidente rico e industrializado, mas esse padrão começou a mudar. Em meados do século, muitos países europeus experimentaram uma queda nas taxas de natalidade, enquanto o crescimento populacional aumentou sensivelmente em áreas relativamente menos desenvolvidas como Ásia, África e América do Sul, devido a uma taxa de natalidade maior. Em 1987, nasceu a pessoa de número 5 bilhões; em 1999 foi a de número 6 bilhões. Demorou 123 anos para a população mundial ir de 1 bilhão para 2 bilhões, mas custou apenas doze anos para dar o salto de 6 para 7 bilhões.

A Revolução Verde

Durante o século XX, muitos países importavam grandes quantidades de alimentos que não eram capazes de produzir sozinhos, para lhes permitir satisfazer as demandas de uma população em crescimento. A Inglaterra, por exemplo, importava 55 milhões de toneladas de alimentos por ano.

No começo dos anos 1940, o México importava metade do seu trigo, e sua população crescia rapidamente. O país pediu ajuda técnica aos EUA sobre modos de aumentar sua produção de trigo. Em 1944, com o apoio financeiro da Fundação Rockefeller americana, um grupo de cientistas americanos, incluindo o bioquímico Norman Borlaug, começou a pesquisar métodos para

Vivendo mais

Durante o século XX, a expectativa de vida cresceu de forma drástica. Em 2013, a expectativa média de vida no mundo era de 71 anos. A educação sanitária, focada na dieta e na higiene, levou a uma redução da mortalidade infantil, enquanto melhores condições de saneamento e água mais limpa reduziram os riscos de disseminação de doenças infecciosas, incluindo a cólera e o tifo. Um dos fatores que mais contribuíram para essa expectativa de vida mais longa foi a erradicação de algumas doenças mortais.

A droga antibiótica penicilina, que ajuda a combater infecções bacterianas, tornou-se amplamente usada para tratar doenças como a tuberculose e a sífilis. Mais tarde, programas de vacinação em massa por governos e pela Organização Mundial da Saúde (OMS) das Nações Unidas ajudaram a erradicar a varíola e caminham para a eliminação da poliomielite. Avanços na medicina e nos diagnósticos revolucionaram o serviço de saúde. Alguns cientistas preveem que em 2050 a expectativa média de vida será de cem anos.

O dr. Norman Borlaug mostra seu trigo, que ele desenvolveu especificamente por sua resistência a doenças e sua habilidade de produzir colheitas maiores. Ele revolucionou a produção de trigo no México.

O MUNDO MODERNO

Veja também: O surto da Peste Negra na Europa 118-119 ▪ O Intercâmbio Colombiano 158-159 ▪ O *Rocket* de Stephenson entra em operação 220-225 ▪ A abertura de Ellis Island 250-251 ▪ A abertura da Torre Eiffel 256-257

desenvolver uma variedade de trigo de alta produtividade capaz de resistir a doenças, além de ser mais curto, o que reduzia o estrago feito pelo vento. O trabalho no México teve enorme sucesso: em 1956, o país estava totalmente autossuficiente e não precisava mais importar trigo ou milho. Esse êxito lançou o que ficou conhecido como a Revolução Verde – disseminação de novas tecnologias agrícolas modernas nos anos 1960 e 1970 que aumentaram bastante a produção de alimentos ao redor do mundo. A Revolução Verde beneficiou países como Filipinas, Bangladesh, Sri Lanka, China, Indonésia, Quênia, Irã, Tailândia e Turquia.

Cientistas indianos, em especial, seguiram o trabalho de Borlaug e seus colegas. Em meados de 1960, a Índia havia sido atingida por duas secas anuais, o que levou à necessidade de importar grandes quantidades de alimentos dos EUA. Em 1964, tanto Índia quanto Paquistão começaram a importar e testar variedades de trigo semianão do México, e os resultados foram promissores: na primavera de 1966, as colheitas foram maiores que qualquer outra produzida no Sul da Ásia, a despeito de aquele ter sido um ano seco.

O arroz milagroso

Em 1960, um novo arroz, chamado "milagroso" e conhecido como IR-8, foi desenvolvido no Instituto de Pesquisa Internacional do Arroz nas Filipinas. Com um ciclo de crescimento muito mais curto, esse novo produto trouxe uma transformação drástica na vida dos agricultores. Em países como o Vietnã, agora dava para produzir duas colheitas completas do novo arroz por ano, ao passo que o arroz que ele substituiu só podia produzir uma colheita. Inovações impressionantes como essa na ciência agrícola permitiram que países cronicamente pobres, em especial na Ásia, se alimentassem e suprissem as demandas de suas populações em crescimento.

A Revolução Verde não aconteceu sem controvérsias, já que envolvia uma guinada para o uso de pesticidas químicos. Durante os anos 1940, o inseticida DDT (diclorodifeniltricloroetano) foi apresentado como um modo de controlar uma série de doenças, incluindo o mosquito que transmite a malária, com um único tratamento. No entanto, em 1962, a bióloga americana Rachel Carson enfatizou os perigos do DDT em seu revolucionário livro *Primavera silenciosa*, alegando que ele podia causar câncer, além de fazer mal ao ambiente. O livro levou à proibição do DDT nos EUA e foi o estopim para a criação da Agência de Proteção Ambiental (EPA), entidade independente de proteção ao ambiente. A Revolução Verde também enfrentou enormes desafios em muitos países na África, onde havia pouca irrigação, chuvas irregulares, fertilizantes caros e falta de crédito para comprar novas variedades de sementes.

Cultivos GM

Cultivos geneticamente modificados (GM) foram saudados com entusiasmo nos anos 1990 e considerados parte da Segunda Revolução Verde, mas isso também se mostrou controverso. »

As taxas de mortalidade **caem**, e as de natalidade **sobem**.

Melhores condições de vida e **avanços na medicina** ajudam a aumentar a **expectativa de vida**.

⬇

Preocupações sobre como alimentar uma **população crescente** ajudam a dar o pontapé inicial na **Revolução Verde**.

⬇

A **população mundial** continua a crescer, especialmente em **países em desenvolvimento**.

⬇

A população do planeta passa dos 7 bilhões.

⬇

Pressões crescentes sobre o ambiente como **falta de alimento e de água**, bem como **mudanças climáticas**, ameaçam milhões de vidas.

338 A POPULAÇÃO GLOBAL PASSA DOS 7 BILHÕES

Cultivos GM são alimentos produzidos a partir de organismos que tiveram alterações em seu DNA via engenharia genética. Eles surgiram nos EUA em 1994, quando a US Food and Drug Administration (FDA) aprovou o tomate Flavr Savr para venda. O tomate que demorava mais para amadurecer tinha uma vida mais longa nas prateleiras que os convencionais, mas experiências usando batatas sugeriram que o produto GM era tóxico para ratos. A maioria dos países da União Europeia (UE) baniu o uso de cultivos GM, ao passo que os que os apoiavam sugeriram que sem a intervenção genética o mundo estava fadado a passar fome. Defensores dos GM – sobretudo EUA, Brasil, Canadá, Argentina e Austrália – acreditam que ele tem o potencial de combater doenças e a fome. O sentimento na Europa, África e Ásia é mais cuidadoso, preocupado com pesticidas e seu possível dano à saúde.

A despeito de tal oposição, a tecnologia GM ainda está em desenvolvimento. Estima-se que 670 mil crianças morrem por falta de vitamina A todos os anos, uma deficiência que causa doenças como malária e sarampo e leva à cegueira. Avanços no trato de tais deficiências incluem, por exemplo, a criação do "arroz dourado", no qual a vitamina A é adicionada ao arroz comum.

O desaparecimento de terras aráveis

Ao mesmo tempo que colheitas maiores – e mais fortes – eram necessárias para alimentar a população mundial em crescimento, cidades engoliram grandes áreas aráveis e zonas rurais. No começo do século XXI, a China experimentou um enorme crescimento no desenvolvimento urbano, que significou a perda de um grande número das pequenas fazendas do país.

As pessoas têm sido historicamente atraídas para as cidades em busca de emprego e oportunidades sociais. Em 1800, um em cada quatro britânicos vivia nas cidades, mas em 1900 isso cresceu para três em cada quatro. Muitos se mudaram das áreas rurais para a cidade, mas as pessoas também mudaram de um país para o outro, buscando refúgio e uma vida melhor. A população urbana em 2014 era responsável por 54% da população total do mundo, bem mais que os 34% em 1960. Em 2014, a ONU previu que dois terços do mundo estarão vivendo nas cidades em 2050. No entanto, a falta de moradias é um fator importante: na África Subsaariana, 70% dos habitantes urbanos vivem em favelas. Saúde ruim e violência são um problema para as grandes cidades, e há uma enorme disparidade entre ricos e pobres.

> Essa não é uma questão política. Nem uma questão cultural. Não tem a ver com salvar as baleias ou as florestas tropicais... Isso é uma emergência.
> **Stephen Emmott**
> Cientista da computação e escritor

Mudanças climáticas

A urbanização e o desenvolvimento impõem um estresse crescente sobre o ambiente. Conforme a população do mundo cresce, torna-se um desafio global melhorar os padrões de vida sem destruir o ambiente. Os cientistas

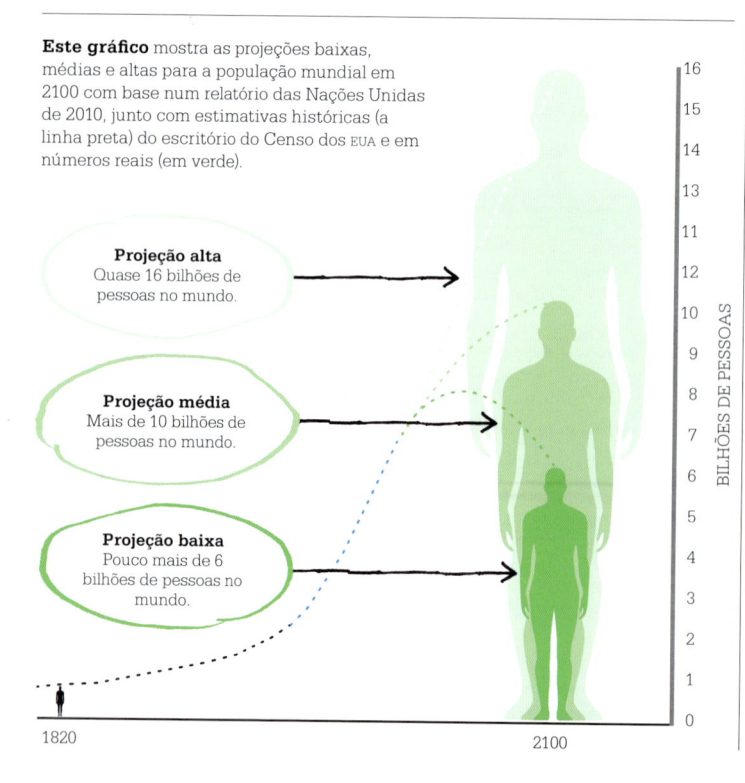

Este gráfico mostra as projeções baixas, médias e altas para a população mundial em 2100 com base num relatório das Nações Unidas de 2010, junto com estimativas históricas (a linha preta) do escritório do Censo dos EUA e em números reais (em verde).

Projeção alta
Quase 16 bilhões de pessoas no mundo.

Projeção média
Mais de 10 bilhões de pessoas no mundo.

Projeção baixa
Pouco mais de 6 bilhões de pessoas no mundo.

BILHÕES DE PESSOAS

1820 — 2100

A severa poluição atmosférica causada pelas usinas elétricas nas nações em desenvolvimento tem tido um enorme efeito danoso sobre a saúde das pessoas ao seu redor.

acreditam que a atividade humana merece a culpa pela mudança climática (ou "aquecimento global"). Desde a Revolução Industrial no século XIX, as temperaturas globais continuam a aumentar, sendo que o período de 2011 a 2015 foi o mais quente já registrado.

Algumas das mudanças climáticas se devem a ocorrências naturais, mas no começo dos anos 1970 a ascensão do ambientalismo levantou questões sobre os benefícios para o planeta da atividade humana. Nações em desenvolvimento deveriam reduzir as emissões de carbono, que, como se pensa, afetam as mudanças climáticas. Em 2015, a Índia abriu uma mina por mês para poder tirar seu 1,3 bilhão de habitantes da pobreza mais rapidamente. Países desenvolvidos que contribuíram para as mudanças climáticas criaram certa tensão ao sugerirem que nações em desenvolvimento deveriam parar de explorar seus próprios recursos naturais para melhorar o bem-estar econômico de seu povo. Os cientistas têm advertido que os humanos podem ultrapassar o limite além do qual as mudanças climáticas se tornariam catastróficas e irreversíveis se as emissões de gases de efeito estufa continuar crescendo. O nível do mar também está subindo, erodindo áreas costeiras e submergindo pequenas ilhas no Pacífico Sul. Os padrões de chuvas estão mudando, levando a severas secas na África, e muitas espécies de animais correm o risco de extinção.

A ameaça das mudanças climáticas é agora considerada tão séria que líderes de todo o mundo se reuniram em 2015 em Paris, França, numa conferência para chegar a um acordo quanto à redução da acumulação de gases de efeito estufa. Nas negociações tensas, os países em desenvolvimento exigiram que as nações mais ricas os ajudassem a pagar a conta para que se adaptassem aos efeitos das mudanças climáticas, como o aumento das inundações ou das secas. Ao todo, 196 nações adotaram o primeiro acordo climático global de que se tem notícia e é universal e juridicamente vinculante, limitando o aquecimento global ao relativamente seguro nível de 2°C.

Um mundo faminto

Nos anos 1970, movimentos ecológicos previram que centenas de milhões morreriam de fome em meados dos anos 1980. Essa previsão catastrófica não se confirmou, mas com impressionantes 7 bilhões de pessoas no planeta existe uma drenagem inevitável dos recursos naturais. O excesso de pesca, sobretudo na Indonésia e na China, fez com que os estoques de peixes vivos ao redor do mundo caíssem rapidamente, e a demanda por água pode, em breve, ser maior que a oferta. Em 2015, a ONU previu que 1,8 bilhão de pessoas estarão vivendo em países ou regiões com escassez absoluta de água em 2025. O carvão, que impulsiona a indústria e a produção, está com sua demanda em crescimento, mas um dia também se extinguirá.

A ONU estima que em 2050 a população global será de 9,7 bilhões, e, em 2100, 11,2 bilhões de pessoas habitarão a Terra. As dinâmicas populacionais estão em transformação, de alta mortalidade e alta fertilidade para baixa mortalidade e baixa fertilidade, com uma crescente população de idosos por todo o mundo, o que será difícil de manter. Desafios como mudança climática, crises migratórias e de refugiados, insegurança alimentar e de água, pobreza, dívida e doenças são muito exacerbados pelo rápido crescimento populacional. Estabilizar o crescimento da população do mundo talvez seja a chave para a sobrevivência global. ∎

> ❝
> Não conseguiremos queimá-lo todo.
> **Barack Obama**
> Sobre os combustíveis fósseis
> ❞

OUTROS EVENTOS

O GENOCÍDIO ARMÊNIO
(1915–1923)

O Império Otomano estava em plena decadência desde o século XIX, situação que só se agravou com o início da Primeira Guerra Mundial, em 1914. Em busca de um bode expiatório, o governo dos chamados Jovens Turcos, liderados pelo ministro Talaat Paxá, acusou as populações cristãs armênias de traidoras e aliadas dos russos, ordenando uma série de massacres e deportações em massa que resultaram na morte de 1,5 milhão de pessoas. Esse crime é considerado o primeiro "genocídio" do século XX, motivando inclusive a própria criação do termo.

A GUERRA CIVIL ESPANHOLA
(1936–1939)

Em 1930–1931, os republicanos derrubaram a ditadura militar na Espanha e forçaram o rei Afonso XIII a se exilar. O governo republicano introduziu reformas socialistas e reduziu o poder da Igreja e dos militares. Mas uma revolta de oficiais do Exército insatisfeitos e membros do partido da Falange Fascista levou à guerra civil, em 1936. O conflito cresceu e virou um confronto ideológico internacional, com a Itália fascista e a Alemanha nazista apoiando os nacionalistas de extrema-direita, enquanto socialistas de toda a Europa foram voluntários e se uniram aos seus camaradas republicanos na Espanha. O líder nacionalista general Francisco Franco liderou o seu grupo à vitória e governou como ditador da Espanha até 1975.

A FUNDAÇÃO DAS NAÇÕES UNIDAS
(1944)

A ONU foi concebida durante a Segunda Guerra Mundial, como uma forma de unir os povos do mundo para prevenir outros conflitos devastadores. Suas metas foram esboçadas numa conferência em 1944 em Dumbarton Oaks, Washington, DC, e ela foi formalmente fundada em 1945. Apesar de não ter evitado guerras posteriores, a ONU tem operado em todo o mundo para promover a paz e, através de uma série de agências e organizações especiais, promover educação, saúde, direitos humanos, independência de povos colonizados e desenvolvimento econômico. A maioria dos países, hoje, já é membro.

DE GAULLE FUNDA A QUINTA REPÚBLICA FRANCESA
(1958)

Em 1958, a França enfrentou uma crise sobre o futuro de sua colônia Argélia – membros do Exército francês se opunham à independência do país e estavam em aberta oposição às políticas da Quarta República. A república entrou em colapso, e o militar da reserva e líder político general Charles de Gaulle propôs um novo sistema de governo com um presidente executivo forte. Essa proposta ganhou aprovação num referendo, e o próprio De Gaulle foi eleito presidente. Essa Quinta República ainda está em vigor na França.

O GOLPE MILITAR NO BRASIL
(1964)

O golpe de 1964 derrubou o presidente brasileiro João Goulart, cujas reformas sociais foram rotuladas de "comunistas" pelos seus opositores. O golpe, que foi planejado por parte dos militares com apoio dos EUA, resultou num governo militar cujas políticas estavam alinhadas com as visões americanas. Houve um enorme crescimento no envolvimento econômico estrangeiro no Brasil, e metade das maiores empresas brasileiras passou para as mãos dos estrangeiros. O Brasil desfrutou de grande crescimento econômico sob a ditadura, mas à custa da liberdade, enquanto os que se opunham ao regime foram massacrados.

A ATIVIDADE TERRORISTA DA FACÇÃO DO EXÉRCITO VERMELHO
(Década de 1970)

Em 1968, muitos países ocidentais experimentaram manifestações, greves e protestos anticapitalistas e anti-imperialistas. Isso, porém, acabou não produzindo nenhuma mudança, e nos anos seguintes vários grupos evoluíram até chegarem à luta armada anticapitalista. Um dos mais longevos desses grupos foi a Facção do Exército Vermelho na Alemanha, fundada em 1970 e também conhecida como o Grupo Baader-Meinhof, em homenagem a dois de seus fundadores, Andreas Baader e Ulrike Meinhof. O grupo

O MUNDO MODERNO

planejou uma série de ataques terroristas (incluindo sequestros, bombas, roubos e assassinatos), a maior parte na década de 1970, mas também nas décadas seguintes. Suas atividades – e a de outros grupos similares, como as Células Revolucionárias (também operando na Alemanha no mesmo período) – alienaram muitas pessoas.

PINOCHET ASSUME O PODER NO CHILE
(1973)

Em 1973, um golpe militar liderado pelo general Augusto Pinochet depôs o líder socialista eleito no Chile, Salvador Allende, levando Pinochet ao poder como chefe de uma junta militar. Os EUA se opunham ao governo de esquerda de Allende e apoiaram o golpe; o apoio a ditaduras de direita na América do Sul era parte da luta dos EUA contra o comunismo durante a Guerra Fria: regimes socialistas foram reprimidos, mesmo quando totalmente democráticos. Pinochet, que ficou famoso por suas prisões, assassinatos e tortura de seus oponentes, continuou a receber respaldo americano e governou até 1990.

A REVOLUÇÃO DOS CRAVOS
(1974)

Portugal teve uma das ditaduras mais longas do século XX. Apoiado pela Igreja católica e demais setores conservadores do país, Antonio Salazar construiu nos anos 1930 um governo protofascista que durou até 1974, já com seu sucessor Marcello Caetano. O país foi também um dos últimos a abandonar suas colônias africanas, como Angola e Moçambique. Toda essa situação desgastou o governo, que passou a enfrentar oposição de civis e do Movimento das Forças Armadas (MFA), grupo que encabeçou a Revolução de 25 de Abril.

A INVASÃO SOVIÉTICA DO AFEGANISTÃO
(1979)

No final dos anos 1970, o governo de esquerda do Afeganistão (um aliado próximo da URSS) foi ameaçado por combatentes muçulmanos apoiados pelos EUA, os *mujahideen*, que discordavam das políticas modernizadoras do regime em áreas como a educação de mulheres. Em 1979, a URSS invadiu o Afeganistão, começando uma guerra de dez anos na qual se estima que 1,5 milhão de afegãos foram mortos e muitos outros deixaram o país. Grupos de guerrilheiros *mujahideen* lutaram contra os invasores, que se retiraram em 1989. A guerra deixou a URSS enfraquecida militar e politicamente, contribuindo para o seu colapso. Uma guerra civil começou em seguida, entre os *mujahideen* e o Exército afegão, e o poder acabou ficando com o talibã, a linha-dura islâmica.

A REVOLUÇÃO IRANIANA
(1979)

Mohammad Reza Pahlavi, o xá do Irã, era chefe de um regime secular que ocidentalizou o país e trouxe prosperidade para alguns. No final dos anos 1970, um cada vez mais forte movimento de oposição ganhou proeminência, conduzido por líderes islâmicos como o aiatolá Khomeini, que pregava contra o capitalismo secular invasor (e contra o comunismo). Em 1979, o xá foi forçado a deixar o país, e o aiatolá Khomeini instalou um novo governo focado em valores muçulmanos bastante rigorosos. A revolução teve um enorme impacto, especialmente em enfatizar a crescente proeminência do islã no cenário mundial e nas relações entre os países do Ocidente e do Oriente Médio.

A GUERRA DAS MALVINAS
(1982)

Em 1982, a Argentina estava em crise. A junta militar que comandava o país apelou para uma velha pauta nacionalista para tentar reerguer o prestígio do governo: conquistar pelas armas as Ilhas Falkland, ocupadas pelos britânicos desde 1833. No entanto, no contexto acirrado da Guerra Fria, o governo de Margaret Thatcher não aceitou a invasão e deu início à guerra, que foi a primeira a levar armas nucleares para o campo de batalha desde a Segunda Guerra Mundial. Os ingleses venceram o conflito devido à superioridade de sua Marinha, o que acelerou o processo de derrocada da ditadura argentina.

OS EUA E A INGLATERRA INVADEM O IRAQUE
(2003)

A invasão do Iraque em 2003 começou uma guerra cujas forças, sobretudo os EUA e a Inglaterra, depuseram o ditador iraquiano Saddam Hussein, que oprimia seu próprio povo, apoiava o terrorismo internacional e, de acordo com os EUA e seus aliados, possuía armas de destruição em massa. Apesar de esta última alegação ter sido mais tarde refutada, a remoção de Saddam Hussein foi, sem dúvida, bem-vinda por muitos iraquianos. No entanto, a falta de uma estratégia no pós-guerra deu aos opositores extremistas dos EUA e seus aliados um pretexto para lançar ataques terroristas contra eles.

GLOSSÁRIO

Anexação O ato de anexar: de conquistar território novo para adicionar a um país ou Estado, geralmente usando a força.

Autocracia Uma comunidade ou Estado no qual a autoridade ilimitada é exercida por um único indivíduo.

Bárbaro Nos tempos antigos, um grupo de pessoas, terra ou cultura que não pertencia a uma das grandes civilizações (grega ou romana), logo considerado menos avançado socialmente ou incivilizado.

Burguesia A classe social detentora dos meios de produção (fábricas, maquinário, terras) numa sociedade capitalista.

Burocracia Um governo caracterizado pela especialização de funções, obediência a regras fixas e com hierarquia de autoridade.

Califado O governo islâmico liderado por um califa, líder político e espiritual seguidor dos princípios estabelecidos pelo profeta Maomé.

Campos de trabalho Um campo de prisioneiros onde as pessoas são obrigadas a fazer trabalho manual árduo, geralmente em péssimas condições.

Capitalismo Um sistema econômico no qual os meios de produção são de propriedade privada, em que firmas concorrem para vender bens visando ao lucro e os trabalhadores trocam seu trabalho por um salário.

Classe Uma hierarquia de status dentro do sistema social, refletindo poder, riqueza, educação e prestígio.

Colônia Área ocupada por um grupo de colonos vivendo em um território novo, geralmente já ocupado por povos indígenas, e que está sujeita ao controle da metrópole de onde os colonos vieram.

Comunismo Uma ideologia que defende a eliminação da propriedade privada em troca da propriedade comunal, baseada no manifesto político de Karl Marx e Friedrich Engels.

Conscrição Alistamento obrigatório no serviço militar.

Constituição Uma coletânea escrita dos princípios fundamentais e leis de uma nação.

Consumismo O estado de uma sociedade capitalista avançada no qual a compra e venda de vários bens e serviços define uma era. O termo também se refere a uma percepção de que os indivíduos desejam bens para construir uma identidade própria.

Cruzada Guerra santa praticada em nome de uma causa religiosa. Com frequência usada para se referir às expedições lançadas pelos cristãos europeus nos séculos XI, XII e XIII para a reconquista da Terra Santa dos muçulmanos.

Democracia Uma forma de governo na qual o poder supremo cabe ao povo e é exercido por seus representantes eleitos.

Democracia direta Governo pelo povo de fato, em vez de apenas em princípio – os cidadãos votam em todos os aspectos que os afetam –, conforme praticado na antiga Atenas.

Dinastia Uma linha de governantes da mesma família ou grupo, ou um período de tempo quando o país é governado por eles.

Direitismo, de direita A ideologia da "direita" política, amplamente definida como a favor de atitudes conservadoras, pró-mercado, preferência pelos direitos dos indivíduos ao intervencionismo do governo, abordagem rígida quanto à lei e à ordem e, em vários casos, também nacionalista. O conceito originou na França no século XVIII, onde aqueles que eram amplamente a favor da monarquia se sentavam do lado direito do rei.

Direito divino dos reis Uma doutrina que diz que o monarca deriva sua legitimidade de Deus, não sendo sujeito a nenhuma autoridade terrena.

Ditador Um governante absoluto, que assume controle completo e pessoal sobre o Estado. Esse governante pode exercer seu poder de forma opressiva.

Emancipação O ato de ser livre de restrições legais, sociais ou políticas.

Embargo Uma ordem governamental que interrompe o comércio ou qualquer atividade comercial com um país específico, com frequência usada como uma medida diplomática.

Emigração O ato de deixar o seu próprio país e se mudar permanentemente para outro.

Era espacial Um período no século XX caracterizado pela exploração espacial. Diz-se que seu início foi em outubro de 1957, quando a URSS pôs pela primeira vez o satélite *Sputnik 1* em órbita.

Esquerdismo, de esquerda Ideologia da "esquerda" política. É caracterizado por uma abordagem intervencionista para o bem-estar social e uma visão do mundo internacionalista. O conceito surgiu na França do século XVIII, quando a nobreza que buscava melhorar as condições dos camponeses se sentava à esquerda do rei.

Estado Uma autoridade organizada que tem controle legítimo sobre um território e o monopólio do uso da força nesse território.

Estado fantoche Um país que é normalmente independente, mas de fato se baseia numa potência estrangeira que geralmente controla o Estado usando força militar.

Estado-nação Um Estado soberano habitado por um grande grupo homogêneo de pessoas que compartilham características comuns como língua, descendência ou tradições.

Eugenia A crença, ou o estudo da crença, de que a população humana pode ser melhorada pelo controle da sua reprodução.

Fascismo Uma ideologia tipificada por forte liderança, com ênfase na identidade coletiva, e pelo uso da violência ou guerra para expandir os interesses do Estado. O termo deriva do italiano *fascio* – um feixe de gravetos –, se referindo à identidade coletiva, e foi primeiramente aplicado ao regime de Mussolini.

Feudalismo Um sistema político medieval que consistia de pequenas unidades geográficas – como principados ou ducados – governadas pela nobreza, onde a população camponesa vivia atrelada a seu governante.

Genocídio A matança deliberada de um grupo de pessoas pertencentes a uma mesma religião, etnia ou nação.

Golpe de estado Um ato repentino, ilegal e violento de derrubada de um governo ou de um líder. Geralmente é cometido por membros do atual establishment político.

Guerra civil Uma guerra lutada por habitantes de um mesmo país que se opõem.

Guerrilheiro Membro de um grupo militar não oficial, em geral motivado politicamente, que usa ataques surpresa e sabotagem contra forças regulares maiores como um Exército oficial ou a polícia.

Hegemonia A conquista e a manutenção do poder, e a formação de grupos sociais, durante o processo.

Ideologia Um arcabouço de ideias que oferecem um ponto de vista ou um conjunto de crenças para um grupo social.

Igualitarismo Uma filosofia que defende igualdade social, política e econômica.

GLOSSÁRIO 343

Iluminismo Também conhecido como a Idade da Razão, um período de avanços intelectuais no século XVIII que envolve o questionamento da visão religiosa do mundo e a aplicação da razão.

Imigração O ato de entrar em um país estrangeiro para lá viver permanentemente.

Imperialismo A política de estender o domínio de uma nação por meio de intervenção direta ou indireta nos assuntos de outros países, e a conquista de território e a sujeição de povos na construção de um império.

Império Um grande grupo de países ou povos sob o governo de um único líder, oligarquia ou Estado soberano.

Insurgência Uma condição de revolta contra um governo que é menos organizada que uma revolução e não é reconhecida como uma guerra.

Jihad No islã, um dever religioso de lutar contra o mal em nome de Deus, tanto espiritual quanto fisicamente.

Lei marcial A lei temporariamente imposta pelos militares quando a lei civil é suspensa num país ou Estado.

Liberalismo Uma filosofia originada no século XVIII que defendia os direitos dos indivíduos acima dos do Estado ou da Igreja, opondo-se ao absolutismo e ao direito divino dos reis.

Marxismo A filosofia dos escritos de Karl Marx, propondo que a ordem econômica da sociedade determina as relações políticas e sociais nela.

Meritocracia A crença de que o governante deveria ser escolhido com base em sua habilidade, não na sua riqueza ou berço.

Milícia Um corpo de cidadãos, que pode ter algum nível de treinamento militar, que é chamado para suplementar o exército profissional de um país em tempos de emergência.

Nacionalismo Lealdade e devoção à pátria mãe e a crença política de que seus interesses devem ser buscados como a meta principal da política.

Nômade Relacionado a, ou uma característica dos, nômades – um grupo de pessoas que se mudam de um lugar para o outro, em geral conforme as estações e dentro de um território específico.

Oligarquia Uma forma de governo na qual o poder é mantido por um grupo pequeno e exercido em seu próprio interesse, quase sempre em detrimento da população como um todo.

Paramilitar Um grupo de civis que tem treinamento militar e está organizado de acordo com a estrutura militar e geralmente age em apoio à força militar oficial de um país.

Partidário Apoiador absoluto de um líder político específico, um partido ou causa que em geral exibe uma devoção inquestionável.

Peregrinação Uma jornada para um templo ou lugar sagrado como um ato de devoção religiosa.

Plantation Sistema de plantação de apenas um tipo de produto destinado à exportação, mediante uso de mão de obra escrava.

Pré-história O período do passado humano antes do começo da escrita e compreendido de forma ampla através da história arqueológica.

Proletariado A classe trabalhadora, especialmente operária. São aqueles que, não possuindo quaisquer meios de produção, precisam vender sua força de trabalho em troca de um salário.

Propaganda A disseminação organizada de informação, ideias e opinião, geralmente via mídia, para promover ou prejudicar um governo, movimento, instituição etc.

Racionalismo Corrente filosófica segundo a qual a razão, livre da interferência das intuições, das emoções ou dos dados empíricos, pode levar a um conhecimento verdadeiro. Serviu de base para boa parte da ciência moderna.

Racismo A crença de que todos os membros de uma certa raça compartilham características e atributos comuns e que isso significa que certas raças são inerentemente superiores ou inferiores.

Reforma Um movimento religioso e político do século XVI na Europa que buscava reformar a Igreja Católica Romana e a autoridade papal e resultou no estabelecimento das Igrejas protestantes.

Renascimento Um período de tempo na Europa dos séculos XIV a XVII marcado por grandes avanços nas artes, literatura e aprendizado, geralmente considerado a transição do mundo medieval para o mundo moderno.

Reparações Compensações – em geral monetárias, materiais ou em trabalho – pagas por uma nação derrotada para compensar um dano, estrago ou perda econômica sofridos por outro país como resultado de guerra.

República Um Estado sem monarcas, no qual o poder reside no povo e é exercido por seus representantes eleitos.

Revolução A derrubada de um regime em vigor, ou uma ordem social, às vezes por meio violento, pelo povo que está sendo governado.

Revolução Industrial Um estágio de desenvolvimento, originado no Reino Unido no século XVIII, durante o qual as economias foram transformadas por novas formas de mecanização, deixando de ser uma economia essencialmente agrícola e passando a ser urbana e industrializada.

Separatistas Um grupo de pessoas que defendem a separação de uma organização ou grupo.

Servo Especialmente na Europa medieval, uma pessoa de classe inferior obrigada a fazer trabalhos agrícolas nas terras de seu senhor. Um servo poderia ser transferido com a terra no caso de esta ser vendida a um novo proprietário.

Sionismo Um movimento político mundial que proclama que o povo judeu constitui uma nação, portanto com direito a uma terra. Focou originalmente na criação de um país para o povo judeu e hoje busca desenvolver e proteger o moderno Estado de Israel.

Soberania Poder supremo como o exercido por um Estado ou governante autônomo, livre de qualquer influência externa ou controle. Geralmente usada para se referir ao direito de uma nação à autodeterminação em assuntos internos e nas relações internacionais com outros países.

Socialismo Uma ideologia e um método de governo que defendem a propriedade estatal e a regulação da indústria, bem como o controle central sobre a alocação de recursos, em oposição a permitir que ela seja determinada pelas forças de mercado.

Sufrágio O direito ao voto em eleições ou referendos. O sufrágio universal se refere ao direito de voto dos cidadãos, independentemente de gênero, raça, status social ou riqueza. O sufrágio das mulheres descreve o direito das mulheres de votarem nas mesmas bases que os homens, conforme defendido no começo do século XX por ativistas chamadas de "sufragistas".

Superpotência Uma nação soberana com grande poder político e militar, capaz de influenciar a política internacional.

Teoria da guerra justa Uma doutrina de ética militar que inclui o *Jus ad bellum* ("direito à guerra"), que é a necessidade de uma base moral e legal para uma guerra, e a *Jus in bello* ("justiça na guerra"), que é a necessidade da conduta moral na guerra.

Totalitarismo Um regime que subordina os direitos do indivíduo em favor dos interesses do Estado através do controle dos assuntos políticos e econômicos e da determinação de atitudes, valores e crenças da população.

Tratado Um contrato formal que estabelece acordos – como uma aliança, o fim de hostilidades ou um acordo comercial – entre dois ou mais países.

Vassalo Num sistema feudal, um homem que recebia o direito ao uso da terra por um rei, senhor ou outro proprietário de terra superior em troca de respeito e aliança.

Vice-rei Um governante que controlava uma colônia no lugar de seu soberano.

ÍNDICE

As principais referências estão em **negrito**

11/9, ataques 320, **327**
1848, revoluções **228-9**, 239-40, 251
1968, protestos **324**

A

A Batalha de Ourique **108-9**
Abd ar-Rahman I, emir de Córdoba 91-2
Abdul Hamid II, sultão 260
Abraham ibn Ezra 92
absolutismo 188, 213, 218
Abu 'Abd Allah, emir 128
Abu Bakr 80
Abu Simbel, Templos de **38-9**
Acamapichtli 114
Áccio, Batalha de 60, 64
Acordo de Munique 289
Acordo Sykes-Picot 272
Acordos de Paz de Oslo 302, 318
Acordos de Paz de Paris 312
Adriano, imperador 65
Afeganistão, invasão soviética do **341**
Afro-americanos 311
agricultura 19, 30-1, 158-9, 181, 202, 222-3, 336-8
agricultura e saúde 31
Ahuitzotl 115
Al-Andalus 91-2
Al-Andalusi, Said 89
Alarico 69
Alberti, Leon Battista 153
Al-Biruni 91
Alcaçovas, Tratado de 149
Aleandro, cardeal Girolamo 163
Alésia, Batalha de 71
Alexandre II, czar 243
Alexandre III, czar 243
Alexandre VI, papa 149
Alexandre, o Grande 44-5, 51, **52-3**
Alexei, czaréviche 196
Aléxio I Komnenos, imperador 106, 107
alfabeto hangul 130-1
alfabetos 34-5, 42, 43, 130, 131
Afonso VI de Castela 92, 108
Afonso XIII da Espanha 340
Al-Assad, Bashar 321
Al-Gaddafi, Muammar 321

Al-Haythem 91
Ali ibn Abi Talib 81
Al-Idrisi 88, 93
Al-Khwarizmi 88, 91
Allende, Salvador 341
Al-Majusi, Ali ibn al-Abbas (Haly Abbas) 92
Al-Mamun, califa 89
Al-Mansur, califa 88-9, 90
Al-Musta'sim, califa 93
Al-Qaeda 320-1, 327
Al-Razi 91
Al-Sahili, Abu Ishaq 111
Altamira, pintura das cavernas **22-5**
Al-Tusi, Nasr al-Din 91
Al-Umari, Chilab 111
Álvarez, Fernando 168
Al-Walid, califa 88
ambiente 28, 29, 269, 337-9
América Central 114-7, 150-1, 158-9, 216-9
Amin, Idi 307
amoritas 37
An Lushan, Revolta de **84-5**
Angola 307
Anhalt, Christian de 168
antissemitismo 251, 285, 289, 292
apartheid 235, 325
Aquino, Tomás de 133
Arábia Saudita 318-21
Arianismo 6-7
Aristóteles 51, 53, 92-3, 194
Armada Espanhola 166-7, 199
Armstrong, Neil 310
Arquimedes 91
arquitetura 152-3, 256-7
arte 22-7, 152, 153-5, 183
artilharia 156-7
Ashoka, o Grande, imperador 40, 41
Assírios 70
astronomia 90-1, 127
Atahualpa 117
Atatürk, Mustafa Kemal 141, 260-1
Atenas 44-5, **46-51**, 70
Átila, o Huno 69
Augusto, imperador 52, 60, 64-5
Auschwitz 294-5
Austrália, chegada dos primeiros humanos na **20-1**
avanços científicos 88-91, 137, 190, 194, 236-7

Axayactl 115
Axum 71
Ayacucho, Batalha de 219
Azerbaijão 326

B

Baader, Andreas **341**
Babilônia 36-7, 44-5, 53, 70
Bacon, Francis 190, 194
Bagdá, fundação de **86-93**
Bannockburn, Batalha de 133
Barentsz, Willem 182
Batista, general Fulgencio 309, 315
Bayt al Hikma (Casa da Sabedoria) 89-91, 93
Belisário 76-7
belle époque 256-7
Ben-Gurion, David 302-3
Bernanke, Ben 333
Berners-Lee, Tim 328-9
Bessemer, Henry 222, 225
Bin Laden, Osama 320, 327
Bismarck, Otto von 240-1, 258
Bloco Oriental 269, 281, 323
Bolcheviques 276-9, 296
Bolívar, Simón 218-9
Bolsa de Valores de Amsterdã **180-3**
bomba atômica 293, 340
Borlaug, Norman 336, 337
Boudica, rainha dos Icenas 71
Boulton, Matthew 224
Breitenfeld, Batalha de 166, 168
Brigadas Vermelhas 324
Brunel, Isambard Kingdom 224, 234
Brunelleschi, Filippo 152-3, 155
Brutus, Marcus Junius 63-4
Buchanan, James 233
budismo 35, 40-1, **108**, 109
Bureau, Jean 156

C

Cabral, Pedro Álvarez 148, 149
caçadores-coletores 19, 24, 26-7, 30, 31
califado omíada 78, 81, 88, 89, 128
Calvino, João 160, 161
campos de concentração 294, 295
Canal de Suez **230-5**, 242
Canal do Panamá 232-3

ÍNDICE

Cano, Juan Sebastien del 151
capitalismo 137, 178, 182, 202, 229, 268-9, 278-9, 315-7, 322, 332-3
Carlos I da Inglaterra 101, **174-5**
Carlos II da Inglaterra 174-5
Carlos Magno, imperador 74, **82-3**, 88-9
Carlos V, imperador do Sacro Império Romano-Germânico 151, 158, 162, 198
Carlos VII da França 156-7
Carlos X da França 228
Carmichael, Stokely 311
Carson, Rachel 337-8
Carta de direitos 101, 175
Cartago 70-1
Carter, Jimmy 320
cartografia 93
Cartum, Cerco de 265
Casas, Bartolomé de las 146
Cássio Longino, Caio 63-4
Castiglione, Giuseppe 186
Castillon, Batalha de **156-7**
Castro, Fidel 309, 314-5
Çatalhöyük **30-1**
Catarina de Aragão 198
Catarina II (a Grande) da Rússia 196-7
Cavaleiros Templários 106-7
Cavaleiros Teutônicos 133
Cavour, Camillo 239-40
Ceauçescu, Nicolae 326
celtas 70
Cerco de Berlim **296-7**
César, Júlio 53, **58-65**, 71
Chamberlain, Neville 289
Chiang Kai-shek 305, 317
Childerico 71
Chile **150**, 151, 341
Chiphyŏn-jŏn (Sala das Coisas Dignas) 130-1
Churchill, Winston 13, 290, 296
Cícero 51, 61
Cidade do Cabo, colônia holandesa em 199
Cidade Proibida (Pequim) 125
cidades-estados 44-5, 48, 50, 52, 60, 70, 105, 154-5
ciência da computação 328-9
Ciro II, o Grande 44-5
civilização maia 34, 36, 71, 115
civilização micênica 42
civilização minoica 42-3
civilizações 19, 34-5, 36-7
civilizações do Vale do Indo 36, 70
clã coraixita 79-80
Clã Taira 98-9
Cláudio, imperador 71
Clemenceau, Georges 280
Clístenes 49
Clive, general Robert 191
Clóvis, Rei dos Francos 71, 82
Cnosso, Palácio de **42-3**

Código Jurídico de Hamurabi **36-7**
Colbert, Jean-Baptiste 188-189
Colombo, Cristóvão 15, 129, 136, **142-7**, 148-9
comércio 41, 75, 104-5, 178-9, 223, 232, 234-5
comércio de algodão 234-5
comércio de especiarias 144, 151, 180, 182
Comissão da Verdade e da Reconciliação 325
Companhia dos Aventureiros Reais 176-7
Companhia Holandesa das Índias Orientais 179-83, 185, 199
Companhia Real Africana **176-9**
compra da Louisiana 206
Compromisso do Missouri 244-45
Comuna de Paris 228
comunismo 229, 268, 276-9, 281, 285, 296-7, 304-5, 312-7, 322-3
Concílio de Niceia 66-7
Concílio de Trento 160, 163
concordata de Worms 96-7
confederação 246-7
Conferência de Berlim **258-9**
Conferência de Teerã 294
Conferência de Wannsee **294-5**
Confúcio/Confucionismo 57, 125, 130-1
Congresso de Viena 228, 229, 240
Congresso Nacional Africano (ANC) 325
Congresso Nacional Indiano 298-300
Conquista dos normanos 132-3
conquistadores 75, 116, 136, 149-51, 158
Constantino I, imperador 66-7, 133
Constantino XI, imperador 139
Constantinopla, queda de **138-41**, 154, 156
contrarreforma 160, 163
Convenção de Pequim 254-5
Cook, capitão James 137, 199
Corão 79, 81
Coreia, invasão japonesa da 199
corrida de armas nucleares 268, 297, 308
corrida espacial 310
Cortés, Hernán 116, 148, 150
Coverdale, Miles 161-2
Crash of Wall Street **282-3**, 330
Crasso, Marco Licínio 62
crescimento populacional 30, 35, 75, 202, 223, 234, 269, **335-9**
Creta minoica 42-3
crise Cubana de Mísseis **308-9**
crise de Suez **318-21**
crise financeira asiática (1997-98) 330
crise financeira global (2008) 269, **330-3**
cristianismo, disseminação do 13, 66-7
Cromwell, Oliver 174-5, 199
cruzadas 75, 96, **106-7**, 139
Culhuacán, senhor de 114
Culloden, Batalha de 199
cultivos 158-9, 181, 337-8
cultivos geneticamente modificados (GM) 338

Culto do Ser Supremo 213
cultura chimú 114, 116
cultura hallstatt 70
cultura helênica 35, 51--3, 90
cultura mississippiana 132
cultura olmec 34, 36
cultura urbana 256-7
Cumberland, príncipe William, duque de 199
Custer, tenente-coronel George 249
Cuzco 114, 116

D

Dachau 294
Dança da Morte 118-9
Dário I da Pérsia 44-5
Dário III da Pérsia 44, 53-2
Darwin, Charles, *A origem das espécies* **236-7**
Davison, Emily **262-3**
DDT 337-8
De Gaulle, general Charles 291, 301, 340
De Klerk, F. W. 325
Declaração da Independência **204-7**
Declaração de Balfour 298, 303
Declaração dos Direitos do Homem 211
Defenestração de Praga **164-9**
Democracia ateniense **46-51**
Deng Xiaoping 304, 316-7
Descartes, René 13, 190
desemprego 282-3
desigualdade 34, 269, 330, 333
Dia D, desembarque do 288
Dias, Bartolomeu 144, 146
Diaz, Porfírio 265
Diderot, Denis **192-3**, 194-5
Dieta de Worms 161-2
Dinamarca 240, 290
Dinastia Gojoseon 130-1
Dinastia Goryeo 130
Dinastia Habsburgo 166, 167-9, 198-9
Dinastia Han 12, 35, 54, 57, 71, 104, 131
Dinastia Jin 71
Dinastia Médici 152, 155
Dinastia Merovíngia 71
Dinastia Ming 74, 103, **120-7**, 130, 137, 186-7
Dinastia Mogol 137
Dinastia Qin 55-7, 126, 137
Dinastia Qing 127, **186-7**, 255, 265
Dinastia Safávida 139, 141, 198
Dinastia Sforza 152, 155
Dinastia Shang 36, 70
Dinastia Song 13, 102-3, 122, 127, 131
Dinastia Tang 35, 84-5, 127, 131

Dinastia Yi 130-1
Dinastia Yuan 102, 105, 122-4, 127, 130
Dinastia Zhou 56, 70
Diocleciano, imperador 66
diplomacia do dólar 233
direito divino 101
direitos humanos 202, 307, 325, 340
disco de Festos 42-3
Discurso de Gettysburg **244**, 246-7
DNA 21, 236, 338
doenças, disseminação de 136, 149-51, 158-9, 269
Doutrina Truman 296, 312
Drogheda, Cerco de 199
Dunkirk, evacuação de 290
Dürer, Albrecht 155
Dutschke, Rudi 324

E

economia global 232, 235, 268
Édito de Milão 67
Édito de Nantes 166-7, 188, 198
Eduardo II da Inglaterra 133, 156
Eduardo III da Inglaterra 101, 133
Eduardo, o Confessor 132
Efialtes 48-9
Eichmann, Adolf 295
Eiffel, Gustave 256
Einhard 83
Einstein, Albert 190
Eisenhower, Dwight D. 319
Elizabeth da Boêmia 168
Elizabeth I da Inglaterra 166
Ellis Island **250-1**
emigração 250-1, 264
energia a vapor 202, 222, 223-4
Engels, Friedrich 229
Era do Gelo 19, 21, 24, 26-7, **28-9**, 30
Erasmus 155
Erik, o Vermelho 95
Eriksson, Leif 95
erudição islâmica 74-5, 88-93
escrita 34-5, 42-3, 130-1
Escrita Linear A 42-3
Esen Khan 126
Esparta 44-5, 51, 70
Estado Islâmico (Isis/Isil) 321, 327
Estado Novo no Brasil 285
Estados da União 247
Estatuto dos Trabalhadores 118-9
Estreito de Tsushima, Batalha do 253
Euclides 90-1
Evans, Arthur 42
evolução 236-7
Expedição dos Mil (1860) **238-9**
Ezequias, rei de Judá 70

F

Facção do Exército Vermelho **341**
Farouk, rei do Egito 318-9
fascismo 284-5, 289, 340
febre do ouro da Califórnia **248-9**
Federação Pan-Africana 306
Ferdinand VII da Espanha 218
Ferdinando I, imperador do Sacro Império Romano-Germânico 198
Ferdinando II de Aragão 128-9, 144, 146-7, 149
Ferdinando II, imperdor do Sacro Império Romano-Germânico 167-8
Ferrovia Transiberiana 243
ferrovias 202, 222-4, 233-4, 243, 248-9, 253
feudalismo 55, 100, 157, 211, 252-3
Fibonacci, Leonardo 93
Figuras de Vênus 27
Filipe II da Espanha 166, 198-9
Filipe II da Macedônia 51-2
filosofia 35, 50-1, 192-5
Florença, Renascimento 152-5
Francisco Ferdinando, arquiduque 273
Franco, General Francisco 285, 289, 340
francos 69, 71, 82-3, 88-9, 132
Franklin, Benjamin 192
Frederico I, Imperador do Sacro Império Romano-Germânico (Barbarossa) 107
Frederico II (o Grande) da Prússia 191, 197
Frederico II, imperador do Sacro Impéripo Romano--Germânico 93
Frederico V, Elector Palatine 168
Frederico, o Sábio, eleitor da Saxônia 162
funcionalismo chinês 84, 85, 124-5
Fundo Monetário Internacional (FMI) 332

G

G6 330
G20 333
Gagarin, Yuri 310
Galeno 90, 93
Galério, imperador 66
Galilei, Galileo 190, 192
Gama, Vasco da 144, 146, 149
Gana 110-1, **306-7**
Gandhi, Mohandas 13, 299-301, 306
Garibaldi, Giuseppe 238-9
Gautama, Sidarta **40-1**
Genghis Khan 102-4
George II da Grã-Bretanha 199
George III da Grã-Bretanha 206
George V da Grã-Bretanha 262
Gerhard de Cremona 92
Gettysburg, Batalha de 244-5

Giotto 152
girondinos 212
Glenn, John 310
globalização 333
Godofredo de Bouillon 107
godos 69, 76-7
Goebbels, Joseph 295
Gorbachev, Mikhail 296, 322-3
Gordon, Charles George 265
Göring, Hermann 285
Goulart, João **341**
Gran Colombia **216**, 218-9
Granada, queda de **128-9**
Grande Canal (China) 125
Grande Cisma 132
Grande Depressão 268, 282-3, 330, 333
Grande Muralha da China 56, 126
Grande Salto Adiante 316-7
Grande Terror 281
Grant, general Ulysses S. 245, 247
Great Eastern 224, 225, 234
Gregório VII, papa 96-7
Guardas Vermelhos 316-7
Guerra Árabe-Israelense 319
Guerra Civil Americana 15, 244-7
Guerra Civil Espanhola **285**, 289, 340
Guerra Civil Inglesa **174-5**
Guerra Civil Russa 279
Guerra da Bósnia 326
Guerra da Coreia 297
Guerra da Crimeia 243, 265
Guerra da Independência Grega 228, 239, 241, 260-1
Guerra da Sucessão Espanhola 188
guerra de trincheiras 272
Guerra do Paraguai 264
Guerra do Vietnã 312–13, 324
Guerra do Yom Kippur 332
Guerra dos Boxers 254, 255
Guerra dos Cem Anos 13, 132, 152
Guerra dos Oitenta Anos 166
Guerra dos Sete Anos **191**, 206
Guerra dos Trinta Anos 133, 166-9
Guerra Franco-Prussiana 241, 256, 265, 272-3
Guerra Fria 268, **296-7**, 300, 307-9, 310, 322, 341
Guerra Gempei 98-9
Guerra Holandesa, Segunda 177
Guerra Irã-Iraque 320
Guerra México-Americana 248
Guerra Mundial, Primeira 241, 260-1, 268, **270-5**, 276, 280, 282
Guerra Mundial, Segunda 268, 280-4, **286-95**, 297, 305, 308, 340
Guerra Russo-Japonesa 252-3, 276
Guerra Sino-Japonesa 252-3, 305
Guerras do Ópio **254-5**
Guerras do Peloponeso 12, 44-5, 50-1, 70

Guerras dos Bálcãs 1912-1913 241, 260-1, 272-3
Guerras dos Bôeres 235, 258, 265
Guerras Italianas 156
Guerras Médicas **44-5**, 50, 52-53
Guerras Napoleônicas 214-7
Guerras Púnicas 70-1
Guerras Religiosas 166-9
Guerras Revolucionárias 212-5
guerreiros de terracota 56
Gustavo Adolfo da Suécia 166, 168-9
Gutenberg, Johannes 155

H

Haganah 303
Haig, Sir Douglas 274
Hamilton, Alexander 207
Hamurábi, rei da Babilônia **36-7**
Hannibal 70-1
Haraldo Hardrada da Noruega 95
Harun al-Rashid, califa 88-90
Hawkins, John 176
Hegel, Georg 14, 240
Henrique I, rei 100
Henrique IV da França 167, 198
Henrique IV, imperador do Sacro Império Romano-Germânico 96-7
Henrique, o Navegador, príncipe 145-6
Henrique V, imperador do Sacro Império Romano-Germânico 96-7
Henrique VIII da Inglaterra 160, 162, 198
Herbert de Ketton 92
Hermann de Caríntia 92
Heródoto 12, 45
Herzl, Theodor 303
Heyrick, Elizabeth 227
Hezbollah 321
hicsos 39
Hidalgo, Miguel 218
Hidetada 185
Hideyoshi, Toyotomi 184-5, 199
Himmler, Heinrich 295
hinduísmo 40-1, 90-1
Hiroshima 293, 340
historiografia 12-5
Hitler, Adolf 280, 283-5, 288-91, 294-5
Ho Chi Minh 312
Holbein, Hans (o Jovem) 155
Holocausto 294-5, 303
homem, antigo 18-27
Homestead Act (1862) 248-9
hominídeos de Denisova 20-1
Hong Kong 254, 301
Hongwu, imperador 103, **120-7**
Houtman, Cornelis de 180
Hu Hai, imperador 57

Huayna Capac 116
Hugo, Victor 210
huguenotes 162, 167, 188
humanismo 13, 155, 162
Hume, David 194
Hunos 68-9
Hus, Jan 133, 160, 162
Husayn ibn Ali 81
Husayn ibn Ishaq 90
Hussein, Saddam **320**, 341
Huxley, Thomas 236
Huygens, Christiaan 190

I

Ibn Abdun, Muhammad ibn Ahmad 90
Ibn Khaldun 13
Ibn Sina (Avicena) 91, 93
Idade da Pedra 19, 22-7, 34
Idade do Bronze 34, 37, 42-3
Idade do Ferro 34
Ieyasu, Tokugawa 184-5
igualdade 202, 212, 244, 311, 324-5
Iluminismo 13, 137, 190, **192-5**, 197, 205-6, 210, 227
imigração 249, 250-1
Império Almorávida 110-1
Império Aquemênida 44-5
Império Asteca 75, **114-17**, 148, 150
Império Austro-Húngaro 240-1, 272-3
Império Bizantino 53, 67, 74, **76-7**, 80-1, 88, 138-9, 141, 154
Império Inca 75, 114, **116-17**, 148, 150
Império Máuria 40-1
Império Mongol 75, 93, 102-5, 108, 109, 122-3, 125, 126, 133, 137
Império Otomano 93, 104-5, 136, 138-41, 144, 156, 199, 228, 241, 260-1, 272, 275, 280, 302, 319
Império Romano 35, 60-1, 64-5, 71, 74
Império Romano do Ocidente 66-7, 68-9, 76, 82, 83
Império Romano do Oriente 67-9, 83
Império Sassânida 80-1
Império Songai 110-1
imprensa 136, 155, 161
incêndio no Reichstag **284-5**
Incidente do Golfo de Tonkin **312-3**
independência e partição da Índia **298-301**
indústria têxtil 224
industrialização 202, 224-5, 243, 251, 253, 257, 281, 297
Intercâmbio Colombiano **158-9**
internet **329**
Invasão da Baía dos Porcos 309, **314-15**
invasão Manchu 122, 126-7, 186-7
invasões árabes 74, 78, 80-1, 132
invasões bárbaras 68-9
Iraque, invasão de **320-1**, 341
Irmandade Muçulmana 320

irmãos Montgolfier 195
Isaac II Angelos, imperador 139
Isabella I de Castela 128-9, 144, 146-7, 149
Isandiwana, Batalha de 264
Islã, ascensão do 74, 78-81, 132
Ismail I, xá 198
Israel, criação de **302-3**
Itzcóatl 115, 116
Ivan, o Terrível, czar 196
Iwo-Jima, Batalha de 293

J

jacobinos 212
jacobitas 199
Jaime I da Inglaterra 175-6
Jaime II da Inglaterra 101, 175
Jamestown, Virgínia 172-3
Janízaros 140-1
Jefferson, Thomas 206-7
Jerusalém, queda de **106-7**
Jiang Ziya 70
Jibril ibn Bukhtishu 89
Jinnah, Mohammed Ali 300
Joana d'Arc 133
João II de Portugal 146, 149
João VI de Portugal 217
João, rei 100-1
Johnson, Lyndon B. 313
José I da Espanha 218
Judá 70
judeus 118-9, 128-9, 241, 285, 288, 292, 294-5, 303
julgamentos de Nuremberg 295
Junkau, Batalha de 169
Jurjis ibn Jibril ibn Bukhtishu 89
Justiniano, imperador 76-7

K

Kangxi, imperador 186-7
Kant, Immanuel 192
Kennedy, John F. 308-9, 315
Kepler, Johannes 190
Kerensky, Alexander 278
Khmer Vermelho 313
Khomeni, aiatolá **320**, 327, 341
Khrushchev, Nikita 308-9
Khufu 38
Khusrau, xá 58
King, Martin Luther Jr. 13, 15, 301, **311**
Kitchener, lorde Horatio 265
Kornilov, general Lavr 278
Kosovo 326
Kublai Khan **102-3**, 104-5, 109, 122, 133
Kuomintang 305

L

Langton, Stephen, Arcebispo de Canterbury 101
Lausanne, Tratado de 260-1
Leão III, papa 82-3
Leão IX, papa 96, 132
Leão X, papa 160, 162
Lee, General Robert E. 244-7
Lee, Richard Henry 205
Lefèvre d'Étaples, Jacques 161
Lehman Brothers 331
Lei da Abolição da Escravidão **226-7**
Lei de Kansas-Nebraska 244-5
Leipzig, Batalha de 215
Lênin, Vladimir Ilyich 276-9, 281, 296-7
Leonardo da Vinci 152-3
Leônidas de Esparta 44-5
Leopoldo II da Bélgica 258-9
Lepanto, Batalha de 141
Lépido 64
Lesseps, Ferdinand de 233
Levante Mau-Mau 301, 306
Li Su 57
Liga Árabe 302, 318
Liga das Nações 275, 280
Liga de Delos 45, 48, 50
Liga Muçulmana 298, 300
Lincoln, Abraham 13, 207, 244-5
Lindisfarne **94-5**
Liu Bang 57
Locke, John 195
Lombardos 76-7
Longa Marcha **304-5**, 317
Loyola, Inácio de 163, 187
Lucknow, Cerco de **242**
Lucrécio 64
Luís Filipe da França 228
Luís, o Piedoso 83
Luís XIV da França **188**, 196, 198-9, 210-1
Luís XVI da França 206, 210-2
Lumumba, Patrice 301, 307
Lutero, Martinho **160-3**
Lvov, príncipe Georgi Y. 278

M

Macartney, lorde 254
Madero, Francisco 265
Magalhães, Fernando de 144, 151
Magiares 69, 74, 132
Magna Carta 15, **100-1**
Mahdistas 265
Malcolm X 311
mamelucos 93, 138-9
mamutes 28-9

Manco Capac 116
Mandato do Céu 70
Mandela, Nelson **325**
Mansa Musa **110-1**
Manzikert, Batalha de 106, 139
Mao Tsé-Tung 57, 304, 313, 316-7
Maomé, o profeta **78-81**, 88
Maomé II, sultão 138, 140, 141
Maquiavel, Nicolau 157
Maragha 88, 91
Maratona, Batalha de 45
Marco Antônio 64
Maria II, rainha da Inglaterra 175
Maria Antonieta, rainha da França 212
Mário 60
Marx, Karl/marxismo 14, 229, 234, 268
Massacre de Xangai 305
Massacre do Dia de São Bartolomeu 167, 198
matemática 90-1
Matthias, imperador do Sacro Império Romano-Germânico 167
Maxentius, imperador 66
Mayflower **172-3**
Mazzini, Giuseppe 238-40
Meca 78, 79-80, **110-1**
medicina 89, 91-3, 202
Mehmed V, sultão 260
Mehmed VI, sultão 261
Meiji, imperador **252-3**
Meinhof, Ulrike 341
Mellaart, James 30
Mendel, Gregor 236
Mesopotâmia 34, 36-7
Metternich, príncipe Klemens von 240
Michael I, patriarca 132
Michelangelo 152-4, 158
migração 20-1, 269, 339
Milícia Unidos na Justiça 255
Minamoto Yoritomo **98-9**
Moctezuma I 115
Moctezuma II 150
Mohammad Reza Pahlavi, xá 320, 341
monasticismo 97
Möngke, Grande Khan 93, 103
Montesquieu 193, 195
Montgomery, marechal de campo Bernard 292
Morelos, José 218-9
Moro, Aldo 324
Morse, Samuel 234
Mosley, Sir Oswald 285
Motim Indiano 242
motores de combustão interna 222
Mountbatten, lorde Louis 300
Movimento dos direitos civis 269, **311**
Movimento dos não alinhados 300
Movimento romântico 13-14, 202
movimentos de independência 216-9, 268-9,

298-301, 306-7
Muawiya 78, 81
Mubarak, Hosni 321
mudança ecológica 158-9
mudanças climáticas 28-9, 30, 69, 75, 338-9
Muhammad Ahmad, governante do Sudão 265
mulheres 192, 262-3, 274-5, 324
Murad II, sultão 140
Muro de Berlim 296, **322-3**, 326, 333
Mussolini, Benito 275, 284-5, 289

N

nacionalismo 14, 203, 229, 238-41, 306, 319, 320-1, 326
Nações Unidas 293, 325, **340**
Nagasaki 293, 340
Napoleão I, imperador 210, 213-5, 218, 227, 240, 250
Napoleão III, imperador 228, 240, 256, 265
Narmer, rei 38
Nasser, coronel Gamal 318-20
nativos americanos 132, 159, 173, 249, 264
neandertais 20-1, 24
Nehru, Jawaharlal 298, 300
Nero, imperador 66
New Deal 283
Newcomen, Thomas 223
Newton, Isaac, *Principia* **190**, 192
Ngo Dinh Diem 312
Nicolas Canabus, Imperador 139
Nicolau II, czar 243, 276-8
Nightingale, Florence 265
Nilo, Rio 38-9
Nixon, Richard M. 316-7
Nkrumah, Kwame 306-7
Nobunaga, Oda 185
Novo Mundo 129, 136, 142-1, 158-9
Nystad, Tratado de 196

O

O'Sullivan, John 248
Odoacro 69, 76
Ohnesorg, Benno 324
Optimates 61-2
Organização da Unidade Africana 306
Organização para a Libertação da Palestina (OLP) 318, 321
origens humanas 16-31
Oñate, Juan de 148
Ostrogodos 68, 69
Oswald, Lee Harvey 309
OTAN 297, 321, 323, 326
Otaviano *ver* Augusto, imperador
Otto I, imperador do Sacro Império Romano--Germânico 82, 132

ÍNDICE 349

P

Pachacuti 116
Pacífico, Guerra no 292-3
Pacto de Varsóvia 297, 323
Padrão Ouro 232
padrões de vida 257, 269, 333
paleoclimatologia 29
Paleolítico, Era do 19, 22-7
Pankhurst, Emmeline 263
Panteras Negras 324
Papado 82-3, 96-7, 132, 154-5
Parks, Rosa 311
Parthenon (Atenas) 48-9
Partições da Polônia 197, 264
Partido Nazista 275, 280, 283, 288-5, 288-9, 294-5
Passchendaele, Batalha de **270-5**
Paul, Alice 263
Paulo III, papa 163
Paulo, São 66
Pax Romana 64-5
Pearl Harbor 292, **340**
Pedro I do Brasil 216-8
Pedro, o Grande, czar 196-7
Penn, William 172
Pepino III, rei 82-3
peregrinos 158, 172-3, 246
Péricles 48-50
Período da Primavera e Outono 54-5
Período dos Estados Combatentes 55-6, 184-5
Período Edo 184-5
Pernier, Luigi 42
Peste Negra 15, 75, 104, **118-19**
Pétain, marechal Philippe 291
Pinochet, general Augusto **341**
pintura das cavernas 22-7
pirâmides 38-9
Pisístrato 49
Pizarro, Francisco 117, 148, 150
Plassey, Batalha de 191
Plataea, Batalha de 45
Platão 48, 51
Plutarco 64
Plymouth, Massachusetts 172-3
pobreza 330
Pol Pot 313
Polo, Marco 103, **104-5**
Polônia, invasão nazista da **286-93**
Poltava, Batalha de 196
poluição 339
pólvora 127, 136, 156-7
Pompeia 60
Pompeu, o Grande 62
Ponte Mílvia, Batalha da **66-7**
Populares 61-2

Portos do Tratado 254
pousos na Lua 310
Povos do mar 38
Primavera Árabe 318, 321
Primeira Guerra do Golfo 320-1
Primeiro Triunvirato 62
primeiros assentamentos humanos 19, 30–1
Proclamação da República no Brasil 265
produção de aço 225
programas de bem-estar social 332
Projeto Manhattan 308
Ptolomeu do Egito 53
Ptolomeu, Cláudio 90-1, 93
Puritanos 173, 175

Q

Qianlong, imperador 186-7
Qin Shi Huangdi, imperador 12, **54-7**
Quakers 172
Quebec, Batalha de **191**
Queda da Bastilha **208-13**
Querela das Investiduras **96-7**
Quisling, Vidkun 291

R

racismo 324-5
Ramsés II, faraó 38-9
Ramsés III, faraó 38
Raymond de Marselha 92
rebelião naval de Kronstadt 279
Rebelião Taiping 254-5
recessão 330-3
Reconquista 92, 107, **128-9**
Reforma 133, 136, **160-9**, 192, 198-9
refugiados 321, 339
Reino Unido, Batalha do 288, 290-1
Reino Zulu 264
Renascimento 13, **152-5**
Renascimento Carolíngio 83
República de Weimar 289
República Holandesa 180-3
República Romana, queda da **58-65**
Revolta dos Camponeses 161
Revolta dos escravos no Haiti 226-7
Revolta dos Três Feudos **186-7**
Revolta dos Turbantes Vermelhos 122-3
Revolta Holandesa 166, 181, 198
Revolta Hussita 133
Revolução Americana 101, **204**, 218
Revolução Cultural 313, **316-17**
Revolução de Outubro (1917) **276-9**
Revolução do Porto 264
Revolução dos Jovens Turcos **260-1**

Revolução Francesa 188, 195, 203, 206-7, **208-13**, 229
Revolução Gloriosa 175
Revolução Industrial 220-5, 229, 339
Revolução Iraniana **320**, 341
Revolução Mexicana 265, 314
Revolução Neolítica 19, 30-1
Revolução Russa **276-9**, 297
Revolução Verde 336-8
Rhodes, Cecil 258-9
Ricardo I da Inglaterra 107
Ricci, Matteo 127
Richelieu, cardeal 188
Riebeck, Jan van 199
Rio Talas, Batalha do 84-5
RMS *Mauretania* 234
Robert Bruce, rei da Escócia 133
Roberts, Richard 224
Robespierre, Maximilien 210-3
Rocket **220**, 222-3
Rocroi, Batalha de 169
Rodolfo II, imperador do Sacro Império Romano-Germânico 167
Rogério II da Sicília 88, 93
Roma, saque de (410) **68-9**
Rommel, general Erwin 292
Roosevelt, Franklin D. 283, 292
Roosevelt, Theodore 233
Rota da Seda 41, 75, **104-5**
Rousseau, Jean-Jacques 193, 195

S

Sacro Império Romano-Germânico 74, 82, 132, 167–8, 198-9, 215
Saladin 10
Salah al-Din, Muhammad 321
Salamina, Batalha de 45
samurai 98, 99
São Petersburg **196**, 197
Saragoça, Tratado de 151
Sarajevo, Cerco de **326**
Sartre, Jean-Paul 324
satélites 310, 328-9
Schall von Bell, Johann Adam 127
Scot, Michael 93
Segundo Congresso Continental 204-5, 207
Segundo Triunvirato 64
Sejong, rei **130-1**
Sekigahara, Batalha de **184**, 185
seleção natural 237
Senado Romano 60-5
Senaqueribe, rei da Assíria 70
servos, emancipação dos **243**
Sèvres, Tratado de 260-1, 280
Shaka, Chefe Zulu 264

Sherman, William 247
Shrewsbury, John Talbot, Earl of 156
Siágrio 71
Sicílias, Reino das Duas 238-9
Silvestre II, Papa 92
Sima Qian 12, 55, 56
sindicatos 229
Sionismo 241, 302, 303
Sistema continental 215
Sistema de Bretton Woods 330
Smith, Adam 222-3
socialismo, ascensão do 228-9
Sócrates 50-1
Solidariedade 322-3
Sólon 48-9
Solução Final 294-5
Somme, Batalha do 274
Spartacus 62
Sputnik **310**
Stálin, Joseph 276, 279, **281**, 289, 292, 297
Stalingrado, Batalha de 288, 292
Stephens, Alexander 246
Stephenson, George **220**, 221-2
Stimson, Henry L. 292
Stuart, príncipe Carlos Eduardo 199
Suetônio 65
sufragistas 262-3
Suharto, major-general **340**
Sukarno, Ahmed 301, 340
Sula 60
Suleiman, o Magnífico, sultão 141
Sun Yat-Sen 305
Sun Zhongshan 304

T

T'aejo, rei 130-1
Taft, William 233
Tahmasp, xá 198
Tailândia 149
Taiwan 305
Taizong, imperador 85
Talibã 341
Tamerlão 133
Tasman, Abel 189
Tchecoslováquia 280-90, 288-90, 323, 326
tecnologia 27, 75, 127, 136, 145, 155, 158-9, 161, 202, 220-5, 328-9
telégrafo 234, 248-9
Tenochtitlán **114-16**, 150
Teodorico, o ostrogodo 68-9, 76
Teodósio, imperador 67
Termópilas, Batalha de 45
Terror, o 210, 212-3
terrorismo 269, 321, 327
Tezozomoc 114

Thabit ibn Qurra 90
Tibério, imperador 60, 65
Tilly, marechal de campo 168
Tito, Josip Broz 326
Tlacaelel 116
Topa Inca Yupanqui 116
Tordesilhas, Tratado de **148-51**, 314
Torre Eiffel **256-7**
Touro Sentado 249
Tours, Batalha de 132
Toussaint L'Ouverture, François-Dominique 227
Trafalgar, Batalha de 215
Três Reinos, Era dos 71
tribos germânicas 68-9
Trilha das Lágrimas 264
Tríplice Aliança 273
Trótski, Leon 278-9
Tucídides 12
turcos seljúcidas 106-7, 139
Turquia, modernização da 203, 260-1
Tutmés III, faraó 38-9
Tyndale, William 162

U

Uhud, Batalha de 80
Úlfilas 66
Último Máximo Glacial 21, 26-9
União Europeia 323, 331, 333, 338
União Ibérica 199
União Soviética, dissolução da 268, **322-3**
Urbano II, papa 106-7
URSS *ver* União Soviética
US *Maddox* 313
Utrecht, Tratado de 189

V

Vale dos Reis 39
Vândalos 68-9
Vasari, Giorgio 155
Velho, Gonçalo 144
Vendée, levante em 212
Venezuela 75, 216, 219, 315
Vercingetórix 71
Versalhes, Tratado de 272, 275, **280**, 284-5, 288-9, 305
Vespúcio, Américo 144, 151
Vestfália, Paz de 166, 169
viagens de descoberta 75, 142-51
Victor Emmanuel II da Itália 228, 239
Viena, Cerco de 141, 199
vikings 69, 74, **94-5**, 147
Viracocha 116-7
visigodos 68-9, 88, 128

Vitige, rei dos godos 77
Vitória, rainha 233, 242
Voltaire 193-5

W

Wallenstein, Albrecht von 168
Wanli, imperador 126
Washington, George 207
Waterloo, Batalha de **214-5**
Watts, James 222-4
websites 328-9
Wellington, Arthur Wellesley, Duke of 215
White Mountain, Batalha de 168
Wilberforce, William 227
Wilhelm I, Kaiser 240
Wilhelm II, Kaiser 272-3
William I (o Conquistador) da Inglaterra 94
William III da Inglaterra 175
Wilson, Woodrow 280
Witte, Sergei 243
Wollstonecraft, Mary 192
Wu Sangui 186
Wu, imperador 12, 70
Wycliffe, John 160

X

Xerxes I da Pérsia 45
Ximenes, Francisco 162
xogunato **98-9**
Xogunato Tokugawa 99, 185, 252-3
Xuanzong, imperador 85

Y

Yarmuk, Batalha de 80
Yeltsin, Boris 323
Yi Sŏngyye 130
Yi, almirante 199
Yongle, imperador 122, 125
Yongzheng, imperador 187

Z

Zeno, imperador 76
Zheng He 125
Zhengtong, imperador 126
Zhu Xi 131
Zhu Yuanzhang *ver* Hongwu, imperador
Zi Ying, imperador 57
Zine el Abidine 321
Zwingli, Ulrich 161-2

ATRIBUIÇÕES DAS CITAÇÕES

AS ORIGENS HUMANAS

20-21 Yuval Noah Harari
22-27 J. M. Chauvet, E. B. Deschamps e C. Hillaire
28-29 Brian Fagan
30-31 Michael Balter

AS CIVILIZAÇÕES ANTIGAS

36-37 Hamurabi
38-39 Tratado de Paz Egito-Hitita (versão egípcia)
40-41 Sidarta Gautama, o Buda
42-43 Arthur J. Evans
44-45 Heródoto
46-51 Tucídides
52-53 Plutarco
54-57 Sima Qian
58-65 Marcus Junius Brutus, o Jovem
66-67 Visão do imperador Constantino
68-69 São Jerônimo

O MUNDO MEDIEVAL

76-77 Procópio
78-81 Maomé
82-83 Alcuin de York
84-85 Imperador Taizong
86-93 Said al-Andalusi
94-95 Alcuin de York
96-97 Dictatus Papae
98-99 Jien
100-01 Rei João da Inglaterra
102-03 Marco Polo
104-05 Marco Polo
106-07 Papa Urbano II
108-09 Papa Alexandre III
110-11 Chihab al-Umari
112-17 Frei Bernardino de Sahagún
118-19 Geoffrey, o Padeiro
120-27 Imperador Hongwu
128-29 Papa Calixto III
130-31 Rei Sejong, o Grande

O COMEÇO DA ERA MODERNA

138-41 Constantino XI, Paleólogo
142-47 Cristóvão Colombo
148-51 Tratado de Tordesilhas
152-55 Giorgio Vasari
156-57 Jean V. de Bueil
158-59 Cristóvão Colombo
160-63 Martinho Lutero
164-69 Hans Heberle
170-71 Frei Vicente de Salvador
172-73 William Bradford
174-75 Oliver Cromwell
176-79 Ottobah Cugoano
180-83 Joseph Peso de la Vega
184-85 Ieyasu Tokugawa
186-87 Provérbio chinês
188-89 Luís XIV
190 Sir Isaac Newton
191 Frederico, o Grande
192-95 Denis Diderot
196-97 Pedro, o Grande

SOCIEDADES EM TRANSFORMAÇÃO

204-07 A Declaração de Independência
208-13 François Alexandre Frédéric, duque de la Rochefoucauld-Liancourt
214-15 Napoleão Bonaparte
216-19 Dom Pedro I
220-25 John Ruskin
226-27 William Wilberforce
228-29 Alexis de Tocqueville
230-35 Ferdinand de Lesseps
236-37 Charles Darwin
238-41 Giuseppe Garibaldi
242 Katherine Mary Bartrum
243 Alexandre II
244-47 Abraham Lincoln
248-49 John L. O'Sullivan
250-51 Israel Zangwill
252-53 Slogan nacional do Japão da Era Meiji
254-55 Hong Xiuquan
256-57 Gustave Eiffel
258-59 Cecil Rhodes
260-61 Kemal Atatürk
262-63 Slogan WSPU

O MUNDO MODERNO

270-75 Soldado alemão
276-79 Vladimir Lênin
280 Ferdinand Foch
281 Joseph Stálin
282-83 Herbert Hoover
284-85 Benito Mussolini
286-93 Adolf Hitler (1939)
294-95 Hermann Göring
296-97 Primeiro-tenente Kenneth Nessen, Força Aérea dos Estados Unidos
298-301 Jawaharlal Nehru
302-03 David Ben-Gurion
304-05 Mao Tsé-Tung
306-07 Kwame Nkrumah
308-09 Dean Rusk
310 Nikita Khrushchev
311 Martin Luther King Jr.
312-13 Lyndon B. Johnson
314-15 Fidel Castro
316-17 Famoso pôster de propaganda chinesa
318-21 Gamal Abdel Nasser
322-23 Daniel Johnson
324 Palavras num cartaz carregado por um manifestante americano
325 Nelson Mandela
326 Radovan Karadžić
327 George W. Bush
328-29 Tim Berners-Lee
330-33 Kofi Annan
334-39 Ban Ki-moon

AGRADECIMENTOS

A Dorling Kindersley gostaria de agradecer a Hannah Bowen, Polly Boyd, Diane Pengelly e Debra Wolter pela ajuda editorial; Stephen Bere e Ray Bryant pela ajuda no design; Alexandra Beeden pela revisão do texto; e Helen Peters pelo índice.

crédito das fotos
O editor gostaria de agradecer a todos a seguir por sua autorização para a reprodução de suas fotos:
(Abreviações: a-acima; b-abaixo; c-centro; l-limite; e-esquerda; d-direita; t-topo)

21 Science Photo Library: Javier Trueba / MSF (te). **25 Alamy Images:** Juan Carlos Muñoz (be). **Getty Images:** Robert Frerck (te). **27 Alamy Images:** Heritage Image Partnership Ltd (te). **Getty Images:** Imagno (be). **29 Getty Images:** Sovfoto (te). **37 Alamy Images:** INTERFOTO (te). **38 Dreamstime.com:** Siempreverde22 (bd). **41 Alamy Images:** Art Directors & TRIP / ArkReligion.com (be); imageBROKER / Olaf Krüger (td). **43 Bridgeman Images:** Archaeological Museum of Heraklion, Crete, Greece (td). **Corbis:** Gustavo Tomsich (be). **44 Bridgeman Images:** © National Museums of Scotland / Bridgeman Images (cd). **45 Corbis:** (be). **49 Corbis:** Atlantide Phototravel (te). **51 Alamy Images:** World History Archive (td). **52 Alamy Images:** World History Archive (cb). **53 Corbis:** Leemage (be). **55 akg-images:** Pictures From History (td). **56 Dreamstime.com:** Zhongchao Liu (be). **57 akg-images:** (bd). **61 Alamy Images:** World History Archive (td). **62 Alamy Images:** The Art Archive (be). **65 Alamy Images:** Lanmas (b). **66 Alamy Images:** Peter Horree (c). **69 TopFoto.co.uk:** World History Archive (bd). **77 Corbis:** Christel Gerstenberg (te). **79 Alamy Images:** Prisma Archivo (te). **80 Alamy Images:** Heritage Image Partnership Ltd (te). **83 Getty Images:** APIC (td). **85 Alamy Images:** Heritage Image Partnership Ltd (te). **89 Alamy Images:** Lebrecht Music and Arts Photo Library (be). **91 Alamy Images:** The Art Archive (td). **92 Bridgeman Images:** Topkapi Palace Museum, Istanbul, Turkey (t). **93 Bridgeman Images:** Bibliotheque Nationale, Paris, France / Archives Charmet (cb). **95 Alamy Images:** North Wind Picture Archives (be). **97 TopFoto.co.uk:** The Granger Collection (te). **98 Getty Images:** DEA / A. DAGLI ORTI (c). **99 Corbis:** The Print Collector (td). **100 Alamy Images:** PBL Collection (cd). **102 Bridgeman Images:** National Museum of Chinese History, Beijing / Ancient Art and Architecture Collection Ltd. (bd). **103 Alamy Images:** Pictorial Press Ltd (te). **105 Corbis:** Leemage (be). **106 Bridgeman Images:** Emile (1804-92) / Château de Versailles,

France / Bridgeman Images (c). **109 Art Collection 3**/Alamy/Latinstock. **111 Bridgeman Images:** Bibliotheque Nationale, Paris, France (bd). **115 Getty Images:** Dea Picture Library (bd). **119 Corbis:** Pascal Deloche / Godong (bd). **123 Alamy Images:** GL Archive (bd). **125 Bridgeman Images:** Pictures from History / Bridgeman Images (be). **126 Alamy Images:** Anton Hazewinkel (be). **Getty Images:** Universal History Archive (td). **129 Alamy Images:** Bildarchiv Monheim GmbH (cb). **130 Bridgeman Images:** Pictures from History / Bridgeman Images (cd). **131 Corbis:** Topic Photo Agency (te). **139 Alamy Images:** The Art Archive (td). **140 Alamy Images:** Sonia Halliday Photo Library (tc). **Getty Images:** Heritage Images (be). **141 Alamy Images:** Peter Eastland (te). **145 Getty Images:** Universal History Archive (be). **147 Corbis:** The Gallery Collection (td). **150 Alamy Images:** Lebrecht Music and Arts Photo Library (b). **151 Alamy Images:** The Art Archive (td). **153 Alamy Images:** ivgalis (bd). **154 Corbis:** Jim Zuckerman (td). **155 TopFoto.co.uk:** The Granger Collection (td). **157 Rex Shutterstock:** British Library / Robana (td). **161 Getty Images:** UniversalImagesGroup (bd). **162 Alamy Images:** INTERFOTO (be). **163 Alamy Images:** Adam Eastland (td). **166 akg-images:** (td). **168 akg-images:** (b). **171 DEA / G. DAGLI ORTI / Getty Images**. **173 Bridgeman Images:** Embleton, Ron / Private Collection / © Look and Learn (te). **175 Corbis:** Christie's Images (be). **177 The Art Archive:** F&A Archive (td). **178 The Art Archive:** Granger Collection (te). **181 Alamy Images:** North Wind Picture Archives (te). **182 Alamy Images:** FineArt (be). **185 Bridgeman Images:** Pictures from History / Bridgeman Images (te). **186 Corbis:** (c). **194 Alamy Images:** ITAR-TASS Photo Agency (te). **195 Alamy Images:** World History Archive (bd). **196 Bridgeman Images:** De Agostini Picture Library / G. Dagli Orti (cd). **197 Alamy Images:** Heritage Image Partnership Ltd (be). **206 Alamy Images:** PAINTING (t). **207 Corbis:** Christie's Images (be). **212 TopFoto.co.uk:** GL Archive (te). **213 Corbis:** Leemage (td). **215 Alamy Images:** Heritage Image Partnership Ltd (te). **217 Bridgeman Images:** Private Collection / Archives Charmet (td). **218 Alamy Images:** World History Archive (te). **219 Getty Images:** DEA / M. Seemuller (bd). **223 Getty Images:** Science & Society Picture Library (be). **224 Alamy Images:** Heritage Image Partnership Ltd (be). **Getty Images:** Print Collector (te). **225 Getty Images:** Stock Montage (te). **227 Bridgeman Images:** Wilberforce House, Hull City Museums and Art Galleries, UK (te). **228 akg-images:** (bc). **233 Alamy Images:** Everett Collection Historical (te). **234 Getty Images:** Popperfoto (be). **235 Getty Images:** Keystone-France (be). **237 Alamy Images:** World History Archive (be). **Getty Images:** Science & Society Picture Library (tc). **239 TopFoto.co.uk:** (be). **240 Alamy Images:** Peter Horree (td). **241 Alamy Images:** INTERFOTO (td). **Getty Images:** Imagno (be). **245 Corbis:** (tl, bl). **247 Corbis:** (be). **249 The Library of Congress, Washington DC:** (te). **251 Corbis:** AS400 DB (be). **253 Alamy Images:** Pictorial Press Ltd (be). **The Library of Congress, Washington DC:** (te). **255 Alamy Images:** liszt collection (te). **256 Getty Images:** Underwood Archives (bc). **257 Getty Images:** Science & Society Picture Library (te). **259 Alamy Images:** The Print Collector (be); Stock Montage, Inc. (td). **261 Bridgeman Images:** Pictures from History (be); Private Collection / Archives Charmet (tc). **263 Corbis:** Lebrecht Music & Arts / Lebrecht Music & Arts (be). **Getty Images:** Hulton Archive (te). **272 Alamy Images:** World History Archive (be). **Getty Images:** Fotosearch (td). **274 Alamy Images:** Heritage Image Partnership Ltd (te). **275 Getty Images:** IWM (bd). **277 Alamy Images:** David Cole (td). **278 TopFoto.co.uk:** ullsteinbild (be). **279 Corbis:** AS400 DB (te). **282 Getty Images:** Keystone-France (bd). **283 Getty Images:** National Archives (te). **285 Getty Images:** Imagno (td). **289 Getty Images:** Hugo Jaeger (te). **290 Getty Images:** William Vandivert (be). **292 Alamy Images:** Pictorial Press Ltd (te). **Corbis:** Bettmann (bd). **293 Alamy Images:** GL Archive (td); MPVHistory (te). **295 Getty Images:** Keystone (te). **296 Alamy Images:** Everett Collection Inc (bc). **297 Corbis:** AS400 DB (td). **299 Alamy Images:** Dinodia Photos (td). **300 Alamy Images:** World History Archive (be). **301 Getty Images:** Popperfoto (td). **303 Alamy Images:** LOOK Die Bildagentur der Fotografen GmbH (td). **Getty Images:** Horst Tappe (be). **305 Bridgeman Images:** Pictures from History (be). **Getty Images:** Universal History Archive (tc). **307 Corbis:** AS400 DB (be). **Getty Images:** Mark Kauffman (tc). **309 Getty Images:** Alfred Eisenstaedt (be); (c). **313 Naval History and Heritage Command:** NH 97908 (te). **315 Getty Images:** Miguel Vinas (te). **Reuters:** Prensa Latina (td). **317 Getty Images:** Apic (be); Photo 12 (te). **319 Getty Images:** Keystone-France (be). **320 Alamy Images:** Peter Jordan (te). **Getty Images:** Stringer (be). **323 Getty Images:** Gerard Malie (te). **329 Alamy Images:** WENN Ltd (te). **331 Alamy Images:** Stacy Walsh Rosenstock (td). **332 Getty Images:** Spencer Grant (td). **333 Press Association Images:** Dominic Lipinski (be). **336 Getty Images:** Art Rickerby (bd). **339 Getty Images:** alohaspirit (td)

Todas as outras imagens © Dorling Kindersley
Para mais informações, favor visitar:

www.dkimages.com

Conheça todos os títulos da série:

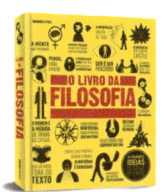

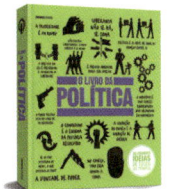

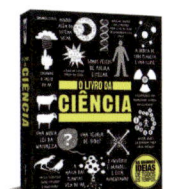

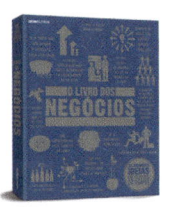

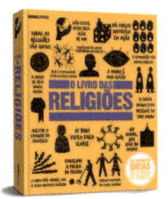

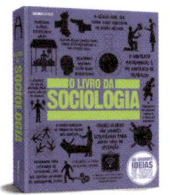

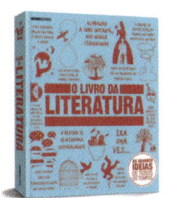

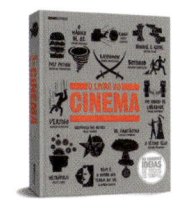

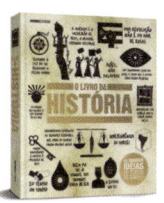

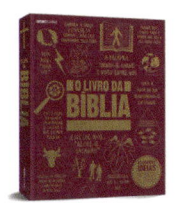

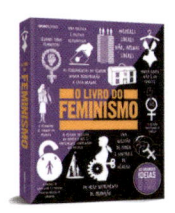

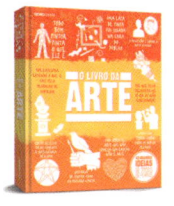

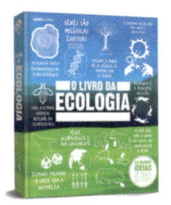

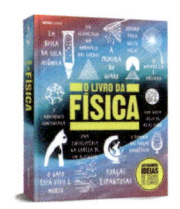

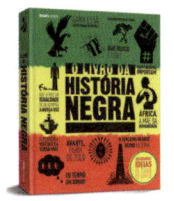

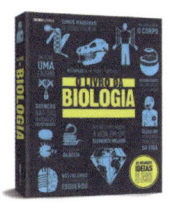

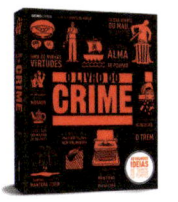

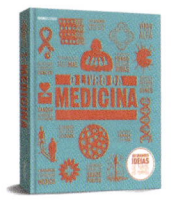

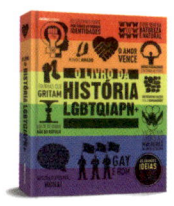

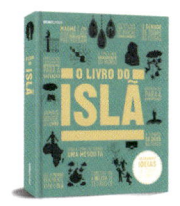

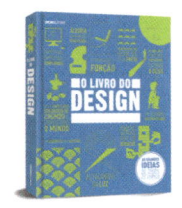

- O Livro da FILOSOFIA
- O Livro da PSICOLOGIA
- O Livro da ECONOMIA
- O Livro da POLÍTICA
- O Livro da CIÊNCIA
- O Livro dos NEGÓCIOS
- O Livro das RELIGIÕES
- O Livro da SOCIOLOGIA
- O Livro da LITERATURA
- O Livro do CINEMA
- O Livro da HISTÓRIA
- O Livro da MITOLOGIA
- O Livro da BÍBLIA
- O Livro do FEMINISMO
- O Livro da MÚSICA CLÁSSICA
- O Livro da ARTE
- O Livro da ECOLOGIA
- O Livro da MATEMÁTICA
- O Livro da FÍSICA
- O Livro da HISTÓRIA NEGRA
- O Livro da BIOLOGIA
- O Livro da QUÍMICA
- O Livro do DIREITO
- O Livro do CRIME
- O Livro da MEDICINA
- O Livro da HISTÓRIA LGBTQIAPN+
- O Livro do ISLÃ
- O Livro da SEGUNDA GUERRA MUNDIAL
- O Livro do DESIGN